풍산자 라이트유형

수학I

충실한 개념 정리와

차별화된 주제별 대표 유형 연습으로

실력을 올려주는

〈풍산자 라이트유형〉입니다.

이 세상의 이치는 수학 지식 없이 알아낼 수가 없다

- 로저 베이컨 -

대표 유형 중심의 실력을 높이는 **유형 연습서**

풍산자 라이트유형

학습에 효과적으로
적용할 수 있는
기본에 충실한 개념

선수 과목 개념을 제시하여
이해력을 높이는
친절하고 명쾌한 풀이

유형을 점검하고
실전 문제 해결력을 기르는
실력을 높이는 연습 문제

출제 빈도 높은 문제로
유형을 꿰뚫는
서술형과 기출 문제

기본 유형 연습과
유형의 접근 방법을 제시한
기본을 다지는 유형

교재 활용 로드맵

꼭 알아야 할 기본 유형과 발전 유형 제시
대표 유형과 그 풀이 및 접근 방법을 통해 유형에 대한 이해력 향상

최신 경향이 반영된 서술형과 기출 문제
내신과 학력평가를 완벽하게 대비할 수 있도록 엄선된 문제 구성

유형 학습을 마무리하는 실력 점검 문제
문제 적용력과 해결력을 기르는 문제로 유형 학습 마무리

풍산자
라이트 유형

수학I

구성과 특징

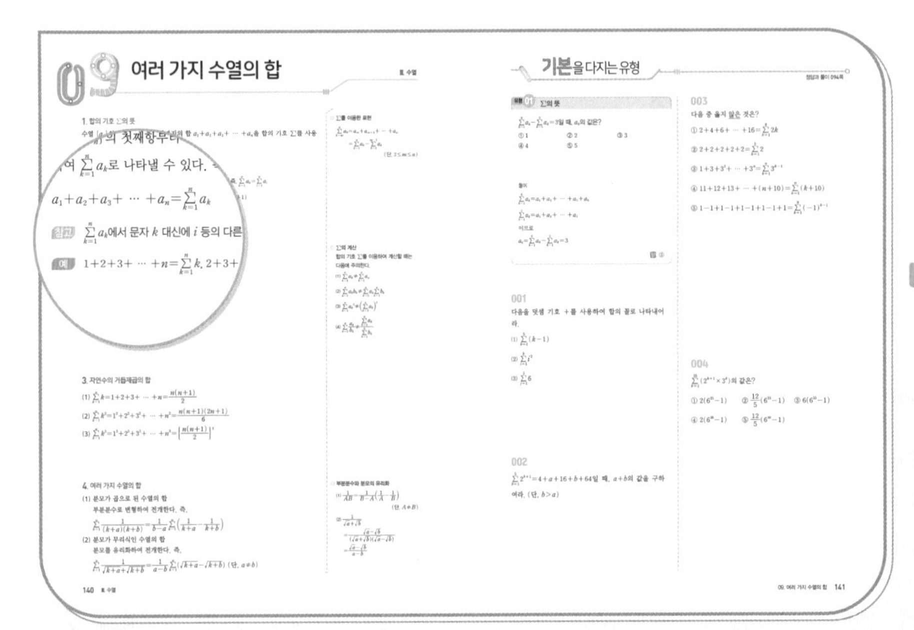

▶ 교과서와 기본에 충실한

개념 정리

- 간결하고 이해하기 쉽게 개념 정리
- 확실한 개념 이해를 위한 참고 와 예
- 배웠던 내용을 다시 보는 선수 과목 개념

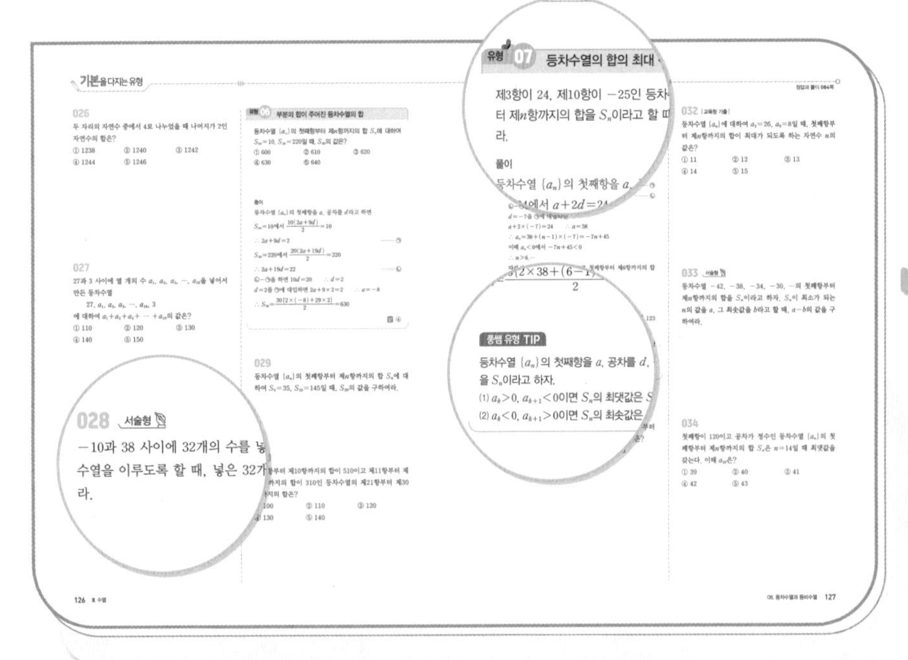

▶ 확실하게 점수를 올리는

유형 연습

- 반드시 알아야 할 기본 유형으로 구성
- 발전 유형의 접근 방법을 제시한 풍쌤 유형 TIP
- 실전에 대비할 수 있도록 철저하게 분석한 서술형 | 교육청 기출 |

실전 유형을 조금 더 쉽고 가볍게 익히자.
확실하게 개념을 잡고, 유형을 연습해서 실력을 올려요!

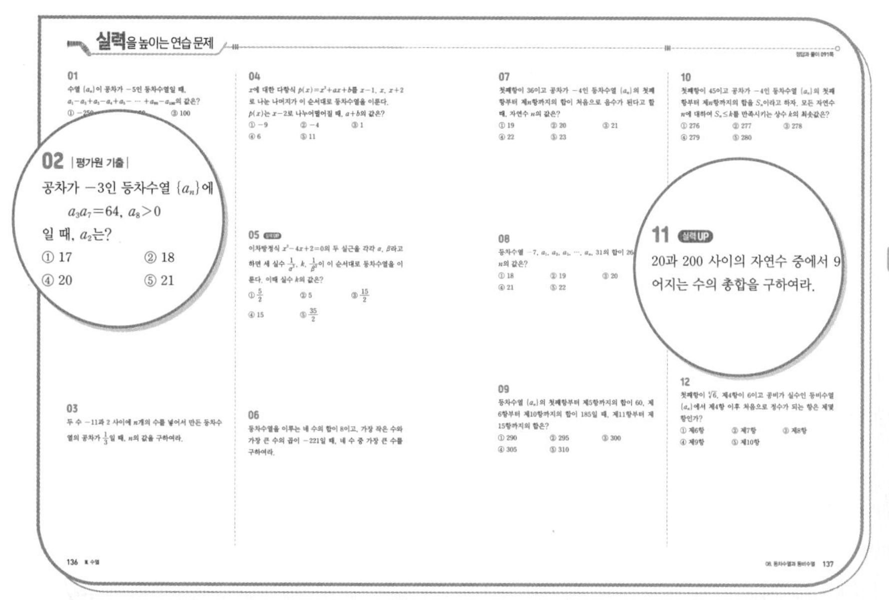

실력을 높이는 연습 문제

- 유형 학습에 맞는 엄선된 유형 점검 문제로 구성
- 기본 유형을 발전시킨 응용 문제 실력 UP
- 실전 문제 해결력을 기르는 기출 문제

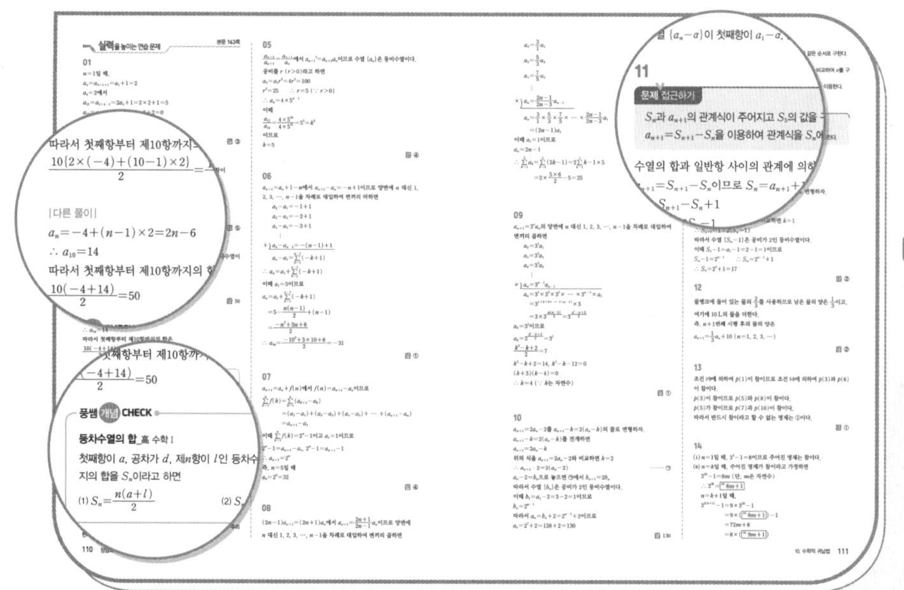

풀이 과정이 보이는 명쾌한 정답과 풀이

- 풍쌤 개념 CHECK로 자주 나오는 선수 개념 설명
- 문제의 해결력을 높이는 문제 접근하기
- 수학적 사고력을 키우는 | 다른 풀이 |

차례

Ⅰ. 지수함수와 로그함수

Ⅱ. 삼각함수

기본 유형의 집중 학습

풍산자 라이트유형

1 실력을 다지는 유형 집중 학습에 적합한 구성

- 개념을 바로 적용할 수 있는 연산 문제 및 기출 문제의 기본 유형 제시
- 기본 유형을 충분히 연습할 수 있도록 일반 유형서의 유형을 세분화

2 최신 경향 분석으로 내신과 학력평가 대비

- 내신과 학력 평가 등 최신 경향을 분석하여 출제 빈도 높은 문제들로 구성
- 출제 빈도 높은 서술형 문제 제시로 서술형 평가 대비에 적합
- 최신 기출 문제 연습으로 실전 감각을 키우고 자신감을 높임

3 중상위권 도약을 위한 최적의 유형 연습용 교재

- 깔끔하지만 부족함이 없는 개념 설명과 유형 연습에 적합한 세분화된 유형 분류
- 문제 출제 원리에 부합한 유형과 문제해결 TIP으로 문제 적용력과 해결력 강화

매일 매순간 나아가는 사람이
진정한 승자가 된다.

지수함수와 로그함수

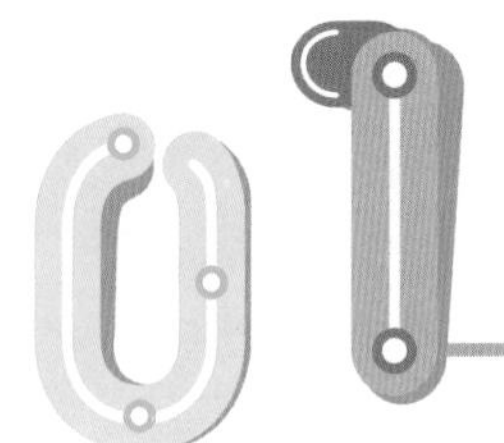

지수

1. 거듭제곱근

(1) 실수 a와 2 이상의 자연수 n에 대하여 n제곱하여 a가 되는 수, 즉 $x^n=a$를 만족시키는 x를 a의 n제곱근이라고 한다. 또, a의 제곱근, 세제곱근, 네제곱근, …을 통틀어 a의 거듭제곱근이라고 한다.

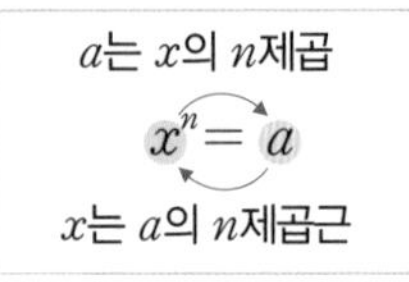

예 8은 2의 세제곱, 2는 8의 세제곱근

(2) 실수 a의 n제곱근 중 실수인 것은 다음과 같다. → 방정식 $x^n=a$의 실근

n \ a	$a>0$	$a=0$	$a<0$
n이 짝수일 때	$\sqrt[n]{a}$, $-\sqrt[n]{a}$	0	없다.
n이 홀수일 때	$\sqrt[n]{a}$	0	$\sqrt[n]{a}$

→ n이 홀수일 때, $\sqrt[n]{a}$의 부호는 a의 부호와 일치한다.

참고 $\sqrt[n]{a}$의 정의
(1) n이 짝수일 때: $\sqrt[n]{a}=$(a의 n제곱근 중 양수)
(2) n이 홀수일 때: $\sqrt[n]{a}=$(a의 n제곱근 중 실수)

2. 거듭제곱근의 성질

$a>0$, $b>0$이고 m, n이 2 이상인 자연수일 때

(1) $(\sqrt[n]{a})^n=a$
(2) $(\sqrt[n]{a})^m=\sqrt[n]{a^m}$
(3) $\sqrt[n]{a}\sqrt[n]{b}=\sqrt[n]{ab}$
(4) $\dfrac{\sqrt[n]{a}}{\sqrt[n]{b}}=\sqrt[n]{\dfrac{a}{b}}$
(5) $\sqrt[m]{\sqrt[n]{a}}=\sqrt[mn]{a}=\sqrt[n]{\sqrt[m]{a}}$
(6) $\sqrt[np]{a^{mp}}=\sqrt[n]{a^m}$ (단, p는 자연수이다.)

예 (1) $(\sqrt[3]{2})^3=2$
(2) $(\sqrt[3]{2})^2=\sqrt[3]{2^2}=\sqrt[3]{4}$
(3) $\sqrt[3]{2}\sqrt[3]{3}=\sqrt[3]{6}$
(4) $\dfrac{\sqrt[3]{2}}{\sqrt[3]{3}}=\sqrt[3]{\dfrac{2}{3}}$
(5) $\sqrt{\sqrt[3]{2}}=\sqrt[6]{2}=\sqrt[3]{\sqrt{2}}$
(6) $\sqrt[4]{2^6}=\sqrt{2^3}$

3. 지수의 확장

(1) 0 또는 음의 정수인 지수의 정의
$a\neq0$이고 n이 양의 정수일 때
① $a^0=1$
② $a^{-n}=\dfrac{1}{a^n}$

(2) 유리수인 지수의 정의
$a>0$이고 m, n ($n\geq2$)이 정수일 때
① $a^{\frac{1}{n}}=\sqrt[n]{a}$
② $a^{\frac{m}{n}}=\sqrt[n]{a^m}$

(3) 지수가 실수일 때의 지수법칙
$a>0$, $b>0$이고 m, n이 실수일 때
① $a^m a^n=a^{m+n}$
② $a^m\div a^n=a^{m-n}$
③ $(a^m)^n=a^{mn}$
④ $(ab)^n=a^n b^n$
⑤ $\left(\dfrac{a}{b}\right)^n=\dfrac{a^n}{b^n}$

거듭제곱
어떤 수 a를 여러 번 곱한 a, a^2, a^3, …을 통틀어 a의 거듭제곱이라고 하며 a^n에서 a를 거듭제곱의 밑, n을 지수라고 한다.

a^n ← 지수, ↑ 밑

a의 n제곱근, n제곱근 a
(1) a의 n제곱근: n제곱하여 a가 되는 수
(2) n제곱근 a: a의 n제곱근 중 a와 부호가 같은 실수이며, 1개이다.
➡ a의 n제곱근: $\sqrt[n]{a}$, $-\sqrt[n]{a}$
n제곱근 a: $\sqrt[n]{a}$

$\sqrt[2]{a}$는 2를 생략하여 간단히 $\sqrt{a}$로 나타낸다.
➡ $\sqrt[2]{a}=\sqrt{a}$

a^x에 대하여 지수법칙이 성립하기 위한 조건

지수 x	밑 a
자연수	$a\neq0$
정수	$a\neq0$
유리수	$a>0$
실수	$a>0$

정답과 풀이 002쪽

유형 01 거듭제곱근의 정의

$\sqrt{2}$의 네제곱을 a, -8의 세제곱근 중 실수인 것을 b라고 할 때, ab의 값은?

① -16 ② -8 ③ 1
④ 8 ⑤ 16

풀이

$\sqrt{2}$의 네제곱은 $(\sqrt{2})^4=4$이므로 $a=4$

-8의 세제곱근을 x라고 하면 $x^3=-8$

$x^3+8=0$, $(x+2)(x^2-2x+4)=0$

$\therefore x=-2$ 또는 $x=1\pm\sqrt{3}i$

따라서 -8의 세제곱근 중 실수인 것은 -2이므로 $b=-2$

$\therefore ab=4\times(-2)=-8$

답 ②

001

다음 거듭제곱근을 구하여라.

(1) 27의 세제곱근

(2) -27의 세제곱근

(3) 16의 네제곱근

(4) 4의 네제곱근

002

다음 거듭제곱근을 구하고, 그중에서 실수인 것을 구하여라.

(1) 8의 제곱근

(2) -64의 세제곱근

(3) 1의 세제곱근

(4) 25의 네제곱근

003

-12의 세제곱근 중 실수인 것의 개수를 m, 15의 네제곱근 중 실수인 것의 개수를 n이라고 할 때, $m+n$의 값은?

① 1 ② 2 ③ 3
④ 4 ⑤ 5

004 서술형

다음 |보기| 중 양수인 것의 개수를 a, 음수인 것의 개수를 b라고 할 때, $b-a$의 값을 구하여라.

보기		
ㄱ. $-\sqrt{5}$	ㄴ. $\sqrt{-5}$	ㄷ. $-\sqrt[3]{5}$
ㄹ. $\sqrt[3]{-5}$	ㅁ. $-\sqrt[3]{-5}$	ㅂ. $\sqrt[4]{5}$
ㅅ. $-\sqrt[4]{5}$	ㅇ. $\sqrt[4]{-5}$	ㅈ. $-\sqrt[4]{-5}$

005 |교육청 기출|

자연수 n $(n\geq 2)$에 대하여 실수 a의 n제곱근 중에서 실수인 것의 개수를 $f_n(a)$라고 할 때,
$f_2(-3)+f_3(-2)+f_4(5)$의 값은?

① 1 ② 2 ③ 3
④ 4 ⑤ 5

유형 02 거듭제곱근의 계산

$\sqrt[6]{\dfrac{27^{10}+9^{10}}{9^4+27^6}}$을 간단히 하면?

① $\dfrac{1}{3}$ ② 1 ③ 3
④ 9 ⑤ 27

풀이

$\sqrt[6]{\dfrac{27^{10}+9^{10}}{9^4+27^6}}=\sqrt[6]{\dfrac{(3^3)^{10}+(3^2)^{10}}{(3^2)^4+(3^3)^6}}=\sqrt[6]{\dfrac{3^{30}+3^{20}}{3^8+3^{18}}}$

$=\sqrt[6]{\dfrac{3^{20}(3^{10}+1)}{3^8(1+3^{10})}}=\sqrt[6]{3^{12}}$

$=3^2=9$

답 ④

006

다음을 간단히 하여라.

(1) $\sqrt[4]{2}\times\sqrt[4]{8}$ (2) $\sqrt[3]{\dfrac{1}{81}}\times\sqrt[3]{\dfrac{1}{9}}$

(3) $\dfrac{\sqrt[3]{64}}{\sqrt[3]{8}}$ (4) $\dfrac{\sqrt[4]{2}}{\sqrt[4]{162}}$

007

다음을 간단히 하여라.

(1) $(\sqrt[4]{9})^2$ (2) $\sqrt{\sqrt[4]{256}}$

(3) $\sqrt[6]{\left(\dfrac{1}{9}\right)^9}$ (4) $\sqrt[5]{8}\times\sqrt[10]{16}$

008

등식 $\sqrt[4]{48}+\sqrt[4]{243}-\sqrt[4]{3}=a\times\sqrt[4]{3}$을 만족시키는 상수 a의 값을 구하여라.

009

$(\sqrt[3]{2\times\sqrt[4]{6}})^4$보다 작은 자연수 중 가장 큰 것은?

① 2 ② 3 ③ 4
④ 5 ⑤ 6

010

양의 실수 a에 대하여 $\sqrt{\dfrac{\sqrt[5]{a^4}}{\sqrt{a}}}\times\sqrt[4]{\dfrac{\sqrt{a^2}}{\sqrt[5]{a^6}}}=\sqrt[10]{a^n}$이 성립할 때, 자연수 n의 값은?

① 1 ② 2 ③ 3
④ 4 ⑤ 5

유형 03 거듭제곱근의 대소 비교

세 수 $A=\sqrt{2}$, $B=\sqrt[5]{9}$, $C=\sqrt[10]{35}$의 대소 관계를 바르게 나타낸 것은?

① $A<B<C$　② $A<C<B$
③ $B<A<C$　④ $C<A<B$
⑤ $C<B<A$

풀이

근호 앞의 수 2, 5, 10을 최소공배수인 10으로 통일한 후 대소 관계를 판정한다.

$A=\sqrt{2}=\sqrt[10]{2^5}=\sqrt[10]{32}$

$B=\sqrt[5]{9}=\sqrt[10]{9^2}=\sqrt[10]{81}$

$C=\sqrt[10]{35}$

따라서 $\sqrt[10]{32}<\sqrt[10]{35}<\sqrt[10]{81}$이므로

$A<C<B$

답 ②

011

세 수 $\sqrt{\sqrt[3]{25}}$, $\sqrt[6]{10}$, $\sqrt[3]{2\sqrt{7}}$ 중에서 가장 큰 수를 M, 가장 작은 수를 m이라고 할 때, M^6-m^6의 값을 구하여라.

012

세 수 $A=\sqrt{2}+\sqrt[3]{5}$, $B=\sqrt[4]{2}+\sqrt[4]{3}$, $C=\sqrt[4]{3}+\sqrt[3]{5}$의 대소 관계를 바르게 나타낸 것은?

① $A<B<C$　② $A<C<B$　③ $B<A<C$
④ $B<C<A$　⑤ $C<A<B$

유형 04 지수의 확장

등식 $(a^{\sqrt{3}})^{2\sqrt{2}}\div a^{3\sqrt{6}}\times(\sqrt{a})^{6\sqrt{6}}=a^k$을 만족시키는 실수 k에 대하여 k^2의 값을 구하여라. (단, $a>0$)

풀이

$(a^{\sqrt{3}})^{2\sqrt{2}}\div a^{3\sqrt{6}}\times(\sqrt{a})^{6\sqrt{6}}$

$=a^{2\sqrt{6}}\div a^{3\sqrt{6}}\times(a^{\frac{1}{2}})^{6\sqrt{6}}$

$=a^{2\sqrt{6}}\div a^{3\sqrt{6}}\times a^{3\sqrt{6}}$

$=a^{2\sqrt{6}-3\sqrt{6}+3\sqrt{6}}$

$=a^{2\sqrt{6}}=a^k$

따라서 $k=2\sqrt{6}$이므로 $k^2=(2\sqrt{6})^2=24$

답 24

013

다음을 간단히 하여라. (단, $a>0$)

(1) 4^{-2}　(2) $\left(-\frac{1}{5}\right)^0$

(3) $(a^3\div a^4)^{-3}$　(4) $(a^{-1})^2\div(a^2)^{-4}\times a^{-3}$

014

다음을 간단히 하여라.

(1) $(3^{-2})^{-2}\div 3^6\times 3^{-1}$

(2) $\left(\frac{8}{3}\right)^{\frac{1}{3}}\times\left\{\left(\frac{64}{81}\right)^{-\frac{1}{2}}\right\}^{\frac{2}{3}}$

(3) $\left(\frac{2^{\sqrt{7}}}{8}\right)^{\sqrt{7}+3}$

015

$9\times4^{-\frac{1}{6}}\times(3^{\sqrt{2}}\times2^{\frac{2\sqrt{2}}{3}})^{-\frac{\sqrt{2}}{2}}$을 간단히 하여라.

016

$12^{\frac{2}{3}}\div18^{-\frac{1}{2}}\times8^{\frac{8}{9}}=2^{\alpha}\times3^{\beta}$일 때, 유리수 α, β에 대하여 $\alpha\beta$의 값을 구하여라.

017

다음 |보기| 중 옳은 것만을 있는 대로 고른 것은?

| 보기 |

ㄱ. $36^{-0.25}=\frac{1}{\sqrt{6}}$

ㄴ. $\left(\frac{9^{\sqrt{2}}}{27}\right)^{2\sqrt{2}+3}=\frac{1}{3}$

ㄷ. $(\sqrt{5})^{5\sqrt{5}}=(5\sqrt{5})^{\sqrt{5}}$

① ㄱ ② ㄴ ③ ㄱ, ㄴ
④ ㄴ, ㄷ ⑤ ㄱ, ㄴ, ㄷ

018

$\frac{27^{10}}{27^{10}-27^{-10}}+\frac{9^{-15}}{9^{-15}-9^{15}}$을 간단히 하면?

① $-3^{60}-1$ ② $-3^{60}+1$
③ 1 ④ $3^{60}-1$
⑤ $3^{60}+1$

019

$f(x)=\frac{1+x+x^2+x^3+x^4+x^5}{x^{-2}+x^{-3}+x^{-4}+x^{-5}+x^{-6}+x^{-7}}$일 때, $f(\sqrt{2})$의 값은?

① 4 ② $4\sqrt{2}$ ③ 8
④ $8\sqrt{2}$ ⑤ 16

020 서술형

$\left(\frac{1}{512}\right)^{\frac{1}{n}}$이 자연수가 되도록 하는 정수 n의 개수를 구하여라.

유형 05 거듭제곱근을 유리수인 지수로 나타내기

$a>0$, $a\neq1$이고 $\sqrt[3]{a\sqrt{a^5}}=\sqrt{a\times\sqrt[4]{a^k}}$일 때, 상수 k의 값은?

① $\frac{14}{3}$ ② 5 ③ $\frac{16}{3}$
④ $\frac{17}{3}$ ⑤ 6

풀이

$\sqrt[3]{a\sqrt{a^5}}=\sqrt[3]{a}\times\sqrt[3]{\sqrt{a^5}}=\sqrt[3]{a}\times\sqrt[6]{a^5}=a^{\frac{1}{3}}\times a^{\frac{5}{6}}=a^{\frac{1}{3}+\frac{5}{6}}=a^{\frac{7}{6}}$,

$\sqrt{a\times\sqrt[4]{a^k}}=\sqrt{a}\times\sqrt{\sqrt[4]{a^k}}=\sqrt{a}\times\sqrt[8]{a^k}=a^{\frac{1}{2}}\times a^{\frac{k}{8}}=a^{\frac{4+k}{8}}$

이므로

$a^{\frac{7}{6}}=a^{\frac{4+k}{8}}$, $\frac{7}{6}=\frac{4+k}{8}$

$28=3(4+k)$, $3k=16$

$\therefore k=\frac{16}{3}$

답 ③

021

$\sqrt{\sqrt[4]{a}}\times\sqrt{a\times\sqrt[3]{a\sqrt{a}}}$ 를 간단히 하면? (단, $a>0$)

① $a^{\frac{1}{2}}$ ② $a^{\frac{5}{8}}$ ③ $a^{\frac{3}{4}}$
④ $a^{\frac{7}{8}}$ ⑤ a

022

$a>0$일 때, $\sqrt[4]{a\sqrt{a^k}}=\left(\frac{1}{a}\right)^{\frac{5}{3}}$을 만족시키는 유리수 k의 값은?

① $-\frac{46}{3}$ ② $-\frac{23}{3}$ ③ -1
④ $\frac{23}{3}$ ⑤ $\frac{46}{3}$

023

$\frac{\sqrt{4\sqrt{2\times\sqrt[3]{3}}}}{\sqrt[12]{12}}=\sqrt[12]{a}$를 만족시키는 양수 a의 값은?

① 2^{11} ② 2^{12} ③ 2^{13}
④ $2^{12}\times3$ ⑤ $2^{12}\times3^2$

024

$\sqrt[8]{3^n}$이 자연수가 되도록 하는 200 이하의 정수 n의 개수를 구하여라.

025

$A=\sqrt[4]{\sqrt[3]{32}}\times\sqrt[6]{4}$에 대하여 A^n이 정수가 되도록 하는 자연수 n의 최솟값은?

① 2 ② 4 ③ 6
④ 8 ⑤ 10

유형 06 유리수인 지수로 나타내기

$a=4^3$, $b=9^5$일 때, 6^{30}을 a, b에 대한 식으로 나타내면?

① a^3b^3　② a^4b^3　③ a^5b^3　④ a^4b^4　⑤ a^5b^4

풀이

$4^3=a$에서 $2^6=a$이므로 $2=a^{\frac{1}{6}}$

$9^5=b$에서 $3^{10}=b$이므로 $3=b^{\frac{1}{10}}$

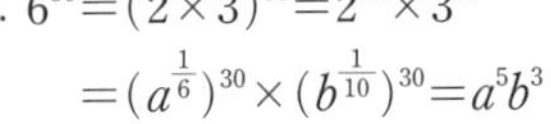

$\therefore 6^{30}=(2\times3)^{30}=2^{30}\times3^{30}$

$=(a^{\frac{1}{6}})^{30}\times(b^{\frac{1}{10}})^{30}=a^5b^3$

답 ③

026

$a=2^{\frac{1}{2}}$, $b=3^{\frac{2}{3}}$일 때, $a^mb^n=648$을 만족시키는 두 자연수 m, n에 대하여 $m+n$의 값은?

① 11　② 12　③ 13　④ 14　⑤ 15

027

$a^2=\sqrt[4]{3}$, $b^3=\sqrt[3]{4}$일 때, $(ab)^9$의 값은?

① $3\times4^{\frac{9}{8}}$　② $3^{\frac{1}{8}}\times4^{\frac{1}{8}}$　③ $3^{\frac{1}{8}}\times4^{\frac{9}{8}}$　④ $3^{\frac{9}{8}}\times4$　⑤ $3^{\frac{9}{8}}\times4^{\frac{9}{8}}$

028

$28^a=81$, $28^b=9$를 만족시키는 두 실수 a, b에 대하여 $9^{\frac{1}{a-b}}$의 값은?

① 28　② 14　③ 1　④ $\frac{1}{14}$　⑤ $\frac{1}{28}$

029 | 교육청 기출 |

두 실수 a, b가 $3^{a-1}=2$, $6^{2b}=5$를 만족시킬 때, $5^{\frac{1}{ab}}$의 값을 구하여라.

030

두 실수 x, y에 대하여 $31^x=8$, $496^y=32$일 때, $\frac{5}{y}-\frac{3}{x}$의 값은?

① 2　② 3　③ 4　④ 5　⑤ 6

유형 07 지수법칙과 곱셈 공식

$(1-4^{\frac{1}{4}})(1+4^{\frac{1}{4}})(1+4^{\frac{1}{2}})(1+4)$를 간단히 하면?

① -255 ② -15 ③ 1
④ 15 ⑤ 255

풀이

두 항씩 묶어 $(a+b)(a-b)=a^2-b^2$을 연쇄적으로 적용하면

$(1-4^{\frac{1}{4}})(1+4^{\frac{1}{4}})(1+4^{\frac{1}{2}})(1+4)$

$=(1-4^{\frac{1}{2}})(1+4^{\frac{1}{2}})(1+4)$

$=(1-4)(1+4)$

$=1^2-4^2=-15$

답 ②

031

$(7^{\frac{1}{2}}+3^{\frac{1}{2}})^2+(7^{\frac{1}{2}}-3^{\frac{1}{2}})^2$을 간단히 하면?

① 14 ② 16 ③ 18
④ 20 ⑤ 22

032

$(2^{\frac{1}{3}}+3^{\frac{1}{3}})(4^{\frac{1}{3}}-2^{\frac{1}{3}}3^{\frac{1}{3}}+9^{\frac{1}{3}})$을 간단히 하여라.

033

$\dfrac{2}{1-5^{\frac{1}{8}}}+\dfrac{2}{1+5^{\frac{1}{8}}}+\dfrac{4}{1+5^{\frac{1}{4}}}+\dfrac{8}{1+5^{\frac{1}{2}}}$을 간단히 하면?

① -5 ② -4 ③ -3
④ -2 ⑤ -1

034

$\{4^{\sqrt{3}}+(\sqrt{2})^{\sqrt{3}}\}\{4^{\sqrt{3}}-(\sqrt{2})^{\sqrt{3}}\}$을 간단히 하면?

① $2^{\sqrt{3}}(2^{\sqrt{3}}-1)$ ② $2^{\sqrt{3}}(2^{\sqrt{3}}+1)$
③ $2^{\sqrt{3}}(2^{3\sqrt{3}}-1)$ ④ $2^{\sqrt{3}}(2^{3\sqrt{3}}+1)$
⑤ $2^{3\sqrt{3}}$

035 서술형

$x=\sqrt{5}-2$일 때, $(x^{\frac{2}{3}}+x^{-\frac{1}{3}})^3-(x^{\frac{2}{3}}-x^{-\frac{1}{3}})^3$의 값을 구하여라.

유형 08 x^n+x^{-n} 꼴의 식의 값

$a^{\frac{1}{2}}+a^{-\frac{1}{2}}=4$일 때, a^2+a^{-2}의 값은? (단, $a>0$)

① 186 ② 188 ③ 190
④ 192 ⑤ 194

풀이

$a^{\frac{1}{2}}+a^{-\frac{1}{2}}=4$의 양변을 제곱하면

$a+2+a^{-1}=16$ $\therefore a+a^{-1}=14$

$a+a^{-1}=14$의 양변을 제곱하면

$a^2+2+a^{-2}=196$ $\therefore a^2+a^{-2}=194$

답 ⑤

036

$a^{\frac{1}{2}}-a^{-\frac{1}{2}}=2$일 때, $\dfrac{a^2+a^{-2}-4}{a+a^{-1}-1}$의 값은? (단, $a>0$)

① 2 ② 3 ③ 4
④ 5 ⑤ 6

037

$2^x+2^{-x}=3$일 때, $\dfrac{2^{2x}+2^{-2x}}{2^{3x}+2^{-3x}}$의 값은?

① $\dfrac{1}{18}$ ② $\dfrac{7}{18}$ ③ $\dfrac{17}{18}$
④ $\dfrac{9}{7}$ ⑤ $\dfrac{18}{7}$

038

$a^{\frac{1}{3}}+a^{-\frac{1}{3}}=\sqrt{6}$일 때, $\dfrac{a-a^{-1}}{a+a^{-1}}$의 값은? (단, $a>1$)

① $\dfrac{\sqrt{3}}{3}$ ② $\dfrac{4\sqrt{3}}{9}$ ③ $\dfrac{5\sqrt{3}}{9}$
④ $\dfrac{2\sqrt{3}}{3}$ ⑤ $\dfrac{7\sqrt{3}}{9}$

039

$x=3^{\frac{1}{3}}-3^{-\frac{1}{3}}$일 때, $3x^3+9x$의 값은?

① 8 ② 16 ③ 24
④ 32 ⑤ 40

040

$x^2+x^{-2}=7$일 때, $\dfrac{x+x^{-1}}{x^{\frac{1}{2}}-x^{-\frac{1}{2}}}$의 값을 구하여라.

(단, $x>1$)

유형 09 $\frac{a^x-a^{-x}}{a^x+a^{-x}}$ 꼴의 식의 값

$\frac{a^x+1}{a^{-x}+1}=3$일 때, $\frac{a^{2x}+a^{-x}}{a^{2x}-a^{-x}}$의 값을 구하여라. (단, $a>0$)

풀이

$\frac{a^x+1}{a^{-x}+1}=\frac{a^x(a^x+1)}{a^x(a^{-x}+1)}=\frac{a^x(a^x+1)}{1+a^x}=a^x$

$\therefore a^x=3$

$\therefore \frac{a^{2x}+a^{-x}}{a^{2x}-a^{-x}}=\frac{(a^x)^2+(a^x)^{-1}}{(a^x)^2-(a^x)^{-1}}$

$=\frac{3^2+\frac{1}{3}}{3^2-\frac{1}{3}}=\frac{\frac{28}{3}}{\frac{26}{3}}=\frac{14}{13}$

답 $\frac{14}{13}$

풍쌤 유형 TIP

$\frac{a^x-a^{-x}}{a^x+a^{-x}}$ 꼴의 식은 분모와 분자에 a^x을 곱하여 정리한다. 즉,

$\frac{a^x(a^x-a^{-x})}{a^x(a^x+a^{-x})}=\frac{a^{2x}-1}{a^{2x}+1}$

과 같이 정리할 수 있다.

041

$a^{2x}=2$일 때, $\frac{a^{3x}-a^{-3x}}{a^x-a^{-x}}$의 값은? (단, $a>0$)

① 3 ② $\frac{7}{2}$ ③ 4 ④ $\frac{9}{2}$ ⑤ 5

042

$4^x=3$일 때, $\frac{2^x+2^{-x}}{8^x+8^{-x}}$의 값을 구하여라.

043 서술형

$(\sqrt{3})^{\frac{1}{x}}=a$일 때, $\frac{a^x+a^{-x}}{a^x-a^{-x}}$의 값을 구하여라. (단, $a>0$)

044

$a^{-2x}=3$일 때, $\frac{a^{3x}-a^{-3x}}{a^{3x}+a^{-3x}}$의 값은? (단, $a>0$)

① $\frac{14}{13}$ ② 1 ③ $\frac{13}{14}$ ④ $-\frac{13}{14}$ ⑤ $-\frac{14}{13}$

045

$\frac{a^x-2a^{-x}}{a^x+a^{-x}}=\frac{1}{4}$일 때, $a^{2x}+a^{-2x}$의 값은? (단, $a>0$)

① $\frac{8}{3}$ ② 3 ③ $\frac{10}{3}$ ④ $\frac{11}{3}$ ⑤ 4

실력을 높이는 연습 문제

01 | 평가원 기출 |

자연수 n에 대하여 $2\le n\le 11$일 때, $-n^2+9n-18$의 n제곱근 중에서 음의 실수가 존재하도록 하는 모든 n의 값의 합은?

① 31　② 33　③ 35
④ 37　⑤ 39

02

$a>0$, $b>0$일 때, $\sqrt[3]{ab^2}\times\sqrt{a^2b}\div\sqrt[4]{b^2}$을 간단히 하면?

① 1　② $\sqrt{a^2b}$　③ $\sqrt[3]{a^4b^2}$
④ $\sqrt[6]{a^2b}$　⑤ $\sqrt[12]{a^5b^3}$

03

$\sqrt[6]{\dfrac{\sqrt[12]{16}}{\sqrt[6]{64}}}=\sqrt[18]{2^k}$을 만족시키는 상수 k의 값은?

① -2　② -1　③ 1
④ 2　⑤ 3

04

두 양수 a, b에 대하여 연산 $*$을

$$a*b=\begin{cases} a^b & (a>b) \\ b^a & (a\le b) \end{cases}$$

이라고 정의할 때, $(3*\sqrt[3]{36})*2^{-\frac{1}{2}}$의 값은?

① $\sqrt{6}$　② 6　③ $6^{\sqrt{2}}$
④ 36　⑤ 216

05 실력 UP

$64^{\frac{1}{7}}$의 세제곱근 중 실수인 것을 x라고 하자. x^n이 1000 이하의 자연수가 되도록 하는 자연수 n의 개수는?

① 1　② 2　③ 3
④ 4　⑤ 5

06 | 교육청 기출 |

두 실수 a, b에 대하여 $2^a=3$, $6^b=5$일 때, 2^{ab+a+b}의 값은?

① 15　② 18　③ 21
④ 24　⑤ 27

07

두 양수 a, b에 대하여 $a^6=4$, $b^{12}=8$일 때, $(\sqrt[11]{a^2b})^n$이 자연수가 되도록 하는 100 이하의 자연수 n의 개수는?

① 4 ② 5 ③ 6
④ 7 ⑤ 8

08

$(\sqrt[3]{15}+\sqrt[3]{7})(\sqrt[3]{225}-\sqrt[3]{105}+\sqrt[3]{49})$를 간단히 하면?

① 7 ② 12 ③ 17
④ 22 ⑤ 27

09

$\sqrt[3]{x}+\frac{1}{\sqrt[3]{x}}=3$일 때, $\sqrt[3]{x^4}-\frac{1}{\sqrt[3]{x^4}}$의 값을 구하여라.

(단, $x>1$)

10

이차방정식 $x^2+ax+10=0$의 서로 다른 두 실근을 α, β라고 할 때, $\frac{\alpha^{-2}-\beta^{-2}}{\alpha^{-1}-\beta^{-1}}=\frac{2}{5}$이다. 이때 상수 a의 값은?

① 8 ② 4 ③ 0
④ -4 ⑤ -8

11 실력 UP

$f(x)=\frac{3^x-3^{-x}}{3^x+3^{-x}}$에 대하여 $f(2\alpha)=\frac{3}{5}$, $f(2\beta)=\frac{4}{5}$일 때, $f(\alpha+\beta)$의 값을 구하여라.

12 실력 UP

일정한 비율로 붕괴되는 어떤 방사능 물질의 처음 양을 m_0, t년 후의 양을 m_t라고 하면

$m_t=m_0\times a^{-t}$ $(a>0)$

인 관계가 성립한다. 4년 후 이 방사능 물질의 양이 처음 양의 $\frac{1}{4}$이 된다고 하면 10년 후의 이 방사능 물질의 양은 km_0이다. 이때 실수 k의 값은?

① $\frac{1}{8}$ ② $\frac{1}{16}$ ③ $\frac{1}{32}$
④ $\frac{1}{64}$ ⑤ $\frac{1}{128}$

로그

1. 로그

$a>0$, $a\neq 1$, $b>0$일 때, $a^x=b$를 만족시키는 실수 x를 a를 밑으로 하는 b의 로그라 하고, 기호 $x=\log_a b$와 같이 나타낸다.
이때 b를 $\log_a b$의 진수라고 한다. 즉,

$$a^x=b \Longleftrightarrow x=\log_a b$$

$x=\log_a b$ ← 진수
↑
밑

○ **밑, 진수의 조건**
로그 $\log_a b$에 대하여
(1) 밑의 조건: $a>0$, $a\neq 1$
(2) 진수의 조건: $b>0$

2. 로그의 성질

$a>0$, $a\neq 1$, $M>0$, $N>0$일 때

(1) $\log_a 1=0$, $\log_a a=1$

(2) $\log_a MN=\log_a M+\log_a N$

(3) $\log_a \dfrac{M}{N}=\log_a M-\log_a N$

(4) $\log_a N^k=k\log_a N$ (단, k는 실수이다.)

○ $\log_a \dfrac{1}{N}=-\log_a N$
$\log_a a^k=k$

3. 로그의 밑의 변환

$a>0$, $a\neq 1$, $b>0$, $c>0$, $c\neq 1$일 때

(1) $\log_a b=\dfrac{\log_c b}{\log_c a}$

(2) $\log_a b=\dfrac{1}{\log_b a}$ (단, $b\neq 1$)

예 (1) $\log_2 3=\dfrac{\log_5 3}{\log_5 2}$ (2) $\log_2 3=\dfrac{1}{\log_3 2}$

○ $\log_a b\times\log_b a=1$
$\log_a b\times\log_b c\times\log_c a=1$

4. 로그의 여러 가지 성질

$a>0$, $a\neq 1$, $b>0$이고 m, n은 실수일 때

(1) $\log_{a^m} b^n=\dfrac{n}{m}\log_a b$ (단, $m\neq 0$)

(2) $a^{\log_c b}=b^{\log_c a}$ (단, $c>0$, $c\neq 1$)

(3) $a^{\log_a b}=b$

예 (1) $\log_4 27=\log_{2^2} 3^3=\dfrac{3}{2}\log_2 3$
(2) $2^{\log_3 5}=5^{\log_3 2}$ (3) $2^{\log_2 3}=3$

5. 상용로그

(1) 상용로그
양수 N에 대하여 10을 밑으로 하는 로그 $\log_{10} N$을 상용로그라 하고, 보통 로그의 밑 10을 생략하여 $\log N$과 같이 나타낸다.

(2) 상용로그표
0.01의 간격으로 1.00에서 9.99까지의 수에 대한 상용로그의 값을 반올림하여 소수점 아래 넷째 자리까지 나타낸 표를 상용로그표라고 한다.

예 log 2.42의 값을 구할 때, 2.4의 행과 2의 열이 만나는 곳의 수를 찾는다. 즉, log 2.42=0.3838이다.

수	0	1	2	…	9
⋮	⋮	⋮	⋮	…	⋮
2.3	.3617	.3636	.3655	…	.3784
2.4	.3802	.3820	.3838	…	.3962
2.5	.3979	.3997	.4014	…	.4133
⋮	⋮	⋮	⋮	…	⋮

참고 .3838은 0.3838을 의미한다.

○ **상용로그의 정수 부분과 소수 부분**
임의의 양수 N에 대하여 상용로그 $\log N$을
$\log N=n+\alpha$ (n은 정수, $0\le\alpha<1$)
와 같이 나타낼 때, $\log N$의 정수 부분은 n, 소수 부분은 α이다.

○ 상용로그표에 있는 상용로그의 값은 어림한 값이지만 편의상 등호를 사용하여 나타낸다.

유형 01 로그의 정의

$\log_3 x=-2$, $\log_3 y=\frac{1}{2}$일 때, y^x의 값은?

① $3^{\frac{1}{3}}$ ② $3^{\frac{1}{6}}$ ③ $3^{\frac{1}{9}}$
④ $3^{\frac{1}{18}}$ ⑤ $3^{\frac{1}{21}}$

풀이

$\log_3 x=-2$에서 $x=3^{-2}=\frac{1}{9}$

$\log_3 y=\frac{1}{2}$에서 $y=3^{\frac{1}{2}}$

$\therefore y^x=(3^{\frac{1}{2}})^{\frac{1}{9}}=3^{\frac{1}{18}}$

답 ④

001

다음 식을 만족시키는 x의 값을 구하여라.

(1) $\log_2 x=3$

(2) $\log_9 x=\frac{1}{2}$

(3) $\log_x 32=5$

(4) $\log_x 27=-3$

002

$\log_{\sqrt{2}} a=6$이고 $\log_{\frac{1}{4}} 16=b$일 때, $\log_a b^6$의 값은?

① 1 ② $\sqrt{2}$ ③ 2
④ $2\sqrt{2}$ ⑤ 4

003 | 교육청 기출 |

양수 a에 대하여 $a^{\frac{1}{2}}=8$일 때, $\log_2 a$의 값을 구하여라.

004

$\log_2(\log_3(\log_4 x))=0$을 만족시키는 x의 값은?

① 32 ② 64 ③ 128
④ 256 ⑤ 512

005

방정식 $\log_2(5+\log_3 x)=5$의 근을 $x=a^b$이라고 할 때, $a+b$의 값은? (단, a는 소수, b는 자연수이다.)

① 6 ② 12 ③ 15
④ 18 ⑤ 30

유형 02 로그의 밑과 진수의 조건

$\log_{5-x}(x-2)$가 정의되도록 하는 정수 x는?

① 2　② 3　③ 4　④ 5　⑤ 6

풀이

밑의 조건에 의하여 $5-x>0$, $5-x\neq1$

$x<5$, $x\neq4$

$\therefore x<4$ 또는 $4<x<5$ ········ ㉠

진수의 조건에 의하여 $x-2>0$

$\therefore x>2$ ········ ㉡

㉠, ㉡의 공통부분을 구하면

$2<x<4$ 또는 $4<x<5$

따라서 정수 x는 3이다.

 ②

006

$\log_{x-9}3$이 정의되도록 하는 x의 값의 범위는?

① $x>9$　② $x>10$　③ $9<x<10$　④ $9<x<10$ 또는 $x>10$　⑤ $10<x<11$ 또는 $x>11$

007

$\log_{x+4}(-x^2-6x+7)$이 정의되도록 하는 정수 x의 개수는?

① 1　② 2　③ 3　④ 4　⑤ 5

008 서술형

$\log_{|x-3|}(12+4x-x^2)$이 정의되기 위한 정수 x의 합을 구하여라.

009

다음 |보기| 중 로그가 항상 정의되는 것만을 있는 대로 고른 것은? (단, $x\neq0$)

보기	
ㄱ. $\log_2 x^4$	ㄴ. $\log_2 x^5$
ㄷ. $\log_2 \lvert x\rvert$	ㄹ. $\log_{\lvert x\rvert} 2$

① ㄱ, ㄴ　② ㄱ, ㄷ　③ ㄷ, ㄹ　④ ㄱ, ㄴ, ㄷ　⑤ ㄱ, ㄷ, ㄹ

010

$\log_{x-3}(x-8)^2$과 $\log_{6-x}|x-5|$가 모두 정의되도록 하는 정수 x의 값의 범위가 아닌 것은? (정답 2개)

① $2<x<3$　② $3<x<4$　③ $4<x<5$　④ $5<x<6$　⑤ $6<x<7$

유형 03 로그의 성질

$\log_5 (6-\sqrt{11})+\log_5 (6+\sqrt{11})$의 값을 구하여라.

풀이

$\log_5 (6-\sqrt{11})+\log_5 (6+\sqrt{11})$

$=\log_5 (6-\sqrt{11})(6+\sqrt{11})$

$=\log_5 \{6^6-(\sqrt{11})^2\}$

$=\log_5 25=\log_5 5^2=2$

답 2

011

다음 식의 값을 구하여라.

(1) $\log_2 7+\log_2 \frac{8}{7}$

(2) $\log_3 108-\log_3 12$

(3) $6 \log_5 \sqrt[3]{10}-2 \log_5 2$

(4) $\log_2 \sqrt{5}+\frac{1}{2} \log_2 \frac{36^2}{5}-\log_2 9$

012

세 양수 x, y, z가 $\log_2 4x+3 \log_2 y-\frac{1}{2} \log_2 z=3$을 만족시킬 때, $\frac{x^2y^6}{z}$의 값은?

① 1 ② 2 ③ 3 ④ 4 ⑤ 5

013

$\log_2 32+\frac{4}{3} \log_2 \frac{1}{2}-2 \log_2 \sqrt[3]{2}-5=\log_3 x$를 만족시키는 x의 값은?

① $\frac{1}{9}$ ② $\frac{1}{3}$ ③ 1 ④ 3 ⑤ 9

014

$\log_5 1+\log_5 2+\log_5 \frac{3}{2}+\log_5 \frac{4}{3}+ \cdots +\log_5 \frac{25}{24}$의 값은?

① 1 ② 2 ③ 3 ④ 4 ⑤ 5

015 서술형

$\log_2 x+\frac{1}{2} \log_2 \frac{1}{x}=8$일 때, $\log_4 x-\log_2 \frac{1}{x}$의 값을 구하여라.

유형 04 로그의 밑의 변환

$\log_2 9 \times \log_5 32 \times \log_3 125$의 값을 구하여라.

풀이

$\log_2 9 \times \log_5 32 \times \log_3 125$

$= \log_2 3^2 \times \log_5 2^5 \times \log_3 5^3$

$= 2\log_2 3 \times 5\log_5 2 \times 3\log_3 5$

$= 30 \times \dfrac{\log_{10} 3}{\log_{10} 2} \times \dfrac{\log_{10} 2}{\log_{10} 5} \times \dfrac{\log_{10} 5}{\log_{10} 3}$

$= 30$

답 30

016

$\log_4 8 + \dfrac{\log_8 48}{\log_8 4} - \dfrac{1}{\log_{24} 4}$의 값은?

① 1 ② 2 ③ 3
④ 4 ⑤ 5

017

1이 아닌 네 양수 a, b, c, x에 대하여

$\log_a x = \dfrac{1}{2}$, $\log_b x = \dfrac{1}{4}$, $\log_c x = \dfrac{1}{8}$일 때, $\log_{abc} x$의 값은?

① $\dfrac{1}{6}$ ② $\dfrac{1}{8}$ ③ $\dfrac{1}{10}$
④ $\dfrac{1}{12}$ ⑤ $\dfrac{1}{14}$

018

$\log_5 a \times \log_a 2a \times \log_{2a} 4a = \log_5 a^2$일 때, 양수 a의 값은? $\left(단, a \neq \dfrac{1}{2}, a \neq 1\right)$

① 2 ② 3 ③ 4
④ 5 ⑤ 6

019 | 교육청 기출 |

1보다 큰 두 실수 a, b에 대하여

$$\log_a \frac{a^3}{b^2} = 2$$

가 성립할 때, $\log_a b + 3\log_b a$의 값은?

① $\dfrac{9}{2}$ ② 5 ③ $\dfrac{11}{2}$
④ 6 ⑤ $\dfrac{13}{2}$

020

1이 아닌 양수 x에 대하여 등식

$$\frac{1}{\log_2 x} + \frac{1}{\log_3 x} + \frac{1}{\log_7 x} = \frac{1}{\log_a x} - \frac{1}{\log_4 x}$$

이 성립할 때, a의 값을 구하여라.

유형 05 로그의 여러 가지 성질

$\frac{1}{2}\log_{\sqrt{2}}5-\log_8\frac{27}{125}+\log_{\frac{1}{2}}\frac{\sqrt{5}}{3}=k\log_2 5$일 때, k의 값은?

① $\frac{1}{2}$　② 1　③ $\frac{3}{2}$
④ 2　⑤ $\frac{5}{2}$

풀이

$\frac{1}{2}\log_{\sqrt{2}}5-\log_8\frac{27}{125}+\log_{\frac{1}{2}}\frac{\sqrt{5}}{3}$

$=\frac{1}{2}\log_{2^{\frac{1}{2}}}5-\log_{2^3}\left(\frac{3}{5}\right)^3+\log_{2^{-1}}\frac{\sqrt{5}}{3}$

$=\log_2 5-\log_2\frac{3}{5}-\log_2\frac{\sqrt{5}}{3}$

$=\log_2\left(5\div\frac{3}{5}\div\frac{\sqrt{5}}{3}\right)=\log_2\left(5\times\frac{5}{3}\times\frac{3}{\sqrt{5}}\right)$

$=\log_2 5\sqrt{5}=\log_2 5^{\frac{3}{2}}=\frac{3}{2}\log_2 5$

$\therefore\ k=\frac{3}{2}$

답 ③

021

$(\log_2\sqrt{3}+\log_{\sqrt{2}}3)\times\frac{1}{2}\log_{27}2\sqrt{2}$의 값은?

① $\frac{5}{8}$　② $\frac{5}{4}$　③ $\frac{5}{2}$
④ 5　⑤ 10

022

$(\log_4 27+\log_8 3)(\log_9 2+\log_3 2)$의 값을 구하여라.

023

세 수 $A=\log_{\sqrt{2}}\frac{1}{4}$, $B=-2\log_8\frac{1}{8}$, $C=4^{\log_2 3}$의 대소 관계를 바르게 나타낸 것은?

① $A<B<C$　② $A<C<B$　③ $B<A<C$
④ $B<C<A$　⑤ $C<A<B$

024

$5^{\log_{\sqrt{5}}2+2\log_5 3-\frac{1}{2}\log_{\frac{1}{5}}9}$의 값을 구하여라.

025

$(3^{\log_3 4+\log_3 2})^2+(2^{\log_3 4+\log_3 2})^{\log_2 3}$의 값은?

① 64　② 68　③ 72
④ 76　⑤ 80

유형 06 로그의 성질의 활용

$\log_{10} 2=a$, $\log_{10} 3=b$일 때, $\log_{0.06} 0.8$을 a, b로 나타내어라.

풀이

$$\log_{0.06} 0.8=\frac{\log_{10} 0.8}{\log_{10} 0.06}=\frac{\log_{10}\frac{8}{10}}{\log_{10}\frac{6}{100}}$$

→ 주어진 조건 $\log_{10} 2=a$, $\log_{10} 3=b$의 밑이 10이므로 밑을 10으로 맞춘다.

$$=\frac{\log_{10}\frac{2^3}{10}}{\log_{10}\frac{2\times3}{10^2}}$$

$$=\frac{\log_{10} 2^3-\log_{10} 10}{\log_{10} 2+\log_{10} 3-\log_{10} 10^2}$$

$$=\frac{3\log_{10} 2-\log_{10} 10}{\log_{10} 2+\log_{10} 3-2\log_{10} 10}$$

$$=\frac{3a-1}{a+b-2}$$

답 $\frac{3a-1}{a+b-2}$

026

$\log_2 3=a$, $\log_3 5=b$일 때, $\log_{20} 90$을 a, b로 나타내면?

① $\frac{a+b+1}{ab+1}$　② $\frac{a+b+2}{ab+a}$　③ $\frac{ab+a+b}{ab+a+1}$

④ $\frac{ab+2a+1}{ab+1}$　⑤ $\frac{ab+2a+1}{ab+2}$

027

$\log_{10} 18=a$, $\log_{10} 36=b$일 때, $\log_{10} 12$를 a, b로 나타내면?

① $-a+b$　② $-a+\frac{3}{2}b$　③ $-\frac{1}{2}a+3b$

④ $2a-b$　⑤ $2a+\frac{3}{2}b$

028

$\log_3 15=a$일 때, $\log_{75} 45$를 a로 나타내면?

① $\frac{1}{a+1}$　② $\frac{a}{a+1}$　③ $\frac{a+1}{2a-1}$

④ $\frac{a+1}{2a+1}$　⑤ $\frac{2a-1}{2a+1}$

029

$10^x=5$일 때, $\log_{100} 125=kx$를 만족시키는 유리수 k의 값은?

① $-\frac{1}{2}$　② $\frac{1}{2}$　③ 1

④ $\frac{3}{2}$　⑤ 2

030 서술형

$10^x=a$, $10^y=b$일 때, $\log_{\sqrt[3]{a}} b^2$을 x, y로 나타내어라. (단, $x\neq0$)

유형 07 로그의 정의를 이용한 식의 계산

$36^x=4^y=12$일 때, $\frac{1}{x}+\frac{1}{y}$의 값은?

① 1　② 2　③ 3　④ 4　⑤ 5

풀이

$36^x=12$의 양변에 밑이 36인 로그를 취하면

$x=\log_{36} 12$

$4^y=12$의 양변에 밑이 4인 로그를 취하면

$y=\log_4 12$

밑의 변환에 의하여

$\frac{1}{x}=\log_{12} 36$, $\frac{1}{y}=\log_{12} 4$

$\therefore \frac{1}{x}+\frac{1}{y}=\log_{12} 36+\log_{12} 4=\log_{12}(36\times4)$

$=\log_{12} 144=\log_{12} 12^2=2$

 ②

031

$2^a=5^b=7^c=70$일 때, $\frac{1}{a}+\frac{1}{b}+\frac{1}{c}$의 값은?

① 0　② 1　③ 2　④ 3　⑤ 4

032

$8^a=243$, $24^b=27$일 때, $\frac{5}{a}-\frac{3}{b}$의 값은?

① -1　② 0　③ 1　④ 2　⑤ 3

033

두 실수 a, b에 대하여 $3^a=\sqrt{7}$, $7^b=9$가 성립할 때, ab의 값은?

① $\frac{1}{6}$　② $\frac{1}{4}$　③ $\frac{1}{3}$　④ $\frac{1}{2}$　⑤ 1

034

0이 아닌 실수 x, y, z에 대하여 $2^x=3^y=\sqrt{6^z}$일 때, $\frac{1}{x}+\frac{1}{y}-\frac{2}{z}$의 값은?

① 0　② $\frac{1}{2}$　③ 1　④ $\frac{3}{2}$　⑤ 2

035

$2^x=\log_2 3$, $2^y=\log_3 16$일 때, $x+y$의 값을 구하여라.

유형 08 로그의 성질을 이용한 식의 계산

두 양수 x, y에 대하여

$$\log_2 x+\log_4 y^6=6$$

이 성립할 때, $4^{\log_2 \sqrt{x}}\times 8^{\log_2 y}$의 값을 구하여라.

풀이

$\log_2 x+\log_4 y^6=\log_2 x+\log_{2^2} y^6$

$=\log_2 x+\log_2 y^3$

$=\log_2 xy^3=6$

$\therefore xy^3=2^6=64$

$\therefore 4^{\log_2 \sqrt{x}}\times 8^{\log_2 y}=\sqrt{x}^{\log_2 4}\times y^{\log_2 8}$

$=x^{\frac{1}{2}\log_2 2^2}\times y^{\log_2 2^3}$

$=x^{\log_2 2}\times y^{3\log_2 2}$

$=xy^3=64$

답 64

036

두 실수 a, b가 $3^{a+b}=8$, $2^{a-b}=7$을 만족시킬 때, $3^{a^2-b^2}$의 값은?

① 7 ② 7^2 ③ 7^3
④ 7^4 ⑤ 7^5

037 서술형

1보다 큰 두 실수 a, b에 대하여 $\log_{\sqrt{2}} a=\log_8 ab^2$이 성립할 때, $\log_a b$의 값을 구하여라.

038

두 양수 a, b에 대하여 $a^2b^3=1$일 때, $\log_{a^2} a^4b^3$의 값은? (단, $a\neq1$)

① $\frac{1}{3}$ ② $\frac{2}{3}$ ③ 1
④ $\frac{4}{3}$ ⑤ $\frac{5}{3}$

039 | 교육청 기출 |

1보다 큰 세 실수 a, b, c에 대하여 $\log_c a : \log_c b=2:3$일 때, $10\log_a b+9\log_b a$의 값을 구하여라.

040

세 양수 a, b, c에 대하여 $\log_2 a+\log_2 b+\log_2 c=0$이 성립할 때,

$$\log_{\sqrt{a}} bc+\log_{b^2} ac+\log_{\frac{1}{c}} ab$$

의 값은?

① $\frac{3}{2}$ ② $\frac{1}{2}$ ③ $-\frac{1}{2}$
④ $-\frac{3}{2}$ ⑤ $-\frac{5}{2}$

유형 09 로그의 정수 부분과 소수 부분

$\log_5 35$의 소수 부분을 a라고 할 때, 5^a의 값은?

① 1 ② $\frac{6}{5}$ ③ $\frac{7}{5}$
④ $\frac{8}{5}$ ⑤ $\frac{9}{5}$

풀이

$25<35<125$이므로

$\log_5 25<\log_5 35<\log_5 125$, $\log_5 5^2<\log_5 35<\log_5 5^3$

$\therefore 2<\log_5 35<3$ → $\log_5 35=2.\cdots$

즉, $\log_5 35$의 정수 부분은 2이고, 소수 부분은 $\log_5 35$에서 정수 부분을 뺀 수와 같으므로

$a=\log_5 35-2=\log_5 35-\log_5 25$

$=\log_5 \frac{35}{25}=\log_5 \frac{7}{5}$

$\therefore 5^a=5^{\log_5 \frac{7}{5}}=\frac{7}{5}$

답 ③

041

$\log_2 27$의 정수 부분을 a, 소수 부분을 b라고 할 때, $3^{\frac{a}{4}}+2^b$의 값은?

① $\frac{33}{8}$ ② $\frac{69}{16}$ ③ $\frac{9}{2}$
④ $\frac{75}{16}$ ⑤ $\frac{39}{8}$

042

$\log_3 10=n+\alpha$일 때, $\frac{n-3^\alpha}{n+3^\alpha}$의 값은?

(단, n은 정수, $0\le\alpha<1$)

① $\frac{1}{7}$ ② $\frac{2}{7}$ ③ $\frac{3}{7}$
④ $\frac{4}{7}$ ⑤ $\frac{5}{7}$

유형 10 로그와 이차방정식

이차방정식 $x^2-4x+2=0$의 두 근이 $\log_3 a$, $\log_3 b$일 때, $\log_a b+\log_b a$의 값은?

① 3 ② 4 ③ 5
④ 6 ⑤ 7

풀이

이차방정식 $x^2-4x+2=0$의 두 근이 $\log_3 a$, $\log_3 b$이므로 근과 계수의 관계에 의하여

$\log_3 a+\log_3 b=4$, $\log_3 a\times\log_3 b=2$

$\therefore \log_a b+\log_b a$

$=\frac{\log_3 b}{\log_3 a}+\frac{\log_3 a}{\log_3 b}$

$=\frac{(\log_3 b)^2+(\log_3 a)^2}{\log_3 a\times\log_3 b}$

$=\frac{(\log_3 a+\log_3 b)^2-2\log_3 a\times\log_3 b}{\log_3 a\times\log_3 b}$

$=\frac{4^2-2\times2}{2}=6$

답 ④

풍쌤 유형 TIP

이차방정식 $ax^2+bx+c=0$의 두 근을 α, β라고 할 때

$\alpha+\beta=-\frac{b}{a}$, $\alpha\beta=\frac{c}{a}$

임을 이용하여 문제를 해결한다.

043 | 교육청 기출 |

이차방정식 $x^2-18x+6=0$의 두 근을 α, β라고 할 때, $\log_2(\alpha+\beta)-2\log_2\alpha\beta$의 값은?

① -5 ② -4 ③ -3
④ -2 ⑤ -1

044

이차방정식 $x^2-ax+b=0$의 두 근이 2, $\log_2 5$일 때, 두 실수 a, b에 대하여 $\frac{b}{a}$의 값은?

① $\frac{1}{2}\log_5 20$ ② $\log_5 5$ ③ $\log_{20} 20$
④ $2\log_{20} 5$ ⑤ $4\log_{20} 5$

045 서술형

이차방정식 $x^2-3x\log_5 4+4\log_5 2=0$의 두 근을 α, β라고 할 때, $5^{(\alpha-1)(\beta-1)}$의 값을 구하여라.

046

이차방정식 $x^2-3x+1=0$의 두 근 α, β에 대하여 $a=\alpha-\beta$일 때, $\log_a \frac{\beta+1}{\alpha}+\log_a \frac{\alpha+1}{\beta}$의 값은? (단, $\alpha>\beta$)

① 1 ② $\frac{3}{2}$ ③ 2
④ $\frac{5}{2}$ ⑤ 3

유형 11 상용로그의 값과 계산

$\log 6.33=0.8014$를 이용하여 $\log 633+\log 0.00633$의 값을 구하면?

① 0.6028 ② 1.6028 ③ 2.6028
④ 0.3972 ⑤ 1.3972

풀이

$\log 633+\log 0.00633$
$=\log(6.33\times10^2)+\log\left(6.33\times\frac{1}{1000}\right)$
$=\log 6.33+\log 10^2+\log 6.33+\log 10^{-3}$
$=2\log 6.33+2+(-3)$
$=2\times0.8014+(-1)$
$=1.6028+(-1)=0.6028$

답 ①

047

다음 값을 구하여라.

(1) $\log 100$ (2) $\log 0.001$
(3) $\log \sqrt[4]{1000}$ (4) $\log \frac{1}{\sqrt[6]{10}}$

048

$\log 2=0.3010$, $\log 3=0.4771$일 때, 다음 값을 구하여라.

(1) $\log 6$ (2) $\log 12$
(3) $\log 25$ (4) $\log 30$

049

$\log x^{20}=5.712$일 때, 다음 상용로그표를 이용하여 $100x$의 값을 구하여라.

수	⋯	3	4	5	⋯
⋮	⋯	⋮	⋮	⋮	⋯
1.7	⋯	.2380	.2405	.2430	⋯
1.8	⋯	.2625	.2648	.2672	⋯
1.9	⋯	.2856	.2878	.2900	⋯
⋮	⋯	⋮	⋮	⋮	⋯

050

$\log 3=a$, $\log 7=b$일 때, $\log_{21} 147$을 a, b로 나타내면?

① $\frac{a+2b}{a+b}$　② $\frac{a+3b}{a+b}$　③ $\frac{2a+b}{a+b}$
④ $\frac{2a+b}{a+2b}$　⑤ $\frac{3a+b}{2a+b}$

051

$\log a=2.5$, $\log b=1.2$일 때, $\log N=2.1$을 만족시키는 N을 a, b로 나타내면?

① $\frac{a^2}{b}$　② $\frac{10a}{b}$　③ $\frac{10a^2}{b}$
④ $\frac{100a}{b^2}$　⑤ $\frac{100a}{b}$

유형 12 상용로그의 정수 부분과 소수 부분

$10\le x<100$일 때, $\log x$와 $\log \frac{1}{x}$의 소수 부분이 같다. 모든 x의 값의 곱을 구하여라.

풀이

$\log x$와 $\log \frac{1}{x}$의 소수 부분이 같으므로

$\log x-\log \frac{1}{x}=$(정수), $\log x-\log x^{-1}=$(정수)

$\therefore 2\log x=$(정수)

$10\le x<100$의 각 변에 상용로그를 취하면

$1\le \log x<2$　　$\therefore 2\le 2\log x<4$

이때 $2\log x$는 정수이므로

$2\log x=2$ 또는 $2\log x=3$

(i) $2\log x=2$이면 $\log x=1$　　$\therefore x=10$

(ii) $2\log x=3$이면 $\log x=\frac{3}{2}$　　$\therefore x=10^{\frac{3}{2}}$

(i), (ii)에서 모든 x의 값의 곱은

$10\times 10^{\frac{3}{2}}=10^{\frac{5}{2}}$

답 $10^{\frac{5}{2}}$

풍쌤 유형 TIP

(1) $\log N$에 대하여 양수 N의 숫자 배열이 같으면 상용로그의 소수 부분이 같고, 상용로그의 소수 부분이 같으면 진수의 숫자 배열이 같다.

예) $\log 6.74=0.8287$, $\log 67.4=\log(10\times 6.74)=1.8287$

➡ $\log 6.74$와 $\log 67.4$는 진수 6.74와 67.4의 숫자 배열이 같으므로 상용로그의 소수 부분이 같다.

(2) 양수 n에 대하여 $\log N$의 정수 부분이 0 또는 n이면 N은 $(n+1)$자리의 수이다. 또, 정수 부분이 $-n$이면 N은 소수점 아래 n째 자리에서 처음으로 0이 아닌 숫자가 나타난다.

052

$\log 7.57=0.8791$일 때, $\log 7570$의 소수 부분을 a, $\log 0.0757$의 정수 부분을 b라고 하자. 이때 $a+b$의 값은?

① -2.8791　② -2.1209　③ -1.8791
④ -1.1209　⑤ 1.1209

053 서술형

$\log 2=0.3010$, $\log 3=0.4771$일 때, 15^{30}은 몇 자리의 정수인지 구하여라.

054

$\log x=-3.12$를 만족시키는 x에 대하여 $\log \frac{1}{x^2}$의 정수 부분을 a, $\log x^2$의 소수 부분을 b라고 하자. 이때 $a+b$의 값은?

① -6.12 ② -3.76 ③ -3.12
④ 6.24 ⑤ 6.76

055

$\frac{1}{10} \le x < 10$일 때, $\log x$와 $\log \sqrt{x}$의 소수 부분이 같아지는 x의 값은 10^a이다. a의 값은?

① -1 ② $-\frac{1}{2}$ ③ 0
④ $\frac{1}{4}$ ⑤ $\frac{1}{2}$

056

A^{10}이 소수점 아래 5째 자리에서 처음으로 0이 아닌 숫자가 나타날 때, A^{20}은 소수점 아래 몇째 자리에서 처음으로 0이 아닌 숫자가 나타날 수 있는가? (정답 2개)

① 8째 자리 ② 9째 자리 ③ 10째 자리
④ 11째 자리 ⑤ 12째 자리

057

$\log 2=0.3010$일 때, 2^n이 10자리의 정수가 되도록 하는 자연수 n의 개수는?

① 2 ② 3 ③ 4
④ 5 ⑤ 6

058

$\log x$의 정수 부분을 $f(x)$라고 할 때,
$f(1)+f(2)+f(3)+ \cdots +f(1500)$의 값은?

① 2893 ② 3393 ③ 3893
④ 4393 ⑤ 4893

유형 13 상용로그의 활용

어느 지역에서 1년 동안 발생하는 규모 M 이상인 지진의 평균 발생 횟수 N은 다음 식을 만족시킨다고 한다.

$\log N=a-0.8M$ (단, a는 양의 상수이다.)

이 지역에서 규모가 3 이상인 지진이 1년 동안 평균 32번 발생할 때, 규모가 x 이상인 지진은 1년 동안 평균 2번 발생한다. 이때 x의 값은? (단, $\log 2=0.3$으로 계산한다.)

① 3.5 ② 4 ③ 4.5
④ 5 ⑤ 5.5

풀이

규모가 3 이상인 지진이 1년 동안 평균 32번 발생하므로 주어진 식에 대입하면

$\log 32=a-0.8\times 3$

$a=2.4+\log 32$ ········ ㉠

규모가 x 이상인 지진이 1년 동안 평균 2번 발생하므로 주어진 식에 대입하면

$\log 2=a-0.8x$

위의 식에 ㉠을 대입하면

$\log 2=2.4+\log 32-0.8x$, $\log 2=2.4+\log 2^5-0.8x$

$0.3=2.4+5\times 0.3-0.8x$ $\therefore x=\frac{3.6}{0.8}=4.5$

답 ③

풍쌤 유형 TIP

상용로그의 활용 – 관계식이 주어질 때

주어진 관계식에 알맞은 문자나 값을 대입하고 로그의 정의 및 성질을 이용한다.

059

빛이 통과하면 그 밝기가 $\frac{1}{2}$씩 줄어드는 유리가 있다. 빛의 밝기가 처음의 $\frac{1}{20}$ 이하가 되도록 하려면 적어도 몇 장의 유리를 통과시켜야 하는지 구하여라.

(단, $\log 2=0.3$으로 계산한다.)

060

소리의 크기를 나타내는 단위인 데시벨(dB)에 대하여 소리의 크기 D와 소리의 세기 I 사이에는 다음의 관계식이 성립한다고 한다.

$D=120+10\log I$

크기가 20 dB인 소리의 세기는 크기가 10 dB인 소리의 세기의 몇 배인가?

① 2배 ② 5배 ③ 10배
④ 50배 ⑤ 100배

061

어떤 박테리아의 수가 두 배로 늘어나는 데 6시간이 걸린다고 한다. 이 박테리아의 수가 처음으로 초기 박테리아 수의 10^6배 이상이 되는 것은 며칠 후인가?

(단, $\log 2=0.3$으로 계산한다.)

① 9일 ② 8일 ③ 7일
④ 6일 ⑤ 5일

062 서술형

어떤 공장에서 사용하는 어떤 재료의 가격은 매년 전년도에 비해 a %씩 증가한다고 한다. 2015년 초에 1000원이었던 이 재료의 2020년 초의 가격이 1110원이었을 때, 다음 상용로그표를 이용하여 상수 a의 값을 구하여라.

수	0	1	2	3	4
1.0	.000	.004	.009	.013	.017
1.1	.041	.045	.049	.053	.057
⋮	⋮	⋮	⋮	⋮	⋮

실력을 높이는 연습 문제

01

$\log_2\{\log_3(\log_5 x)\}=\log_5\{\log_3(\log_2 y)\}=0$일 때, $x+y$의 값은?

① 130 ② 131 ③ 132 ④ 133 ⑤ 134

02

두 양수 a, b에 대하여 $\log_3(a+b)=\log_{ab}4=2$일 때, a^2+b^2의 값은? (단, $ab\neq1$)

① 69 ② 71 ③ 73 ④ 75 ⑤ 77

03 | 평가원 기출 |

좌표평면 위의 두 점 $(2, \log_4 2)$, $(4, \log_2 a)$를 지나는 직선이 원점을 지날 때, 양수 a의 값은?

① 1 ② 2 ③ 3 ④ 4 ⑤ 5

04 실력 UP

모든 실수 x에 대하여 $\log_a\{x^2+(a-1)x+1\}$이 정의되도록 하는 정수 a는?

① 2 ② 3 ③ 4 ④ 5 ⑤ 6

05

$a=\log_2 5$, $b=\log_2 7$, $c=\log_2 11$일 때, 2^{a+b+c}의 값을 구하여라.

06

$\log_2\left(1-\frac{1}{2}\right)+\log_2\left(1-\frac{1}{3}\right)+\cdots+\log_2\left(1-\frac{1}{1024}\right)$의 값은?

① -10 ② -9 ③ 1 ④ 9 ⑤ 10

07

$(\log_{15} 3)^3 + \log_{15} 27 \times \log_{15} 5 + (\log_{15} 5)^3$의 값은?

① 1　② 2　③ 3　④ 4　⑤ 5

08 실력 UP

삼각형 ABC의 세 변의 길이 a, b, c 사이에

$$\log_c (a+b) + \log_c (a-b) = 2$$

인 관계가 성립할 때, 삼각형 ABC는 어떤 삼각형인가? (단, $a>b$, $c\neq1$)

① 직각이등변삼각형
② $a=c$인 이등변삼각형
③ $b=c$인 이등변삼각형
④ 빗변의 길이가 a인 직각삼각형
⑤ 빗변의 길이가 c인 직각삼각형

09 | 평가원 기출 |

1보다 큰 두 실수 a, b에 대하여

$$\log_{27} a = \log_3 \sqrt{b}$$

일 때, $20 \log_b \sqrt{a}$의 값을 구하여라.

10

$\left(\log_3 a^2 - 6 \log_{27} \frac{1}{b}\right) \times \log_{\sqrt{ab}} 9$의 값은?

(단, $a>0$, $b>0$, $ab\neq1$)

① 4　② 6　③ 8　④ 10　⑤ 12

11

세 수 $A=\sqrt{9^{\log_3 2}}$, $B=\log_5 16 \times \log_8 25$, $C=\log_4 2 + \log_9 \frac{1}{3}$의 대소 관계를 바르게 나타낸 것은?

① $A<B<C$　② $A<C<B$　③ $B<A<C$　④ $B<C<A$　⑤ $C<A<B$

12

$\log_2 10 = a$, $\log_2 \frac{3}{5} = b$일 때, $\log_3 48$을 a, b로 나타내면?

① $\frac{a+b}{a-b}$　② $\frac{a+b+1}{a+b-1}$　③ $\frac{a+b+3}{a+b-1}$　④ $\frac{ab+a+b}{a+b}$　⑤ $\frac{ab+a+b}{a+b-1}$

13

$\log_2 7=a$일 때, $\log_7 \sqrt[3]{2\sqrt{14}}-\log_2 \sqrt[3]{7\sqrt{2}}$를 a로 나타내면?

① $\frac{1-2a^2}{6a}$　② $\frac{3-2a^2}{6a}$　③ $\frac{6-a^2}{6a}$
④ $\frac{1-a^2}{3a}$　⑤ $\frac{3-2a^2}{3a}$

14

$2^a=3^b=10^c=\frac{3}{5}$일 때, $\frac{1}{a}+\frac{1}{b}-\frac{1}{c}$의 값을 구하여라.

15

두 양수 x, y에 대하여 $x^5=y^3$일 때, $\log_{y^2}\frac{x^4}{y^5}$의 값은? (단, $y\neq1$)

① $-\frac{13}{10}$　② $-\frac{4}{5}$　③ $-\frac{3}{10}$
④ $\frac{1}{5}$　⑤ $\frac{7}{10}$

16

$\log_4 100=n+\alpha$일 때, $4^n-8^\alpha=64-k$를 만족시킨다. 상수 k에 대하여 $64k$의 값은? (단, n은 정수, $0\leq\alpha<1$)

① 1　② 8　③ 27
④ 64　⑤ 125

17 실력 UP

$\log_2\frac{1}{3}$의 정수 부분을 x, 소수 부분을 y라고 할 때, $\frac{2^x+2^y}{2^{-x}+2^{-y}}$의 값은?

① 3　② 2　③ 1
④ $\frac{1}{2}$　⑤ $\frac{1}{3}$

18

이차방정식 $x^2-3x+4=0$의 두 근을 α, β라고 할 때, $\log_2(\alpha+1)+\log_2(\beta+1)$의 값은?

① 1　② 2　③ 3
④ 4　⑤ 5

19

다음 상용로그표를 이용하여 $\log 231^5$의 값을 구하여라.

수	0	1	2	3	4	…
⋮	⋮	⋮	⋮	⋮	⋮	⋮
2.2	.3424	.3444	.3464	.3483	.3502	…
2.3	.3617	.3636	.3655	.3674	.3692	…
2.4	.3802	.3820	.3838	.3856	.3874	…
⋮	⋮	⋮	⋮	⋮	⋮	⋮

20

두 자연수 a, b에 대하여 a^2이 5자리의 수이고, ab^4이 10자리의 수이다. 이때 b는 몇 자리의 수인가?

① 2자리 ② 3자리 ③ 4자리
④ 5자리 ⑤ 6자리

21

$\log \frac{100}{x}$의 정수 부분이 -1이 되도록 하는 자연수 x의 개수는?

① 99 ② 100 ③ 900
④ 999 ⑤ 1000

22 실력 UP

다음 상용로그표를 이용하여 5^{20}의 최고 자리의 숫자를 구하여라.

(단, $\log 2=0.3010$, $\log 3=0.4771$로 계산한다.)

수	0	1	2	…
⋮	⋮	⋮	⋮	⋮
8.9	.9494	.9499	.9504	…
9.0	.9542	.9547	.9552	…
⋮	⋮	⋮	⋮	⋮
9.5	.9777	.9782	.9786	…
9.6	.9823	.9827	.9832	…
⋮	⋮	⋮	⋮	⋮

23 실력 UP

자연수 x에 대하여 $\log x$의 정수 부분을 $<x>$, 소수 부분을 $\ll x \gg$로 정의할 때, 옳은 것만을 |보기|에서 있는 대로 고른 것은?

| 보기 |

ㄱ. $\ll 1111 \gg +1 = \ll 111.1 \gg +2$

ㄴ. $<x>=10$이면 x는 11자리의 수이다.

ㄷ. $\ll x \gg + \ll y \gg =1$이면 $xy=10^n$

(단, n은 정수이다.)

① ㄱ ② ㄴ ③ ㄱ, ㄷ
④ ㄴ, ㄷ ⑤ ㄱ, ㄴ, ㄷ

24

어떤 수조에 들어 있는 물을 빼낼 때, 5분이 지날 때마다 수조 안에 들어 있는 물이 절반으로 줄어든다고 한다. 수조에 들어 있는 물이 25 L에서 5 L로 줄어드는 데 a분이 걸렸을 때, $3a$의 값을 구하여라.

(단, $\log 2=0.3$으로 계산한다.)

지수함수

1. 지수함수

1이 아닌 양수 a에 대하여 임의의 실수 x에 a^x을 대응시킨 함수 $y=a^x$ $(a>0,\ a\neq1)$을 a를 밑으로 하는 지수함수라고 한다.

2. 지수함수 $y=a^x$ $(a>0,\ a\neq1)$의 그래프

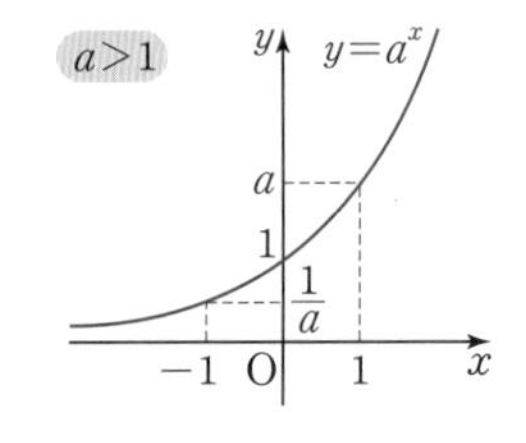

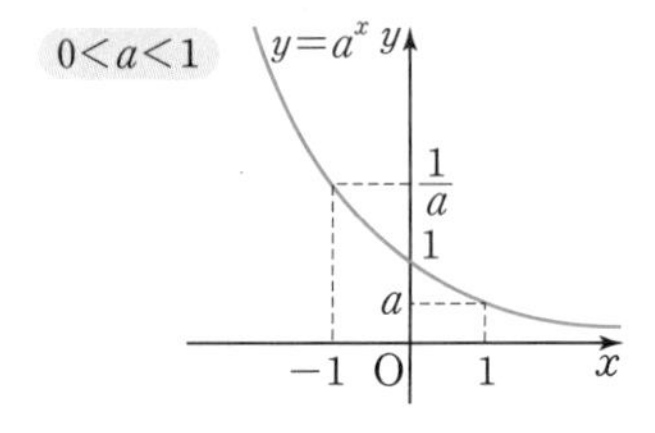

(1) 정의역은 실수 전체의 집합이고, 치역은 양의 실수 전체의 집합이다.

(2) 모든 실수 x에서 일대일함수이다. → 계속 증가하거나 계속 감소한다.

(3) $a>1$일 때, x의 값이 커지면 y의 값도 커진다.
$0<a<1$일 때, x의 값이 커지면 y의 값은 작아진다.

(4) 그래프는 점 $(0,\ 1)$을 지나고, x축을 점근선으로 갖는다.

지수함수의 그래프의 평행이동과 대칭이동

지수함수 $y=a^x$ $(a>0,\ a\neq1)$의 그래프를

(1) x축의 방향으로 m만큼, y축의 방향으로 n만큼 평행이동하면
$y=a^{x-m}+n$

(2) x축에 대하여 대칭이동하면
$y=-a^x$

(3) y축에 대하여 대칭이동하면
$y=a^{-x}=\left(\frac{1}{a}\right)^x$

(4) 원점에 대하여 대칭이동하면
$y=-a^{-x}=-\left(\frac{1}{a}\right)^x$

3. 지수함수의 최대 · 최소

정의역이 $\{x\mid m\le x\le n\}$인 지수함수 $y=a^x$ $(a>0,\ a\neq1)$은

(1) $a>1$이면 $x=m$일 때 최솟값 a^m, $x=n$일 때 최댓값 a^n을 갖는다.

(2) $0<a<1$이면 $x=m$일 때 최댓값 a^m, $x=n$일 때 최솟값 a^n을 갖는다.

4. 지수방정식

(1) 밑을 같게 할 수 있는 경우
① $a^{f(x)}=a^{g(x)}$ $(a>0,\ a\neq1)$의 꼴로 변형한다.
② 방정식 $f(x)=g(x)$를 푼다.

(2) a^x의 꼴이 반복되는 경우
① $a^x=t$ $(t>0)$로 치환한다.
② t에 대한 방정식을 푼 후 x의 값을 구한다.

(3) 밑에 미지수가 있는 경우
① $x^{f(x)}=x^{g(x)}$ $(x>0)$의 꼴: 방정식의 해는 $f(x)=g(x)$ 또는 $x=1$
② $\{f(x)\}^x=\{g(x)\}^x$ $(f(x)>0,\ g(x)>0)$의 꼴: 방정식의 해는 $f(x)=g(x)$ 또는 $x=0$

밑과 지수에 모두 미지수가 있는 지수방정식

지수가 같은 경우뿐만 아니라 밑이 1인 경우도 생각한다.

5. 지수부등식

(1) 밑을 같게 할 수 있는 경우
① $a^{f(x)}<a^{g(x)}$ $(a>0,\ a\neq1)$의 꼴로 변형한다.
② $a>1$이면 부등식 $f(x)<g(x)$를, $0<a<1$이면 부등식 $f(x)>g(x)$를 푼다.

(2) a^x의 꼴이 반복되는 경우
① $a^x=t$ $(t>0)$로 치환한다.
② t에 대한 부등식을 푼 후 x의 값의 범위를 구한다.

(3) 밑에 미지수가 있는 경우
① $x^{f(x)}<x^{g(x)}$ $(x>0)$의 꼴로 변형한다.
② $x>1$, $0<x<1$, $x=1$인 경우로 나누어 부등식을 푼다.

밑과 지수에 모두 미지수가 있는 지수부등식

밑의 크기에 따라 부등호의 방향이 달라지므로 경우를 나누어 푼다.

정답과 풀이 021쪽

유형 01 지수함수

다음 중 함수 $f(x)=2^x$에 대한 설명으로 옳지 않은 것은?

① 정의역은 실수 전체의 집합이고, 치역은 양의 실수 전체의 집합이다.
② 그래프는 점 $(0, 1)$을 지난다.
③ 그래프의 점근선은 직선 $x=0$이다.
④ $x_1<x_2$이면 $f(x_1)<f(x_2)$가 성립한다.
⑤ 모든 실수 x에서 일대일함수이다.

풀이

③ 함수 $f(x)=2^x$의 그래프의 점근선은 x축, 즉 직선 $y=0$이다.

답 ③

001

함수 $y=a^{-x}$에 대하여 옳은 것만을 |보기|에서 있는 대로 고른 것은? (단, $a>1$)

보기
ㄱ. 정의역은 실수 전체의 집합이고, 치역은 양의 실수 전체의 집합이다.
ㄴ. 모든 실수 x에서 일대일함수이다.
ㄷ. 그래프는 점 $(0, -1)$을 지나고, 점근선은 y축이다.
ㄹ. x의 값이 커지면 y의 값도 커진다.

① ㄱ ② ㄷ ③ ㄱ, ㄴ
④ ㄱ, ㄴ, ㄷ ⑤ ㄱ, ㄴ, ㄹ

002

함수 $f(x)=3^x$에 대하여 등식 $f(k)=2f(5)$를 만족시키는 실수 k의 값은?

① $1+\log_3 2$ ② $2+\log_3 2$ ③ $3+\log_3 2$
④ $4+\log_3 2$ ⑤ $5+\log_3 2$

003

지수함수 $y=a^x$의 그래프가 두 점 $\left(\frac{1}{2}, 5\right)$, $\left(-\frac{3}{2}, k\right)$를 지날 때, k의 값은? (단, $a>0$, $a\neq1$)

① $\frac{1}{2}$ ② $\frac{1}{4}$ ③ $\frac{1}{5}$
④ $\frac{1}{25}$ ⑤ $\frac{1}{125}$

004

다음 중 $a<b$인 두 실수 a, b에 대하여 $f(a)>f(b)$를 만족시키는 함수는?

① $f(x)=\left(\frac{1}{2}\right)^{-x}$ ② $f(x)=(0.3)^x$
③ $f(x)=2^x$ ④ $f(x)=\left(\frac{4}{3}\right)^x$
⑤ $f(x)=(\sqrt{3})^x$

005

지수함수 $f(x)=a^x$ $(a>0, a\neq1)$에 대한 설명으로 옳은 것만을 |보기|에서 있는 대로 고른 것은?

보기
ㄱ. $f(0)=1$
ㄴ. $f(x+y)=f(x)f(y)$
ㄷ. $f(xy)=f(x)+f(y)$

① ㄱ ② ㄱ, ㄴ ③ ㄱ, ㄷ
④ ㄴ, ㄷ ⑤ ㄱ, ㄴ, ㄷ

유형 02 지수함수의 그래프의 평행이동과 대칭이동

함수 $y=2^x$의 그래프를 x축의 방향으로 m만큼, y축의 방향으로 n만큼 평행이동하였더니 함수 $y=\frac{1}{8}\times 2^x-6$의 그래프와 일치했다. $m-n$의 값은?

① 6 ② 7 ③ 8
④ 9 ⑤ 10

풀이

$y=\frac{1}{8}\times 2^x-6$
$=2^{-3}\times 2^x-6$
$=2^{x-3}-6$
$\therefore y+6=2^{x-3}$
이 함수의 그래프는 함수 $y=2^x$의 그래프를 x축의 방향으로 3만큼, y축의 방향으로 -6만큼 평행이동한 것이므로
$m=3$, $n=-6$
$\therefore m-n=3-(-6)=9$

답 ④

006

함수 $y=4^x$의 그래프를 평행이동 또는 대칭이동하여 겹칠 수 있는 그래프의 식을 |보기|에서 있는 대로 고른 것은?

| 보기 |
ㄱ. $y=\frac{1}{4^x}$ ㄴ. $y=2^x$
ㄷ. $y=\frac{1}{2}\times 4^x$ ㄹ. $-y=\left(\frac{1}{4}\right)^x$

① ㄱ ② ㄱ, ㄴ ③ ㄱ, ㄷ
④ ㄱ, ㄹ ⑤ ㄱ, ㄷ, ㄹ

007 서술형

함수 $y=3^x$의 그래프를 x축의 방향으로 m만큼, y축의 방향으로 n만큼 평행이동한 그래프가 두 점 $(2,\ -2)$, $(3,\ 4)$를 지날 때, $m+n$의 값을 구하여라.

008

함수 $y=f(x)$의 그래프는 함수 $y=\frac{1}{3^x}$의 그래프를 x축으로 k만큼 평행이동한 것이고 이 그래프가 지나는 두 점 $\mathrm{A}(a,\ f(a))$, $\mathrm{B}(b,\ f(b))$에 대하여 선분 AB의 중점이 y축 위에 존재한다. $f(a)f(b)=3$일 때, k의 값은?

① $-\frac{1}{2}$ ② $\frac{1}{2}$ ③ 1
④ $\frac{3}{2}$ ⑤ 2

009 |평가원 기출|

함수 $f(x)=-2^{4-3x}+k$의 그래프가 제2사분면을 지나지 않도록 하는 자연수 k의 최댓값은?

① 10 ② 12 ③ 14
④ 16 ⑤ 18

유형 03 지수함수의 그래프의 활용

두 함수 $y=4^x$과 $y=x$의 그래프가 오른쪽 그림과 같을 때, $\log_2 \frac{c}{ab}$의 값은? (단, 점선은 x축 또는 y축에 평행하다.)

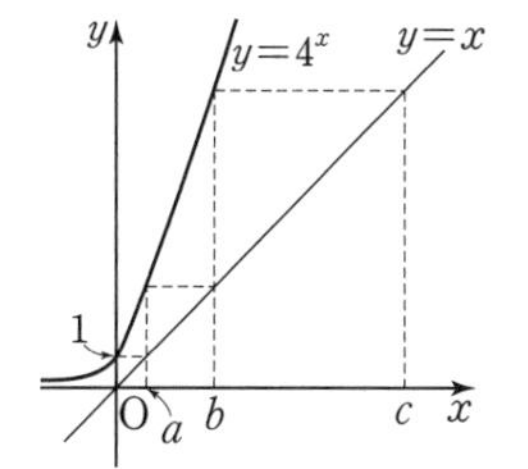

① 2　② 3　③ 4　④ 5　⑤ 6

풀이

직선 $y=x$ 위의 점은 x좌표와 y좌표가 서로 같다. 즉,

$a=1,\ b=4^a=4^1=4,\ c=4^b=4^4$

이므로

$\frac{c}{ab}=\frac{4^4}{1\times4}=4^3$

$\therefore \log_2 \frac{c}{ab}=\log_2 4^3=\log_2 2^6=6$

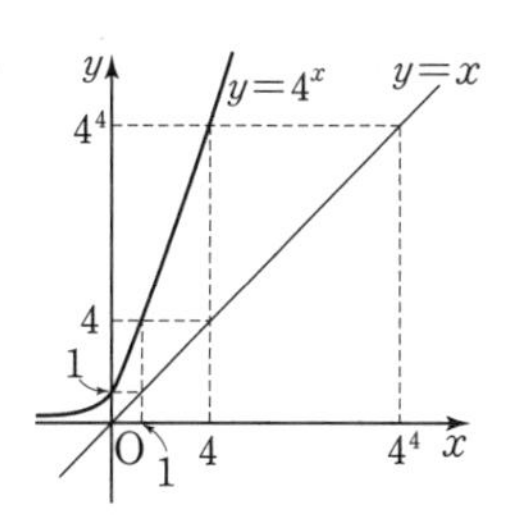

답 ⑤

010

함수 $y=2^x$의 그래프가 오른쪽 그림과 같을 때, $a+b$의 값은?

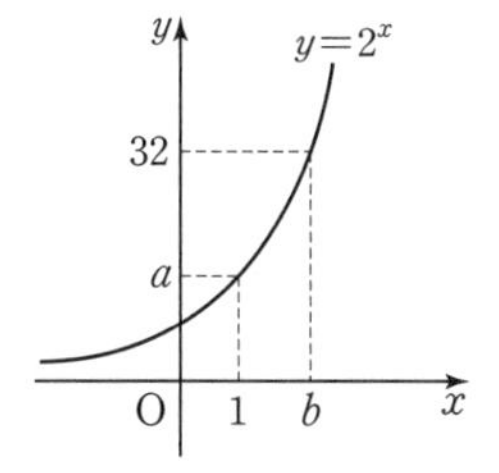

① 5　② 6　③ 7　④ 8　⑤ 9

011

함수 $y=\left(\frac{1}{4}\right)^x$의 그래프가 오른쪽 그림과 같을 때, $\log_4 a^2b^3c^4$의 값을 구하여라.

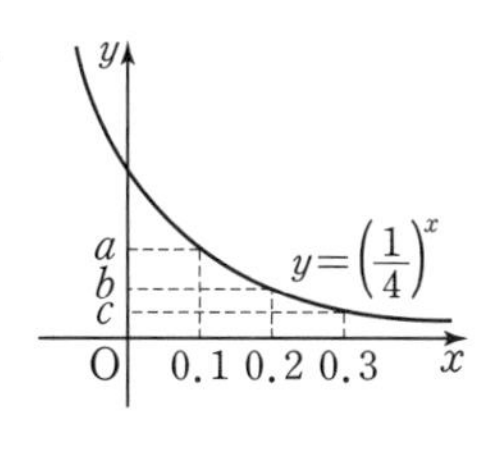

012

오른쪽 그림은 두 함수 $y=3^x$과 $y=x$의 그래프를 나타낸 것이다. 색칠한 부분의 넓이는? (단, 점선은 x축 또는 y축에 평행하다.)

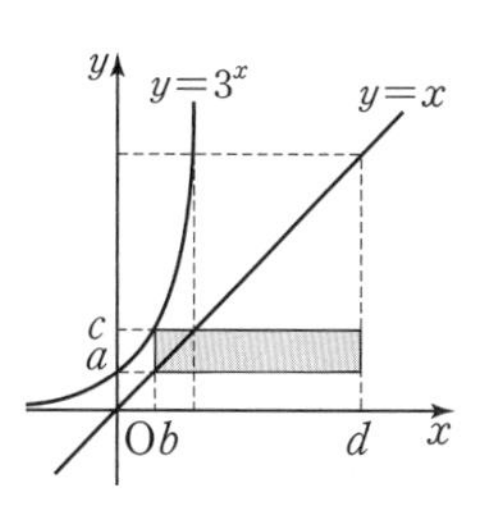

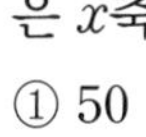

① 50　② 52　③ 54　④ 56　⑤ 58

013

오른쪽 그림과 같이 두 함수 $y=3^{-x}$과 $y=9^{-x}$의 그래프가 직선 $y=10$과 만나는 점을 각각 P, Q라고 하자. 이때 선분 PQ의 길이는?

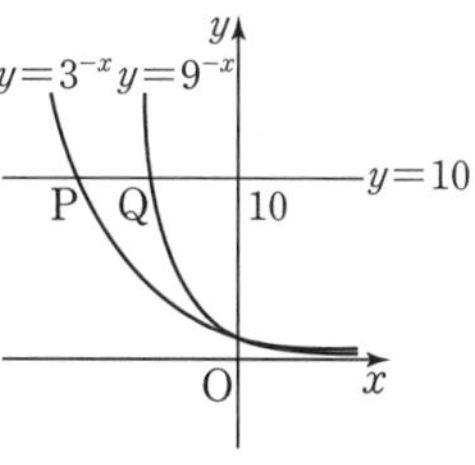
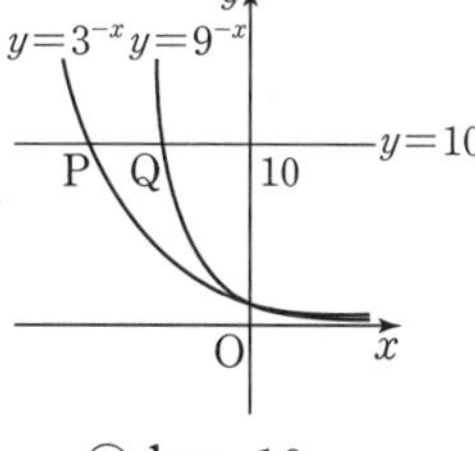

① $\frac{1}{4}\log_3 10$　② $\frac{1}{2}\log_3 10$　③ $\log_3 10$　④ $\log 3$　⑤ $2\log 3$

014

오른쪽 그림과 같이 함수 $y=2^{x+2}$의 그래프 위의 점 A와 함수 $y=2^{x-2}$의 그래프 위의 두 점 B, C에 대하여 선분 AB는 x축에 평행하고 선분 AC는 y축에 평행하다. $\overline{AB}=\overline{AC}$일 때, 점 C의 y좌표는?

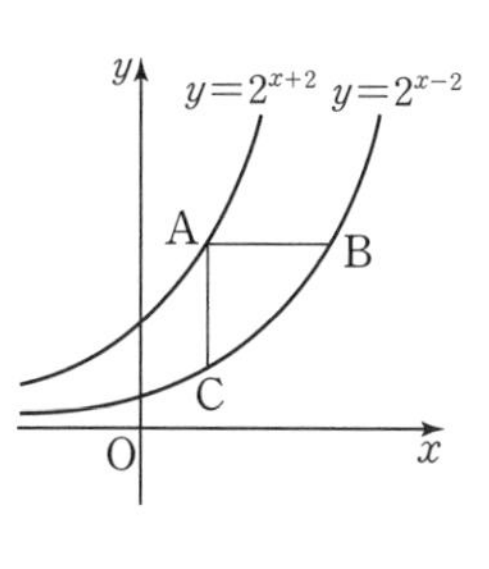

① $\frac{1}{15}$　② $\frac{4}{15}$　③ $\frac{8}{15}$　④ $\frac{16}{15}$　⑤ $\frac{32}{15}$

유형 04 지수함수의 역함수

함수 $f(x)=2^x$의 역함수를 $g(x)$라고 할 때, $g(2)g\left(\frac{1}{2}\right)$의 값은?

① -2 ② -1 ③ 0
④ 1 ⑤ 2

풀이

$g(2)=k$, $g\left(\frac{1}{2}\right)=l$로 놓으면

$f(k)=2=2^1$, $f(l)=\frac{1}{2}=2^{-1}$이므로

$2^k=2^1$, $2^l=2^{-1}$ $\quad\therefore k=1,\ l=-1$

$\therefore g(2)g\left(\frac{1}{2}\right)=1\times(-1)=-1$

답 ②

015

오른쪽 그림은 함수 $y=3^x$과 그 역함수 $y=g(x)$의 그래프이다. 이때 k의 값을 구하여라.

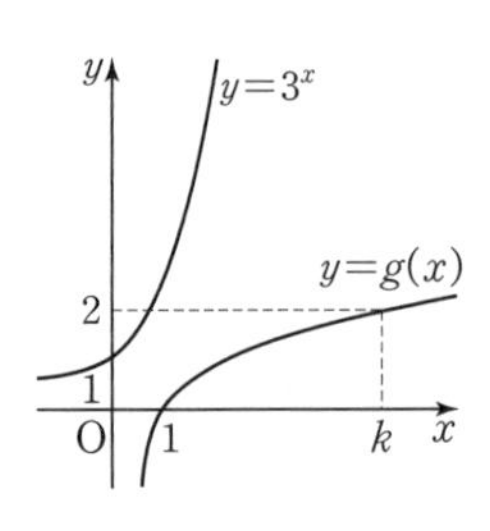

016

함수 $f(x)=\left(\frac{1}{3}\right)^x$에 대하여 $(f\circ g)(x)=x$를 만족시키는 함수 $g(x)$가 있다. 이때 $g(9)$의 값은?

① -2 ② -1 ③ 0
④ 1 ⑤ 2

017 서술형

함수 $f(x)=a^x$ $(a>0,\ a\neq1)$의 역함수가 $g(x)$이고 $f(k)=m$일 때, $g(m^2)$을 k를 이용하여 나타내어라.

018

함수 $f(x)=\frac{2^x+2^{-x}}{2^x-2^{-x}}$의 역함수를 $g(x)$라고 할 때, $g(2)$의 값은?

① $\log_2\sqrt{3}$ ② $\log_2\sqrt{5}$ ③ $\log_2 3$
④ 2 ⑤ $\log_2 5$

019

함수 $f(x)=3\times4^x$의 역함수를 $g(x)$라고 할 때, 양수 a에 대하여 $4^{g(a)+g\left(\frac{1}{a}\right)}$의 값은?

① $\frac{1}{15}$ ② $\frac{1}{12}$ ③ $\frac{1}{9}$
④ 9 ⑤ 12

유형 05 지수함수를 이용한 대소 비교

세 수 $2^{-\frac{1}{2}}$, $4^{-\frac{1}{4}}$, $8^{-\frac{1}{8}}$의 대소 관계를 비교하여라.

풀이

주어진 세 수를 밑이 $\frac{1}{2}$인 거듭제곱의 꼴로 정리하면

$2^{-\frac{1}{2}}=\left(\frac{1}{2}\right)^{\frac{1}{2}}$, $4^{-\frac{1}{4}}=\left(\frac{1}{2}\right)^{\frac{1}{2}}$, $8^{-\frac{1}{8}}=\left(\frac{1}{2}\right)^{\frac{3}{8}}$

이때 밑 $\frac{1}{2}$은 0보다 크고 1보다 작으므로

$\frac{3}{8}<\frac{1}{2}$에서 $\left(\frac{1}{2}\right)^{\frac{1}{2}}<\left(\frac{1}{2}\right)^{\frac{3}{8}}$

$\therefore 2^{-\frac{1}{2}}=4^{-\frac{1}{4}}<8^{-\frac{1}{8}}$

답 $2^{-\frac{1}{2}}=4^{-\frac{1}{4}}<8^{-\frac{1}{8}}$

020

세 수 $A=\sqrt{\frac{1}{4}}$, $B=\sqrt[3]{\frac{1}{2}}$, $C=\sqrt[5]{\frac{1}{16}}$의 대소 관계로 옳은 것은?

① $A<B<C$ ② $A<C<B$
③ $B<A<C$ ④ $C<A<B$
⑤ $C<B<A$

021

세 수 $A=\sqrt{3^{\sqrt{3}}}$, $B=\sqrt[3]{3}$, $C=\left(\frac{1}{3}\right)^{\sqrt{3}}$의 대소 관계로 옳은 것은?

① $A<B<C$ ② $A<C<B$
③ $B<A<C$ ④ $C<A<B$
⑤ $C<B<A$

022

세 수 $A=\frac{1}{2^2}$, $B=\sqrt[4]{2}$, $C=\sqrt[3]{\frac{1}{2}}$의 대소 관계로 옳은 것은?

① $A<B<C$ ② $A<C<B$
③ $B<A<C$ ④ $C<A<B$
⑤ $C<B<A$

023

$0<a<1$일 때, 다음 |보기|에서 옳은 것만을 있는 대로 고른 것은?

보기
ㄱ. $a<a^2$ ㄴ. $a<a^a$
ㄷ. $a^a<a^{a^2}$ ㄹ. $a<a^{a^2}$

① ㄴ ② ㄴ, ㄷ ③ ㄱ, ㄷ
④ ㄴ, ㄷ, ㄹ ⑤ ㄱ, ㄴ, ㄷ, ㄹ

024

$0<a<1$일 때, 세 수 $\left(\frac{5}{3}\right)^a$, $\left(\frac{5}{3}\right)^{a^2}$, $\left(\frac{5}{3}\right)^{a^a}$의 대소 관계로 옳은 것은?

① $\left(\frac{5}{3}\right)^a<\left(\frac{5}{3}\right)^{a^2}<\left(\frac{5}{3}\right)^{a^a}$ ② $\left(\frac{5}{3}\right)^{a^2}<\left(\frac{5}{3}\right)^{a^a}<\left(\frac{5}{3}\right)^a$
③ $\left(\frac{5}{3}\right)^{a^2}<\left(\frac{5}{3}\right)^a<\left(\frac{5}{3}\right)^{a^a}$ ④ $\left(\frac{5}{3}\right)^{a^a}<\left(\frac{5}{3}\right)^{a^2}<\left(\frac{5}{3}\right)^a$
⑤ $\left(\frac{5}{3}\right)^{a^a}<\left(\frac{5}{3}\right)^a<\left(\frac{5}{3}\right)^{a^2}$

유형 06 지수함수의 최대·최소

정의역이 $\{x|-2\le x\le 2\}$인 두 함수 $f(x)=4^{x+1}$, $g(x)=\left(\frac{1}{5}\right)^{x-1}$에 대하여 $f(x)$의 최솟값을 m, $g(x)$의 최댓값을 M이라고 할 때, $M+\frac{1}{m}$의 값을 구하여라.

풀이

함수 $y=f(x)$는 밑이 1보다 크므로 $x=-2$일 때 최솟값을 갖는다.

$\therefore m=4^{-2+1}=4^{-1}=\frac{1}{4}$

또, 함수 $y=g(x)$는 밑이 0보다 크고 1보다 작으므로 $x=-2$일 때 최댓값을 갖는다.

$\therefore M=\left(\frac{1}{5}\right)^{-2-1}=5^3=125$

$\therefore M+\frac{1}{m}=125+4=129$

답 129

025

다음 함수의 최댓값과 최솟값을 구하여라.

(1) $y=3^{x-1}$ (단, $-1\le x\le 1$)

(2) $y=\left(\frac{1}{2}\right)^{2x+1}$ (단, $0\le x\le 3$)

(3) $y=-3\times 2^{-x}+1$ (단, $0\le x\le 1$)

026 | 수능 기출 |

$1\le x\le 3$에서 함수 $f(x)=1+\left(\frac{1}{3}\right)^{x-1}$의 최댓값을 구하여라.

027

$-1\le x\le 1$에서 정의된 함수 $y=2^{x-1}\times 4^{-x+1}$의 최댓값을 M, 최솟값을 m이라고 할 때, Mm의 값은?

① $\frac{1}{2}$ ② 1 ③ 2 ④ 4 ⑤ 8

028

정의역이 $\{x|-3\le x\le 4\}$인 함수 $y=\left(\frac{1}{4}\right)^{2-x}$의 치역이 $\{y|a\le y\le b\}$일 때, ab의 값은?

① $\frac{1}{64}$ ② $\frac{1}{16}$ ③ $\frac{1}{4}$ ④ 1 ⑤ 4

029

정의역이 $\{x|-4\le x\le -2\}$인 함수 $f(x)=2^{a-x}+4$의 최솟값이 20일 때, 최댓값은? (단, a는 상수이다.)

① 44 ② 52 ③ 60 ④ 68 ⑤ 76

유형 07 지수함수의 최대 • 최소 — $a^{f(x)}$의 꼴

$0<a<1$일 때, 함수 $y=a^{-x^2+x-\frac{3}{4}}$은 최솟값 4를 갖는다. 이때 a의 값을 구하여라.

풀이

$-x^2+x-\frac{3}{4}=-\left(x-\frac{1}{2}\right)^2-\frac{1}{2}$에서 최댓값은 $-\frac{1}{2}$이다.

이때 $0<a<1$이므로 주어진 함수는 $x=\frac{1}{2}$일 때 최솟값 4를 갖는다.

→ 지수가 최댓값을 가질 때의 x의 값

즉, $a^{-\frac{1}{2}}=4$이므로

$a^{-\frac{1}{2}}=2^2=(2^{-4})^{-\frac{2}{4}}=\left(\frac{1}{16}\right)^{-\frac{1}{2}}$

$\therefore a=\frac{1}{16}$

답 $\frac{1}{16}$

030

다음 함수의 최댓값 또는 최솟값을 구하여라.

(1) $y=2^{x^2-4x+1}$

(2) $y=\left(\frac{1}{2}\right)^{x^2+2x+2}$

(3) $y=\left(\frac{4}{3}\right)^{-x^2+3}$

(4) $y=\left(\frac{2}{5}\right)^{-x^2+2x-4}$

031

두 함수 $f(x)=2^{-x}$, $g(x)=x^2-6x+1$에 대하여 함수 $(f\circ g)(x)$는 $x=a$일 때 최댓값 b를 갖는다고 한다. $a+b$의 값은?

① 19 ② 35 ③ 67
④ 131 ⑤ 259

032 | 평가원 기출 |

$-1\leq x\leq 3$에서 함수 $f(x)=2^{|x|}$의 최댓값과 최솟값의 합은?

① 5 ② 7 ③ 9
④ 11 ⑤ 13

033 서술형

$1\leq x\leq 4$에서 정의된 함수 $y=2^{x^2+2x-3}$은 $x=a$일 때 최댓값 2^b을 갖는다. 이때 $b-a$의 값을 구하여라.

034

정의역이 $\{x|1\leq x\leq 5\}$인 함수 $f(x)=a^{x^2-4x+2}$의 치역이 $\{y|b\leq y\leq 3\}$일 때, b의 값을 구하여라.

(단, $0<a<1$)

유형 08 지수함수의 최대 · 최소 — a^x의 꼴이 반복되는 경우

함수 $y=4^x-k\times2^{x+1}-3$의 최솟값이 -5일 때, 양수 k의 값은?

① 1 ② $\sqrt{2}$ ③ 2
④ $2\sqrt{2}$ ⑤ 4

풀이

$y=4^x-k\times2^{x+1}-3=(2^x)^2-2k\times2^x-3$

에서 $2^x=t$ $(t>0)$로 놓으면

$y=t^2-2kt-3=(t-k)^2-k^2-3$

이때 y의 최솟값이 -5이므로

$-k^2-3=-5$, $k^2=2$

$\therefore k=\sqrt{2}$ $(\because k>0)$

답 ②

035

함수 $y=-9^x+k\times3^{x+2}-20$의 최댓값이 $\frac{1}{4}$일 때, 양수 k의 값은?

① 1 ② 2 ③ 3
④ 4 ⑤ 5

036

$-2\le x\le2$에서 정의된 함수 $y=4^x-2^{x+2}+6$의 최댓값을 M, 최솟값을 m이라고 할 때, $M+m$의 값은?

① 7 ② 8 ③ 9
④ 10 ⑤ 11

037

$-2\le x\le3$에서 정의된 함수 $y=\left(\frac{1}{4}\right)^x-\left(\frac{1}{2}\right)^{x-2}+5$는 $x=a$일 때 최솟값 b, $x=c$일 때 최댓값 d를 갖는다. 이때 $a+b+c+d$의 값은?

① 2 ② 3 ③ 4
④ 5 ⑤ 6

038 서술형

함수 $y=4^x-2^{x+a}+b$는 $x=3$일 때 최솟값 -1을 갖는다. 이때 $a+b$의 값을 구하여라.

유형 09 지수방정식 — 밑을 같게 할 수 있는 경우

방정식 $\left(\frac{5}{2}\right)^{x^2+1}=\left(\frac{2}{5}\right)^{-3x-5}$을 만족시키는 모든 x의 값의 곱은?

① -5 ② -4 ③ -3
④ -2 ⑤ -1

풀이

$\left(\frac{5}{2}\right)^{x^2+1}=\left(\frac{2}{5}\right)^{-3x-5}$에서 밑을 $\frac{5}{2}$로 통일하면

$\left(\frac{5}{2}\right)^{x^2+1}=\left(\frac{5}{2}\right)^{3x+5}$, $x^2+1=3x+5$

$\therefore x^2-3x-4=0$

따라서 이차방정식의 근과 계수의 관계에 의하여 구하는 모든 x의 값의 곱은 -4이다.

답 ②

039

다음 방정식을 풀어라.

(1) $2^{x-3}=16$
(2) $\left(\frac{1}{4}\right)^{x-1}=8$
(3) $9^{x+1}=3\sqrt{3}$
(4) $\left(\frac{1}{3}\right)^{x+2}=27^{x+2}$

040 | 평가원 기출 |

방정식 $3^{-x+2}=\frac{1}{9}$을 만족시키는 실수 x의 값을 구하여라.

041

방정식 $\left(\frac{1}{3}\right)^{1-2x}=3\times\sqrt[4]{27}$의 근이 a일 때, $16a$의 값은?

① 20 ② 21 ③ 22
④ 23 ⑤ 24

042

방정식 $\left(\frac{1}{2}\right)^{2-x^2}=4^{x+a}$의 한 근이 -1일 때, 다른 한 근을 구하여라. (단, a는 상수이다.)

043

방정식 $\frac{(16^x)^x}{2}=2^{3x}$의 두 근을 α, β라고 할 때, $\alpha^2+\beta^2$의 값은?

① $\frac{17}{16}$ ② $\frac{5}{4}$ ③ 2
④ 5 ⑤ 10

유형 10 지수방정식 — a^x의 꼴이 반복되는 경우

방정식 $4^x-2^{x+2}+a=0$의 두 근의 합이 3일 때, 상수 a의 값은?

① 2 ② 4 ③ 6
④ 8 ⑤ 10

풀이

$4^x-2^{x+2}+a=0$에서

$(2^x)^2-4\times2^x+a=0$ ⋯⋯ ㉠

$2^x=t\ (t>0)$로 놓으면

$t^2-4t+a=0$ ⋯⋯ ㉡

㉠의 두 근을 α, β라고 하면 ㉡의 두 근은 2^α, 2^β이므로 ㉡에서 이차방정식의 근과 계수의 관계에 의하여

$2^\alpha\times2^\beta=a$ (㉡의 두 근 2^α, 2^β를 곱해야 $\alpha+\beta$의 값을 이용할 수 있다.)

$\therefore 2^{\alpha+\beta}=a$ ⋯⋯ ㉢

이때 ㉠의 두 근의 합이 3이므로 $\alpha+\beta=3$

이를 ㉢에 대입하면

$a=2^3=8$

답 ④

044

방정식 $9^x-6\times3^{x+1}+9=0$의 두 근을 α, β라고 할 때, $\alpha+\beta$의 값은?

① 0 ② 1 ③ 2
④ 3 ⑤ 4

045 서술형

방정식 $a^{2x}-2a^x=3$의 한 근이 2일 때, 실수 a의 값을 구하여라. (단, $a>0$, $a\neq1$)

046

방정식 $4^x-3\times2^{x+1}+2^a=0$의 한 근이 1일 때, 다른 한 근을 b라고 하자. 두 상수 a, b에 대하여 $a+b$의 값은?

① 5 ② 10 ③ 15
④ 20 ⑤ 25

047

방정식 $a^x+\frac{1}{a^x}=\frac{10}{3}$의 한 근이 1일 때, 다른 한 근은? (단, $0<a<1$)

① 9 ② 3 ③ $\frac{1}{3}$
④ -1 ⑤ -3

048

방정식 $\frac{4^x+4^{-x}}{4^x-4^{-x}}=3$을 풀면? (단, $x\neq0$)

① $x=1$ ② $x=\frac{1}{2}$ ③ $x=\frac{1}{3}$
④ $x=\frac{1}{4}$ ⑤ $x=\frac{1}{5}$

유형 11 지수방정식 — 밑에 미지수가 있는 경우

방정식 $(x-3)^{x-4}=2^{x-4}$을 만족시키는 모든 x의 값의 합은? (단, $x>3$)

① 5 ② 6 ③ 7
④ 8 ⑤ 9

풀이

(i) 지수가 같으면 밑도 같아야 하므로
$x-3=2 \quad \therefore x=5$

(ii) $x-4=0$, 즉 $x=4$를 대입하면
$1^0=2^0=1$

(i), (ii)에 의하여 주어진 방정식을 만족시키는 x는 5, 4이므로 그 합은
$5+4=9$

답 ⑤

풍쌤 유형 TIP

밑과 지수에 모두 미지수가 있는 방정식

(1) 밑에 미지수가 있고 지수가 같은 지수방정식
$\{a(x)\}^{f(x)}=\{b(x)\}^{f(x)}$ $(a(x)>0, b(x)>0)$의 꼴의 방정식은 $f(x)=0$ 또는 $a(x)=b(x)$의 해를 구한다.
→ 지수가 0, 즉 1=1이 되도록 하는 경우

(2) 밑에 미지수가 있고 밑이 같은 지수방정식
$\{a(x)\}^{f(x)}=\{a(x)\}^{g(x)}$ $(a(x)>0)$의 꼴의 방정식은 $a(x)=1$ 또는 $f(x)=g(x)$의 해를 구한다.
→ 밑이 1, 즉 1=1이 되도록 하는 경우

049

방정식 $(x^2-1)^{x-10}=8^{x-10}$을 만족시키는 모든 x의 값의 합은? (단, $x<-1$ 또는 $x>1$)

① 6 ② 7 ③ 8
④ 9 ⑤ 10

050

방정식 $(x+1)^{x^2-8}=4^{x^2-8}$의 모든 근의 곱을 구하여라. (단, $x>-1$)

051

방정식 $x^{2x-4}=x^{8-x}$의 모든 근의 합을 구하여라. (단, $x>0$)

052

$x>2$일 때, 방정식 $(x-2)^{x^2-2x-5}=(x-2)^{2x+7}$의 모든 근의 합은?

① 3 ② 5 ③ 7
④ 9 ⑤ 11

053

방정식 $(x+6)^{2(x+2)}=(x+6)^{x^2+x-2}$의 모든 근의 곱은? (단, $x>-6$)

① 10 ② 20 ③ 30
④ 40 ⑤ 50

유형 12 지수부등식 — 밑을 같게 할 수 있는 경우

부등식 $\left(\frac{1}{2}\right)^{2-x} \geq 4^{x+1}$을 만족시키는 정수 x의 최댓값은?

① -4　② -3　③ -2　④ 0　⑤ -1

풀이

$\left(\frac{1}{2}\right)^{2-x} \geq 4^{x+1}$에서 밑을 2로 통일하면

$2^{x-2} \geq 2^{2(x+1)}$

이때 밑이 1보다 크므로

$x-2 \geq 2(x+1)$　　$\therefore x \leq -4$

따라서 구하는 정수 x의 최댓값은 -4이다.

답 ①

054

부등식 $\left(\frac{2}{3}\right)^{2x} \geq \left(\frac{3}{2}\right)^{5-x}$을 풀어라.

055 | 수능 기출 |

부등식 $\left(\frac{1}{5}\right)^{1-2x} \leq 5^{x+4}$을 만족시키는 모든 자연수 x의 값의 합은?

① 11　② 12　③ 13　④ 14　⑤ 15

056

$0<a<1$일 때, 부등식 $a^{2x-1} > \sqrt[3]{a^2} \times a^{3x}$을 만족시키는 실수 x의 값의 범위는?

① $x>-\frac{5}{3}$　② $x>-1$　③ $x>-\frac{1}{3}$　④ $x<1$　⑤ $x<\frac{5}{3}$

057

두 부등식 $\left(\frac{1}{25}\right)^{x} < \frac{1}{125}$, $2^{x^2+x} \leq 4^{x^2+x-6}$을 모두 만족시키는 정수 x의 최솟값은?

① 2　② 3　③ 4　④ 5　⑤ 6

058

모든 실수 x에 대하여 부등식 $3^{ax(x-2)} < 9$가 성립하도록 하는 정수 a의 개수는?

① 1　② 2　③ 3　④ 4　⑤ 5

유형 13 지수부등식 — a^x의 꼴이 반복되는 경우

부등식 $3^x+(\sqrt{3})^{x+2}-18<0$의 해가 $x<a$이다. 이때 상수 a의 값은?

① 1 ② 2 ③ 3
④ 4 ⑤ 5

풀이

$3^x+(\sqrt{3})^{x+2}-18<0$에서
$(\sqrt{3})^{2x}+3\times(\sqrt{3})^x-18<0$
$(\sqrt{3})^x=t\ (t>0)$로 놓으면
$t^2+3t-18<0,\ (t-3)(t+6)<0$
$\therefore\ -6<t<3$
그런데 $t>0$이므로 $0<t<3$
즉, $0<(\sqrt{3})^x<(\sqrt{3})^2$이므로 $x<2$ → 밑이 1보다 크다.
$\therefore\ a=2$

답 ②

059 |교육청 기출|

부등식 $4^x-10\times2^x+16\le0$을 만족시키는 모든 자연수 x의 값의 합을 구하여라.

060

다음 중 부등식 $9^x-90\times3^{x-1}+81<0$의 해가 아닌 것은?

① 1 ② $\frac{4}{3}$ ③ $\frac{5}{3}$
④ 2 ⑤ $\frac{7}{3}$

061

부등식 $\left(\frac{1}{4}\right)^x+\left(\frac{1}{2}\right)^{x+1}<\left(\frac{1}{2}\right)^{x-1}+1$의 해는?

① $x<-1$ ② $-1<x<0$ ③ $x>-1$
④ $0<x<2$ ⑤ $x>2$

062 서술형

부등식 $9^{-x}-3\times\left(\frac{1}{3}\right)^{x+1}-6>0$을 만족시키는 정수 x의 최댓값을 구하여라.

063

부등식 $(2^x-10)(2^x-1000)<0$을 만족시키는 모든 자연수 x의 값의 합은?

① 38 ② 39 ③ 40
④ 41 ⑤ 42

유형 14 지수부등식 — 밑에 미지수가 있는 경우

부등식 $x^{x+1} \le x^{2x+3}$의 해가 $x \ge a$일 때, 상수 a의 값은? (단, $x>0$)

① -2 ② -1 ③ 0
④ 1 ⑤ 2

풀이

(i) $x=1$일 때 $1^2=1^5$이므로 부등식이 성립한다.

(ii) $0<x<1$일 때

$x+1 \ge 2x+3$ $\quad \therefore x \le -2$

그런데 $0<x<1$이므로 이 범위에서 해는 없다.

(iii) $x>1$일 때

$x+1 \le 2x+3$ $\quad \therefore x \ge -2$

그런데 $x>1$이므로 $x>1$

(i)~(iii)에 의하여 주어진 부등식의 해는 $x \ge 1$

$\therefore a=1$

답 ④

풍쌤 유형 TIP

밑에 미지수가 있는 지수부등식

$a(x)^{f(x)} < a(x)^{g(x)}$ $(a(x)>0)$의 꼴의 부등식은

$a(x)=1$, $a(x)>1$, $0<a(x)<1$인 경우로 나누어 푼다.

($a(x)>1$ → $f(x)<g(x)$를 푼다. / $0<a(x)<1$ → $f(x)>g(x)$를 푼다.)

064

부등식 $x^{3x-1} < x^{2(x+2)}$의 해가 $\alpha<x<\beta$일 때, $\alpha+\beta$의 값을 구하여라. (단, $x>0$)

065

다음 중 부등식 $x^{x^2-8} > x^{2x+7}$을 만족시키는 x의 값인 것은? (단, $x>0$)

① 2 ② 3 ③ 4
④ 5 ⑤ 6

066

부등식 $x^{x^x} \le x^{x^4}$을 풀면? (단, $x>0$)

① $0<x<1$ ② $0<x\le 1$ ③ $0<x<4$
④ $0<x\le 4$ ⑤ $1<x\le 4$

067 서술형

부등식 $(x-1)^{3x-1} \ge (x-1)^{5x+4}$을 풀어라. (단, $x>1$)

068

부등식 $(x+2)^{2x^2-3x} < (x+2)^{-x^2+4x-2}$의 해는 $a<x<b$ 또는 $c<x<d$이다. 이때 $6(a+b+c+d)$의 값은? (단, $x>-2$, $a<b<c<d$)

① -4 ② -2 ③ 0
④ 2 ⑤ 4

실력을 높이는 연습 문제

정답과 풀이 030쪽

01

함수 $f(x)=a^x$에 대하여 다음 중 옳지 않은 것은? (단, $a>0$, $a\neq1$)

① $f(3)=f(1)f(2)$ ② $f(4)=\{f(2)\}^2$

③ $f(6)=\sqrt{f(12)}$ ④ $f(-4)=\dfrac{1}{f(8)}$

⑤ $f\left(\dfrac{1}{10}\right)=\sqrt[20]{f(2)}$

02

두 함수 $f(x)=a^{bx-1}$, $g(x)=a^{1-bx}$이 다음 두 조건을 만족시킨다.

> (가) 함수 $y=f(x)$의 그래프와 함수 $y=g(x)$의 그래프는 직선 $x=1$에 대하여 대칭이다.
>
> (나) $f(2)+g(2)=\dfrac{17}{4}$

두 상수 a, b에 대하여 $a+b$의 값은? (단, $a>1$)

① $\dfrac{11}{3}$ ② 4 ③ $\dfrac{13}{3}$

④ $\dfrac{14}{3}$ ⑤ 5

03

오른쪽 그림은 지수함수 $y=2^x$의 그래프와 무리함수 $y=\sqrt{x}$의 그래프를 나타낸 것이다. 이때 ab의 값은? (단, 점선은 x축 또는 y축에 평행하다.)

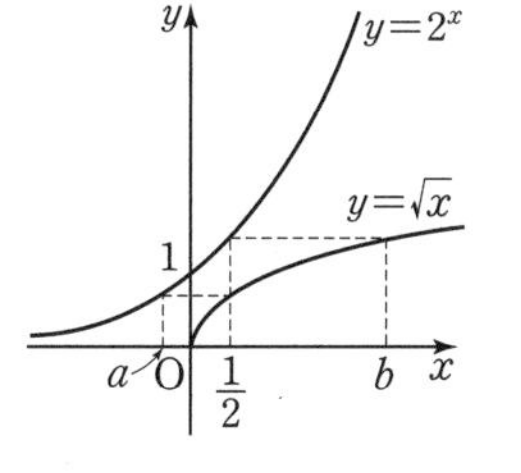

① -2 ② -1

③ $-\dfrac{1}{2}$ ④ $\dfrac{1}{2}$

⑤ 1

04

함수 $f(x)=\dfrac{2^x-2^{-x}}{2}$의 역함수를 $g(x)$라고 할 때, $g\left(\dfrac{3}{4}\right)$의 값은?

① $\dfrac{1}{2}$ ② 1 ③ $\dfrac{3}{2}$

④ 2 ⑤ $\dfrac{5}{2}$

05

$-3\le x\le2$에서 정의된 함수 $f(x)=a^x$의 최댓값이 최솟값의 32배가 되도록 하는 실수 a의 값의 합은? (단, $a>0$, $a\neq1$)

① $\dfrac{7}{4}$ ② 2 ③ $\dfrac{9}{4}$

④ $\dfrac{5}{2}$ ⑤ $\dfrac{11}{4}$

06

함수 $y=3^{-|x-2|+1}$의 최댓값은?

① 1 ② 2 ③ 3

④ 4 ⑤ 5

07

모든 실수 x에 대하여 부등식 $25^x-2\times5^{x+1}+k>0$이 항상 성립하도록 하는 자연수 k의 최솟값은?

① 23 ② 24 ③ 25
④ 26 ⑤ 27

08 실력 UP

함수 $y=4^{3+x}+4^{3-x}$의 최솟값은?

① 32 ② 64 ③ 128
④ 256 ⑤ 512

09

방정식 $\frac{4^{x^2-1}}{2^{x-2}}=8$의 두 근을 α, β라고 할 때, $2\alpha+\beta$의 값을 구하여라. (단, $\alpha>\beta$)

10 실력 UP

방정식 $9^x-2(k+1)\times3^x+4=0$이 서로 다른 두 실근을 갖도록 하는 상수 k의 값의 범위는?

① $k<-3$ ② $-3<k<1$
③ $-1<k<1$ ④ $k<-3$ 또는 $k>1$
⑤ $k>1$

11

연립방정식 $\begin{cases}2^x+4^y=12\\2^{x+2y}=32\end{cases}$의 해가 $x=\alpha$, $y=\beta$일 때, $\alpha^2+\beta^2$의 값을 구하여라. (단, α, β는 정수이다.)

12

연립방정식 $\begin{cases}2^x-2^y=1\\2^{x+y+2}-2^{y+1}=3\times2^x\end{cases}$을 만족시키는 x, y에 대하여 $x+y$의 값은?

① $\frac{1}{2}$ ② 1 ③ $\frac{3}{2}$
④ 2 ⑤ $\frac{5}{4}$

13

방정식 $(x+2)^{2x+10}=(x+2)^{x^2-a}$을 만족시키는 x의 값의 곱이 5일 때, 상수 a의 값은? (단, $x>-2$)

① -10 ② -5 ③ 0
④ 5 ⑤ 10

14 실력 UP

두 집합

$A=\{x|(x-1)(x-a)<0\}$,
$B=\{x|4^x-3\times 2^{x+2}+32<0\}$

에 대하여 $A\cap B=B$가 성립하도록 하는 정수 a의 최솟값은? (단, $a>1$)

① 3 ② 4 ③ 5
④ 6 ⑤ 7

15

모든 실수 x에 대하여 부등식 $\left(\frac{1}{2}\right)^{x^2+4}\le 2^{k(3-2x)}$이 성립하기 위한 정수 k의 최댓값과 최솟값의 합을 구하여라.

16

부등식 $a^{2x}-b\times a^x+5<0$의 해가 $-1<x<2$일 때, 두 실수 a, b에 대하여 ab의 값을 구하여라. (단, $a>1$)

17

연립부등식 $\begin{cases}\left(\frac{1}{6}\right)^{x-2}>\left(\frac{1}{36}\right)^{2-x}\\ 4^x-9\times 2^x+8<0\end{cases}$ 의 해가 $\alpha<x<\beta$일 때, $\alpha+\beta$의 값은?

① 1 ② 2 ③ 3
④ 4 ⑤ 5

18

부등식 $\frac{1}{x^2}>x^{x^2-3x}$의 해가 $a<x<b$ 또는 $c<x<d$이다. 이때 $a+b+c+d$의 값을 구하여라.

(단, $x>0$, $a<b\le c<d$)

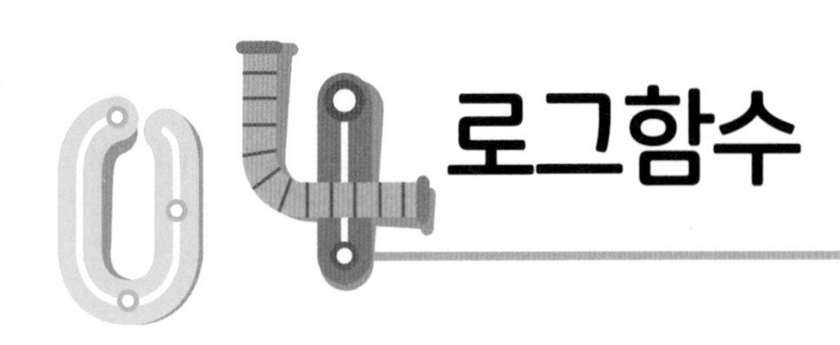

로그함수

1. 로그함수

지수함수 $y=a^x$ $(a>0,\ a\neq1)$의 역함수 $y=\log_a x$ $(a>0,\ a\neq1)$를 a를 밑으로 하는 로그함수라고 한다.

2. 로그함수 $y=\log_a x$ $(a>0,\ a\neq1)$의 그래프

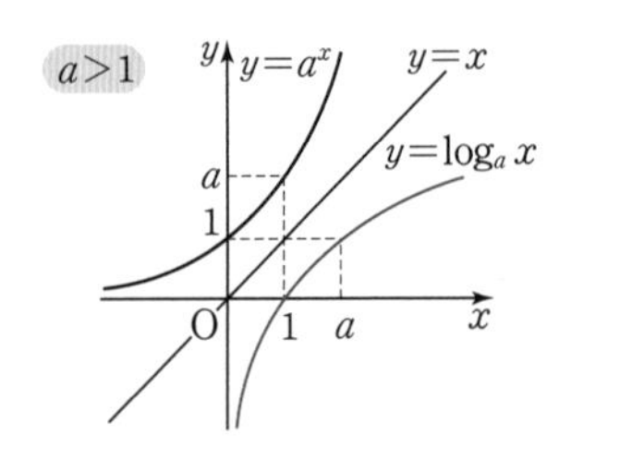

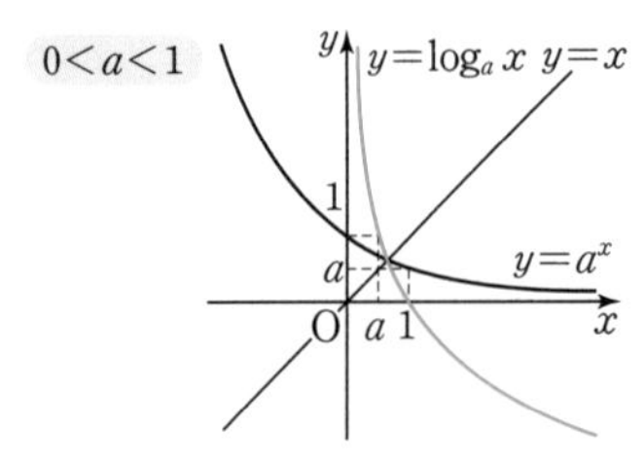

(1) 정의역은 양의 실수 전체의 집합이고, 치역은 실수 전체의 집합이다.

(2) 양의 실수 x에서 일대일함수이다.

(3) $a>1$일 때, x의 값이 커지면 y의 값도 커진다.
$0<a<1$일 때, x의 값이 커지면 y의 값은 작아진다.

(4) 그래프는 두 점 $(1,\ 0)$, $(a,\ 1)$을 지나고, y축을 점근선으로 갖는다.

(5) 지수함수 $y=a^x$의 그래프와 직선 $y=x$에 대하여 대칭이다.
→ 지수함수와 로그함수는 역함수 관계이다.

3. 로그함수의 최대 · 최소

정의역이 $\{x\,|\,m\leq x\leq n\}$인 로그함수 $y=\log_a x$ $(a>0,\ a\neq1)$은

(1) $a>1$이면 $x=m$일 때 최솟값 $\log_a m$, $x=n$일 때 최댓값 $\log_a n$을 갖는다.

(2) $0<a<1$이면 $x=m$일 때 최댓값 $\log_a m$, $x=n$일 때 최솟값 $\log_a n$을 갖는다.

4. 로그방정식

(1) $\log_a f(x)=b$ $(a>0,\ a\neq1,\ f(x)>0)$의 꼴: $f(x)=a^b$임을 이용하여 푼다.

(2) 밑을 같게 할 수 있는 경우
① $\log_a f(x)=\log_a g(x)$ $(a>0,\ a\neq1,\ f(x)>0,\ g(x)>0)$의 꼴로 변형한다.
② 방정식 $f(x)=g(x)$를 푼다.

(3) $\log_a x$의 꼴이 반복되는 경우
① $\log_a x=t$로 치환한다.
② t에 대한 방정식을 푼 후 x의 값을 구한다.

5. 로그부등식

(1) 밑을 같게 할 수 있는 경우
① $\log_a f(x)<\log_a g(x)$의 꼴로 변형한다.
② $a>1$이면 부등식 $f(x)<g(x)$를 푼다.
$0<a<1$이면 부등식 $f(x)>g(x)$를 푼다.

(2) $\log_a x$의 꼴이 반복되는 경우
① $\log_a x=t$로 치환한다.
② t에 대한 부등식을 푼 후 x의 값의 범위를 구한다.

로그함수의 그래프의 평행이동과 대칭이동

로그함수 $y=\log_a x$ $(a>0,\ a\neq1)$의 그래프를

(1) x축의 방향으로 m만큼, y축의 방향으로 n만큼 평행이동하면
$y=\log_a(x-m)+n$

(2) x축에 대하여 대칭이동하면
$y=-\log_a x$

(3) y축에 대하여 대칭이동하면
$y=\log_a(-x)$

(4) 원점에 대하여 대칭이동하면
$y=-\log_a(-x)$

(5) 직선 $y=x$에 대하여 대칭이동하면
$y=a^x$

여러 가지 로그방정식

(1) 진수가 같은 경우
$\log_m f(x)=\log_n f(x)$의 꼴의 방정식은 $m=n$ 또는 $f(x)=1$을 푼다.

(2) 지수에 로그가 있는 경우
양변에 로그를 취하여 정리한 후 방정식을 푼다.

여러 가지 로그부등식

(1) 진수에 로그가 있는 경우
$\log_a(\log_b x)>k$의 꼴의 부등식은 $N=\log_b x$로 놓고 $\log_a N>k$를 푼다.

(2) 지수에 로그가 있는 경우
양변에 로그를 취하여 정리한 후, 밑의 범위에 주의하여 부등식을 푼다.

기본을 다지는 유형

정답과 풀이 034쪽

유형 01 로그함수

로그함수 $f(x)=\log_2 x$에 대한 다음 설명 중 옳지 않은 것은?

① 정의역은 양의 실수 전체의 집합이고, 치역은 실수 전체의 집합이다.
② 그래프는 점 $(2, 1)$을 지난다.
③ 점근선은 x축이다.
④ $x_1 > x_2$이면 $f(x_1) > f(x_2)$이다.
⑤ 그래프는 $y=2^x$의 그래프와 직선 $y=x$에 대하여 대칭이다.

풀이

③ 점근선은 y축이다.

답 ③

001

다음 함수의 정의역을 구하여라.

(1) $y=\log_2(-x+6)$
(2) $y=-\log_{10}(2x-4)$
(3) $y=\log_5|x-2|$

002

함수 $y=\log_4 x$와 같은 함수를 |보기|에서 있는 대로 고른 것은?

보기
ㄱ. $y=\log_4 \frac{1}{x}$ ㄴ. $y=\frac{1}{2}\log_2 x$
ㄷ. $y=\log_{16}\sqrt{x}$ ㄹ. $y=\log_{\frac{1}{4}}(-x)$

① ㄱ ② ㄴ ③ ㄱ, ㄴ
④ ㄷ, ㄹ ⑤ ㄱ, ㄴ, ㄹ

003

함수 $f(x)=\log_3 x$에 대하여 $f(f(x))=1$을 만족시키는 x의 값은? (단, $x>1$)

① 3 ② 9 ③ 27
④ 81 ⑤ 243

004

함수 $y=\log_2(x^2+2x+a)$가 실수 전체의 집합에서 정의되도록 하는 정수 a의 최솟값은?

① -2 ② -1 ③ 0
④ 1 ⑤ 2

005

함수 $f(x)=\log_{10} x$에 대하여 다음 중 항상 일정한 값을 갖는 것은? (단, a는 양수이다.)

① $f(a)+f(-a)$ ② $f(a)f(-a)$
③ $f(a)+f\left(\frac{1}{a}\right)$ ④ $f(a)f\left(\frac{1}{a}\right)$
⑤ $f(a)-f\left(\frac{1}{a}\right)$

유형 02 로그함수의 그래프의 평행이동과 대칭이동

함수 $y=\log_2 x$의 그래프를 x축의 방향으로 m만큼, y축의 방향으로 n만큼 평행이동하였더니 함수 $y=\log_2(4x-12)$의 그래프와 일치했다. 이때 $m+n$의 값을 구하여라.

풀이

$y=\log_2(4x-12)=\log_2 4(x-3)$

$=\log_2 4+\log_2(x-3)=2+\log_2(x-3)$

$\therefore y-2=\log_2(x-3)$

이 함수의 그래프는 함수 $y=\log_2 x$의 그래프를 x축의 방향으로 3만큼, y축의 방향으로 2만큼 평행이동한 것이므로

$m=3,\ n=2 \quad \therefore m+n=3+2=5$

답 5

006

함수 $y=\log_3 x$의 그래프를 x축의 방향으로 2만큼, y축의 방향으로 4만큼 평행이동한 후, y축에 대하여 대칭이동한 그래프의 식은?

① $y=\log_3(x-2)+4$ ② $y=-\log_3(x+2)+4$
③ $y=-\log_3(x-2)-4$ ④ $y=\log_3(-x-2)+4$
⑤ $y=\log_3(-x-2)-4$

007 | 평가원 기출 |

곡선 $y=\log_2(x+5)$의 점근선이 직선 $x=k$이다. k^2의 값을 구하여라. (단, k는 상수이다.)

008

함수 $y=\frac{1}{2}\log_2 x$의 그래프를 x축의 방향으로 -1만큼, y축의 방향으로 3만큼 평행이동한 그래프가 점 $(3,\ a)$를 지날 때, a의 값은?

① 1 ② 2 ③ 3
④ 4 ⑤ 5

009 서술형

함수 $y=a+\log_5(x+b)$의 그래프의 점근선의 방정식이 $x=2$이고 이 그래프가 점 $(7,\ -3)$을 지날 때, 두 상수 $a,\ b$에 대하여 $a+b$의 값을 구하여라.

010

함수 $y=\log x$의 그래프를 평행이동 또는 대칭이동하여 겹칠 수 있는 그래프의 식을 |보기|에서 있는 대로 고른 것은?

| 보기 |

ㄱ. $y=\log\left(x+\frac{1}{2}\right)$ ㄴ. $y=\log\frac{1}{2}x$
ㄷ. $y=2\log x$ ㄹ. $y=\log\left(-\frac{1}{x}\right)$

① ㄱ, ㄴ ② ㄱ, ㄷ ③ ㄴ, ㄷ
④ ㄱ, ㄴ, ㄷ ⑤ ㄱ, ㄴ, ㄹ

유형 03 로그함수의 그래프의 활용

오른쪽 그림에서 사각형 ABCD는 한 변의 길이가 2인 정사각형이다. 두 점 A, E는 함수 $y=\log_3 x$의 그래프 위의 점이고, 두 점 C, D는 x축 위의 점이다. 이때 선분 CE의 길이는?

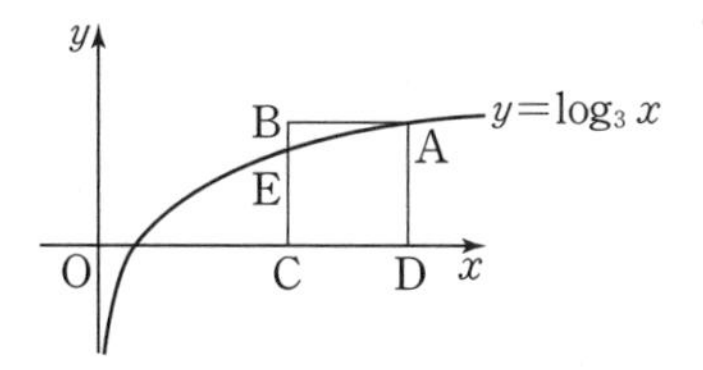

① 1　② $\log_3 4$　③ $\log_3 5$
④ $\log_3 6$　⑤ $\log_3 7$

풀이

점 D의 좌표를 $(a, 0)$이라고 하면 점 $A(a, 2)$이므로 → 점 A는 $y=\log_3 x$의 그래프 위의 점이다.

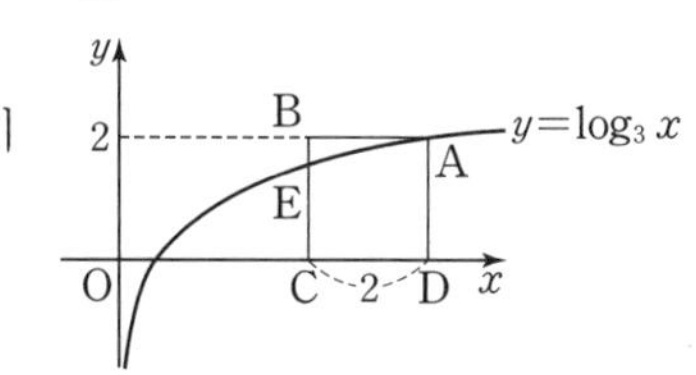

$\log_3 a=2$

$\therefore a=3^2=9$

따라서 점 C의 x좌표는

$9-2=7$

이때 선분 CE의 길이는 점 E의 y좌표와 같으므로

$\overline{CE}=\log_3 7$

답 ⑤

011

오른쪽 그림은 함수 $f(x)=\log_a x$의 그래프이다. $f(20)$의 값을 p, q로 나타내면? (단, a는 상수이다.)

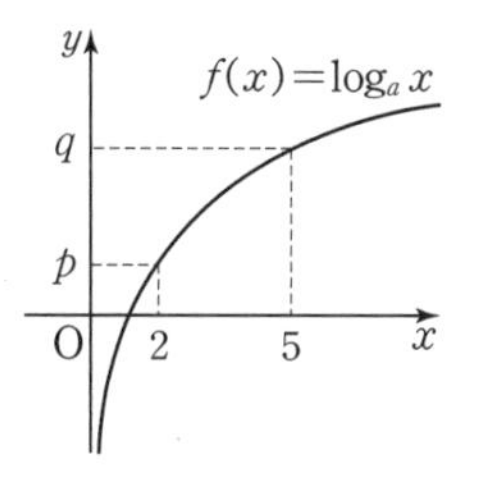

① $2p-q$　② $2p+q$
③ $2q-p$　④ $2q+p$
⑤ $2p+2q$

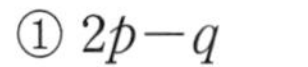

012 | 교육청 기출 |

두 곡선 $y=\log_2 x$, $y=\log_a x$ $(0<a<1)$가 x축 위의 점 A에서 만난다. 직선 $x=4$가 곡선 $y=\log_2 x$와 만나는 점을 B, 곡선 $y=\log_a x$와 만나는 점을 C라고 하자.

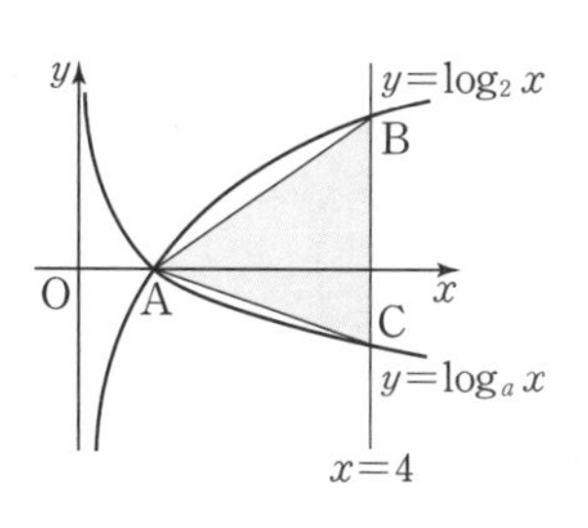

삼각형 ABC의 넓이가 $\frac{9}{2}$일 때, 상수 a의 값은?

① $\frac{1}{16}$　② $\frac{1}{8}$　③ $\frac{3}{16}$
④ $\frac{1}{4}$　⑤ $\frac{5}{16}$

013 서술형

오른쪽 그림은 함수 $y=\log_6 x$의 그래프이다. 점 M이 선분 AB의 중점일 때, 양수 a의 값을 구하여라.

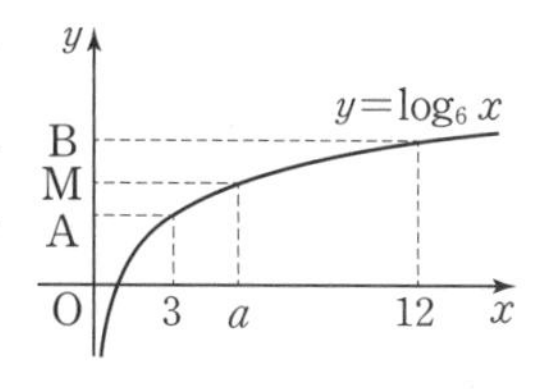

014

오른쪽 그림과 같이 각 변이 좌표축과 평행하고 넓이가 $\frac{9}{4}$인 정사각형 ABCD가 있다. 두 꼭짓점 A, B가 각각 두 함수 $y=\log_3 x$, $y=\log_9 \frac{1}{x}$의 그래프 위의 점일 때, 점 D의 y좌표를 구하여라.

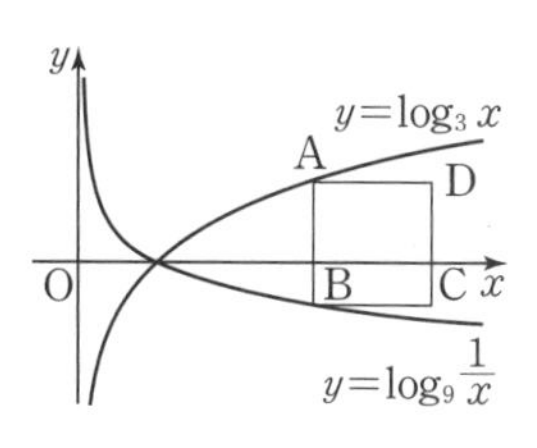

유형 04 로그함수의 역함수

함수 $f(x)=\log_2 x-1$에 대하여 $f(g(x))=x$를 만족시키는 함수 $g(x)$가 있다. 이때 $g(2)$의 값은?

① 1 ② 2 ③ 4
④ 8 ⑤ 16

풀이

$f(g(x))=x$를 만족시키므로 함수 $g(x)$는 함수 $f(x)$의 역함수이다.

$g(2)=k$로 놓으면

$f(k)=\log_2 k-1=2$, $\log_2 k=3$

$\therefore k=2^3=8$

$\therefore g(2)=8$

답 ④

015

함수 $f(x)=\log_3 x+1$의 역함수를 $g(x)$라고 할 때, 다음 중 함수 $f(x-3)$의 역함수는?

① $g(x-3)$ ② $g(x+3)$ ③ $g(x)+3$
④ $g(x)-3$ ⑤ $3g(x)$

016

함수 $f(x)=\log_{\sqrt{2}} x$의 역함수를 $g(x)$라고 하자. $f(a)=b$일 때, $g(4b)$의 값을 a를 이용하여 나타내면?

① $2a$ ② $4a$ ③ a^2
④ a^4 ⑤ a^8

017

오른쪽 그림은 함수 $y=f(x)$의 역함수 $y=a^x$ $(0<a<1)$의 그래프이다. 이때 $f(8)$의 값은?

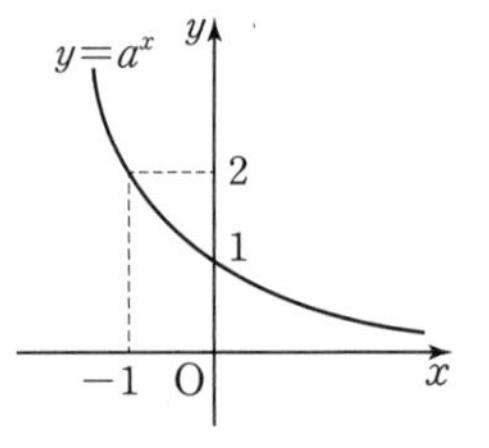

① -3 ② -1
③ 1 ④ 3
⑤ 5

018 서술형

함수 $y=5^{x+1}$의 역함수의 그래프를 x축의 방향으로 1만큼, y축의 방향으로 -3만큼 평행이동한 그래프가 점 $(k, -2)$를 지난다. 이때 k의 값을 구하여라.

019 | 수능 기출 |

함수 $y=2^x+2$의 그래프를 x축의 방향으로 m만큼 평행이동한 그래프가 함수 $y=\log_2 8x$의 그래프를 x축의 방향으로 2만큼 평행이동한 그래프와 직선 $y=x$에 대하여 대칭일 때, m의 값을 구하여라.

유형 05 로그함수를 이용한 대소 비교

세 수 $A=2\log_{0.1} 2\sqrt{2}$, $B=\log_{10}\frac{1}{16}$, $C=\log_{0.1} 5-1$의 대소 관계로 옳은 것은?

① $A<B<C$ ② $A<C<B$
③ $B<A<C$ ④ $C<A<B$
⑤ $C<B<A$

풀이

세 수를 밑이 0.1인 로그로 정리하면

$A=2\log_{0.1} 2\sqrt{2}=\log_{0.1}(2\sqrt{2})^2=\log_{0.1} 8$

$B=\log_{10}\frac{1}{16}=-\log_{10} 16=\log_{\frac{1}{10}} 16=\log_{0.1} 16$

$C=\log_{0.1} 5-1=\log_{0.1} 5-\log_{0.1} 0.1$

$=\log_{0.1}\frac{5}{0.1}=\log_{0.1} 50$

이때 밑이 0보다 크고 1보다 작으므로 $8<16<50$에서

$\log_{0.1} 50<\log_{0.1} 16<\log_{0.1} 8$

$\therefore C<B<A$

답 ⑤

020

세 수 $A=\log_3\sqrt{5}$, $B=\log_{\frac{1}{3}} 8$, $C=\log_{\sqrt{3}}\sqrt{10}$의 대소 관계로 옳은 것은?

① $A<B<C$ ② $A<C<B$
③ $B<A<C$ ④ $C<A<B$
⑤ $C<B<A$

021

세 수 $A=-3\log_2\frac{1}{5}$, $B=6$, $C=\log_{\frac{1}{4}} 3$의 대소 관계로 옳은 것은?

① $A<B<C$ ② $B<A<C$
③ $B<C<A$ ④ $C<A<B$
⑤ $C<B<A$

022

$1<x<5$일 때, 세 수

$$A=\log_5 x,\ B=(\log_5 x)^2,\ C=\log_3(\log_5 x)$$

의 대소 관계로 옳은 것은?

① $A<B<C$ ② $B<A<C$
③ $B<C<A$ ④ $C<A<B$
⑤ $C<B<A$

023

$1<x<3$일 때, 세 수

$$A=\frac{1}{2}\log_3 x^2,\ B=\log_3(\log_3 x)^2,\ C=\log_x 3$$

의 대소 관계로 옳은 것은?

① $A<B<C$ ② $B<A<C$
③ $B<C<A$ ④ $C<A<B$
⑤ $C<B<A$

유형 06 로그함수의 최대 • 최소

정의역이 $\{x|5\leq x\leq 11\}$인 함수 $y=\log_{\frac{1}{4}}(x-3)$의 최솟값이 m, 최댓값이 M일 때, $M+m$의 값은?

① -2 ② 0 ③ 2
④ 4 ⑤ 6

풀이

함수 $y=\log_{\frac{1}{4}}(x-3)$은 밑이 0보다 크고 1보다 작으므로 $x=11$일 때 최솟값 m, $x=5$일 때 최댓값 M을 갖는다.

$m=\log_{\frac{1}{4}}(11-3)=\log_{\frac{1}{4}}8$

$=\log_{2^{-2}}2^3=-\frac{3}{2}$

$M=\log_{\frac{1}{4}}(5-3)=\log_{\frac{1}{4}}2$

$=\log_{2^{-2}}2=-\frac{1}{2}$

$\therefore M+m=-\frac{3}{2}+\left(-\frac{1}{2}\right)=-2$

답 ①

024

다음 함수의 최댓값과 최솟값을 구하여라.

(1) $y=\log_3 x$ $\left(단, \frac{1}{9}\leq x\leq 9\right)$

(2) $y=\log_{\sqrt{2}} x$ (단, $2\leq x\leq 8$)

(3) $y=\log 2x$ $\left(단, \frac{1}{20}\leq x\leq 5000\right)$

(4) $y=\log_{\frac{1}{3}}(2x-3)-2$ (단, $6\leq x\leq 15$)

025

$2\leq x\leq 9$에서 정의된 함수 $y=\log_4 2(x-1)$의 최댓값을 M, 최솟값을 m이라고 할 때, $M-m$의 값을 구하여라.

026

정의역이 $\{x|9\leq x\leq 10\}$인 함수 $y=\log_{\frac{1}{3}}(x-a)$의 최솟값이 -1일 때, 상수 a의 값은?

① 6 ② 7 ③ 8
④ 9 ⑤ 10

027 | 평가원 기출 |

함수 $f(x)=2\log_{\frac{1}{2}}(x+k)$가 $0\leq x\leq 12$에서 최댓값 -4, 최솟값 m을 갖는다. $k+m$의 값은? (단, k는 상수이다.)

① -1 ② -2 ③ -3
④ -4 ⑤ -5

028

$1\leq x\leq \frac{17}{2}$에서 정의된 함수 $y=\log_2(4x-2)+k$의 최댓값이 최솟값의 2배일 때, 상수 k의 값은?

① 3 ② 4 ③ 5
④ 6 ⑤ 7

유형 07 로그함수의 최대·최소 — $y=\log_a f(x)$의 꼴

$1\le x\le 2$에서 정의된 함수 $y=\log_2(x^2-4x+6)$의 최솟값은?

① 1 ② $\log_2 3$ ③ 2
④ $\log_2 5$ ⑤ $\log_2 6$

풀이

$f(x)=x^2-4x+6$으로 놓자.
$f(x)=(x-2)^2+2$의 그래프는 오른쪽 그림과 같으므로 $1\le x\le 2$에서 함수 $f(x)$는 최댓값 $f(1)=3$, 최솟값 $f(2)=2$를 갖는다.

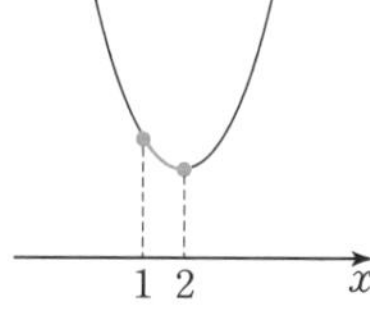

이때 주어진 함수의 밑이 1보다 크므로
함수 $y=\log_2(x^2-4x+6)$은 $x=2$일 때 최솟값 $\log_2 2=1$을 갖는다.

답 ①

029

다음 함수의 최댓값 또는 최솟값을 구하여라.

(1) $y=\log_2(x^2-2x+2)$
(2) $y=\log_{\frac{1}{3}}(x^2+6x+18)$
(3) $y=\log_4(-x^2+8)$
(4) $y=\log_{\frac{1}{2}}(-x^2+4x+4)$

030

$-1\le x\le 3$에서 정의된 함수 $y=\log_{\frac{1}{5}}(-x^2+2x+4)$이 $x=a$일 때 최솟값 b를 갖는다. $a+b$의 값은?

① -2 ② -1 ③ 0
④ 1 ⑤ 2

031

함수 $y=\log_a(x^2+2x+3)$의 최댓값이 -2일 때, 상수 a의 값은? (단, $a>0$, $a\ne1$)

① $\frac{1}{4}$ ② $\frac{1}{2}$ ③ $\frac{\sqrt{2}}{2}$
④ $\sqrt{2}$ ⑤ 2

032

두 함수 $f(x)=\log_2(-x)$, $g(x)=x^2-2x-15$에 대하여 함수 $(f\circ g)(x)$는 $x=a$일 때 최댓값 b를 갖는다. $a+b$의 값은?

① 1 ② 2 ③ 3
④ 4 ⑤ 5

033 서술형

정의역이 $\{x|-1\le x\le 1\}$인 함수 $y=\log_a\left(x^2-x+\frac{9}{4}\right)$의 치역이 $\left\{y\,\middle|\,\log_a b+1\le y\le -\frac{1}{2}\right\}$일 때, 상수 b의 값을 구하여라. (단, $0<a<1$)

유형 08 로그함수의 최대·최소 — $\log_a x$의 꼴이 반복되는 경우

$\frac{1}{2} \le x \le 8$일 때, 함수 $y=(\log_2 x)^2-4\log_2 x-5$의 최댓값을 M, 최솟값을 m이라고 하자. 이때 $M-m$의 값은?

① 5 ② 7 ③ 9
④ 11 ⑤ 13

풀이

$y=(\log_2 x)^2-4\log_2 x-5$에서 $\log_2 x=t$로 놓으면

$y=t^2-4t-5=(t-2)^2-9$

이때 $\frac{1}{2} \le x \le 8$이므로

$\log_2 \frac{1}{2} \le \log_2 x \le \log_2 8$, $\log_2 2^{-1} \le \log_2 x \le \log_2 2^3$

$\therefore -1 \le t \le 3$

함수 $y=(t-2)^2-9$의 그래프는 오른쪽 그림과 같으므로 $-1 \le t \le 3$에서 $t=-1$일 때 최댓값 0, $t=2$일 때 최솟값 -9를 갖는다.

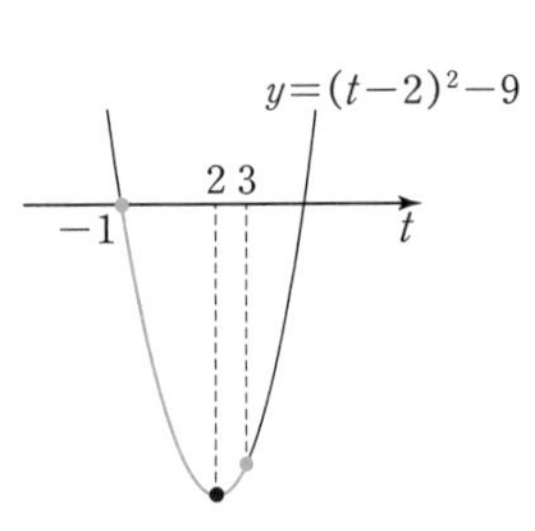

따라서 $M=0$, $m=-9$이므로

$M-m=0-(-9)=9$

답 ③

034

함수 $y=(\log_3 x)^2+a\log_3 x+b$가 $x=\frac{1}{3}$일 때 최솟값 3을 갖도록 하는 두 상수 a, b에 대하여 ab의 값은?

① 2 ② 4 ③ 6
④ 8 ⑤ 10

035 서술형

함수 $y=(\log_{\frac{1}{2}} x)^2+\log_2 x^6+2$가 $x=a$에서 최솟값 b를 가질 때, ab의 값을 구하여라.

036

정의역이 $\{x|3 \le x \le 27\}$인 함수 $y=(\log_3 x)(\log_{\frac{1}{3}} x)+4\log_3 x$의 최댓값과 최솟값의 합은?

① 6 ② 7 ③ 8
④ 9 ⑤ 10

037

$y=(\log_2 2x)\left(\log_4 \frac{x}{4}\right)$가 $x=a$에서 최솟값 b를 가질 때, a^6b의 값은?

① -12 ② -11 ③ -10
④ -9 ⑤ -8

038

$\frac{1}{81} \le x \le 9$일 때, 함수 $y=(\log_3 27x)\left(\log_3 \frac{3}{x^2}\right)$의 최댓값을 M, 최솟값을 m이라고 하자. 이때 $8M+2m$의 값을 구하여라.

유형 09 로그방정식

방정식 $\log_6(2x^2-4x)-\log_6(x-1)=\log_6 x$를 풀면?

① $x=2$ ② $x=3$ ③ $x=4$
④ $x=5$ ⑤ $x=6$

풀이

진수의 조건에서

$2x^2-4x>0$, $x-1>0$, $x>0$ $\quad\therefore x>2$

$\log_6(2x^2-4x)-\log_6(x-1)=\log_6 x$에서

$\log_6(2x^2-4x)=\log_6 x+\log_6(x-1)$

$\log_6(2x^2-4x)=\log_6 x(x-1)$

$2x^2-4x=x(x-1)$, $2x^2-4x=x^2-x$

$x^2-3x=0$, $x(x-3)=0$

$\therefore x=0$ 또는 $x=3$

따라서 주어진 방정식의 해는 $x=3$이다.

답 ②

039

다음 방정식을 풀어라.

(1) $\log_2(x+1)=4$

(2) $\log_4\{\log_3(x-1)\}=1$

(3) $\log_{\frac{1}{2}}(x+2)=2\log_{\frac{1}{2}}3$

(4) $\log_3 x=1+\log_3(x-3)$

040 | 평가원 기출 |

방정식 $\log_2(4+x)+\log_2(4-x)=3$을 만족시키는 모든 실수 x의 값의 곱은?

① -10 ② -8 ③ -6
④ -4 ⑤ -2

041

방정식 $\log_3(x-1)-\log_9\left(x-\frac{5}{3}\right)=\frac{1}{2}$의 모든 근의 합은?

① 5 ② 6 ③ 7
④ 8 ⑤ 9

042

방정식 $\log_x(\log_{\sqrt{2}}8)=2$를 만족시키는 x의 값은?

① $\sqrt{2}$ ② $\sqrt{3}$ ③ 2
④ $\sqrt{5}$ ⑤ $\sqrt{6}$

043

방정식 $\log_4 x+\log_4(6-x)-\log_4 k=0$이 서로 다른 두 개의 실근을 갖도록 하는 자연수 k의 개수는?

① 6 ② 7 ③ 8
④ 9 ⑤ 10

유형 10 로그방정식 — $\log_a x$의 꼴이 반복되는 경우

방정식 $(\log_2 x)^2-4\log_2 x+3=0$의 두 근을 α, β라고 할 때, $\alpha+\beta$의 값은?

① 2 ② 4 ③ 6
④ 8 ⑤ 10

풀이

$(\log_2 x)^2-4\log_2 x+3=0$에서 $\log_2 x=t$로 놓으면
$t^2-4t+3=0$, $(t-1)(t-3)=0$
$\therefore t=1$ 또는 $t=3$
즉, $\log_2 x=1$ 또는 $\log_2 x=3$이므로
$x=2$ 또는 $x=8$
$\therefore \alpha+\beta=10$

답 ⑤

044 | 교육청 기출 |

방정식 $(\log_3 x)^2+4\log_9 x-3=0$의 모든 실근의 곱은?

① $\frac{1}{9}$ ② $\frac{1}{3}$ ③ $\frac{5}{9}$
④ $\frac{7}{9}$ ⑤ 1

045

방정식 $(\log_2 2x)\left(\log_2 \frac{x}{2}\right)=8$을 풀어라.

046

방정식 $\log_x 16-\log_2 x=3$의 두 근을 α, β라고 할 때, $\frac{1}{\alpha}+\beta$의 값은? (단, $\alpha<\beta$)

① 14 ② 16 ③ 18
④ 20 ⑤ 22

047

방정식 $\log_{\frac{1}{3}} x\times\log_3 x+\log_3 x^3+k=0$의 한 근이 $\frac{1}{9}$일 때, 다른 한 근은? (단, k는 상수이다.)

① 3 ② 9 ③ 27
④ 81 ⑤ 243

048

방정식 $\log_3 x-\log_x 9+1=0$의 근과 방정식 $9x^2+ax+b=0$의 근이 일치할 때, 두 상수 a, b에 대하여 $a+b$의 값은?

① -25 ② -15 ③ -5
④ 5 ⑤ 15

유형 11 로그방정식의 응용

방정식 $x^{\log_3 x}=3^8\times x^2$을 만족시키는 x의 값의 곱은?

① $\frac{1}{81}$ ② $\frac{1}{9}$ ③ 1
④ 9 ⑤ 81

풀이

$x^{\log_3 x}=3^8\times x^2$의 양변에 밑이 3인 로그를 취하면

$\log_3 x^{\log_3 x}=\log_3(3^8\times x^2)$

$\log_3 x\times\log_3 x=\log_3 3^8+\log_3 x^2$

$(\log_3 x)^2=8+2\log_3 x$

$\log_3 x=t$로 놓으면

$t^2=8+2t$, $t^2-2t-8=0$

$(t+2)(t-4)=0$

$\therefore\ t=-2$ 또는 $t=4$

즉, $\log_3 x=-2$ 또는 $\log_3 x=4$이므로

$x=\frac{1}{9}$ 또는 $x=81$

따라서 구하는 x의 값의 곱은

$\frac{1}{9}\times 81=9$

답 ④

풍쌤 유형 TIP

여러 가지 로그방정식

(1) 진수가 같은 경우
$\log_{a(x)}f(x)=\log_{b(x)}f(x)$의 꼴의 방정식은
$a(x)=b(x)$ 또는 $f(x)=1$을 푼다.
→ 진수가 1, 즉 $0=0$이 되도록 하는 경우
이때 밑과 진수의 조건에 주의한다.

(2) 지수에 로그가 있는 경우
양변에 로그를 취하여 정리한 후 방정식을 푼다.

049

방정식 $\log_{x^2}(x+1)=\log_{6-x}(x+1)$을 만족시키는 x의 값의 합은?

① 1 ② 2 ③ 3
④ 4 ⑤ 5

050 서술형

방정식 $\log_{12x+4}(4x-5)=\log_{4x^2-3x}(4x-5)$의 근의 곱을 구하여라.

051

방정식 $x^{\log x}=\frac{x^3}{100}$의 두 근을 α, β라고 할 때, $\alpha\beta$의 값은?

① 1 ② 10 ③ 100
④ 1000 ⑤ 10000

052

방정식 $(64x)^{\log_2 x}=x^3$의 근의 곱은?

① $\frac{1}{16}$ ② $\frac{1}{8}$ ③ $\frac{1}{4}$
④ $\frac{1}{2}$ ⑤ 1

유형 12 로그부등식

부등식 $\log_3(x-2) \leq \log_9(x+4)$를 만족시키는 정수 x의 값의 합은?

① 10 ② 11 ③ 12
④ 13 ⑤ 14

풀이

진수의 조건에서 $x-2>0$, $x+4>0$

$\therefore x>2$ ······ ㉠

$\log_3(x-2) \leq \log_9(x+4)$에서

$\log_3(x-2) \leq \log_{3^2}(x+4)$

$\log_3(x-2) \leq \frac{1}{2}\log_3(x+4)$

$2\log_3(x-2) \leq \log_3(x+4)$

$\log_3(x-2)^2 \leq \log_3(x+4)$

이때 밑이 1보다 크므로 (부등호 방향이 그대로)

$(x-2)^2 \leq x+4$, $x^2-4x+4 \leq x+4$

$x^2-5x \leq 0$, $x(x-5) \leq 0$

$\therefore 0 \leq x \leq 5$ ······ ㉡

㉠, ㉡의 공통부분을 구하면 $2<x\leq 5$

따라서 구하는 정수 x는 3, 4, 5이므로 그 합은

$3+4+5=12$

답 ③

053

다음 부등식을 풀어라.

(1) $\log_3(x+3) \leq 3$

(2) $\log_{\frac{1}{2}}(1-2x) > 1$

(3) $\log_4(3x+1) > \log_4(x-1)$

(4) $\log_{\frac{1}{3}}(4-x) \leq \log_{\frac{1}{3}}(2x+2)$

054

부등식 $\log_3(x-5)+\log_3(x+5) \leq 3$의 해가 $\alpha < x \leq \beta$일 때, $\alpha^2+\beta^2$의 값을 구하여라.

055 | 교육청 기출 |

부등식 $\log_{18}(n^2-9n+18) < 1$을 만족시키는 자연수 n의 값의 합은?

① 14 ② 15 ③ 16
④ 17 ⑤ 18

056

부등식 $\log_{\frac{1}{4}} 3(x+5) > \log_{\frac{1}{2}}(x-1)$을 만족시키는 정수 x의 최솟값은?

① 7 ② 8 ③ 9
④ 10 ⑤ 11

057 서술형

부등식 $2\log_5|x-2| \leq 2-\log_5 16$을 만족시키는 정수 x의 값의 합을 구하여라.

유형 13 로그부등식 — $\log_a x$의 꼴이 반복되는 경우

부등식 $(\log_6 x)^2 < \log_6 x + 2$의 해가 $\alpha < x < \beta$일 때, $\alpha\beta$의 값은?

① 6 ② 8 ③ 10
④ 12 ⑤ 14

풀이

진수의 조건에서 $x > 0$ ……… ㉠
$(\log_6 x)^2 < \log_6 x + 2$에서
$(\log_6 x)^2 - \log_6 x - 2 < 0$
$\log_6 x = t$로 놓으면
$t^2 - t - 2 < 0$, $(t+1)(t-2) < 0$
$\therefore -1 < t < 2$
즉, $-1 < \log_6 x < 2$이므로
$\frac{1}{6} < x < 36$ ……… ㉡
㉠, ㉡의 공통부분을 구하면 $\frac{1}{6} < x < 36$
따라서 $\alpha = \frac{1}{6}$, $\beta = 36$이므로 $\alpha\beta = \frac{1}{6} \times 36 = 6$

답 ①

058

부등식 $(\log_2 x)^2 + \log_2 \frac{32}{x^6} \le 0$의 해가 $\alpha \le x \le \beta$일 때, $\alpha + \beta$의 값은?

① 28 ② 30 ③ 32
④ 34 ⑤ 36

059

부등식 $(\log_3 x)^2 > \log_{\frac{1}{3}} x^2 + 3$을 만족시키는 정수 x의 최솟값을 구하여라.

060

두 함수 $f(x) = x^2$, $g(x) = \log_7 x$에 대하여 $(f \circ g)(x) \le (g \circ f)(x)$를 만족시키는 자연수 x의 개수는?

① 10 ② 49 ③ 50
④ 99 ⑤ 100

061

부등식 $\log_2 \frac{2}{x} \times \log_2 x \ge -20$을 만족시키는 자연수 x의 최댓값은?

① 16 ② 32 ③ 64
④ 128 ⑤ 256

062

부등식 $\left(\log_{\frac{1}{3}} \frac{x}{9}\right)\left(\log_{\frac{1}{3}} \frac{x}{27}\right) < 2$의 해가 $\alpha < x < \beta$일 때, $\beta - \alpha$의 값은?

① 18 ② 54 ③ 72
④ 78 ⑤ 80

유형 14 로그부등식의 응용

부등식 $\frac{x^7}{10^{10}} > x^{\log x}$의 해가 $\alpha < x < \beta$일 때, $\frac{\beta}{\alpha}$의 값은?

① $\frac{1}{100}$ ② $\frac{1}{10}$ ③ 10
④ 100 ⑤ 1000

풀이

$\frac{x^7}{10^{10}} > x^{\log x}$의 양변에 상용로그를 취하면

$\log \frac{x^7}{10^{10}} > \log x \times \log x$ (상용로그는 밑이 1보다 크므로 부등호의 방향이 그대로)

$\log x^7 - \log 10^{10} > (\log x)^2$

$7 \log x - 10 > (\log x)^2$

$\log x = t$로 놓으면

$7t - 10 > t^2$, $t^2 - 7t + 10 < 0$

$(t-2)(t-5) < 0$

$\therefore 2 < t < 5$

즉, $2 < \log x < 5$이므로 $10^2 < x < 10^5$

따라서 $\alpha = 10^2$, $\beta = 10^5$이므로

$\frac{\beta}{\alpha} = \frac{10^5}{10^2} = 10^3 = 1000$

답 ⑤

풍쌤 유형 TIP

여러 가지 로그부등식

(1) 진수에 로그가 있는 경우
$\log_a (\log_b x) > k$ 꼴의 부등식은
① $a > 1$일 때 $\log_b x > a^k$
② $0 < a < 1$일 때 $\log_b x < a^k$
과 같이 푼다. 이때 진수의 조건에 주의한다. ($x > 0$뿐만 아니라 $\log_b x > 0$도 생각한다.)

(2) 지수에 로그가 있는 경우
양변에 로그를 취하여 정리한 후 부등식을 푼다.
이때 밑의 범위에 주의한다.

063 서술형

부등식 $\log_2 (\log_2 x) \leq 2$를 만족시키는 정수 x의 개수를 구하여라.

064

부등식 $\log_{\frac{1}{3}} (\log_8 x) > 1$의 해가 $\alpha < x < \beta$일 때, $\alpha + \beta$의 값은?

① 1 ② 2 ③ 3
④ 4 ⑤ 5

065

부등식 $x^{\log_{\frac{1}{3}} x} > 27x^4$의 해가 $\alpha < x < \beta$일 때, $\frac{\alpha + \beta}{\alpha\beta}$의 값은?

① 30 ② $\frac{61}{2}$ ③ 31
④ $\frac{63}{2}$ ⑤ 32

066

부등식 $x^{\log_4 \frac{1}{x}} > \frac{1}{256}$을 만족시키는 정수 x의 최댓값은?

① 13 ② 14 ③ 15
④ 16 ⑤ 17

실력을 높이는 연습 문제

정답과 풀이 045쪽

01

함수 $f(x)=\log_2 x+k\log_x 8$에 대하여 $f(4)=2f(8)$이 성립할 때, 상수 k의 값은?

① -8 ② -2 ③ 4
④ 10 ⑤ 16

02

두 함수 $f(x)=\log_a x+3$, $g(x)=\log_b(x+6)$의 그래프와 직선 $x=2$의 교점의 좌표가 각각 $(2, 2)$, $(2, 3)$일 때, $\log_b a$의 값은? (단, $a>0$, $a\neq1$, $b>0$, $b\neq1$)

① -1 ② 0 ③ 1
④ 2 ⑤ 3

03

함수 $f(x)=\log_{\frac{1}{3}}\left(1-\frac{1}{x}\right)$에 대하여
$f(2)+f(3)+f(4)+\cdots+f(27)$의 값은?

① -9 ② -3 ③ 1
④ 3 ⑤ 9

04

함수 $y=\log_a(x+a)$의 그래프가 제4사분면만을 지나지 않을 때, 다음 중 옳은 것은?

① $a>1$ ② $a>0$ ③ $0<a<1$
④ $a<0$ ⑤ $a<-1$

05

두 함수 $f(x)=\log_{\frac{1}{2}}x$, $g(x)=\log_5 x$에 대하여
$(f^{-1}\circ g)(25)$의 값은?

① $\frac{1}{16}$ ② $\frac{1}{8}$ ③ $\frac{1}{4}$
④ 2 ⑤ 4

06 실력 UP

$0<a<1<b$일 때, 세 수 $\log_a b$, $\log_b\frac{1}{a}$, $\log_a\frac{b}{a}$의 대소 관계로 옳은 것은?

① $\log_a b<\log_b\frac{1}{a}<\log_a\frac{b}{a}$

② $\log_a b<\log_a\frac{b}{a}<\log_b\frac{1}{a}$

③ $\log_a\frac{b}{a}<\log_b\frac{1}{a}<\log_a b$

④ $\log_a\frac{b}{a}<\log_a b<\log_b\frac{1}{a}$

⑤ $\log_a\frac{1}{a}<\log_a\frac{b}{a}<\log_a b$

07

정의역이 $\{x|-2\leq x\leq 8\}$인 함수 $y=\log_4(x+a)$의 최댓값이 2일 때, 상수 a의 값을 구하여라.

08

함수 $y=3+\log_2(|x-4|+4)$의 최솟값은?

① 3　② 4　③ 5　④ 6　⑤ 7

09

함수 $y=\log_{15}(25-x)+\log_{15}(x+5)$의 치역이 $\{y|y\leq a\}$일 때, a의 값은?

① 1　② 2　③ 5　④ 15　⑤ 100

10

$1\leq x\leq 2$에서 함수 $y=(\log_2 4x)(\log_2 16x)$의 최댓값을 M, 최솟값을 m이라고 할 때, $M+m$의 값은?

① 20　② 21　③ 22　④ 23　⑤ 24

11 실력 UP

함수 $y=(32x)^{\log_{\frac{1}{2}}2x}$의 최댓값은?

① 4　② 8　③ 16　④ 32　⑤ 64

12 | 평가원 기출 |

방정식 $\log_2 x=1+\log_4(2x-3)$을 만족시키는 실수 x의 값의 곱을 구하여라.

13

방정식 $\log_5 x - \log_{25} x = \log_5 x \times \log_{25} x$의 두 근을 α, β라고 할 때, $\alpha^2+\beta^2$의 값은?

① 14 ② 17 ③ 20
④ 23 ⑤ 26

14

방정식 $(\log_{\frac{1}{4}} x)^2 - k\log_{\frac{1}{4}} x - 4 = 0$의 두 근의 곱이 16일 때, 상수 k의 값은?

① -2 ② -1 ③ 1
④ 2 ⑤ 4

15

다음은 다영이와 현수가 방정식
$a(\log_3 x)^2 + b\log_3 x + c = 0$을 푼 결과이다. 다영이는 상수 b를 잘못 보고 풀었고, 현수는 상수 c를 잘못 보고 풀었다고 한다. 주어진 방정식의 옳은 해를 $x=\alpha$, $x=\beta$라고 할 때, $\alpha\beta$의 값을 구하여라. (단, $a \neq 0$)

> 다영이의 답: $x=9$ 또는 $x=\frac{1}{81}$
>
> 현수의 답: $x=\frac{1}{3}$ 또는 $x=27$

16

연립방정식 $\begin{cases} \log_3 (x+y) = 2 \\ \log_2 x + \log_2 y = 0 \end{cases}$ 을 만족시키는 x, y에 대하여 $(x-y)^2$의 값은?

① 75 ② 76 ③ 77
④ 78 ⑤ 79

17 실력 UP

$x>0$일 때, 방정식 $(4x)^{\log 4} = (5x)^{\log 5}$의 해는?

① $\frac{1}{2}$ ② $\frac{1}{4}$ ③ $\frac{1}{5}$
④ $\frac{1}{10}$ ⑤ $\frac{1}{20}$

18 | 교육청 기출 |

정수 전체의 집합의 두 부분집합
$A=\{x \mid \log_2 (x+1) \leq k\}$,
$B=\{x \mid \log_2 (x-2) - \log_{\frac{1}{2}} (x+1) \geq 2\}$
에 대하여 $n(A\cap B)=5$를 만족시키는 자연수 k의 값은?

① 3 ② 4 ③ 5
④ 6 ⑤ 7

19

부등식 $(\log_3 x)^2 \le \log_3 \frac{9}{x^3}+16$의 해가 $\alpha \le x \le \beta$일 때, $\frac{\beta}{\alpha}$의 값은?

① 3^7 ② 3^8 ③ 3^9
④ 3^{10} ⑤ 3^{11}

20

부등식 $\log_4(\log_2 x-2) \le \frac{1}{2}$을 만족시키는 정수 x의 개수는?

① 9 ② 10 ③ 11
④ 12 ⑤ 13

21

연립부등식 $\begin{cases} 32^{2-x} \le \left(\frac{1}{4}\right)^{x^2-4} \\ (\log_2 x)^2 < \log_2 x^3 \end{cases}$ 을 만족시키는 자연수 x의 값을 구하여라.

22

부등식 $4^{\log x} \times x^{\log 4} - \frac{9}{2}(4^{\log x}+x^{\log 4})+8<0$의 해가 $\alpha<x<\beta$일 때, $\alpha^2+\beta^2$의 값은?

① 101 ② 1001 ③ 1010
④ 10001 ⑤ 10100

23 실력 UP

x에 대한 방정식 $x^2-(2-\log_2 a^2)x+4=0$이 실근을 갖도록 하는 상수 a의 값의 범위는?

① $\frac{1}{2} \le a \le 8$

② $\frac{1}{2} \le a < 1$ 또는 $1 < a \le 8$

③ $a \le \frac{1}{2}$ 또는 $a \ge 8$

④ $0 < a \le \frac{1}{2}$ 또는 $a > 8$

⑤ $a < 0$ 또는 $0 < a \le \frac{1}{2}$ 또는 $a \ge 8$

삼각함수

삼각함수

1. 일반각

(1) 시초선과 동경: 고정된 반직선 OX의 위치에서 반직선 OP가 점 O를 중심으로 회전한 양을 ∠XOP의 크기라고 할 때, 반직선 OX를 시초선, 반직선 OP를 동경이라고 한다.

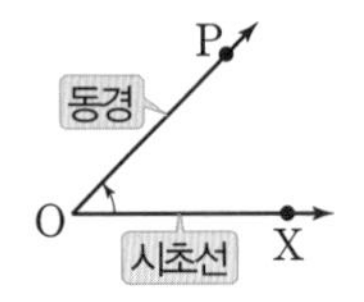

참고 동경 OP가 회전할 때 시곗바늘이 도는 반대 방향을 양의 방향, 시곗바늘이 도는 방향을 음의 방향이라고 한다.
이때 음의 방향으로 회전하면 각의 크기에 음의 부호 −를 붙여 나타낸다.

(2) 일반각: 시초선 OX와 동경 OP가 이루는 한 각의 크기를 α°라고 할 때, ∠XOP의 크기는

$360^\circ n+\alpha^\circ$ (n은 정수, $0^\circ \le \alpha^\circ < 360^\circ$)

이고, 이를 동경 OP가 나타내는 일반각이라고 한다.

참고 일반각을 그림으로 나타내면 다음과 같다.

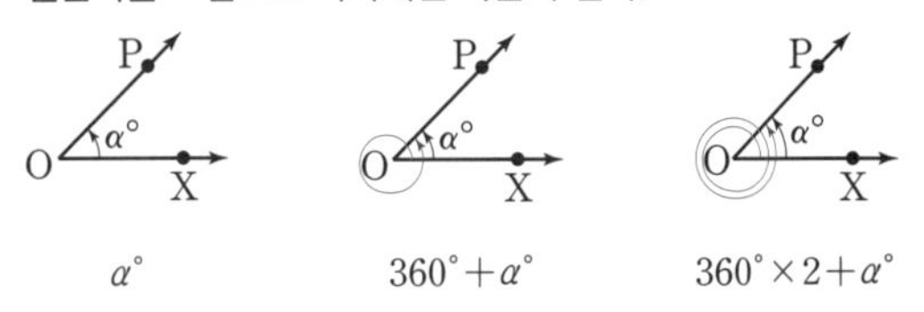

α° $\quad$ $360^\circ+\alpha^\circ$ $\quad$ $360^\circ\times 2+\alpha^\circ$

○ **일반각**
예 시초선 OX와 60°를 이루는 위치에 있는 동경 OP가 나타내는 일반각은 $360^\circ n+60^\circ$ (단, n은 정수이다.)

2. 사분면의 각

좌표평면 위의 원점 O에서 x축의 양의 방향을 시초선으로 잡을 때, 제1사분면, 제2사분면, 제3사분면, 제4사분면에 있는 동경 OP가 나타내는 각을 각각 제1사분면의 각, 제2사분면의 각, 제3사분면의 각, 제4사분면의 각이라고 한다.

○ 동경 OP가 좌표축 위에 있을 때는 동경 OP가 나타내는 각이 어느 사분면에도 속하지 않는다.

3. 두 동경의 위치 관계

두 동경이 나타내는 각의 크기가 α, β $(\alpha>\beta)$일 때, 정수 n에 대하여 두 동경의 위치 관계는 다음과 같다.

일치	원점에 대하여 대칭	x축에 대하여 대칭	y축에 대하여 대칭	직선 $y=x$에 대하여 대칭
$\alpha-\beta$ $=360^\circ n$	$\alpha-\beta$ $=360^\circ n+180^\circ$	$\alpha+\beta$ $=360^\circ n$	$\alpha+\beta$ $=360^\circ n+180^\circ$	$\alpha+\beta$ $=360^\circ n+90^\circ$

○ 직선 $y=-x$에 대하여 대칭
➡ $\alpha+\beta=360^\circ n+270^\circ$

4. 호도법

(1) 반지름의 길이가 r인 부채꼴의 호의 길이가 r일 때, 중심각의 크기를 1라디안이라 하고, 라디안을 단위로 하여 각의 크기를 나타내는 방법을 호도법이라고 한다.

○ **육십분법**
원의 둘레를 360등분하여 각 호에 대한 중심각의 크기를 1도(°)라고 할 때, 도(°)를 단위로 하여 각의 크기를 나타내는 방법

(2) 육십분법과 호도법의 관계

① $1^\circ=\frac{\pi}{180}$라디안　　　② 1라디안$=\frac{180^\circ}{\pi}$

참고 호도법에서 단위 '라디안'은 보통 생략하여 나타낸다.

호도법으로 나타낸 특수각

육십분법	호도법	육십분법	호도법
0°	0	90°	$\frac{\pi}{2}$
30°	$\frac{\pi}{6}$	180°	π
45°	$\frac{\pi}{4}$	270°	$\frac{3}{2}\pi$
60°	$\frac{\pi}{3}$	360°	2π

5. 부채꼴의 호의 길이와 넓이

반지름의 길이가 r, 중심각의 크기가 θ(라디안)인 부채꼴의 호의 길이를 l, 넓이를 S라고 하면

$l=r\theta$, $S=\frac{1}{2}r^2\theta=\frac{1}{2}rl$

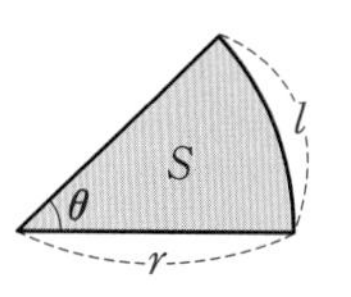

6. 삼각함수

동경 OP가 중심이 원점이고 반지름의 길이가 r인 원과 만나는 점을 $P(x, y)$라고 할 때,

$\sin\theta=\frac{y}{r}$, $\cos\theta=\frac{x}{r}$, $\tan\theta=\frac{y}{x}$ $(x\neq0)$

를 차례로 θ의 사인함수, 코사인함수, 탄젠트함수라 하고, 이 함수들을 θ에 대한 삼각함수라고 한다.

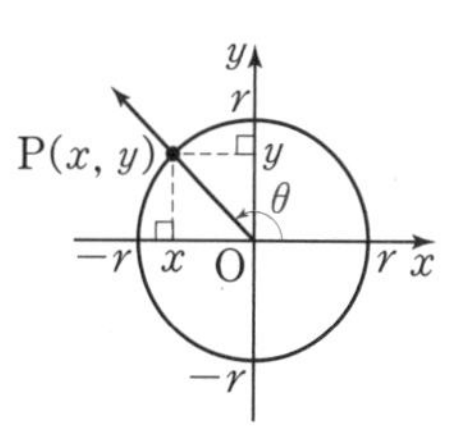

삼각함수의 값

예 각 θ를 나타내는 동경과 원점 O를 중심으로 하는 원의 교점이 $P(-4, 3)$이면

$\overline{OP}=\sqrt{(-4)^2+3^2}=5$이므로

$\sin\theta=\frac{3}{5}$, $\cos\theta=-\frac{4}{5}$,

$\tan\theta=-\frac{3}{4}$

7. 삼각함수의 값의 부호

삼각함수의 값의 부호는 각 θ의 동경이 위치한 사분면에 따라 다음과 같이 정해진다.

(1) $\sin\theta$의 값의 부호

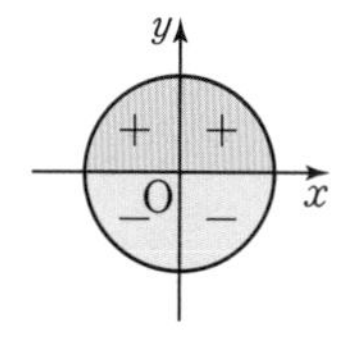

(2) $\cos\theta$의 값의 부호

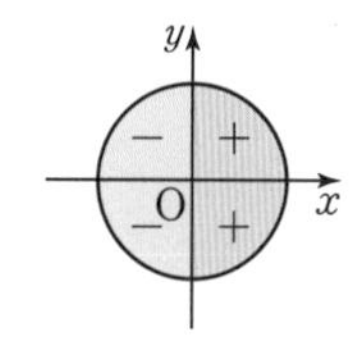

(3) $\tan\theta$의 값의 부호

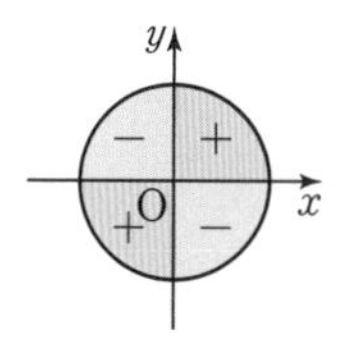

참고 각 사분면에서 삼각함수의 값의 부호가 양수인 경우는 '올사탄코'를 이용하여 외운다.
올: 제1사분면에서는 모든 삼각함수의 값이 양수이다.
사: 제2사분면에서는 사인함수의 값만이 양수이다.
탄: 제3사분면에서는 탄젠트함수의 값만이 양수이다.
코: 제4사분면에서는 코사인함수의 값만이 양수이다.

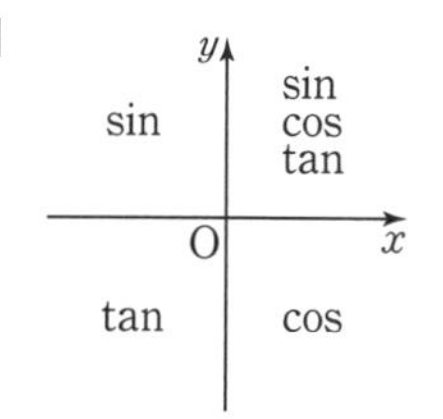

삼각함수의 값의 부호

예 $\frac{2}{3}\pi$는 제2사분면의 각이므로

$\sin\frac{2}{3}\pi>0$, $\cos\frac{2}{3}\pi<0$,

$\tan\frac{2}{3}\pi<0$

$\frac{5}{4}\pi$는 제3사분면의 각이므로

$\sin\frac{5}{4}\pi<0$, $\cos\frac{5}{4}\pi<0$,

$\tan\frac{5}{4}\pi>0$

8. 삼각함수 사이의 관계

(1) $\tan\theta=\frac{\sin\theta}{\cos\theta}$

(2) $\sin^2\theta+\cos^2\theta=1$

참고 $(\sin\theta)^2=\sin^2\theta$, $(\cos\theta)^2=\cos^2\theta$, $(\tan\theta)^2=\tan^2\theta$

기본을 다지는 유형

유형 01 일반각

다음 각 중 45°와 동경이 일치하는 것은?

① 120° ② 145° ③ 375°
④ 380° ⑤ 765°

풀이

① $120^\circ=360^\circ\times0+120^\circ$
② $145^\circ=360^\circ\times0+145^\circ$
③ $375^\circ=360^\circ\times1+15^\circ$
④ $380^\circ=360^\circ\times1+20^\circ$
⑤ $765^\circ=360^\circ\times2+45^\circ$
따라서 45°와 동경이 일치하는 것은 ⑤이다.

답 ⑤

유형 02 사분면의 각

다음 중 제4사분면의 각이 아닌 것은?

① -45° ② 400° ③ 640°
④ 710° ⑤ 1400°

풀이

① $-45^\circ=360^\circ\times(-1)+315^\circ$이므로 제4사분면의 각이다.
② $400^\circ=360^\circ\times1+40^\circ$이므로 제1사분면의 각이다.
③ $640^\circ=360^\circ\times1+280^\circ$이므로 제4사분면의 각이다.
④ $710^\circ=360^\circ\times1+350^\circ$이므로 제4사분면의 각이다.
⑤ $1400^\circ=360^\circ\times3+320^\circ$이므로 제4사분면의 각이다.
따라서 제4사분면의 각이 아닌 것은 ②이다.
(제4사분면의 각 → $270^\circ<\theta<360^\circ$)

답 ②

001

다음 각의 동경이 나타내는 일반각을 구하여라.

(1) 350° (2) 600°
(3) -240° (4) -540°

002

오른쪽 그림과 같이 시초선 OX와 동경 OP가 주어질 때, 다음 중 동경 OP가 나타내는 각이 아닌 것은?

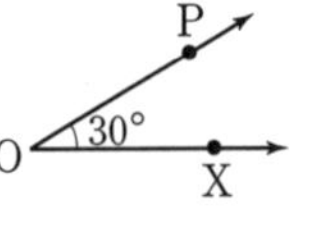

① 390° ② 750° ③ 1100°
④ -330° ⑤ -690°

003

$\theta=1560^\circ$일 때, 각 $\frac{\theta}{3}$는 제몇 사분면의 각인가?

① 제1사분면 ② 제2사분면
③ 제3사분면 ④ 제4사분면
⑤ 제1, 2사분면

004

다음 중 동경이 같은 사분면에 있는 각이 아닌 것은?

① 200° ② 610° ③ 1380°
④ -160° ⑤ -510°

005

다음 |보기| 중 제2사분면의 각을 있는 대로 고른 것은?

보기		
ㄱ. $120°$	ㄴ. $180°$	ㄷ. $815°$
ㄹ. $-230°$	ㅁ. $-470°$	ㅂ. $-780°$

① ㄱ, ㄴ, ㄹ ② ㄱ, ㄷ, ㄹ ③ ㄴ, ㄷ, ㄹ
④ ㄴ, ㄹ, ㅂ ⑤ ㄷ, ㅁ, ㅂ

006 서술형

θ가 제2사분면의 각일 때, 각 $\frac{\theta}{2}$의 동경이 존재할 수 있는 사분면을 구하여라.

007

3θ가 제4사분면의 각일 때, 각 θ의 동경이 존재할 수 없는 사분면은?

① 제1사분면 ② 제2사분면
③ 제3사분면 ④ 제4사분면
⑤ 제1, 3사분면

유형 03 두 동경의 위치 관계

각 θ를 나타내는 동경과 각 4θ를 나타내는 동경이 일치할 때, 각 θ의 크기는? (단, $90°<\theta<180°$)

① $100°$ ② $110°$ ③ $120°$
④ $130°$ ⑤ $140°$

풀이

각 θ를 나타내는 동경과 각 4θ를 나타내는 동경이 일치하므로
$4\theta-\theta=360°n$ (단, n은 정수이다.)
$3\theta=360°n$, $\theta=120°n$
$\therefore \theta=\cdots, 120°, 240°, 360°, \cdots$
이때 $90°<\theta<180°$를 만족시키는 각 θ의 크기는 $120°$이다.

답 ③

008

각 θ를 나타내는 동경과 각 11θ를 나타내는 동경이 x축에 대하여 대칭일 때, 각 θ의 크기의 합은?

(단, $0°<\theta\leq 90°$)

① $90°$ ② $120°$ ③ $150°$
④ $180°$ ⑤ $210°$

009

각 θ를 나타내는 동경과 각 3θ를 나타내는 동경이 y축에 대하여 대칭일 때, 각 θ의 크기의 합은?

(단, $90°<\theta<270°$)

① $260°$ ② $300°$ ③ $360°$
④ $400°$ ⑤ $460°$

010

각 α를 나타내는 동경과 각 β를 나타내는 동경이 직선 $y=x$에 대하여 대칭일 때, 다음 중 $\alpha+\beta$의 크기가 될 수 있는 것은?

① 150° ② 180° ③ 360°
④ 420° ⑤ 810°

011 서술형

각 θ를 나타내는 동경과 각 5θ를 나타내는 동경이 원점에 대하여 대칭이고, 각 θ를 나타내는 동경과 각 9θ를 나타내는 동경이 직선 $y=x$에 대하여 대칭이다. 이를 만족시키는 각 θ의 크기의 최솟값을 구하여라.
(단, $\theta \geq 0^\circ$)

012

각 θ를 나타내는 동경과 각 2θ를 나타내는 동경이 직선 $y=-x$에 대하여 대칭이 되도록 하는 각 θ의 크기의 합은? (단, $180^\circ<\theta<360^\circ$)

① 480° ② 540° ③ 600°
④ 660° ⑤ 720°

유형 04 육십분법과 호도법

다음 중 옳지 않은 것은?

① $15^\circ=\frac{\pi}{12}$ ② $36^\circ=\frac{\pi}{6}$
③ $90^\circ=\frac{\pi}{2}$ ④ $\frac{3}{5}\pi=108^\circ$
⑤ $\frac{11}{6}\pi=330^\circ$

풀이

① $15^\circ=15\times\frac{\pi}{180}=\frac{\pi}{12}$
② $36^\circ=36\times\frac{\pi}{180}=\frac{\pi}{5}$
③ $90^\circ=90\times\frac{\pi}{180}=\frac{\pi}{2}$
④ $\frac{3}{5}\pi=\frac{3}{5}\pi\times\frac{180^\circ}{\pi}=108^\circ$
⑤ $\frac{11}{6}\pi=\frac{11}{6}\pi\times\frac{180^\circ}{\pi}=330^\circ$

답 ②

013

다음 각을 호도법은 육십분법으로, 육십분법은 호도법으로 나타내어라.

(1) 45° (2) 210° (3) -300°
(4) $\frac{2}{3}\pi$ (5) $-\frac{5}{6}\pi$ (6) 2

014

다음 각의 동경이 나타내는 일반각을 $2n\pi+\theta$의 꼴로 나타내어라. (단, n은 정수, $0\leq\theta<2\pi$)

(1) $\frac{\pi}{3}$ (2) $\frac{12}{5}\pi$
(3) -3π (4) $-\frac{19}{6}\pi$

015

$135^\circ+\frac{\pi}{3}-240^\circ=a\pi$일 때, a의 값은?

① $-\frac{1}{4}$ ② $\frac{1}{6}$ ③ $\frac{1}{4}$

④ $\frac{1}{2}$ ⑤ $\frac{3}{4}$

016

다음은 호도법에 대한 설명이다.

> 반지름의 길이가 r, 중심이 O인 원에서 호의 길이가 r인 부채꼴 OAB의 중심각의 크기를 α°라고 하면 호 AB의 길이는 중심각의 크기에 정비례한다. 즉,
> r : (가) $=\alpha^\circ$: 360°, $\alpha^\circ=$ (나)
> 따라서 중심각의 크기 α°는 원의 반지름의 길이 r에 관계없이 항상 일정하다.
> 이 일정한 각의 크기 (나) 를 1라디안이라 하고, 이 것을 단위로 하여 각의 크기를 나타내는 방법을 호도법이라고 한다.

위의 (가), (나)에 알맞은 것을 순서대로 적은 것은?

① πr, $\frac{360^\circ}{\pi}$ ② πr, $\frac{\pi}{180^\circ}$

③ $2\pi r$, $\frac{360^\circ}{\pi}$ ④ $2\pi r$, $\frac{\pi}{180^\circ}$

⑤ $2\pi r$, $\frac{180^\circ}{\pi}$

유형 05 부채꼴의 호의 길이와 넓이

호의 길이가 6π이고, 넓이가 24π인 부채꼴의 반지름의 길이 r와 중심각의 크기 θ를 구하여라.

풀이

부채꼴의 호의 길이를 l, 넓이를 S라고 하면

$l=6\pi$, $S=24\pi$이므로

$S=\frac{1}{2}rl$에서 $24\pi=\frac{1}{2}\times r\times 6\pi$ $\therefore r=8$

$l=r\theta$에서 $6\pi=8\theta$ $\therefore \theta=\frac{3}{4}\pi$

답 $r=8$, $\theta=\frac{3}{4}\pi$

017 | 교육청 기출 |

반지름의 길이가 4, 중심각의 크기가 $\frac{\pi}{4}$인 부채꼴의 호의 길이는?

① $\frac{\pi}{4}$ ② $\frac{\pi}{2}$ ③ $\frac{3}{4}\pi$

④ π ⑤ $\frac{5}{4}\pi$

018 서술형

반지름의 길이가 6인 부채꼴의 넓이가 반지름의 길이가 2인 원의 넓이와 같을 때, 이 부채꼴의 둘레의 길이는 $a+b\pi$이다. 이때 $a+3b$의 값을 구하여라.

019

중심각의 크기가 $\frac{\pi}{2}$이고 둘레의 길이가 $4+\pi$인 부채꼴의 넓이는?

① π　　② 2π　　③ 3π
④ 4π　　⑤ 5π

020

길이가 20인 철사로 넓이가 최대인 부채꼴을 만들 때, 이 부채꼴의 반지름의 길이는?

① 2　　② 3　　③ 4
④ 5　　⑤ 6

021

둘레의 길이가 12인 부채꼴의 넓이가 최대일 때, 중심각의 크기는?

① 1　　② 2　　③ 3
④ π　　⑤ 2π

유형 06 부채꼴의 호의 길이와 넓이의 활용

밑면인 원의 반지름의 길이가 4이고, 모선의 길이가 5인 원뿔의 겉넓이는?

① 20π　　② 24π　　③ 28π
④ 32π　　⑤ 36π

풀이

주어진 조건을 이용하여 전개도를 그리면 오른쪽 그림과 같다.
옆면인 부채꼴의 호의 길이는 밑면인 원의 둘레와 같으므로
$2\pi\times4=8\pi$
이고, 부채꼴의 넓이는
$\frac{1}{2}\times5\times8\pi=20\pi$
따라서 원뿔의 겉넓이는
(부채꼴의 넓이)+(밑면인 원의 넓이)
$=20\pi+\pi\times4^2$
$=20\pi+16\pi=36\pi$

답 ⑤

풍쌤 유형 TIP

원뿔의 전개도는 부채꼴과 원으로 이루어져 있으므로 옆면인 부채꼴의 호의 길이는 밑면인 원의 둘레의 길이와 같음을 이용하여 문제를 해결할 수 있다.

022

오른쪽 그림과 같이 반지름의 길이가 9, 중심각의 크기가 $\frac{4}{3}\pi$인 부채꼴로 원뿔을 만들 때, 이 원뿔의 높이는?

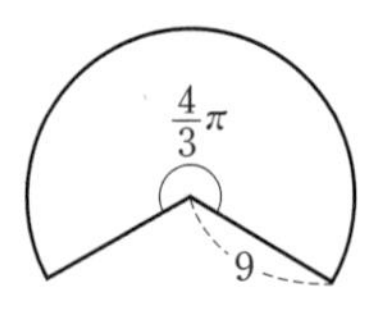

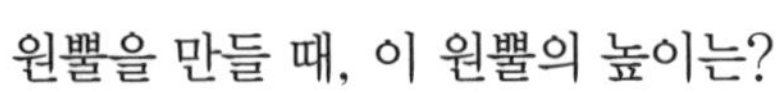

① $3\sqrt{5}$　　② $3\sqrt{6}$　　③ $3\sqrt{7}$
③ $6\sqrt{2}$　　④ 9

유형 07 삼각함수의 정의

좌표평면 위의 원점 O와 점 $P(\sqrt{3}, -1)$에 대하여 동경 OP가 나타내는 각의 크기를 θ라고 할 때, $\sin\theta+\cos\theta$의 값은?

① $-\frac{\sqrt{3}+1}{2}$ ② $\frac{1-\sqrt{3}}{2}$ ③ $\frac{\sqrt{3}-1}{2}$
④ $\frac{\sqrt{3}+1}{2}$ ⑤ 1

풀이

$\overline{OP}=\sqrt{(\sqrt{3})^2+(-1)^2}=2$

이므로

$\sin\theta=-\frac{1}{2}$, $\cos\theta=\frac{\sqrt{3}}{2}$

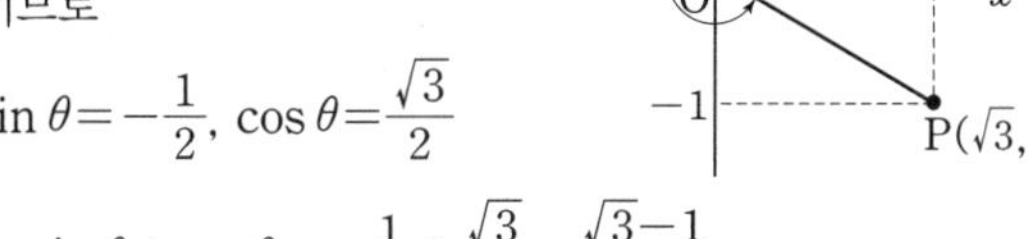

$\therefore \sin\theta+\cos\theta=-\frac{1}{2}+\frac{\sqrt{3}}{2}=\frac{\sqrt{3}-1}{2}$

답 ③

023

좌표평면 위의 원점 O와 점 $P(5, 12)$에 대하여 동경 OP가 나타내는 각의 크기를 θ라고 할 때, 다음 삼각함수의 값을 구하여라.

(1) $\sin\theta$ (2) $\cos\theta$ (3) $\tan\theta$

024

좌표평면 위의 원점 O와 점 $P(-3, -6)$에 대하여 동경 OP가 나타내는 각의 크기를 θ라고 할 때, $5\cos\theta-25\sin\theta-\tan\theta$의 값은?

① $\sqrt{5}-2$ ② $6\sqrt{5}-2$ ③ $6\sqrt{5}+2$
④ $9\sqrt{5}-2$ ⑤ $9\sqrt{5}+2$

025

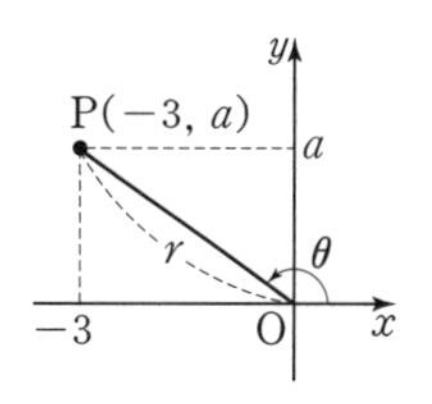

오른쪽 그림과 같이 점 $P(-3, a)$에 대하여 $\overline{OP}$를 동경으로 하는 각의 크기를 θ라고 하면 $\tan\theta=-\frac{\sqrt{13}}{6}$이다. $\overline{OP}=r$라고 할 때, a^2+r^2의 값을 구하여라. (단, O는 원점이다.)

026

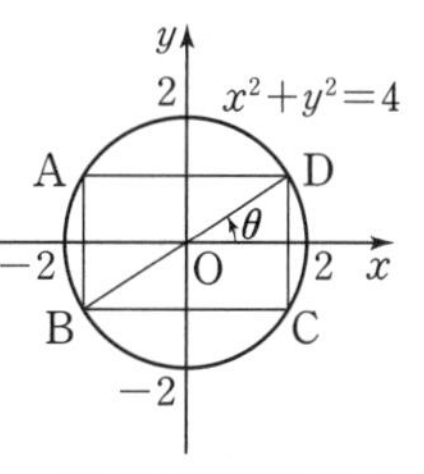

오른쪽 그림과 같이 직사각형 ABCD가 원 $x^2+y^2=4$에 내접하고 있다. 원점 O와 점 D를 지나는 동경 OD가 나타내는 각의 크기를 θ라고 할 때, 점 C의 y좌표는? (단, 직사각형의 각 변은 x축 또는 y축에 평행하다.)

① $2\sin\theta$ ② $2\cos\theta$ ③ $-2\sin\theta$
④ $-2\cos\theta$ ⑤ $-4\sin\theta$

027 서술형

직선 $4x+3y=0$이 x축의 양의 방향과 이루는 각의 크기를 θ라고 할 때, $25\sin\theta\cos\theta\tan\theta$의 값을 구하여라.

유형 08 삼각함수의 값의 부호

$\sin\theta\cos\theta<0$, $\cos\theta\tan\theta<0$을 동시에 만족시키는 각 θ는 제몇 사분면의 각인가?

① 제1사분면 ② 제2사분면
③ 제3사분면 ④ 제4사분면
⑤ 제2, 4사분면

풀이

(i) $\sin\theta\cos\theta<0$에서 $\sin\theta$와 $\cos\theta$의 부호가 서로 다르므로 각 θ는 제2사분면 또는 제4사분면의 각이다.

(ii) $\cos\theta\tan\theta<0$에서 $\cos\theta$와 $\tan\theta$의 부호가 서로 다르므로 각 θ는 제3사분면 또는 제4사분면의 각이다.

(i), (ii)에 의하여 각 θ는 제4사분면의 각이다.

답 ④

028

$\sin\theta\tan\theta>0$일 때, 다음 중 항상 옳은 것은?

① $\sin\theta>0$ ② $\sin\theta<0$ ③ $\cos\theta>0$
④ $\tan\theta>0$ ⑤ $\tan\theta<0$

029

부등식 $\begin{cases}\sin\theta\cos\theta>0\\ \sin\theta\tan\theta<0\end{cases}$을 만족시키는 각 θ는 제몇 사분면의 각인가?

① 제1사분면 ② 제2사분면
③ 제3사분면 ④ 제4사분면
⑤ 제1, 2사분면

030

다음 중 $\sin\theta\tan\theta>0$, $\cos\theta\tan\theta>0$을 동시에 만족시키는 각 θ의 크기가 될 수 있는 것은?

① $\frac{\pi}{4}$ ② $\frac{2}{3}\pi$ ③ $\frac{5}{6}\pi$
④ $\frac{4}{3}\pi$ ⑤ $\frac{7}{4}\pi$

031

$\sin\theta\cos\theta>0$일 때, 다음 |보기| 중 항상 옳은 것만을 있는 대로 고른 것은?

| 보기 |

ㄱ. $\sin\theta=|\sin\theta|$
ㄴ. $\sqrt{\cos^2\theta}=\cos\theta$
ㄷ. $|\tan\theta|+\tan\theta=2\tan\theta$

① ㄱ ② ㄴ ③ ㄷ
④ ㄱ, ㄷ ⑤ ㄴ, ㄷ

032 서술형

$\frac{\sqrt{\sin\theta}}{\sqrt{\tan\theta}}=-\sqrt{\frac{\sin\theta}{\tan\theta}}$를 만족시키는 각 θ에 대하여 $\sqrt{(\sin\theta-\cos\theta)^2}-|\cos\theta|+|\sin\theta|$를 간단히 하여라. (단, $\tan\theta\neq0$)

유형 09 삼각함수 사이의 관계 — 식 간단히 하기

$\frac{1+\cos\theta}{\sin\theta}+\frac{\sin\theta}{1+\cos\theta}$를 간단히 하면?

① $2\sin\theta$ ② $2\cos\theta$ ③ $2\tan\theta$

④ $\frac{2}{\cos\theta}$ ⑤ $\frac{2}{\sin\theta}$

풀이

$$\frac{1+\cos\theta}{\sin\theta}+\frac{\sin\theta}{1+\cos\theta}=\frac{(1+\cos\theta)^2+\sin^2\theta}{\sin\theta(1+\cos\theta)}$$
$$=\frac{1+2\cos\theta+\cos^2\theta+\sin^2\theta}{\sin\theta(1+\cos\theta)}$$
$$=\frac{2(1+\cos\theta)}{\sin\theta(1+\cos\theta)}=\frac{2}{\sin\theta}$$

답 ⑤

033

$\sin\theta+\frac{\cos^2\theta}{1+\sin\theta}$를 간단히 하면?

① $\cos\theta$ ② $\sin\theta$ ③ 1

④ $\frac{1}{\cos\theta}$ ⑤ $\frac{1}{\sin\theta}$

034

$\frac{\cos\theta}{1-\tan\theta}+\frac{\sin\theta}{1-\frac{1}{\tan\theta}}$를 간단히 하면?

① $2\cos\theta$ ② $2\sin\theta$ ③ 0

④ $\sin\theta\cos\theta$ ⑤ $\sin\theta+\cos\theta$

유형 10 삼각함수 사이의 관계 — 식의 값 구하기

$\cos\theta=\frac{3}{5}$이고 $\tan\theta>0$일 때, $\sin\theta\tan\theta$의 값을 구하여라.

풀이

$\cos\theta>0$, $\tan\theta>0$이므로 θ는 제1사분면의 각이다.

$\therefore \sin\theta>0$

$\sin^2\theta+\cos^2\theta=1$에서

$$\sin^2\theta=1-\cos^2\theta$$
$$=1-\left(\frac{3}{5}\right)^2=\frac{16}{25}$$

$\therefore \sin\theta=\frac{4}{5}$ ($\because \sin\theta>0$)

또, $\tan\theta=\frac{\sin\theta}{\cos\theta}=\frac{\frac{4}{5}}{\frac{3}{5}}=\frac{4}{3}$

$\therefore \sin\theta\tan\theta=\frac{4}{5}\times\frac{4}{3}=\frac{16}{15}$

답 $\frac{16}{15}$

035

θ가 제3사분면의 각이고 $\sin\theta=-\frac{12}{13}$일 때, $\cos\theta$, $\tan\theta$의 값을 차례로 나열하여라.

036 | 수능 기출 |

$\frac{\pi}{2}<\theta<\pi$인 θ에 대하여 $\sin\theta=\frac{\sqrt{21}}{7}$일 때, $\tan\theta$의 값은?

① $-\frac{\sqrt{3}}{2}$ ② $-\frac{\sqrt{3}}{4}$ ③ 0

④ $\frac{\sqrt{3}}{4}$ ⑤ $\frac{\sqrt{3}}{2}$

037

θ는 제4사분면의 각이고 $\frac{1+\sin\theta}{1-\sin\theta}=\frac{1}{4}$일 때, $\cos\theta$의 값을 구하여라.

038

θ가 제2사분면의 각이고 $\tan\theta=-\frac{1}{3}$일 때, $10(\sin\theta-\cos\theta)$의 값은?

① $\sqrt{10}$ ② $2\sqrt{10}$ ③ $3\sqrt{10}$
④ $4\sqrt{10}$ ⑤ $5\sqrt{10}$

039 서술형

θ가 제3사분면의 각이고 $\tan\theta=\frac{\sqrt{2}}{2}$일 때, $\frac{\sin^2\theta-\cos^2\theta}{1+2\cos\theta\sin\theta}$의 값을 구하여라.

유형 11 삼각함수 사이의 관계 — $\sin\theta+\cos\theta$, $\sin\theta\cos\theta$를 이용한 식의 값 구하기

$\sin\theta+\cos\theta=\frac{1}{4}$일 때, $\frac{1}{\sin\theta}+\frac{1}{\cos\theta}$의 값은?

① $-\frac{2}{15}$ ② $-\frac{4}{15}$ ③ $-\frac{8}{15}$
④ $-\frac{16}{15}$ ⑤ $-\frac{32}{15}$

풀이

$\sin\theta+\cos\theta=\frac{1}{4}$의 양변을 제곱하면

$\sin^2\theta+\cos^2\theta+2\sin\theta\cos\theta=\frac{1}{16}$

$1+2\sin\theta\cos\theta=\frac{1}{16}$, $2\sin\theta\cos\theta=-\frac{15}{16}$

$\therefore \sin\theta\cos\theta=-\frac{15}{32}$

$\therefore \frac{1}{\sin\theta}+\frac{1}{\cos\theta}=\frac{\sin\theta+\cos\theta}{\sin\theta\cos\theta}$

$=\frac{\frac{1}{4}}{-\frac{15}{32}}=\frac{1}{4}\times\left(-\frac{32}{15}\right)=-\frac{8}{15}$

답 ③

풍쌤 유형 TIP

문제에서 $\sin\theta+\cos\theta$ 또는 $\sin\theta\cos\theta$의 값이 주어지면

$(\sin\theta+\cos\theta)^2=\sin^2\theta+2\sin\theta\cos\theta+\cos^2\theta$
$=1+2\sin\theta\cos\theta$

$(\sin\theta-\cos\theta)^2=\sin^2\theta-2\sin\theta\cos\theta+\cos^2\theta$
$=1-2\sin\theta\cos\theta$

를 이용한다.

040

$\sin\theta+\cos\theta=\frac{1}{3}$일 때, 다음 식의 값을 구하여라.

(1) $\sin\theta\cos\theta$

(2) $\sin\theta-\cos\theta$

041

$\sin\theta-\cos\theta=\frac{1}{2}$일 때, $\sin^2\theta-\cos^2\theta$의 값은?

① $\pm\frac{\sqrt{7}}{4}$　② $\pm\frac{\sqrt{7}}{2}$　③ $\pm\sqrt{7}$
④ $\frac{\sqrt{7}}{4}$　⑤ $-\frac{\sqrt{7}}{4}$

042 | 교육청 기출 |

$\sin\theta+\cos\theta=\frac{2}{3}$일 때, $\sin^3\theta+\cos^3\theta$의 값은?

① $\frac{19}{27}$　② $\frac{20}{27}$　③ $\frac{7}{9}$
④ $\frac{22}{27}$　⑤ $\frac{23}{27}$

043

$\sin\theta\cos\theta=\frac{3}{5}$일 때, $\sin\theta+\cos\theta$의 값은?

$\left(\text{단, } 0<\theta<\frac{\pi}{2}\right)$

① $\frac{2\sqrt{10}}{5}$　② $\frac{3\sqrt{5}}{5}$　③ $\sqrt{2}$
④ $\frac{\sqrt{55}}{5}$　⑤ $\frac{2\sqrt{15}}{5}$

044 서술형

θ는 제2사분면의 각이고 $\sin\theta\cos\theta=-\frac{1}{5}$일 때,
$\frac{1}{\cos\theta}-\frac{1}{\sin\theta}$의 값을 구하여라.

045

θ는 제4사분면의 각이고 $\sin\theta+\cos\theta=-\frac{\sqrt{2}}{2}$일 때,
$\sin\theta-\cos\theta$의 값은?

① $-\frac{\sqrt{6}}{2}$　② $-\frac{\sqrt{3}}{2}$　③ 0
④ $\frac{\sqrt{3}}{2}$　⑤ $\frac{\sqrt{6}}{2}$

046

$\tan\theta+\frac{1}{\tan\theta}=-3$일 때, $\frac{1}{\sin^2\theta}+\frac{1}{\cos^2\theta}$의 값은?

① $\frac{26}{3}$　② 9　③ $\frac{28}{3}$
④ $\frac{29}{3}$　⑤ 10

실력을 높이는 연습 문제

01

오른쪽 그림에서 반직선 OX가 시초선일 때, 동경 OP가 나타내는 일반각 θ는? (단, n은 정수이다.)

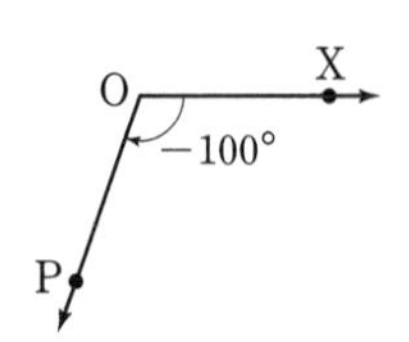

① $360°n-100°$

② $360°n+100°$

③ $360°n+160°$

④ $360°n+260°$

⑤ $360°n+320°$

02

θ가 제3사분면의 각일 때, $\frac{\theta}{3}$를 나타내는 동경이 속하는 영역을 좌표평면 위에 바르게 나타낸 것은?

(단, 경계선은 제외한다.)

①

②

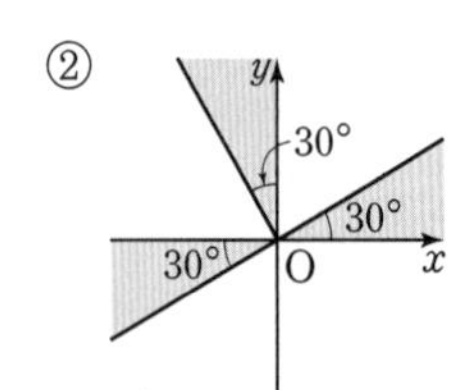

③

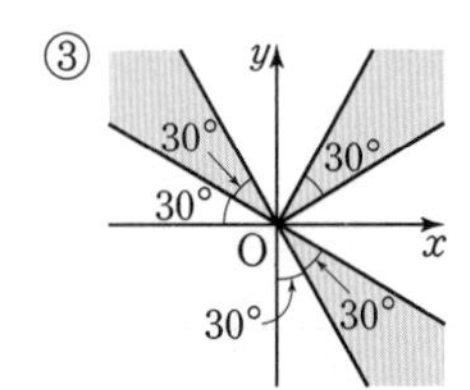

④

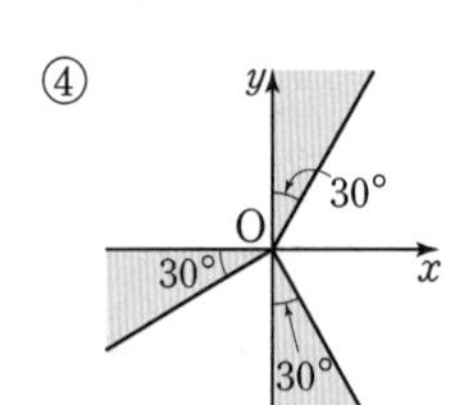

⑤

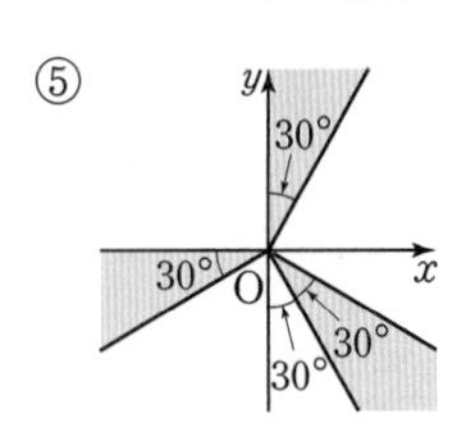

03

각 θ에 대하여 각 2θ를 나타내는 동경과 각 6θ를 나타내는 동경이 x축에 대하여 대칭일 때, 각 θ의 개수는?

(단, $0<\theta<2\pi$)

① 5 ② 6 ③ 7 ④ 8 ⑤ 9

04 실력 UP

각 θ에 대하여 각 3θ를 나타내는 동경과 각 5θ를 나타내는 동경이 일직선 위에 있을 때, 각 θ의 크기의 합을 구하여라. (단, $0<\theta<2\pi$)

05

다음 중 옳지 않은 것은?

① $30°=\frac{\pi}{6}$ ② $150°=\frac{5}{6}\pi$ ③ $\frac{2}{5}\pi=72°$

④ $\frac{7}{4}\pi=305°$ ⑤ $\frac{13}{6}\pi=390°$

06

중심각의 크기가 $\frac{3}{5}$이고 둘레의 길이가 26인 부채꼴의 넓이는?

① 20　② 30　③ 40
④ 50　⑤ 60

07

넓이가 일정한 부채꼴의 둘레의 길이가 최소일 때, 중심각의 크기를 구하여라.

08 실력UP

오른쪽 그림과 같이 밑면인 원의 반지름의 길이가 6인 원뿔을 밑면에 평행한 평면으로 잘라내어 원뿔대를 만들었다. 이 원뿔대의 옆면의 넓이는?

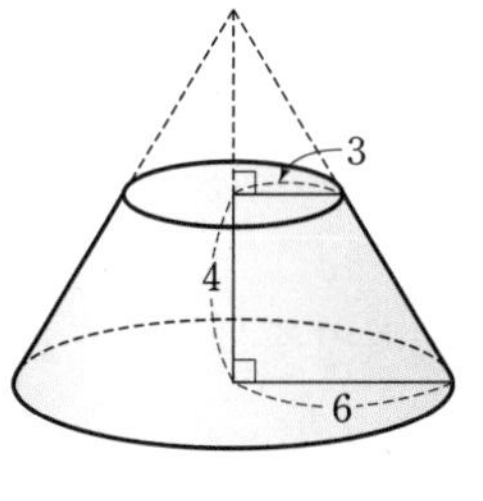

① 30π　② 35π
③ 40π　④ 45π
⑤ 50π

09 | 교육청 기출 |

오른쪽 그림과 같이 중심각의 크기가 $\frac{\pi}{3}$인 부채꼴 OAB에서 선분 OA를 $3:1$로 내분하는 점을 P, 선분 OB를 $1:2$로 내분하는 점을 Q라고 하자. 삼각형 OPQ의 넓이가 $4\sqrt{3}$일 때, 호 AB의 길이는?

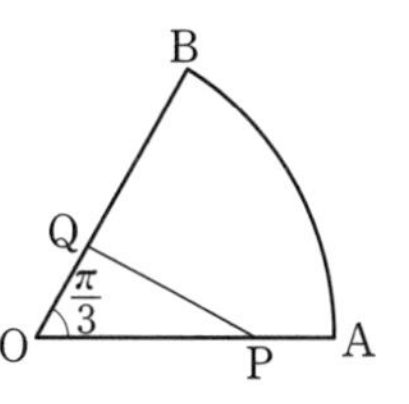

① $\frac{5}{3}\pi$　② 2π　③ $\frac{7}{3}\pi$
④ $\frac{8}{3}\pi$　⑤ 3π

10

원 $x^2+y^2=25$와 직선 $3x-4y=0$이 제3사분면에서 만나는 점을 P라 하고, 동경 OP가 나타내는 각의 크기를 θ라고 할 때, $5(\sin\theta+\cos\theta)$의 값은?

(단, O는 원점이다.)

① -7　② -5　③ 1
④ 5　⑤ 7

11

$\sin\theta<0$, $\tan\theta>0$을 만족시키는 각 θ에 대하여 각 $\frac{\theta}{2}$의 동경이 존재할 수 있는 사분면을 모두 구하여라.

12

$\sqrt{\tan\theta}\sqrt{\cos\theta}=-\sqrt{\tan\theta\cos\theta}$를 만족시키는 각 θ의 값의 범위가 $\alpha<\theta<\beta$일 때, $\alpha+\beta$의 값은?

① π ② $\frac{3}{2}\pi$ ③ 2π
④ $\frac{5}{2}\pi$ ⑤ 3π

13

$\left(1+\frac{1}{\sin\theta}\right)\times\frac{\tan\theta}{1+\cos\theta}\times\left(1-\frac{1}{\sin\theta}\right)\times\frac{\tan\theta}{1-\cos\theta}$
를 간단히 하면?

① $-\frac{1}{\sin^2\theta}$ ② $-\frac{1}{\sin\theta}$ ③ $-\frac{1}{\cos^2\theta}$
④ $\frac{1}{\sin\theta+1}$ ⑤ $\frac{\cos\theta}{\sin\theta+1}$

14

θ가 제4사분면의 각이고 $\tan\theta=-\frac{3}{4}$일 때,
$5(\sin\theta+\cos\theta)$의 값은?

① -3 ② -1 ③ 0
④ 1 ⑤ 3

15 실력 UP

자연수 n에 대하여 $f(n)=\sin^n\theta+\cos^n\theta$일 때, 다음 중 $2f(8)+1$과 같은 것은?

① $\{f(4)\}^2$ ② $\{f(4)\}^2+f(4)$
③ $\{f(4)\}^2+2f(4)$ ④ $\{f(4)\}^2+4f(4)$
⑤ $\{f(4)\}^2+2f(4)+1$

16

θ는 제2사분면의 각이고 $\sin\theta+\cos\theta=\frac{\sqrt{3}}{3}$일 때,
$\tan^2\theta-\frac{1}{\tan^2\theta}$의 값은?

① $\sqrt{5}$ ② $2\sqrt{5}$ ③ $3\sqrt{5}$
④ $4\sqrt{5}$ ⑤ $5\sqrt{5}$

17

이차방정식 $x^2-\sqrt{3}x+a=0$의 두 근이
$\sin\theta+\cos\theta$, $\sin\theta-\cos\theta$일 때, 상수 a의 값은?

① $-\frac{1}{2}$ ② $-\frac{1}{3}$ ③ $-\frac{1}{4}$
④ $\frac{1}{4}$ ⑤ $\frac{1}{2}$

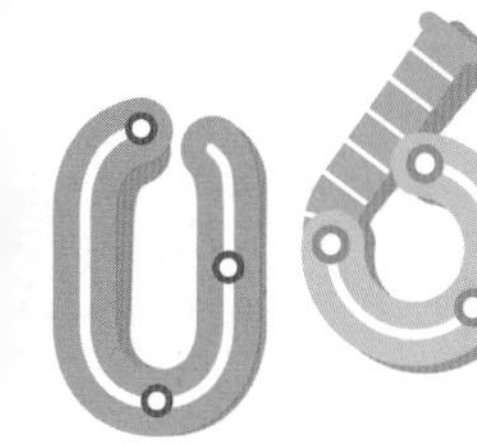

삼각함수의 그래프

1. 주기함수

함수 $y=f(x)$의 정의역에 속하는 모든 x에 대하여 $f(x+p)=f(x)$를 만족시키는 0이 아닌 상수 p가 존재할 때, 함수 $y=f(x)$를 주기함수라 하고 최소의 양수 p를 그 함수의 주기라고 한다.

2. 함수 $y=\sin x$, $y=\cos x$의 그래프

(1) 정의역: 실수 전체의 집합

(2) 치역: $\{y \mid -1 \le y \le 1\}$

(3) 함수 $y=\sin x$의 그래프는 원점에 대하여 대칭이고,
함수 $y=\cos x$의 그래프는 y축에 대하여 대칭이다.

(4) 주기가 2π인 주기함수이다.

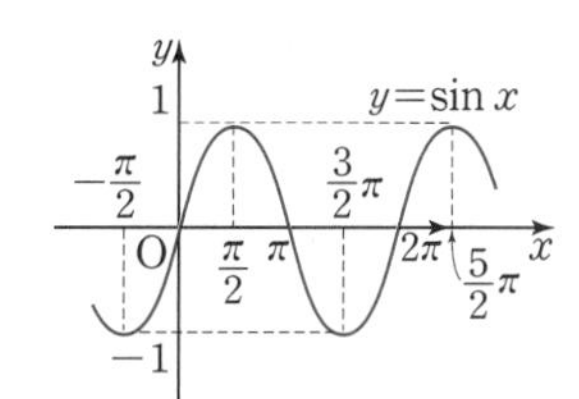

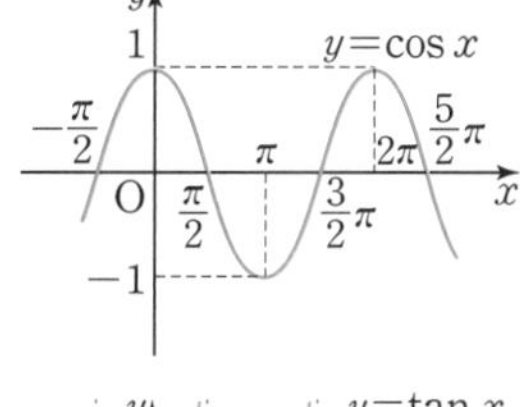

3. 함수 $y=\tan x$의 그래프

(1) 정의역: $x \ne n\pi+\frac{\pi}{2}$ (n은 정수)인 실수 전체의 집합

(2) 치역: 실수 전체의 집합

(3) 함수 $y=\tan x$의 그래프는 원점에 대하여 대칭이다.

(4) 주기가 π인 주기함수이다.

(5) 그래프의 점근선: 직선 $x=n\pi+\frac{\pi}{2}$ (n은 정수)

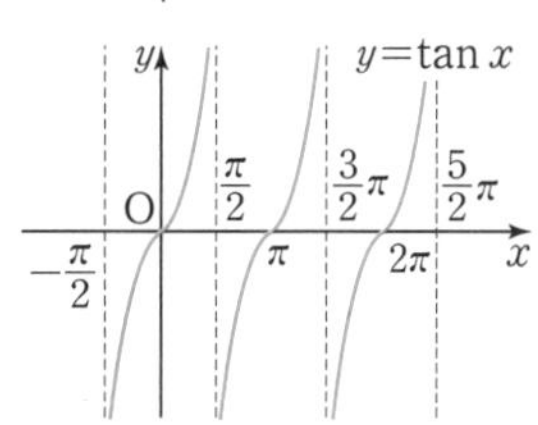

4. 삼각함수의 최대·최소와 주기

삼각함수	최댓값	최솟값	주기
$y=a\sin(bx+c)+d$	$\lvert a\rvert+d$	$-\lvert a\rvert+d$	$\frac{2\pi}{\lvert b\rvert}$
$y=a\cos(bx+c)+d$	$\lvert a\rvert+d$	$-\lvert a\rvert+d$	$\frac{2\pi}{\lvert b\rvert}$
$y=a\tan(bx+c)+d$	없다.	없다.	$\frac{\pi}{\lvert b\rvert}$

5. 삼각함수의 성질

(1) $-\theta$의 삼각함수

$\sin(-\theta)=-\sin\theta$, $\cos(-\theta)=\cos\theta$, $\tan(-\theta)=-\tan\theta$

(2) $\pi\pm\theta$의 삼각함수

$\sin(\pi\pm\theta)=\mp\sin\theta$, $\cos(\pi\pm\theta)=-\cos\theta$, $\tan(\pi\pm\theta)=\pm\tan\theta$ (복부호동순)

(3) $\frac{\pi}{2}\pm\theta$의 삼각함수

$\sin\left(\frac{\pi}{2}\pm\theta\right)=\cos\theta$, $\cos\left(\frac{\pi}{2}\pm\theta\right)=\mp\sin\theta$, $\tan\left(\frac{\pi}{2}\pm\theta\right)=\mp\frac{1}{\tan\theta}$ (복부호동순)

6. 삼각방정식과 삼각부등식

(1) $\sin x=a$의 해: $y=\sin x$의 그래프와 직선 $y=a$의 교점의 x좌표를 구한다.

(2) $\sin x>a$의 해: $y=\sin x$의 그래프가 직선 $y=a$보다 위쪽에 있는 x의 값의 범위를 구한다.

주기함수

함수 $f(x)$가 주기가 p인 주기함수이면

$f(x)=f(x+p)$
$=f(x+2p)$
$=f(x+3p)$
⋮

사인함수의 그래프와 코사인함수의 그래프의 관계

함수 $y=\cos x$의 그래프는 함수 $y=\sin x$의 그래프를 x축의 방향으로 $-\frac{\pi}{2}$만큼 평행이동한 것과 같다.

삼각함수의 그래프의 대칭성

$\sin(-x)=-\sin x$
$\cos(-x)=\cos x$
$\tan(-x)=-\tan x$

절댓값 기호를 포함한 삼각함수의 최대·최소와 주기

(1) $y=\lvert a\sin bx\rvert$, $y=\lvert a\cos bx\rvert$
① 최댓값: $\lvert a\rvert$, 최솟값: 0
② 주기: $\frac{\pi}{\lvert b\rvert}$

(2) $y=\lvert a\tan bx\rvert$
① 최댓값: 없다., 최솟값: 0
② 주기: $\frac{\pi}{\lvert b\rvert}$

삼각함수의 성질

예 $\sin(-30^\circ)=-\sin 30^\circ=-\frac{1}{2}$
$\sin(180^\circ+30^\circ)=-\sin 30^\circ$
$=-\frac{1}{2}$
$\sin(90^\circ+30^\circ)=\cos 30^\circ=\frac{\sqrt{3}}{2}$

기본을 다지는 유형

유형 01 주기함수와 삼각함수

다음 함수 중 모든 실수 x에 대하여 $f(x-\pi)=f(x+\pi)$를 만족시키는 것은?

① $f(x)=2\sin x$
② $f(x)=\sin 2x$
③ $f(x)=\cos\frac{1}{2}x$
④ $f(x)=\cos\pi x$
⑤ $f(x)=\tan 4\pi x$

풀이

$f(x-\pi)=f(x+\pi)$에 x 대신 $x+\pi$를 대입하면

$f(x)=f(x+2\pi)$

즉, 함수 $f(x)$의 주기는 2π이어야 하므로 보기의 함수의 주기를 구하면

① $\frac{2\pi}{1}=2\pi$
② $\frac{2\pi}{2}=\pi$
③ $\frac{2\pi}{\frac{1}{2}}=4\pi$
④ $\frac{2\pi}{\pi}=2$
⑤ $\frac{\pi}{4\pi}=\frac{1}{4}$

따라서 주어진 조건을 만족시키는 함수는 ①이다.

답 ①

001

다음 함수 중 모든 실수 x에 대하여 $f(x)=f(x+1)$을 만족시키는 것은?

① $f(x)=\sin x$
② $f(x)=\sin\pi x$
③ $f(x)=3\cos\pi x$
④ $f(x)=-\cos 2\pi x$
⑤ $f(x)=\tan\frac{\pi}{3}x$

002

다음 함수 중 함수 $y=\tan 2x$와 주기가 같은 것은?

① $y=-\sin\frac{1}{4}x$
② $y=\sin 2\pi x$
③ $y=\cos 4x$
④ $-y=\cos 2x$
⑤ $y=\tan\frac{\pi}{2}x$

003

다음 함수 중 모든 실수 x에 대하여 $f(x+p)=f(x)$를 만족시키는 최소의 양수 p가 π인 것은?

① $f(x)=\pi\sin\pi x$
② $f(x)=\cos\sqrt{2}x$
③ $f(x)=2\cos 2x$
④ $f(x)=\tan 2x$
⑤ $f(x)=4\tan\frac{1}{2}x$

004

다음 함수 중 주기가 가장 큰 것은?

① $y=|\sin 2x|$
② $y=|6\sin x|$
③ $y=\cos\frac{\pi}{2}x$
④ $y=|\tan x|$
⑤ $y=\left|\cos\frac{x}{2}\right|+3$

유형 02 삼각함수의 그래프

함수 $y=\cos x$에 대한 다음 설명 중 옳지 않은 것은?

① 정의역은 실수 전체의 집합이다.
② 치역은 $\{y|-1\le y\le 1\}$이다.
③ 주기는 2π이다.
④ 그래프는 y축에 대하여 대칭이다.
⑤ 그래프는 일대일함수이다.

풀이

⑤ 함수 $y=\cos x$는 실수 전체의 집합에서 계속 증가하거나 계속 감소하지 않으므로 일대일함수가 아니다.

답 ⑤

005

함수 $y=3\sin\left(x-\frac{\pi}{6}\right)$의 치역이 $\{y|a\le y\le b\}$이고 주기가 c일 때, $a+b+c$의 값을 구하여라.

006

함수 $f(x)=2\sin\left(2x-\frac{\pi}{2}\right)+2$에 대하여 옳은 것만을 |보기|에서 있는 대로 고른 것은?

| 보기 |

ㄱ. $0\le f(x)\le 4$
ㄴ. 임의의 실수 x에 대하여 $f(x+\pi)=f(x)$이다.
ㄷ. $y=f(x)$의 그래프는 원점을 지난다.

① ㄱ　② ㄴ　③ ㄱ, ㄴ
④ ㄱ, ㄷ　⑤ ㄱ, ㄴ, ㄷ

007

함수 $y=\frac{1}{2}\cos 4x+\frac{5}{2}$의 치역이 $\{y|a\le y\le b\}$이고 주기가 $c\pi$일 때, $a+b+c$의 값을 구하여라.

008

함수 $y=-2\tan\left(x+\frac{\pi}{3}\right)+\pi$의 정의역이 $x\ne n\pi+a$ (n은 정수)인 실수 전체의 집합이고 주기가 b일 때, $a+b$의 값을 구하여라.

009

다음 중 함수 $y=3\tan\left(x-\frac{3}{4}\pi\right)$의 그래프의 점근선이 아닌 것은?

① $x=-\frac{5}{4}\pi$　② $x=-\frac{3}{4}\pi$　③ $x=\frac{\pi}{4}$
④ $x=\frac{5}{4}\pi$　⑤ $x=\frac{9}{4}\pi$

유형 03 삼각함수의 그래프의 활용

함수 $y=\cos x$의 그래프가 오른쪽 그림과 같을 때, $a+b+c+d$의 값을 구하여라.
(단, $0<p<1$, $a<b<c<d$)

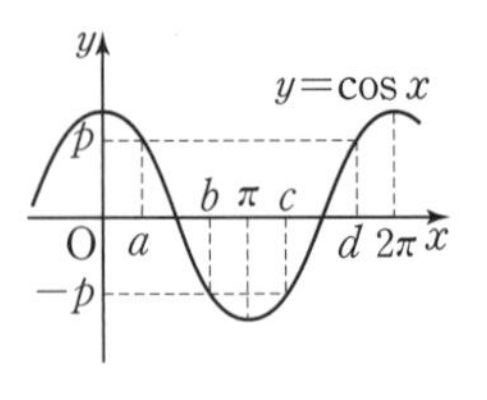

풀이

함수 $y=\cos x$의 그래프의 대칭성에 의하여

$\pi-b=c-\pi$, $2\pi-d=a$

$\therefore b+c=2\pi$, $a+d=2\pi$

$\therefore a+b+c+d=(a+d)+(b+c)$

$=2\pi+2\pi=4\pi$

답 4π

풍쌤 유형 TIP

삼각함수의 그래프를 이용한 문제는 삼각함수의 그래프의 대칭성과 주기를 이용하여 구한다.

(1) $y=\sin x$의 그래프는 직선 $x=n\pi+\frac{\pi}{2}$ (n은 정수)에 대하여 대칭이다.

(2) $y=\cos x$의 그래프는 직선 $x=n\pi$ (n은 정수)에 대하여 대칭이다.

(3) $y=\tan x$의 그래프는 원점에 대하여 대칭이다.

010

다음 그림과 같이 함수 $f(x)=\sin x$의 그래프에 대하여 직선 $y=k$와의 교점의 x좌표를 a, b라 하고, 직선 $y=-k$와의 교점의 x좌표를 c, d라고 할 때, $a+b+c+d$의 값은? (단, $0<k<1$, $a<b<c<d$)

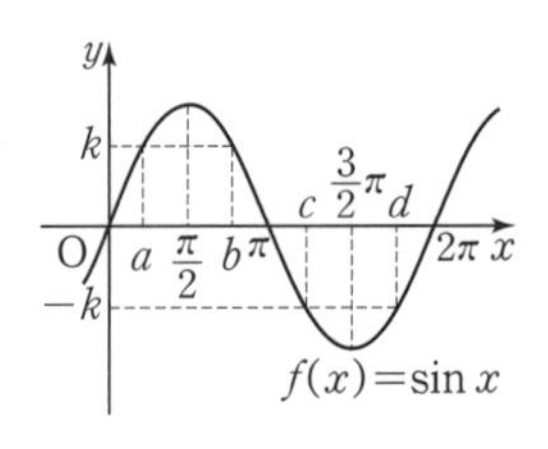

① 4π ② 5π ③ 6π
④ 7π ⑤ 8π

011

오른쪽 그림과 같이 함수 $y=4\cos x$ $(-\pi\le x\le\pi)$의 그래프와 직선 $y=-4$로 둘러싸인 부분의 넓이를 구하여라.

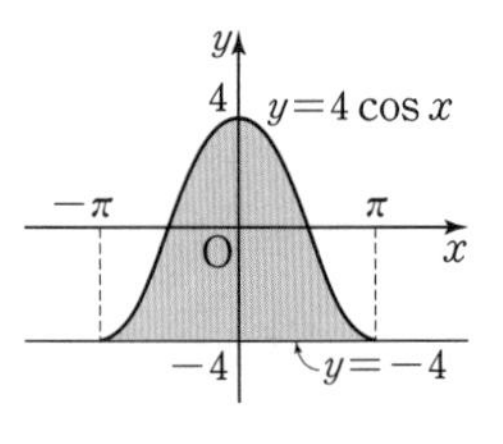

012

오른쪽 그림과 같이 함수 $y=\tan x$ $\left(0\le x<\frac{3}{2}\pi\right)$의 그래프와 x축 및 직선 $y=3$으로 둘러싸인 부분의 넓이를 구하여라.

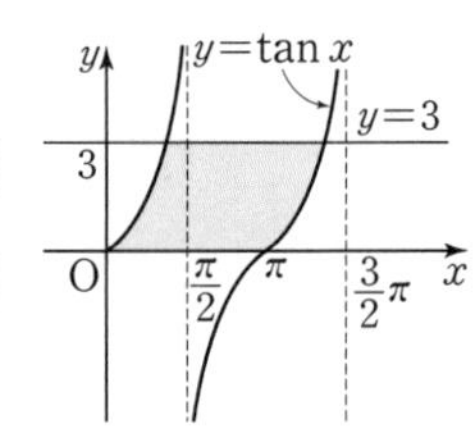

013

두 함수 $y=\tan x$, $y=\tan x+a$의 그래프와 y축 및 직선 $x=\frac{\pi}{4}$로 둘러싸인 부분의 넓이가 π일 때, 상수 a의 값을 구하여라.

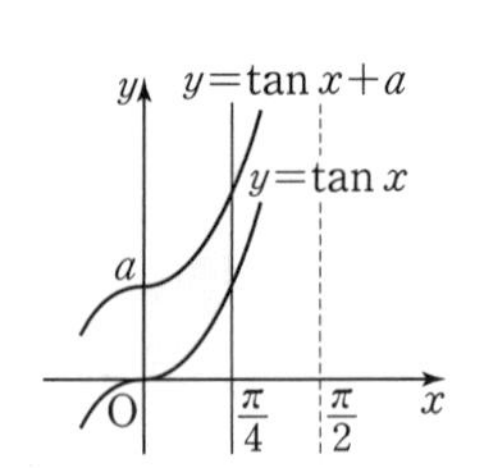

유형 04 삼각함수의 최대 • 최소

함수 $y=-\sin\left(\pi x-\frac{1}{3}\right)+2$의 최댓값을 M, 최솟값을 m이라고 할 때, $M+m$의 값은?

① 1　② 2　③ 3
④ 4　⑤ 5

풀이

함수 $y=-\sin\left(\pi x-\frac{1}{3}\right)+2$에서

최댓값은 $|-1|+2=3$, 최솟값은 $-|-1|+2=1$이므로

$M=3$, $m=1$

$\therefore M+m=3+1=4$

답 ④

유형 05 삼각함수의 미정계수 구하기

함수 $y=a\cos bx$의 그래프가 오른쪽 그림과 같을 때, 두 상수 a, b에 대하여 $a+b$의 값을 구하여라. (단, $a>0$, $b>0$)

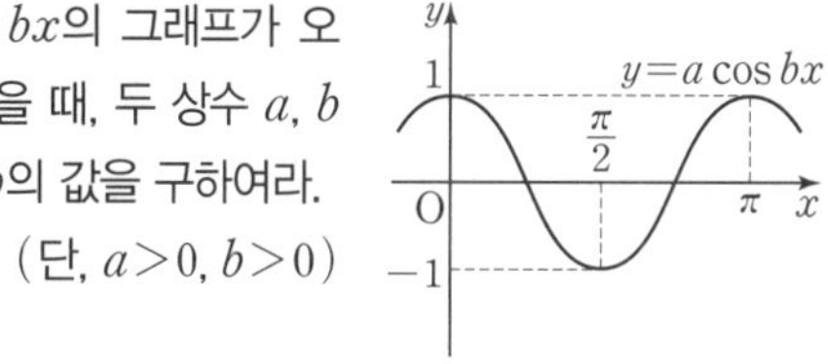

풀이

함수 $y=a\cos bx$의 그래프에서 최댓값이 1, 최솟값이 -1이고 $a>0$이므로 $a=1$

또, 주기가 π이고 $b>0$이므로

$\frac{2\pi}{b}=\pi$　$\therefore b=2$

$\therefore a+b=1+2=3$

답 3

014

다음 함수의 최댓값, 최솟값을 구하여라.

(1) $y=\sin 2x$

(2) $y=-2\cos(x+\pi)+1$

(3) $y=4\tan\frac{\pi}{4}x-\frac{\pi}{4}$

015 | 수능 기출 |

함수 $f(x)=4\cos x+3$의 최댓값은?

① 6　② 7　③ 8
④ 9　⑤ 10

016 | 교육청 기출 |

함수 $f(x)=a\cos bx+3$의 주기가 4π이고 최솟값이 -1일 때, 두 상수 a, b에 대하여 $a+b$의 값은? (단, $a>0$, $b>0$)

① $\frac{9}{2}$　② $\frac{11}{2}$　③ $\frac{13}{2}$
④ $\frac{15}{2}$　⑤ $\frac{17}{2}$

017 서술형

함수 $f(x)=a\sin bx+c$의 최댓값이 4, 최솟값이 -3, 주기가 $\frac{\pi}{2}$일 때, 네 상수 a, b, c에 대하여 abc의 값을 구하여라. (단, $a<0$, $b>0$)

018

함수

$f(x)=a\sin b\left(x+\frac{\pi}{4}\right)+c$의

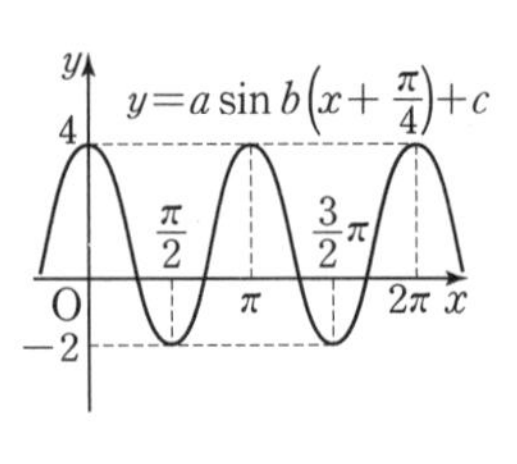

그래프가 오른쪽 그림과 같을 때, 세 상수 a, b, c에 대하여 $a^2+b^2+c^2$의 값을 구하여라.

019

함수 $f(x)=a\cos(bx+c)$의 그래프가 오른쪽 그림과 같을 때, 세 상수 a, b, c에 대하여 abc의 값은?

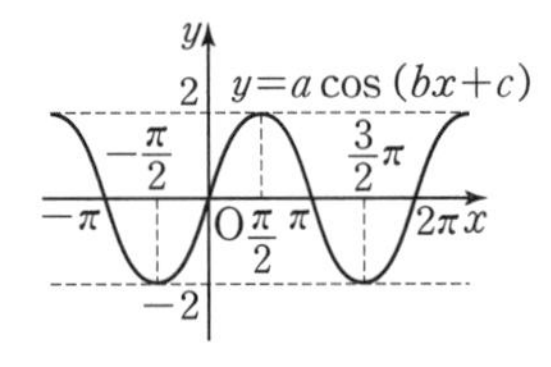

(단, $a>0$, $b>0$, $-\pi<c<0$)

① -2π ② $-\frac{3}{2}\pi$ ③ $-\pi$

④ $-\frac{\pi}{2}$ ⑤ $-\frac{\pi}{4}$

020

함수 $y=\tan a(x-b)$의 그래프가 오른쪽 그림과 같을 때, 두 상수 a, b에 대하여 ab의 값은?

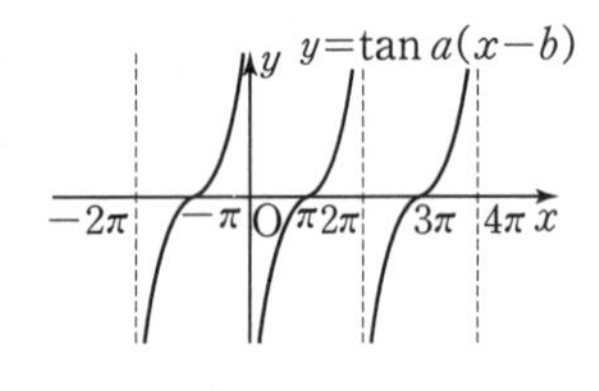

(단, $a>0$, $0<b<2\pi$)

① $\frac{\pi}{4}$ ② $\frac{\pi}{2}$ ③ π

④ 2π ⑤ 4π

유형 06 일반각에 대한 삼각함수의 성질

$\cos\left(\theta-\frac{\pi}{2}\right)\sin(\theta+2\pi)-\sin\left(\theta+\frac{\pi}{2}\right)\cos(\theta-\pi)$의 값은?

① $\frac{1}{2}$ ② 1 ③ $\frac{3}{2}$

④ 2 ⑤ $\frac{5}{2}$

풀이

→ $\cos(-x)=\cos x$이므로 $\cos\left(\theta-\frac{\pi}{2}\right)=\cos\left(\frac{\pi}{2}-\theta\right)$

$\cos\left(\theta-\frac{\pi}{2}\right)\sin(\theta+2\pi)-\sin\left(\theta+\frac{\pi}{2}\right)\cos(\theta-\pi)$

$=\cos\left(\frac{\pi}{2}-\theta\right)\sin(2\pi+\theta)-\sin\left(\frac{\pi}{2}+\theta\right)\cos(\pi-\theta)$

$=\sin\theta\sin\theta-\cos\theta\times(-\cos\theta)$

$=\sin^2\theta+\cos^2\theta=1$

답 ②

021

다음 값을 구하여라.

(1) $\sin\frac{13}{6}\pi$ (2) $\cos\left(-\frac{5}{4}\pi\right)$

(3) $\tan\frac{2}{3}\pi$ (4) $\sin\left(\frac{\pi}{2}+\frac{\pi}{3}\right)$

022

$\sin\left(-\frac{\pi}{3}\right)+\cos\frac{19}{6}\pi-\tan\frac{5}{6}\pi$의 값은?

① $-\frac{2\sqrt{3}}{3}$ ② $-\frac{\sqrt{3}}{3}$ ③ $\frac{\sqrt{3}}{3}$

④ $\frac{2\sqrt{3}}{3}$ ⑤ $\sqrt{3}$

023

다음 중 옳지 않은 것은?

① $\sin\frac{8}{3}\pi=\frac{\sqrt{3}}{2}$ ② $\sin(-135^\circ)=-\frac{\sqrt{2}}{2}$

③ $\cos\frac{3}{4}\pi=-1$ ④ $\cos 390^\circ=\frac{\sqrt{3}}{2}$

⑤ $\tan 660^\circ=-\sqrt{3}$

024

다음 중 값이 나머지 넷과 다른 하나는?

① $\sin\left(\frac{\pi}{2}-\frac{\pi}{3}\right)$ ② $\cos\left(\frac{3}{2}\pi+\frac{\pi}{6}\right)$

③ $\cos\left(-\frac{\pi}{3}\right)$ ④ $-\sin\left(-\frac{\pi}{6}\right)$

⑤ $\sin\left(\pi+\frac{\pi}{6}\right)$

025 |교육청 기출|

$\sin\left(\frac{\pi}{2}+\theta\right)\tan(\pi-\theta)=\frac{3}{5}$일 때, $30(1-\sin\theta)$의 값을 구하여라.

026

제1사분면의 각 θ에 대하여 $\cos\theta=\frac{3}{5}$일 때,

$$\sqrt{\sin(-\theta)\cos\left(\frac{\pi}{2}+\theta\right)+\cos(-\theta)\tan(\pi+\theta)}$$

의 값은?

① $\frac{2}{5}$ ② $\frac{3}{5}$ ③ $\frac{4}{5}$

④ 1 ⑤ $\frac{6}{5}$

027 서술형

$$\frac{\sin(-\theta)}{\cos^2(2\pi-\theta)\cos\left(\frac{3}{2}\pi-\theta\right)}+\frac{\sin(-\theta)\tan(\pi-\theta)}{\sin\left(\frac{3}{2}\pi+\theta\right)}$$

를 간단히 하여라.

028

$\sin^2 10^\circ+\sin^2 30^\circ+\sin^2 60^\circ+\sin^2 80^\circ$의 값을 구하여라.

유형 07 삼각함수를 포함한 함수의 최대 · 최소 — 일차식의 꼴

함수 $y=\cos\left(\frac{\pi}{2}+x\right)+2\sin x+4$의 최댓값을 M, 최솟값을 m이라고 할 때, $M+m$의 값은?

① 4 ② 5 ③ 6
④ 7 ⑤ 8

풀이

$y=\cos\left(\frac{\pi}{2}+x\right)+2\sin x+4$
$=-\sin x+2\sin x+4=\sin x+4$
이때 $-1\le\sin x\le1$이므로
$3\le\sin x+4\le5$
따라서 $M=5$, $m=3$이므로
$M+m=5+3=8$

답 ⑤

029

함수 $y=\cos(x-\pi)-3\sin\left(\frac{\pi}{2}-x\right)-1$의 최댓값을 M, 최솟값을 m이라고 할 때, $M-m$의 값은?

① 6 ② 8 ③ 10
④ 12 ⑤ 14

030

$y=\cos\left(\frac{3}{2}\pi+2x\right)-\sin(\pi+2x)+2$의 최댓값을 M, 최솟값을 m이라고 할 때, Mm의 값은?

① -10 ② -5 ③ 0
④ 5 ⑤ 10

031 서술형

$y=a\sin x+\cos\left(\frac{5}{2}\pi-x\right)+b$의 최댓값이 6, 최솟값이 -2일 때, 두 상수 a, b에 대하여 $2a+b$의 값을 구하여라. (단, $a>-1$)

032

함수 $y=-2|\cos x|+1$의 최댓값과 최솟값의 합은?

① 2 ② 1 ③ 0
④ -1 ⑤ -2

033

함수 $y=a|\sin 3x-2|+b$의 최댓값이 4, 최솟값이 2일 때, 두 상수 a, b에 대하여 ab의 값은? (단, $a>0$)

① 1 ② 2 ③ 3
④ 4 ⑤ 5

유형 08 삼각함수를 포함한 함수의 최대 · 최소 — 이차식, 분수식의 꼴

함수 $y=2\cos^2 x+4\sin x+1$의 최댓값을 M, 최솟값을 m이라고 할 때, $M+m$의 값은?

① 1 ② 2 ③ 3
④ 4 ⑤ 5

풀이

$y=2\cos^2 x+4\sin x+1$
$=2(1-\sin^2 x)+4\sin x+1$
$=-2\sin^2 x+4\sin x+3$

이때 $\sin x=t$ $(-1\le t\le 1)$로 놓으면

$y=-2t^2+4t+3=-2(t-1)^2+5$

$y=-2(t-1)^2+5$의 그래프는 오른쪽 그림과 같으므로 $-1\le t\le 1$에서 $t=1$일 때 최댓값 5, $t=-1$일 때 최솟값 -3을 갖는다.

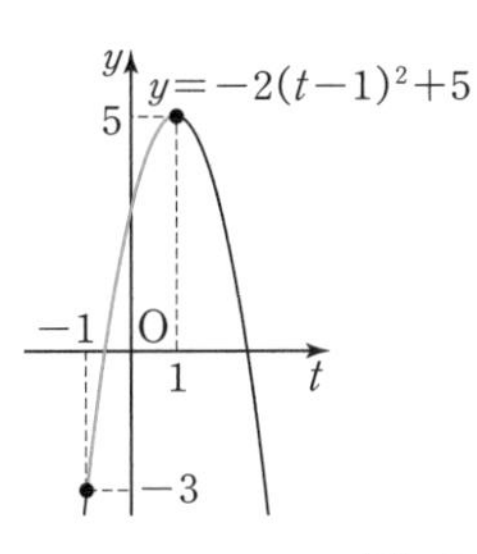

따라서 $M=5$, $m=-3$이므로

$M+m=5+(-3)=2$

답 ②

풍쌤 유형 TIP

(1) 이차식의 꼴의 삼각함수를 포함한 함수의 최대 · 최소
① 주어진 식을 $\sin^2 x+\cos^2 x=1$을 이용하여 한 종류의 삼각함수를 포함한 식으로 변형한다.
② 통일된 삼각함수를 t로 치환하여 이차함수의 최댓값 또는 최솟값을 구한다. 이때 t의 범위에 주의한다.

(2) 분수식의 꼴의 삼각함수를 포함한 함수의 최대 · 최소
① 주어진 식에 포함된 삼각함수를 t로 치환하여 t에 대한 유리함수로 나타낸다.
② t의 범위에 주의하여 최댓값 또는 최솟값을 구한다.

034

$0\le x\le \frac{\pi}{2}$일 때, 함수 $y=-\sin^2 x+2\cos x$의 최댓값과 최솟값을 차례대로 적은 것은?

① 2, 0 ② 2, -1 ③ 2, -2
④ 3, -1 ⑤ 3, -2

035

$0\le x\le \frac{\pi}{4}$일 때, 함수 $y=\tan^2 x-2\tan(\pi+x)+2$의 최댓값을 M, 최솟값을 m이라고 하자. $M-m$의 값은?

① -2 ② -1 ③ 0
④ 1 ⑤ 2

036

$0<x\le \frac{\pi}{2}$일 때, 함수 $y=\frac{\sin x+1}{\sin x}$의 최댓값과 최솟값을 구하여라.

037

$\frac{\pi}{2}\le x\le \pi$에서 정의된 함수 $y=\frac{2\cos x+2}{\cos x-1}$의 최댓값을 M, 최솟값을 m이라고 할 때, $M+m$의 값은?

① -4 ② -2 ③ 0
④ 2 ⑤ 4

유형 09 삼각방정식 — 일차식의 꼴

$0\le x<\frac{\pi}{2}$일 때, 방정식 $\sin x=\cos x$의 해는?

① $x=0$ ② $x=\frac{\pi}{6}$ ③ $x=\frac{\pi}{4}$
④ $x=\frac{\pi}{3}$ ⑤ $x=\frac{\pi}{2}$

풀이

$\sin x=\cos x$에서 → $0\le x<\frac{\pi}{2}$에서 $\cos x\neq 0$이므로 양변을 $\cos x$로 나눈다.

$\frac{\sin x}{\cos x}=1$ $\therefore \tan x=1$

$0\le x<\frac{\pi}{2}$이므로 $x=\frac{\pi}{4}$

답 ③

038

다음 방정식을 풀어라. (단, $0\le x<2\pi$)

(1) $\sin x=-\frac{1}{2}$

(2) $\cos x=\frac{1}{2}$

(3) $\tan x=1$

039 서술형

$0\le x<2\pi$일 때, 방정식

$\sin(\pi+x)+\cos\left(\frac{\pi}{2}+x\right)=\sqrt{3}$의 해가 $x=\alpha$ 또는 $x=\beta$이다. 이때 $\beta-\alpha$의 값을 구하여라. (단, $\alpha<\beta$)

040

$0\le x<2\pi$일 때, 방정식 $\cos\frac{1}{2}x=-\frac{\sqrt{2}}{2}$를 풀어라.

041

$0\le x<2\pi$일 때, 다음 중 방정식 $3\tan 3x=\sqrt{3}$의 해가 아닌 것은?

① $x=\frac{7}{18}\pi$ ② $x=\frac{13}{18}\pi$ ③ $x=\frac{17}{18}\pi$
④ $x=\frac{25}{18}\pi$ ⑤ $x=\frac{31}{18}\pi$

042

$0\le x<2\pi$일 때, 방정식 $2\sin\left(x+\frac{\pi}{2}\right)=\sqrt{2}$의 모든 근의 합은?

① $\frac{5}{4}\pi$ ② $\frac{3}{2}\pi$ ③ $\frac{7}{4}\pi$
④ 2π ⑤ $\frac{9}{4}\pi$

유형 10 삼각방정식 — 이차식의 꼴

$0 \le x < 2\pi$일 때, 방정식 $2\sin^2 x + \cos x - 1 = 0$을 만족시키는 x의 값의 개수는?

① 1 ② 2 ③ 3
④ 4 ⑤ 5

풀이

$2\sin^2 x + \cos x - 1 = 0$에서
$2(1-\cos^2 x) + \cos x - 1 = 0$
$-2\cos^2 x + \cos x + 1 = 0$
$2\cos^2 x - \cos x - 1 = 0$
$(2\cos x + 1)(\cos x - 1) = 0$
$\therefore \cos x = -\frac{1}{2}$ 또는 $\cos x = 1$
$0 \le x < 2\pi$에서 $\cos x = -\frac{1}{2}$의 해는
$x = \frac{2}{3}\pi$ 또는 $x = \frac{4}{3}\pi$
$\cos x = 1$의 해는 $x = 0$
따라서 주어진 방정식을 만족시키는 x는 $\frac{2}{3}\pi$, $\frac{4}{3}\pi$, 0의 3개이다.

답 ③

043 | 수능 기출 |

$0 \le x < 2\pi$일 때, 방정식 $\cos^2 x = \sin^2 x - \sin x$의 모든 근의 합은?

① 2π ② $\frac{5}{2}\pi$ ③ 3π
④ $\frac{7}{2}\pi$ ⑤ 4π

044

$0 \le \theta < \pi$일 때, 방정식 $\tan^2\theta + \sqrt{3} = (\sqrt{3}+1)\tan\theta$의 두 근을 α, β $(\alpha < \beta)$라고 하자. 이때 $\beta - \alpha$의 값을 구하여라.

045 서술형

$0 \le x < 2\pi$일 때, 방정식 $3\sin^2 x - 4\cos x - 4 = 0$의 모든 근의 합이 $k\pi$일 때, 상수 k의 값을 구하여라.

046

$0 \le \theta < 2\pi$일 때, 방정식 $2\cos\theta + \tan\theta = \frac{2}{\cos\theta}$를 풀어라.

유형 11 삼각부등식 — 일차식의 꼴

$0 \le x < 2\pi$에서 부등식 $2\cos x \le \sqrt{3}$의 해가 $\alpha \le x \le \beta$일 때, $\cos\left(\frac{3}{2}\alpha + \frac{3}{2}\beta\right)$의 값을 구하여라.

풀이

$2\cos x \le \sqrt{3}$에서 $\cos x \le \frac{\sqrt{3}}{2}$

함수 $y=\cos x$의 그래프와 직선 $y=\frac{\sqrt{3}}{2}$의 교점의 x좌표는 $\frac{\pi}{6}$ 또는 $2\pi - \frac{\pi}{6} = \frac{11}{6}\pi$이다.

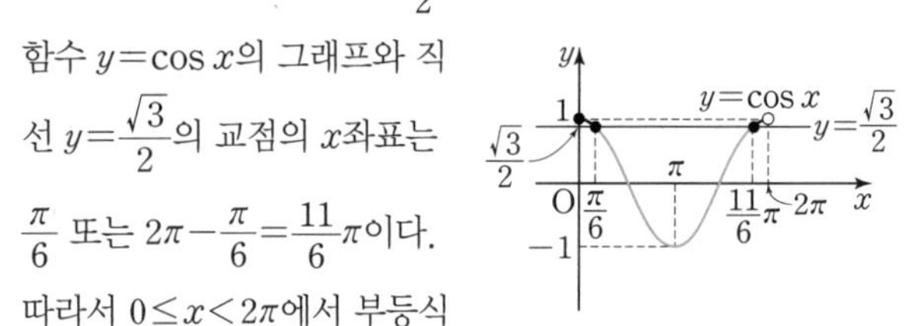

따라서 $0 \le x < 2\pi$에서 부등식 $\cos x \le \frac{\sqrt{3}}{2}$의 해는 $y=\cos x$의 그래프가 직선 $y=\frac{\sqrt{3}}{2}$보다 아래쪽에 있는 x의 값의 범위이므로

$\frac{\pi}{6} \le x \le \frac{11}{6}\pi$

$\therefore \alpha = \frac{\pi}{6},\ \beta = \frac{11}{6}\pi$

따라서 $\frac{3}{2}\alpha + \frac{3}{2}\beta = \frac{3}{2}(\alpha+\beta) = \frac{3}{2} \times 2\pi = 3\pi$이므로

$\cos\left(\frac{3}{2}\alpha + \frac{3}{2}\beta\right) = \cos 3\pi = \cos(2\pi + \pi)$

$= \cos \pi = -1$

답 -1

047

다음 부등식을 풀어라. (단, $0 \le x < 2\pi$)

(1) $\sin x > \frac{\sqrt{2}}{2}$

(2) $\cos x \le -\frac{1}{2}$

(3) $\tan x > \frac{\sqrt{3}}{3}$

048 | 교육청 기출 |

$0 \le x < 2\pi$에서 부등식 $2\sin x + 1 < 0$의 해가 $\alpha < x < \beta$일 때, $\cos(\beta - \alpha)$의 값을 구하여라.

049

$0 \le x < \pi$일 때, 부등식 $-\frac{\sqrt{3}}{2} < \cos x \le \frac{\sqrt{2}}{2}$를 풀면?

① $\frac{\pi}{6} < x \le \frac{3}{4}\pi$ ② $\frac{\pi}{6} \le x < \frac{3}{4}\pi$

③ $\frac{\pi}{4} < x \le \frac{5}{6}\pi$ ④ $\frac{\pi}{4} \le x < \frac{5}{6}\pi$

⑤ $0 \le x < \frac{\pi}{4}$ 또는 $\frac{5}{6}\pi < x < \pi$

050

$0 \le \theta \le \pi$일 때, 부등식 $\sin\left(\theta + \frac{\pi}{4}\right) > \frac{\sqrt{3}}{2}$의 해가 $\alpha < \theta < \beta$이다. 이때 $\beta - \alpha$의 값은?

① $\frac{\pi}{6}$ ② $\frac{\pi}{4}$ ③ $\frac{\pi}{3}$

④ $\frac{\pi}{2}$ ⑤ π

051

$0 \le x \le \pi$일 때, 부등식 $2\cos\left(2x + \frac{\pi}{3}\right) > 1$을 풀어라.

유형 12 삼각부등식 — 이차식의 꼴

$0\leq x<2\pi$일 때, 부등식 $2\cos^2 x+5\sin x\geq 4$의 해가 $a\leq x\leq b$이다. 이때 $a+b$의 값은?

① π　② $\frac{3}{2}\pi$　③ 2π　④ $\frac{5}{2}\pi$　⑤ 3π

풀이

$2\cos^2 x+5\sin x\geq 0$에서

$2(1-\sin^2 x)+5\sin x\geq 4$

$2\sin^2 x-5\sin x+2\leq 0$

$(2\sin x-1)(\sin x-2)\leq 0$

이때 $\sin x-2<0$이므로

$2\sin x-1\geq 0$　$\therefore \sin x\geq \frac{1}{2}$

$0\leq x<2\pi$에서 부등식 $\sin x\geq \frac{1}{2}$의 해는 $\frac{\pi}{6}\leq x\leq \frac{5}{6}\pi$

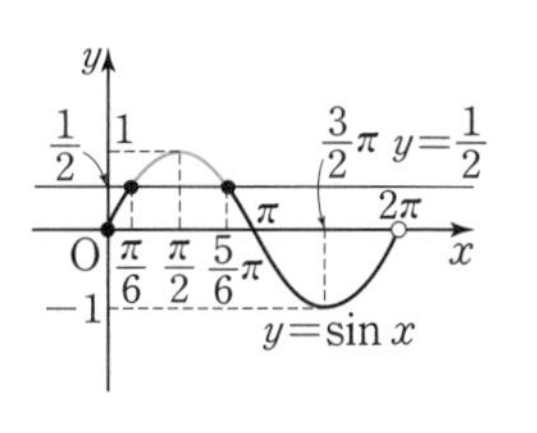

따라서 $a=\frac{\pi}{6}$, $b=\frac{5}{6}\pi$이므로

$a+b=\frac{\pi}{6}+\frac{5}{6}\pi=\pi$

답 ①

052

$0\leq x<2\pi$일 때, 부등식

$$2\sin^2 x+\sqrt{3}(\cos x+1)<2(\cos x+1)$$

을 풀어라.

053

$0<x<\frac{\pi}{2}$일 때, 부등식 $2\cos x<3\tan x$의 해가 $a<x<b$이다. 이때 $a+b$의 값은?

① $\frac{\pi}{6}$　② $\frac{\pi}{3}$　③ $\frac{\pi}{2}$　④ $\frac{2}{3}\pi$　⑤ $\frac{5}{6}\pi$

054

$0\leq \theta<2\pi$일 때, 부등식

$\cos^2\left(\theta+\frac{\pi}{2}\right)-\cos(\pi+\theta)-1<0$의 해가 $\alpha<\theta<\beta$이다. 이때 $\alpha+\beta$의 값을 구하여라.

055

$\pi<x<\frac{3}{2}\pi$일 때, 부등식

$$(\sin x-\cos x)(\sin x-\sqrt{3}\cos x)<0$$

의 해가 $a<x<b$이다. 이때 $b-a$의 값을 구하여라.

056 서술형

$0\leq x\leq 2\pi$일 때, 부등식

$$2\cos^2\left(x-\frac{\pi}{6}\right)-3\sin\left(x+\frac{5}{6}\pi\right)\geq 0$$

을 풀어라.

실력을 높이는 연습 문제

01

다음 함수 중 주기가 $\frac{1}{2}$인 것은?

① $y=\sin \pi x$　② $y=\sqrt{2}\sin 2x$
③ $y=-2\cos 2\pi x$　④ $y=\sqrt{2}\cos\sqrt{2}\pi x$
⑤ $y=\sqrt{3}\tan 2\pi x$

02 |교육청 기출|

두 함수 $f(x)=\cos ax+1$, $g(x)=|\sin 3x|$의 주기가 서로 같을 때, 양수 a의 값은?

① 5　② 6　③ 7
④ 8　⑤ 9

03

함수 $y=\sin 2x-1$의 그래프를 x축에 대하여 대칭이동한 후 x축의 방향으로 $\frac{\pi}{2}$만큼, y축의 방향으로 3만큼 평행이동한 그래프의 식이 $y=a\sin(2x-b\pi)+c$일 때, 세 상수 a, b, c에 대하여 $a+b+c$의 값은?

① 1　② 2　③ 3
④ 4　⑤ 5

04

다음 중 함수 $f(x)=-\cos\left(x-\frac{\pi}{4}\right)+5$에 대한 설명으로 옳은 것은?

① 정의역은 양의 실수의 집합이다.
② 치역은 $\{y|-1\le y\le 1\}$이다.
③ 주기는 4이다.
④ 그래프는 직선 $x=\frac{\pi}{4}$에 대하여 대칭이다.
⑤ $y=-\cos\frac{x}{2}$의 그래프를 x축의 방향으로 $\frac{\pi}{2}$, y축의 방향으로 5만큼 평행이동한 것과 겹친다.

05 |교육청 기출|

$0\le x<2\pi$일 때, 두 곡선 $y=\cos\left(x-\frac{\pi}{2}\right)$와 $y=\sin 4x$가 만나는 점의 개수는?

① 2　② 4　③ 6
④ 8　⑤ 10

06

다음 세 조건을 만족시키는 함수 $f(x)$는?

> (가) 임의의 실수 x에 대하여 $f(x+\pi)=f(x)$이다.
> (나) 임의의 실수 x에 대하여 $f(-x)=f(x)$이다.
> (다) $f(x)$의 최댓값과 최솟값의 차의 절댓값이 4이다.

① $f(x)=2\sin \pi x$　② $f(x)=4\sin 2x$
③ $f(x)=2\cos 2x$　④ $f(x)=4\cos 2\pi x$
⑤ $f(x)=2\tan x$

07

함수 $f(x)=\cos x$에 대하여 다음 중 옳은 것은?

① $f(2)<f(3)<f(4)$ ② $f(2)<f(4)<f(3)$
③ $f(3)<f(4)<f(2)$ ④ $f(3)<f(2)<f(4)$
⑤ $f(4)<f(3)<f(2)$

08

함수 $y=4\sin\left(2x+\frac{\pi}{6}\right)-1$의 최댓값을 a, 최솟값을 b, 주기를 c라고 할 때, $\cos\frac{bc}{a}$의 값은?

① $-\frac{\sqrt{3}}{2}$ ② $-\frac{1}{2}$ ③ $\frac{1}{2}$
④ $\frac{\sqrt{2}}{2}$ ⑤ $\frac{\sqrt{3}}{2}$

09 실력 UP

두 함수 $f(x)=2\cos x+3$, $g(x)=\frac{\pi}{2}\sin 2\pi x$에 대하여 함수 $y=(f\circ g)(x)$의 최댓값과 최솟값의 합을 구하여라.

10

함수 $f(x)=a|\sin bx|+c$의 주기가 4π, 최댓값이 4, $f(-4\pi)=-2$일 때, 세 상수 a, b, c에 대하여 $a+\frac{c}{b}$의 값은? (단, $a>0$, $b>0$)

① -2 ② -1 ③ 0
④ 1 ⑤ 2

11

함수 $y=a\sin(bx+c)+d$의 그래프가 다음 그림과 같을 때, 네 상수 a, b, c, d에 대하여 $\cos(abcd)$의 값은? (단, $a>0$, $b>0$, $0<c\le\pi$)

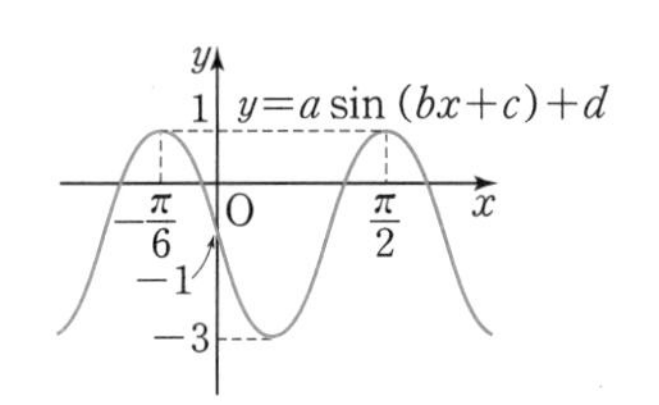

① 0 ② $\frac{1}{2}$ ③ $\frac{\sqrt{2}}{2}$
④ $\frac{\sqrt{3}}{2}$ ⑤ 1

12

$\dfrac{\sin\left(\frac{\pi}{2}-\theta\right)}{1-\sin(\pi+\theta)}-\dfrac{\cos(\pi-\theta)}{1+\sin(2\pi-\theta)}$를 간단히 하면?

① 0 ② 1 ③ $2\sin\theta$
④ $2\cos\theta$ ⑤ $\frac{2}{\cos\theta}$

13

삼각형 ABC의 세 각의 크기를 A, B, C라고 할 때, 옳은 것만을 |보기|에서 있는 대로 고른 것은?

|보기|
ㄱ. $\sin(B+C)=\sin A$
ㄴ. $\cos(B+C)=\cos A$
ㄷ. $\cos\left(\frac{B}{2}+\frac{C}{2}\right)=\frac{1}{2}\sin A$

① ㄱ　② ㄴ　③ ㄱ, ㄷ
④ ㄴ, ㄷ　⑤ ㄱ, ㄴ, ㄷ

14 실력 UP

$\tan 2^\circ \times \tan 3^\circ \times \tan 4^\circ \times \cdots \times \tan 87^\circ \times \tan 88^\circ$의 값은?

① 0　② $\frac{1}{2}$　③ 1
④ 44　⑤ $\frac{89}{2}$

15

다음 |보기| 중 모든 실수 x에 대하여
$f(x)+f(-x)=0$, $f(x+\pi)=f(x)$를 만족시키는 함수 $f(x)$의 개수를 구하여라.

|보기|
ㄱ. $f(x)=2\pi \sin x$　ㄴ. $f(x)=\sin\left(\frac{\pi}{2}-2x\right)$
ㄷ. $f(x)=\cos 2x$　ㄹ. $f(x)=\cos\left(2x-\frac{\pi}{2}\right)$
ㅁ. $f(x)=\tan(x+\pi)$　ㅂ. $f(x)=\tan\frac{\pi}{2}x$

16

함수 $y=1-3\left|\sin\left(x-\frac{\pi}{3}\right)-\frac{1}{2}\right|$의 최댓값과 최솟값의 합은?

① $-\frac{7}{2}$　② $-\frac{5}{2}$　③ $-\frac{3}{2}$
④ $-\frac{1}{2}$　⑤ $\frac{1}{2}$

17

$0\le x<\pi$일 때, 함수
$y=\sin^2(x-\pi)-2\cos^2(\pi-x)-\cos\left(x-\frac{3}{2}\pi\right)$의
최댓값을 M, 최솟값을 m이라고 할 때, $M+m$의 값은?

① 0　② 1　③ 2
④ 3　⑤ 4

18 |평가원 기출|

$0\le x\le\pi$일 때, 방정식 $1+\sqrt{2}\sin 2x=0$의 모든 근의 합은?

① π　② $\frac{5}{4}\pi$　③ $\frac{3}{2}\pi$
④ $\frac{7}{4}\pi$　⑤ 2π

19

방정식 $\cos^2 x-1=-\sin x\cos x$의 모든 근의 합은? $\left(\text{단, } 0\le x<\frac{\pi}{2}\right)$

① 0 ② $\frac{\pi}{6}$ ③ $\frac{\pi}{4}$
④ $\frac{\pi}{3}$ ⑤ $\frac{\pi}{2}$

20

방정식 $\sin 2\pi x=\frac{x}{2}$의 실근의 개수는?

① 5 ② 7 ③ 9
④ 11 ⑤ 무수히 많다.

21

x에 대한 이차방정식 $x^2-4x\cos\theta+1=0$이 중근을 갖도록 하는 모든 θ의 값의 합을 구하여라. (단, $0\le\theta<\pi$)

22

$0\le x<\pi$일 때, 부등식 $\tan\left(x+\frac{\pi}{6}\right)<\sqrt{3}$의 해는 $0\le x<a$ 또는 $b<x<\pi$이다. 이때 $b-a$의 값은?

① 0 ② $\frac{\pi}{6}$ ③ $\frac{\pi}{4}$
④ $\frac{\pi}{3}$ ⑤ $\frac{\pi}{2}$

23 실력 UP

$0\le x<2\pi$에서 연립부등식

$$\begin{cases}\sin x\ge\cos x\\ 2\cos^2 x+7\cos x+3\le 0\end{cases}$$

의 해를 $\alpha\le x\le\beta$라고 할 때, $\alpha+\beta$의 값은?

① $\frac{7}{6}\pi$ ② $\frac{17}{12}\pi$ ③ $\frac{5}{3}\pi$
④ $\frac{23}{12}\pi$ ⑤ $\frac{13}{6}\pi$

24 | 수능 기출 |

$0\le\theta<2\pi$일 때, x에 대한 이차방정식

$$6x^2+(4\cos\theta)x+\sin\theta=0$$

이 실근을 갖지 않도록 하는 모든 θ의 값의 범위는 $\alpha<\theta<\beta$이다. $3\alpha+\beta$의 값은?

① $\frac{5}{6}\pi$ ② π ③ $\frac{7}{6}\pi$
④ $\frac{4}{3}\pi$ ⑤ $\frac{3}{2}\pi$

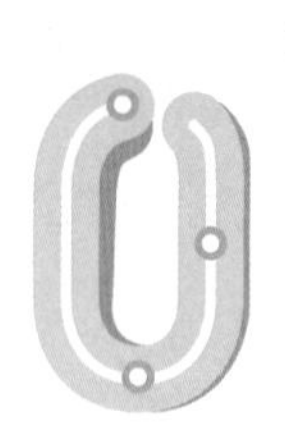

삼각함수의 활용

1. 사인법칙

삼각형 ABC의 외접원의 반지름의 길이를 R라고 할 때,

$$\frac{a}{\sin A}=\frac{b}{\sin B}=\frac{c}{\sin C}=2R$$

가 성립하고, 이를 사인법칙이라고 한다.

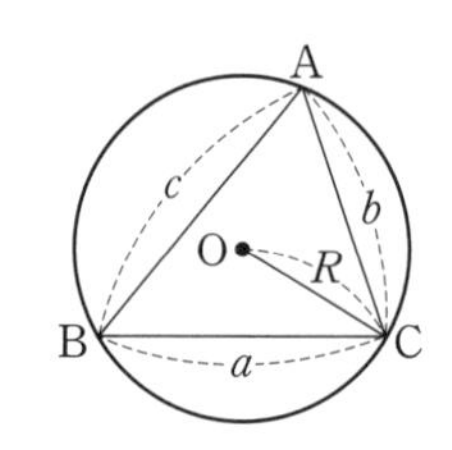

삼각형의 각의 크기와 변의 길이

삼각형 ABC에서 ∠A, ∠B, ∠C의 크기를 각각 A, B, C로 나타내고, 이들의 대변 BC, CA, AB의 길이를 각각 a, b, c로 나타낸다.

2. 사인법칙의 변형

(1) $\sin A=\frac{a}{2R}$, $\sin B=\frac{b}{2R}$, $\sin C=\frac{c}{2R}$

(2) $a=2R\sin A$, $b=2R\sin B$, $c=2R\sin C$

(3) $\sin A : \sin B : \sin C=a : b : c$

사인법칙을 적용할 수 있는 경우

(1) 한 변의 길이와 두 각의 크기를 알 때

(2) 두 변의 길이와 그 끼인각이 아닌 한 각의 크기를 알 때

3. 코사인법칙

삼각형 ABC에서

$a^2=b^2+c^2-2bc\cos A$

$b^2=c^2+a^2-2ca\cos B$

$c^2=a^2+b^2-2ab\cos C$

가 성립하고, 이를 코사인법칙이라고 한다.

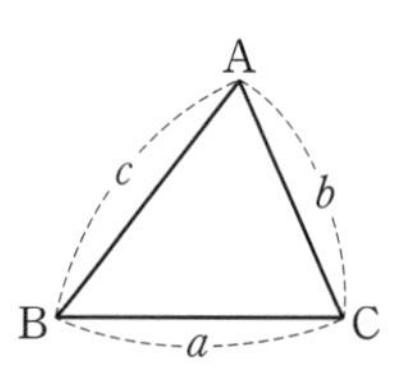

4. 코사인법칙의 변형

$$\cos A=\frac{b^2+c^2-a^2}{2bc},\ \cos B=\frac{c^2+a^2-b^2}{2ca},\ \cos C=\frac{a^2+b^2-c^2}{2ab}$$

코사인법칙을 적용할 수 있는 경우

(1) 두 변의 길이와 그 끼인각의 크기를 알 때

(2) 삼각형의 세 변의 길이를 알 때

5. 삼각형의 넓이

삼각형 ABC의 넓이를 S라고 하면

(1) $S=\frac{1}{2}ab\sin C=\frac{1}{2}bc\sin A=\frac{1}{2}ca\sin B$

(2) 외접원의 반지름의 길이를 R라고 하면

$S=\frac{abc}{4R}=2R^2\sin A\sin B\sin C$

(3) 내접원의 반지름의 길이를 r라고 하면

$S=rs\left(\text{단, } s=\frac{a+b+c}{2}\right)$

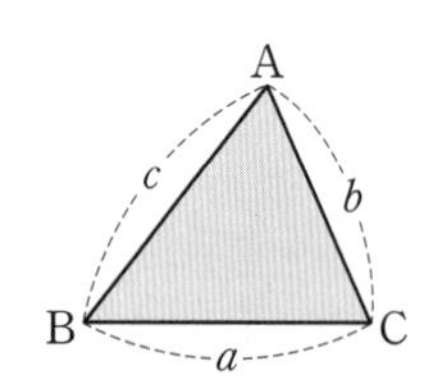

삼각형의 넓이 - 헤론의 공식

삼각형 ABC의 넓이를 S라고 하면

$S=\sqrt{s(s-a)(s-b)(s-c)}$

$\left(\text{단, } s=\frac{a+b+c}{2}\right)$

6. 사각형의 넓이

(1) 평행사변형의 넓이: 평행사변형에서 이웃하는 두 변의 길이가 a, b이고, 그 끼인각의 크기가 θ일 때 평행사변형의 넓이 S는

$S=ab\sin\theta$

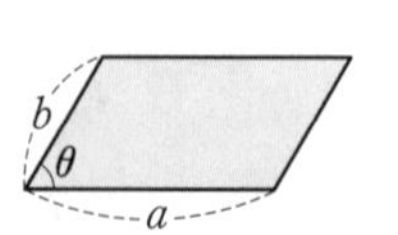

(2) 사각형의 넓이: 사각형에서 두 대각선의 길이가 a, b이고, 두 대각선이 이루는 각의 크기가 θ일 때 사각형의 넓이 S는

$S=\frac{1}{2}ab\sin\theta$

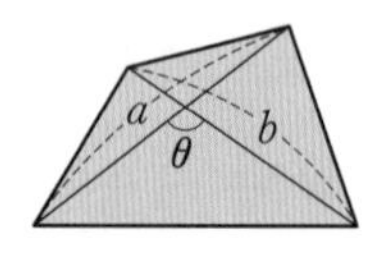

정답과 풀이 073쪽

유형 01 사인법칙

삼각형 ABC에서 $a=5$, $b=5\sqrt{3}$, $B=60°$일 때, A의 값은?

① $30°$ ② $60°$ ③ $90°$
③ $120°$ ④ $150°$

풀이

사인법칙에 의하여 $\frac{a}{\sin A}=\frac{b}{\sin B}$

$\frac{5}{\sin A}=\frac{5\sqrt{3}}{\sin 60°}$, $5\sin 60°=5\sqrt{3}\sin A$

$5\times\frac{\sqrt{3}}{2}=5\sqrt{3}\sin A$

$\therefore \sin A=\frac{5\sqrt{3}}{2}\times\frac{1}{5\sqrt{3}}=\frac{1}{2}$

이때 $0°<A<180°$이므로

$A=30°$ 또는 $A=150°$

그런데 $A+B<180°$이므로 $A=30°$

답 ①

001

삼각형 ABC에 대하여 다음을 구하여라.

(1) $A=45°$, $C=60°$, $c=6$일 때, a의 값

(2) $b=8$, $c=4\sqrt{6}$, $C=\frac{\pi}{3}$일 때, B의 값

002

삼각형 ABC의 외접원의 반지름의 길이를 R라고 할 때, 다음을 구하여라.

(1) $a=2$, $A=45°$일 때, R의 값

(2) $b=3$, $R=3$일 때, B의 값

(3) $C=\frac{\pi}{2}$, $R=4$일 때, c의 값

003 | 평가원 기출 |

$\overline{AB}=8$이고 $\angle A=45°$, $\angle B=15°$인 삼각형 ABC에서 선분 BC의 길이는?

① $2\sqrt{6}$ ② $\frac{7\sqrt{6}}{3}$ ③ $\frac{8\sqrt{6}}{3}$
④ $3\sqrt{6}$ ⑤ $\frac{10\sqrt{6}}{3}$

004

삼각형 ABC의 외접원의 반지름의 길이가 6이고 $\sin A+\sin B+\sin C=2$가 성립할 때, $a+b+c$의 값은?

① 12 ② 16 ③ 20
④ 24 ⑤ 28

005

둘레의 길이가 10인 삼각형 ABC에 대하여

$$\sin A+\sin B+\sin C=\frac{5}{2}$$

일 때, 삼각형 ABC의 외접원의 반지름의 길이는?

① 1 ② 2 ③ 3
④ 4 ⑤ 5

006

오른쪽 그림에서 삼각형 ABC는 $\overline{AB}=\overline{BC}=4$인 이등변삼각형이고 선분 AB를 지나는 점 O는 삼각형 ABC의 외접원의 중심이다. $\angle CBD=30^\circ$일 때, 선분 CD의 길이는?

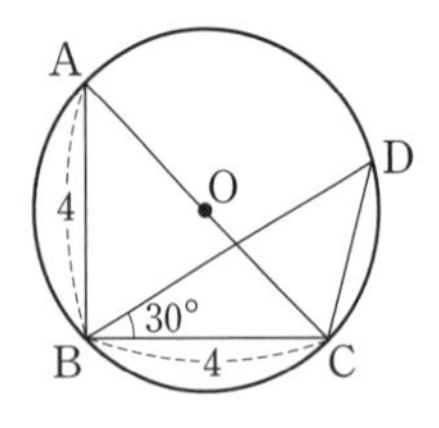

① 1　② $\sqrt{2}$　③ 2　④ $2\sqrt{2}$　⑤ 4

007

삼각형 ABC의 외접원의 반지름의 길이가 R이고 $a=2$, $c=2\sqrt{2}$, $\sin C=\frac{4}{5}$일 때, $4R\cos A$의 값은?

(단, 삼각형 ABC는 예각삼각형이다.)

① $\sqrt{34}$　② 6　③ $\sqrt{38}$　④ $2\sqrt{10}$　⑤ $\sqrt{42}$

008 서술형

오른쪽 그림과 같이 $\overline{BD}=10$인 삼각형 ABC에서 선분 AC의 길이를 구하여라.

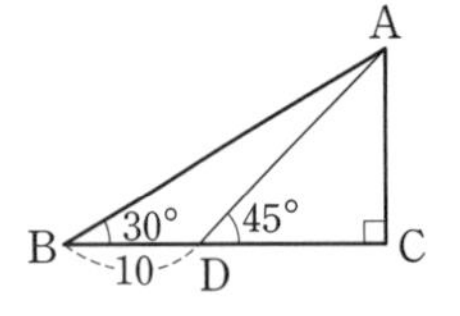

유형 02 사인법칙과 변의 길이의 비

삼각형 ABC의 세 변의 길이 a, b, c 사이에

$$a-b+c=0,\ 2a-b-c=0$$

이 성립할 때, $\sin A:\sin B:\sin C$를 구하여라.

풀이

$a-b+c=0$ ……… ㉠

$2a-b-c=0$ ……… ㉡

에서 $2\times$㉠$-$㉡을 하면

$-b+3c=0$　$\therefore b=3c$ ……… ㉢

㉢을 ㉠에 대입하면 $a-3c+c=0$　$\therefore a=2c$

따라서 사인법칙의 변형에 의하여

$\sin A:\sin B:\sin C=a:b:c=2c:3c:c$

$=2:3:1$

답 $2:3:1$

009

삼각형 ABC에서 $A:B:C=4:1:1$일 때, $\frac{a^2}{b^2+c^2}$의 값을 구하여라.

010 서술형

삼각형 ABC의 세 변의 길이 a, b, c 사이에

$$(a+b):(b+c):(c+a)=8:7:9$$

이 성립할 때, $\sin A:\sin B:\sin C=k:l:m$이다. 이때 서로소인 세 자연수 k, l, m에 대하여 $k+l+m$의 값을 구하여라.

유형 03 코사인법칙

오른쪽 그림과 같이 $\overline{AB}=\sqrt{39}$, $\overline{BC}=5$, $C=120°$인 삼각형 ABC에서 선분 AC의 길이는?

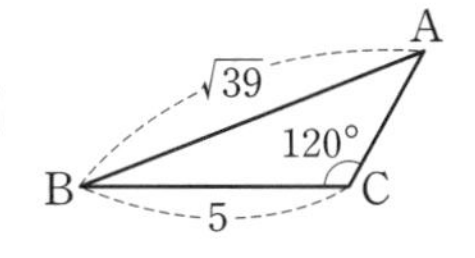

① 1　② 2
③ 3　④ 4
⑤ 5

풀이

$\overline{AC}=x$라고 하면 코사인법칙에 의하여

$c^2=a^2+b^2-2ab\cos C$

$(\sqrt{39})^2=5^2+x^2-2\times5\times x\times\cos 120°$

$39=25+x^2-10x\times\left(-\frac{1}{2}\right)$

$x^2+5x-14=0$, $(x-2)(x+7)=0$

$\therefore x=2$ ($\because x>0$)

따라서 선분 AC의 길이는 2이다.

답 ②

011

삼각형 ABC에 대하여 다음을 구하여라.

(1) $b=1$, $c=\sqrt{2}$, $A=45°$일 때, a의 값

(2) $a=2\sqrt{2}$, $b=3\sqrt{2}$, $C=60°$일 때, c의 값

012

삼각형 ABC에 대하여 $a=9$, $c=4$, $A=100°$, $C=20°$일 때, b의 값은?

① $\sqrt{59}$　② $\sqrt{61}$　③ $3\sqrt{7}$
④ $\sqrt{65}$　⑤ $\sqrt{67}$

013 서술형

오른쪽 그림과 같이 $\overline{AB}=6$, $\overline{BC}=3\sqrt{2}$, $B=45°$인 평행사변형 ABCD에서 대각선 BD의 길이를 구하여라.

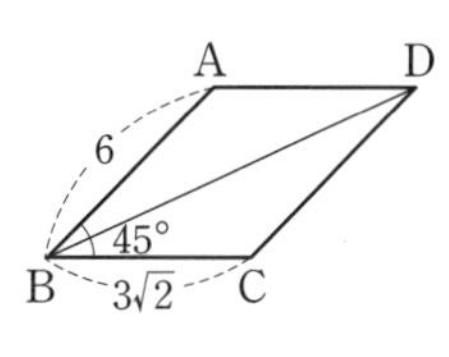

014

오른쪽 그림과 같이 원에 내접하는 사각형 ABCD에서 $\overline{AD}=2$, $\overline{CD}=3$, $B=60°$일 때, 선분 AC의 길이는?

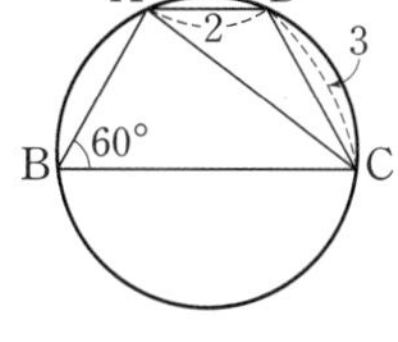

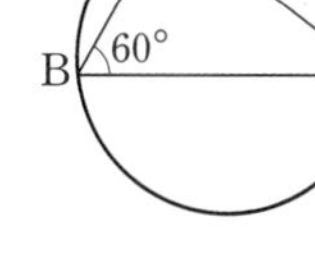

① 4　② $\sqrt{17}$
③ $3\sqrt{2}$　④ $\sqrt{19}$
⑤ $2\sqrt{5}$

015

오른쪽 그림과 같이 원에 내접하는 사각형 ABCD에서 $\overline{AB}=\sqrt{3}$, $\overline{BC}=2\sqrt{3}$, $\overline{AD}=3$, $A=150°$일 때, 선분 CD의 길이는?

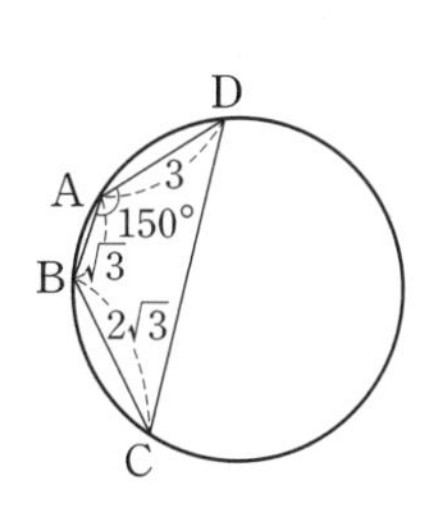

① 6　② 9
③ $3+\sqrt{2}$　④ $3+2\sqrt{2}$
⑤ $3+3\sqrt{2}$

유형 04 코사인법칙의 변형

삼각형 ABC에서 $a:b:c=1:\sqrt{2}:2$일 때, $\cos B$의 값은?

① $\frac{1}{4}$ ② $\frac{2}{5}$ ③ $\frac{1}{2}$
④ $\frac{3}{5}$ ⑤ $\frac{3}{4}$

풀이

$a:b:c=1:\sqrt{2}:2$이므로 $a=k$, $b=\sqrt{2}k$, $c=2k$ $(k>0)$로 놓으면 코사인법칙의 변형에 의하여

$$\cos B=\frac{c^2+a^2-b^2}{2ca}=\frac{(2k)^2+(k)^2-(\sqrt{2}k)^2}{2\times 2k\times k}$$
$$=\frac{3k^2}{4k^2}=\frac{3}{4}$$

답 ⑤

016

삼각형 ABC에서 $\overline{BC}=3$, $\overline{CA}=5$, $\overline{AB}=7$일 때, C의 값은?

① $\frac{\pi}{3}$ ② $\frac{\pi}{2}$ ③ $\frac{2}{3}\pi$
④ $\frac{3}{4}\pi$ ⑤ $\frac{5}{6}\pi$

017

삼각형 ABC에서 세 변의 길이 a, b, c가

$$a+3b-2c=0,\ 5a-5b-2c=0$$

을 만족시킬 때, $\cos B$의 값은?

① $\frac{17}{20}$ ② $\frac{7}{8}$ ③ $\frac{9}{10}$
④ $\frac{37}{40}$ ⑤ $\frac{19}{20}$

018 서술형

오른쪽 그림과 같은 삼각형 ABC에서 변 BC 위의 점 D에 대하여 $\overline{AB}=4$, $\overline{AD}=3$, $\overline{BD}=2$, $\overline{CD}=3$일 때, 선분 AC의 길이를 구하여라.

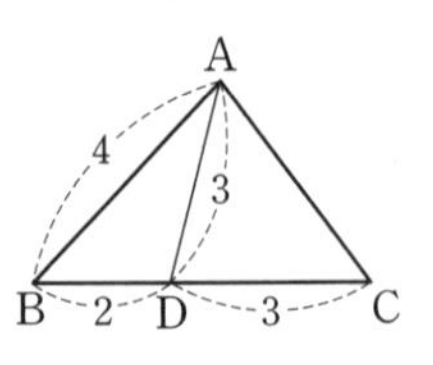

019

삼각형 ABC의 세 변의 길이 a, b, c에 대하여 $a^2=b^2+bc+c^2$이 성립할 때, A의 값은?

① $30°$ ② $45°$ ③ $60°$
④ $90°$ ⑤ $120°$

020 | 평가원 기출 |

오른쪽 그림과 같이 $\overline{AB}=6$, $\overline{AC}=10$인 삼각형 ABC에서 $\overline{AB}=\overline{AD}$가 되도록 선분 AC 위의 점 D를 잡았다. $\overline{BD}=\sqrt{15}$일 때, 선분 BC의 길이를 k라 고 하자. k^2의 값을 구하여라.

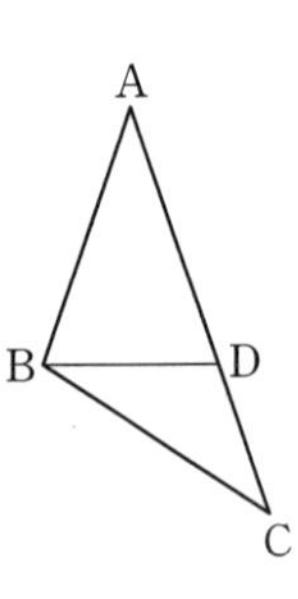

유형 05 사인법칙과 코사인법칙

삼각형 ABC에서 $\sin A : \sin B : \sin C = 2:2:3$일 때, $\cos C$의 값은?

① $-\frac{1}{2}$ ② $-\frac{1}{4}$ ③ $-\frac{1}{8}$
④ $\frac{1}{8}$ ⑤ $\frac{1}{4}$

풀이

사인법칙의 변형에 의하여

$a:b:c = \sin A : \sin B : \sin C = 2:2:3$

$a=2k,\ b=2k,\ c=3k\ (k>0)$로 놓으면 코사인법칙의 변형에 의하여

$$\cos C = \frac{a^2+b^2-c^2}{2ab} = \frac{(2k)^2+(2k)^2-(3k)^2}{2\times 2k\times 2k} = \frac{-k^2}{8k^2} = -\frac{1}{8}$$

답 ③

021

삼각형 ABC에서 $a=3,\ b=2,\ c=4$일 때, 외접원의 반지름의 길이는?

① $\frac{7\sqrt{15}}{15}$ ② $\frac{8\sqrt{15}}{15}$ ③ $\frac{3\sqrt{15}}{5}$
④ $\frac{2\sqrt{15}}{3}$ ⑤ $\frac{11\sqrt{15}}{15}$

022

오른쪽 그림과 같은 삼각형 ABC에서 $\overline{AB}=4,\ \overline{BC}=2\sqrt{2}$, $B=135°$일 때, 삼각형 ABC의 외접원의 둘레의 길이는?

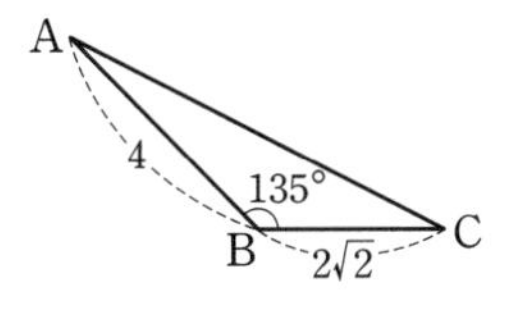

① $4\sqrt{5}\pi$ ② $4\sqrt{6}\pi$ ③ $4\sqrt{7}\pi$
④ $8\sqrt{2}\pi$ ⑤ 12π

023

삼각형 ABC에서 $\frac{3}{\sin A} = \frac{4}{\sin B} = \frac{6}{\sin C}$이 성립할 때, 가장 작은 각의 크기를 θ라고 하자. 이때 $\cos\theta$의 값은?

① $\frac{39}{48}$ ② $\frac{5}{6}$ ③ $\frac{41}{48}$
④ $\frac{7}{8}$ ⑤ $\frac{43}{48}$

024

삼각형 ABC에서 $\sqrt{2}\sin A = \sqrt{2}\sin B = \sin C$가 성립할 때, 가장 큰 각의 크기는?

① 30° ② 45° ③ 60°
④ 90° ⑤ 120°

025

삼각형 ABC에서

$(\sin A + \sin B) : (\sin B + \sin C) : (\sin C + \sin A) = 5:8:5$

일 때, $\cos B$의 값은?

① $-\frac{1}{8}$ ② 0 ③ $\frac{1}{8}$
④ $\frac{1}{4}$ ⑤ $\frac{1}{2}$

유형 06 삼각형의 모양

등식 $a\cos B=b\cos A$를 만족시키는 삼각형 ABC는 어떤 삼각형인지 말하여라.

풀이

코사인법칙의 변형에 의하여

$\cos A=\frac{b^2+c^2-a^2}{2bc}$, $\cos B=\frac{c^2+a^2-b^2}{2ca}$

이것을 $a\cos B=b\cos A$에 대입하면

$a\times\frac{c^2+a^2-b^2}{2ca}=b\times\frac{b^2+c^2-a^2}{2bc}$

$\frac{c^2+a^2-b^2}{2c}=\frac{b^2+c^2-a^2}{2c}$

$c^2+a^2-b^2=b^2+c^2-a^2$, $2a^2=2b^2$

$\therefore a^2=b^2$

이때 $a>0$, $b>0$이므로 $a=b$

따라서 삼각형 ABC는 $a=b$인 이등변삼각형이다.

답 $a=b$인 이등변삼각형

풍쌤 유형 TIP

삼각형 ABC의 모양을 결정하는 문제는 사인법칙의 변형 공식, 코사인법칙의 변형 공식을 이용하여 식을 바꾸어 풀 수 있다.

즉, $\sin A=\frac{a}{2R}$, $\sin B=\frac{b}{2R}$, $\sin C=\frac{c}{2R}$ 또는

$\cos A=\frac{b^2+c^2-a^2}{2bc}$, $\cos B=\frac{c^2+a^2-b^2}{2ca}$, $\cos C=\frac{a^2+b^2-c^2}{2ab}$을 이용하여 각의 크기 사이의 관계를 변의 길이 사이의 관계로 바꾼다.

026

삼각형 ABC에서

$$\sin A:\sin B:\sin C=5:12:13$$

이 성립할 때, 삼각형 ABC는 어떤 삼각형인가?

① 예각삼각형
② 정삼각형
③ $B=90°$인 직각삼각형
④ $C=90°$인 직각삼각형
⑤ 둔각삼각형

027

삼각형 ABC에서 $\frac{a}{\sin C}=\frac{c}{\sin A}$가 성립할 때, 삼각형 ABC는 어떤 삼각형인가?

① $a=c$인 이등변삼각형
② B가 둔각인 둔각삼각형
③ 정삼각형
④ $A=90°$인 직각삼각형
⑤ $C=90°$인 직각삼각형

028

삼각형 ABC에서 $\sin C=2\sin A\cos B$가 성립할 때, 삼각형 ABC는 어떤 삼각형인가?

① 정삼각형
② $a=b$인 이등변삼각형
③ $a=c$인 이등변삼각형
④ $B=90°$인 직각삼각형
⑤ $C=90°$인 직각삼각형

029 서술형

등식 $\sin(\pi-C)=\sin\left(\frac{\pi}{2}-A\right)\sin(\pi-B)$를 만족시키는 삼각형 ABC는 어떤 삼각형인지 말하여라.

유형 07 삼각형의 넓이

$\overline{AB}=3$, $\overline{AC}=3\sqrt{2}$, $C=45°$인 삼각형 ABC의 넓이는?

① 3　② $\frac{7}{2}$　③ 4
④ $\frac{9}{2}$　⑤ 5

풀이

사인법칙에 의하여

$\frac{\overline{AC}}{\sin B}=\frac{\overline{AB}}{\sin C}$, $\frac{3\sqrt{2}}{\sin B}=\frac{3}{\sin 45°}$

$3\sqrt{2}\sin 45°=3\sin B$, $3\sqrt{2}\times\frac{\sqrt{2}}{2}=3\sin B$

$\therefore \sin B=1$　$\therefore B=90°$

따라서 $A=180°-(90°+45°)=45°$이므로

$\triangle ABC=\frac{1}{2}\times\overline{AB}\times\overline{AC}\times\sin A$

$=\frac{1}{2}\times3\times3\sqrt{2}\times\frac{\sqrt{2}}{2}=\frac{9}{2}$

답 ④

030

다음 조건을 만족시키는 삼각형 ABC의 넓이를 구하여라.

(1) $a=2\sqrt{3}$, $b=6$, $C=60°$

(2) $b=10$, $c=10\sqrt{3}$, $A=135°$

031

오른쪽 그림과 같은 삼각형 ABC에서 $\overline{AB}=2$, $\overline{AC}=2\sqrt{3}$, $\angle B=60°$일 때, 삼각형 ABC의 넓이는?

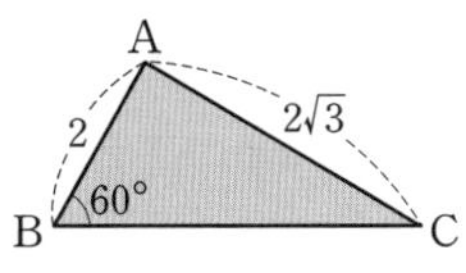

① $2\sqrt{3}$　② $\frac{5\sqrt{3}}{2}$　③ $3\sqrt{3}$
④ $\frac{7\sqrt{3}}{2}$　⑤ $4\sqrt{3}$

032 | 교육청 기출 |

$\overline{AB}=2$, $\overline{AC}=\sqrt{7}$인 예각삼각형 ABC의 넓이가 $\sqrt{6}$이다. $A=\theta$일 때, $\sin\left(\frac{\pi}{2}+\theta\right)$의 값은?

① $\frac{\sqrt{3}}{7}$　② $\frac{2}{7}$　③ $\frac{\sqrt{5}}{7}$
④ $\frac{\sqrt{6}}{7}$　⑤ $\frac{\sqrt{7}}{7}$

033

세 변의 길이가 5, 6, 7인 삼각형 ABC의 넓이는?

① $4\sqrt{6}$　② $5\sqrt{6}$　③ $6\sqrt{6}$
④ $7\sqrt{6}$　⑤ $8\sqrt{6}$

034

오른쪽 그림과 같이 삼각형 ABC가 반지름의 길이가 8인 원 O에 내접하고 있다. $\overset{\frown}{AB}:\overset{\frown}{BC}:\overset{\frown}{CA}=5:4:3$일 때, 삼각형 ABC의 넓이는?

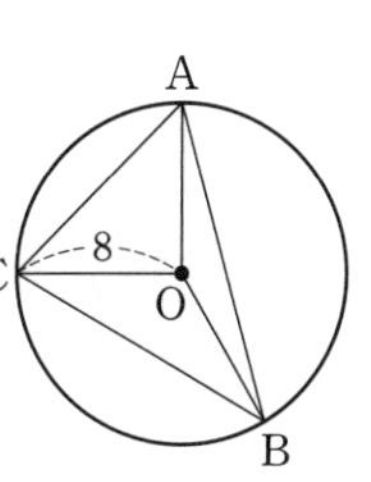

① $8+8\sqrt{3}$
② $16+8\sqrt{3}$
③ $24+16\sqrt{3}$
④ $48+8\sqrt{3}$
⑤ $48+16\sqrt{3}$

유형 08 삼각형의 넓이 — 외접원 또는 내접원이 주어진 경우

세 변의 길이가 2, 4, 8인 삼각형 ABC의 외접원의 반지름의 길이를 R, 내접원의 반지름의 길이를 r라고 할 때, Rr의 값은?

① $\frac{16}{7}$ ② $\frac{17}{7}$ ③ $\frac{18}{7}$
④ $\frac{19}{7}$ ⑤ $\frac{20}{7}$

풀이

삼각형 ABC의 넓이를 S라고 하면 세 변의 길이가 2, 4, 8이므로

(i) $S=\frac{abc}{4R}=\frac{2\times4\times8}{4R}=\frac{16}{R}$ $\quad\therefore R=\frac{16}{S}$

(ii) $S=\frac{a+b+c}{2}\times r=\frac{2+4+8}{2}\times r=7r$ $\quad\therefore r=\frac{S}{7}$

$\therefore Rr=\frac{16}{S}\times\frac{S}{7}=\frac{16}{7}$

답 ①

035

세 변의 길이가 3, 5, 5인 삼각형 ABC의 외접원의 반지름의 길이가 3일 때, 삼각형 ABC의 내접원의 반지름의 길이를 구하여라.

036 서술형

반지름의 길이가 6인 원에 내접하는 삼각형 ABC에 대하여 $\sin A+\sin B+\sin C=\frac{3}{4}$이 성립한다. 이 삼각형의 내접원의 반지름의 길이가 2일 때, 삼각형 ABC의 넓이를 구하여라.

유형 09 사각형의 넓이

오른쪽 그림과 같이 $\overline{AB}=3$, $\overline{AD}=6$인 평행사변형 ABCD에서 변 AB, BC가 이루는 각 θ에 대하여 $\cos\theta=\frac{2}{3}$이다. 이때 평행사변형 ABCD의 넓이를 구하여라.

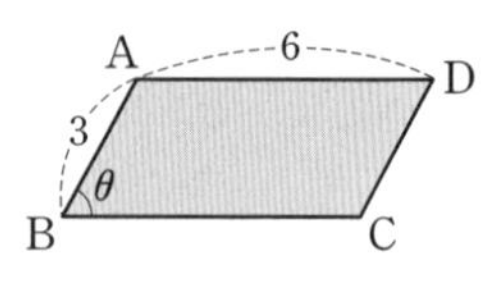

풀이

$\sin^2\theta=1-\cos^2\theta=1-\left(\frac{2}{3}\right)^2=1-\frac{4}{9}=\frac{5}{9}$

이때 $0°<\theta<180°$에서 $\sin\theta>0$이므로 $\sin\theta=\frac{\sqrt{5}}{3}$

$\therefore \square ABCD=3\times6\times\sin\theta$

$=18\times\frac{\sqrt{5}}{3}=6\sqrt{5}$

답 $6\sqrt{5}$

037

두 대각선이 이루는 각의 크기가 120°이고 넓이가 $4\sqrt{3}$인 등변사다리꼴의 한 대각선의 길이는?

① 2 ② 4 ③ 6
④ 8 ⑤ 10

038

오른쪽 그림과 같은 사각형 ABCD에서 $\overline{AB}=\overline{AD}=4$, $\overline{BC}=3$, $A=120°$, $B=75°$일 때, 사각형 ABCD의 넓이를 구하여라.

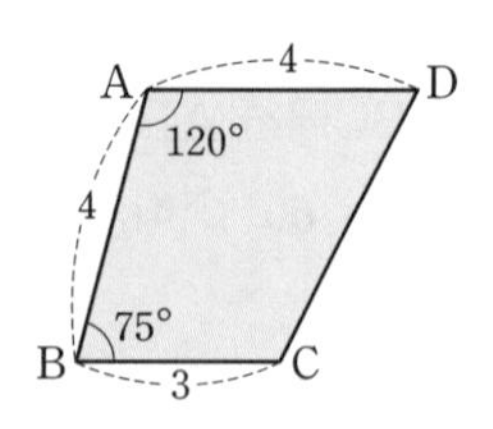

01

삼각형 ABC에서 $a=2$, $A=45°$, $B=75°$일 때, $\frac{c}{\cos C}$의 값은?

① $2\sqrt{2}$ ② $2\sqrt{3}$ ③ 4
④ $2\sqrt{5}$ ⑤ $2\sqrt{6}$

02 | 평가원 기출 |

반지름의 길이가 15인 원에 내접하는 삼각형 ABC에서 $\sin B=\frac{7}{10}$일 때, 선분 AC의 길이는?

① 15 ② 18 ③ 21
④ 24 ⑤ 27

03

둘레의 길이가 39인 삼각형 ABC에서

$\sin(A+B):\sin(B+C):\sin(C+A)=4:3:6$

일 때, 가장 긴 변의 길이를 구하여라.

04

세 변의 길이가 $\sqrt{3}$, 1, $\sqrt{7}$인 삼각형 ABC의 세 내각 중 크기가 가장 큰 각의 크기는?

① 30° ② 60° ③ 90°
④ 120° ⑤ 150°

05

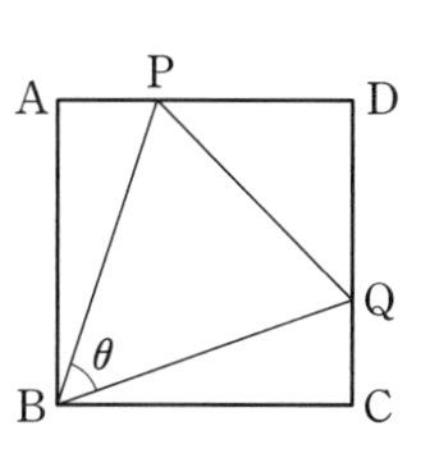

오른쪽 그림과 같은 정사각형 ABCD에서 변 AD를 1 : 2로 내분하는 점을 P, 변 CD를 1 : 2로 내분하는 점을 Q라고 하자. $\angle PBQ=\theta$라고 할 때, $\tan\theta$의 값은?

① $\frac{2}{3}$ ② 1 ③ $\frac{4}{3}$
④ $\frac{5}{3}$ ⑤ 2

06 실력 UP

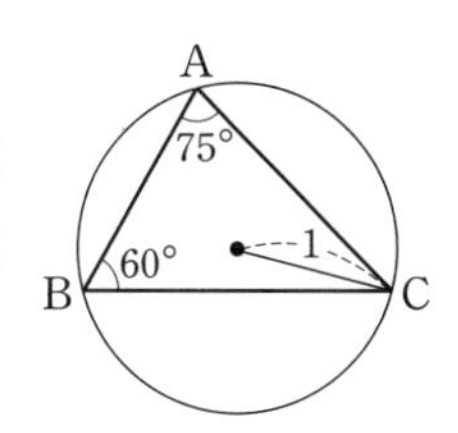

오른쪽 그림과 같이 반지름의 길이가 1인 원에 내접하는 삼각형 ABC에서 $A=60°$, $B=75°$일 때, 변 BC의 길이는?

① $\frac{\sqrt{2}+\sqrt{3}}{2}$ ② $\frac{\sqrt{3}-\sqrt{2}}{2}$
③ $\frac{\sqrt{2}+\sqrt{6}}{2}$ ④ $\frac{\sqrt{6}-\sqrt{2}}{2}$
⑤ $\frac{\sqrt{3}+\sqrt{6}}{2}$

07

x에 대한 이차방정식

$\sin Ax^2-(\sin A+\sin B)x+\sin B=0$이 중근을 가질 때, 삼각형 ABC는 어떤 삼각형인가?

① 정삼각형
② $A=90^\circ$인 직각삼각형
③ $B=90^\circ$인 직각삼각형
④ $a=b$인 이등변삼각형
⑤ 각 C가 둔각인 둔각삼각형

08

오른쪽 그림과 같이 $C=90^\circ$인 삼각형 ABC에서 $\overline{AC}=2\sqrt{2}$, $\overline{BC}=\sqrt{2}$이고 C의 이등분선이 변 AB와 만나는 점을 D라고 할 때, 선분 CD의 길이는?

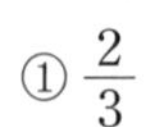
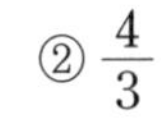
① $\frac{2}{3}$　② $\frac{4}{3}$

③ 2　④ $\frac{8}{3}$

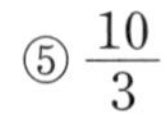
⑤ $\frac{10}{3}$

09 실력UP

삼각형 ABC에서 $\cos A=\frac{13}{14}$이고 $a=x$, $b=x+2$, $c=x+4$일 때, 삼각형 ABC의 넓이를 구하여라.

10

삼각형 ABC에서 외접원의 반지름의 길이가 10, 내접원의 반지름의 길이가 4일 때, 세 변의 길이 a, b, c에 대하여 $\frac{1}{ab}+\frac{1}{bc}+\frac{1}{ca}$의 값은?

① $\frac{1}{80}$　② $\frac{1}{40}$　③ $\frac{1}{20}$
④ $\frac{1}{10}$　⑤ $\frac{1}{5}$

11

오른쪽 그림과 같은 사각형 ABCD에서 두 대각선 AC, BD의 교점을 P라고 하자.

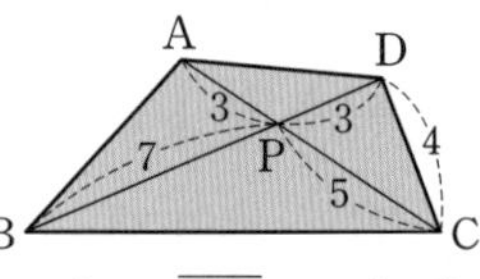

$\overline{AP}=3$, $\overline{BP}=7$, $\overline{CP}=5$, $\overline{DP}=3$이고, $\overline{CD}=4$일 때, 사각형 ABCD의 넓이는?

① 28　② 29　③ 30
④ 31　⑤ 32

12

오른쪽 그림과 같이 반지름의 길이가 2인 원 위의 네 점 A, B, C, D에 대하여

$\overset{\frown}{AB}:\overset{\frown}{BC}:\overset{\frown}{CD}:\overset{\frown}{DA}=2:2:3:5$

일 때, 사각형 ABCD의 넓이는?

① $2\sqrt{2}+2$　② $2\sqrt{2}+3$　③ $2\sqrt{3}+2$
④ $2\sqrt{3}+3$　⑤ $3\sqrt{3}+3$

수열

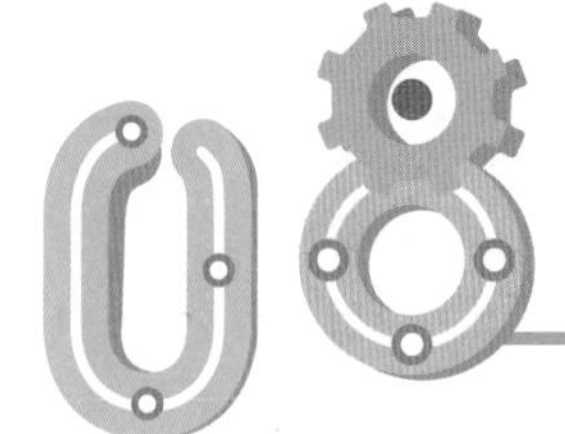

등차수열과 등비수열

1. 수열

(1) 수열: 차례로 나열된 수의 열

(2) 항: 수열에서 나열된 각각의 수

(3) 일반항: 수열 $\{a_n\}$의 제n항 a_n → n에 대한 식으로 나타난다.

참고 수열을 나타낼 때는 $a_1, a_2, a_3, \cdots, a_n, \cdots$과 같이 항의 번호를 이용하여 나타내고, 간단히 $\{a_n\}$으로 나타낸다.

2. 등차수열

(1) 등차수열: 첫째항부터 차례로 일정한 수를 더해 만들어지는 수열

(2) 공차: 등차수열에서 더하는 일정한 수

(3) 등차수열의 일반항: 첫째항이 a, 공차가 d인 등차수열의 일반항 a_n은

$a_n=a+(n-1)d$ (단, $n=1, 2, 3, \cdots$)

(4) 등차중항: 세 수 a, b, c가 이 순서대로 등차수열을 이룰 때, b를 a와 c의 등차중항이라고 한다.

$2b=a+c$, 즉 $b=\frac{a+c}{2}$

○ 등차수열을 이루는 수의 표현

(1) 세 수가 등차수열을 이룰 때 $a-d, a, a+d$로 놓는다.

(2) 네 수가 등차수열을 이룰 때 $a-3d, a-d, a+d, a+3d$로 놓는다.

3. 등차수열의 합

첫째항이 a, 공차가 d, 제n항이 l인 등차수열의 첫째항부터 제n항까지의 합을 S_n이라고 하면

(1) $S_n=\frac{n(a+l)}{2}$

(2) $S_n=\frac{n\{2a+(n-1)d\}}{2}$

4. 등비수열

(1) 등비수열: 첫째항부터 차례로 일정한 수를 곱해 만들어지는 수열

(2) 공비: 등비수열에서 곱하는 일정한 수

(3) 등비수열의 일반항: 첫째항이 a, 공비가 r인 등비수열의 일반항 a_n은

$a_n=ar^{n-1}$ (단, $n=1, 2, 3, \cdots$)

(4) 등비중항: 0이 아닌 세 수 a, b, c가 이 순서대로 등비수열을 이룰 때, b를 a와 c의 등차중항이라고 한다.

$\frac{b}{a}=\frac{c}{b}$, 즉 $b^2=ac$

○ 등비수열을 이루는 수의 표현

(1) 세 수가 등비수열을 이룰 때 a, ar, ar^2으로 놓는다.

(2) 네 수가 등비수열을 이룰 때 a, ar, ar^2, ar^3으로 놓는다.

5. 등비수열의 합

첫째항이 a, 공비가 r인 등비수열의 첫째항부터 제n항까지의 합을 S_n이라고 하면

(1) $r\neq1$일 때, $S_n=\frac{a(1-r^n)}{1-r}=\frac{a(r^n-1)}{r-1}$

(2) $r=1$일 때, $S_n=na$

6. 수열의 합과 일반항 사이의 관계

수열 $\{a_n\}$의 첫째항부터 제n항까지의 합 S_n에 대하여

$a_1=S_1$, $a_n=S_n-S_{n-1}$ $(n\geq2)$

이 성립한다.

○ 수열의 합과 일반항 사이의 관계

(1) $S_n=An^2+Bn+C$일 때

① $C=0$이면 수열 $\{a_n\}$은 첫째항부터 등차수열

② $C\neq0$이면 수열 $\{a_n\}$은 제2항부터 등차수열

(2) $S_n=Ar^n+B$일 때

① $A+B=0$이면 수열 $\{a_n\}$은 첫째항부터 등비수열

② $A+B\neq0$이면 수열 $\{a_n\}$은 제2항부터 등비수열

기본을 다지는 유형

정답과 풀이 081쪽

유형 01 등차수열의 뜻과 일반항

등차수열 $\{a_n\}$의 첫째항이 -17, 공차가 2일 때, 7은 제몇 항인가?

① 제10항 ② 제11항 ③ 제12항
④ 제13항 ⑤ 제14항

풀이

첫째항이 -17, 공차가 2이므로

$a_n=-17+(n-1)\times 2=2n-19$

따라서 $2n-19=7$에서

$2n=26 \quad \therefore n=13$

즉, 7은 제13항이다.

답 ④

001

다음 등차수열의 일반항 a_n을 구하여라.

(1) 1, 4, 7, 10, $\cdots$

(2) 6, 1, -4, -9, $\cdots$

002

등차수열 $\{a_n\}$에서 $a_2=5$, $a_4=13$일 때, 수열 $\{a_n\}$의 공차는?

① 1 ② 2 ③ 3
④ 4 ⑤ 5

003

수열 a, 6, 10, b, $\cdots$가 등차수열을 이룰 때, $b-a$의 값은?

① 6 ② 9 ③ 12
④ 15 ⑤ 18

004

두 등차수열 $\{a_n\}$, $\{b_n\}$의 공차가 각각 -3, 9일 때, 수열 $\{a_n+b_n\}$의 공차를 구하여라.

005

공차가 2인 등차수열 $\{a_n\}$에 대하여 옳은 것만을 |보기|에서 있는 대로 고른 것은?

| 보기 |

ㄱ. 수열 $\{2a_n\}$은 공차가 4인 등차수열이다.

ㄴ. 수열 $\{a_{2n-1}\}$은 공차가 4인 등차수열이다.

ㄷ. 수열 $\{2a_{2n}\}$은 공차가 8인 등차수열이다.

① ㄱ ② ㄴ ③ ㄱ, ㄴ
④ ㄴ, ㄷ ⑤ ㄱ, ㄴ, ㄷ

유형 02 조건을 만족시키는 등차수열의 항

등차수열 $\{a_n\}$에 대하여 $a_2+a_6=6$, $a_3+a_7=14$일 때, a_8은?

① 17 ② 19 ③ 21
④ 23 ⑤ 25

풀이

첫째항을 a, 공차를 d라고 하면

$a_n=a+(n-1)d$

$a_2+a_6=6$에서 $(a+d)+(a+5d)=6$

$2a+6d=6 \quad \therefore a+3d=3$ ......… ㉠

$a_3+a_7=14$에서

$(a+2d)+(a+6d)=14$

$2a+8d=14 \quad \therefore a+4d=7$ ......… ㉡

㉠, ㉡을 연립하여 풀면 $a=-9$, $d=4$

$\therefore a_8=a+7d=-9+7\times4=19$

답 ②

006

첫째항이 3인 등차수열 $\{a_n\}$에 대하여 $a_9-a_6=12$일 때, a_4는?

① 15 ② 16 ③ 17
④ 18 ⑤ 19

007

등차수열 $\{a_n\}$에 대하여 $a_2=18$, $a_7=-12$일 때, a_6은?

① -12 ② -6 ③ 0
④ 6 ⑤ 12

008

등차수열 $\{a_n\}$에 대하여 $a_4=1$, $a_8=-3$일 때, -12는 제몇 항인가?

① 제14항 ② 제15항 ③ 제16항
④ 제17항 ⑤ 제18항

009 서술형

첫째항이 34이고 제2항과 제10항의 비가 2 : 1인 등차수열 $\{a_n\}$에서 a_5를 구하여라.

010

등차수열 $\{a_n\}$에 대하여 $a_3=\log_2 25$, $a_5=\log_2 100$일 때, a_7은?

① $\log_2 200$ ② $\log_2 300$ ③ $\log_2 400$
④ $\log_2 500$ ⑤ $\log_2 600$

011

3, a_1, a_2, a_3, 11이 이 순서대로 등차수열을 이룰 때, a_3의 값은?

① 6 ② 7 ③ 8
④ 9 ⑤ 10

012

제3항이 36, 제6항이 21인 등차수열에서 처음으로 음수가 되는 항은?

① 제10항 ② 제11항 ③ 제12항
④ 제13항 ⑤ 제14항

013 | 평가원 기출 |

등차수열 $\{a_n\}$에 대하여

$a_1=a_3+8$, $2a_4-3a_6=3$

일 때, $a_k<0$을 만족시키는 자연수 k의 최솟값은?

① 8 ② 10 ③ 12
④ 14 ⑤ 16

유형 03 등차중항

세 수 x^2-5x, x, 6이 이 순서대로 등차수열을 이룰 때, x의 값의 합은?

① 4 ② 5 ③ 6
④ 7 ⑤ 8

풀이

x^2-5x, x, 6이 이 순서대로 등차수열을 이루므로
$2x=(x^2-5x)+6$, $2x=x^2-5x+6$
$x^2-7x+6=0$, $(x-1)(x-6)=0$
$\therefore x=1$ 또는 $x=6$
따라서 x의 값의 합은
$1+6=7$

답 ④

014 | 수능 기출 |

등차수열 $\{a_n\}$에 대하여 $a_1+a_3=20$일 때, a_2는?

① 6 ② 7 ③ 8
④ 9 ⑤ 10

015

세 수 a, b, c가 이 순서대로 등차수열을 이룰 때, 세 수 4, a, 12와 a, 13, b도 각각 이 순서대로 등차수열을 이룬다. 이때 $a+b+c$의 값을 구하여라.

016

세 수 $\log_3 5$, k, $\log_9 16$이 이 순서대로 등차수열을 이룰 때, 3^k의 값은?

① $2\sqrt{3}$ ② 4 ③ $2\sqrt{5}$
④ $2\sqrt{6}$ ⑤ $2\sqrt{7}$

017

-3, a, b, c, 7이 이 순서대로 등차수열을 이룰 때, $a+b+c$의 값은?

① 6 ② $\frac{13}{2}$ ③ 7
④ $\frac{15}{2}$ ⑤ 8

018

두 자연수 a, b에 대하여 a, 3, b와 a^2, 13, b^2이 각각 이 순서대로 등차수열을 이룰 때, ab의 값은?

① 2 ② 3 ③ 4
④ 5 ⑤ 6

유형 04 등차수열을 이루는 세 수

등차수열을 이루는 세 수의 합이 -3, 곱이 15일 때, 세 수의 제곱의 합을 구하여라.

풀이

세 수를 $a-d$, a, $a+d$로 놓으면 세 수의 합이 -3이므로

$(a-d)+a+(a+d)=3a=-3$

$\therefore a=-1$

또, 세 수의 곱이 15이므로

$(a-d)\times a\times(a+d)=15$, $a^3-ad^2=15$

이때 $a=-1$이므로

$(-1)^3-(-1)\times d^2=15$, $d^2=16$

$\therefore d=4$ 또는 $d=-4$

따라서 세 수를 작은 수부터 나열하면 -5, -1, 3이므로

$(-5)^2+(-1)^2+3^2=25+1+9=35$

답 35

019

삼차방정식 $x^3-6x^2+kx-4=0$의 세 실근이 등차수열을 이룰 때, 상수 k의 값은?

① 10 ② 11 ③ 12
④ 13 ⑤ 14

020

세 변의 길이가 등차수열을 이루는 직각삼각형이 있다. 이 직각삼각형의 넓이가 24일 때, 빗변의 길이는?

① 10 ② 11 ③ 12
④ 13 ⑤ 14

유형 05 등차수열의 합

첫째항이 52이고, 끝항이 -8인 등차수열 $\{a_n\}$의 첫째항부터 끝항까지의 합이 286일 때, 등차수열 $\{a_n\}$의 공차를 구하여라.

풀이

공차를 d, 끝항 -8을 제n항, 첫째항부터 제n항까지의 합 286을 S_n이라고 하면

$S_n=\frac{n\{52+(-8)\}}{2}=286$, $22n=286$

$\therefore n=13$

즉, $a_{13}=-8$이므로

$52+12d=-8$, $12d=-60$

$\therefore d=-5$

답 -5

021

다음 등차수열의 합을 구하여라.

(1) 첫째항이 2, 끝항이 24, 항수가 10

(2) 첫째항이 -30, 공차가 3, 항수가 8

022

다음 등차수열의 합을 구하여라.

(1) -6, -4, -2, 0, $\cdots$, 12

(2) 21, 17, 13, 9, $\cdots$, -19

023 서술형

등차수열 -8, -5, -2, 1, $\cdots$의 첫째항부터 제n항까지의 합이 36일 때, n의 값을 구하여라.

024

공차가 각각 2, -5인 두 등차수열 $\{a_n\}$, $\{b_n\}$에 대하여 $a_1+b_1=12$일 때,

$$(a_1+a_2+\cdots+a_{10})+(b_1+b_2+\cdots+b_{10})$$

의 값은?

① -30 ② -15 ③ 0 ④ 15 ⑤ 30

025 |교육청 기출|

등차수열 $\{a_n\}$의 첫째항부터 제n항까지의 합을 S_n이라고 할 때, $a_2=7$, $S_7-S_5=50$이다. 이때 a_{11}을 구하여라.

026

두 자리의 자연수 중에서 4로 나누었을 때 나머지가 2인 자연수의 합은?

① 1238 ② 1240 ③ 1242
④ 1244 ⑤ 1246

027

27과 3 사이에 열 개의 수 $a_1, a_2, a_3, \cdots, a_{10}$을 넣어서 만든 등차수열

$27, a_1, a_2, a_3, \cdots, a_{10}, 3$

에 대하여 $a_1+a_2+a_3+\cdots+a_{10}$의 값은?

① 110 ② 120 ③ 130
④ 140 ⑤ 150

028 서술형

-10과 38 사이에 32개의 수를 넣어 34개의 수가 등차수열을 이루도록 할 때, 넣은 32개의 수의 합을 구하여라.

유형 06 부분의 합이 주어진 등차수열의 합

등차수열 $\{a_n\}$의 첫째항부터 제n항까지의 합 S_n에 대하여 $S_{10}=10$, $S_{20}=220$일 때, S_{30}의 값은?

① 600 ② 610 ③ 620
④ 630 ⑤ 640

풀이

등차수열 $\{a_n\}$의 첫째항을 a, 공차를 d라고 하면

$S_{10}=10$에서 $\frac{10(2a+9d)}{2}=10$

$\therefore 2a+9d=2$ ⋯⋯ ㉠

$S_{20}=220$에서 $\frac{20(2a+19d)}{2}=220$

$\therefore 2a+19d=22$ ⋯⋯ ㉡

㉡−㉠을 하면 $10d=20$ $\quad\therefore d=2$

$d=2$를 ㉠에 대입하면 $2a+9\times2=2$ $\quad\therefore a=-8$

$\therefore S_{30}=\frac{30\{2\times(-8)+29\times2\}}{2}=630$

답 ④

029

등차수열 $\{a_n\}$의 첫째항부터 제n항까지의 합 S_n에 대하여 $S_5=35$, $S_{10}=145$일 때, S_{20}의 값을 구하여라.

030

첫째항부터 제10항까지의 합이 510이고 제11항부터 제20항까지의 합이 310인 등차수열의 제21항부터 제30항까지의 합은?

① 100 ② 110 ③ 120
④ 130 ⑤ 140

유형 07 등차수열의 합의 최대 • 최소

제3항이 24, 제10항이 -25인 등차수열 $\{a_n\}$에서 첫째항부터 제n항까지의 합을 S_n이라고 할 때, S_n의 최댓값을 구하여라.

풀이

등차수열 $\{a_n\}$의 첫째항을 a, 공차를 d라고 하면

$a_3=24$에서 $a+2d=24$ ·········· ㉠

$a_{10}=-25$에서 $a+9d=-25$ ·········· ㉡

㉡－㉠을 하면 $7d=-49$ $\quad\therefore d=-7$

$d=-7$을 ㉠에 대입하면

$a+2\times(-7)=24$ $\quad\therefore a=38$

$\therefore a_n=38+(n-1)\times(-7)=-7n+45$

이때 $a_n<0$에서 $-7n+45<0$

$\therefore n>6.\cdots$

따라서 제7항부터는 음수이므로 첫째항부터 제6항까지의 합이 최대가 된다.

즉, 구하는 S_n의 최댓값은

$$S_6=\frac{6\{2\times38+(6-1)\times(-7)\}}{2}=123$$

답 123

풍쌤 유형 TIP

등차수열 $\{a_n\}$의 첫째항을 a, 공차를 d, 첫째항부터 제n항까지의 합을 S_n이라고 하자.

(1) $a_k>0$, $a_{k+1}<0$이면 S_n의 최댓값은 S_k

(2) $a_k<0$, $a_{k+1}>0$이면 S_n의 최솟값은 S_k

031

첫째항이 -14, 공차가 3인 등차수열에서 첫째항부터 제n항까지의 합을 S_n이라고 할 때, S_n의 최솟값은?

① -10 ② -20 ③ -30
④ -40 ⑤ -50

032 | 교육청 기출 |

등차수열 $\{a_n\}$에 대하여 $a_3=26$, $a_9=8$일 때, 첫째항부터 제n항까지의 합이 최대가 되도록 하는 자연수 n의 값은?

① 11 ② 12 ③ 13
④ 14 ⑤ 15

033 서술형

등차수열 -42, -38, -34, -30, $\cdots$의 첫째항부터 제n항까지의 합을 S_n이라고 하자. S_n이 최소가 되는 n의 값을 a, 그 최솟값을 b라고 할 때, $a-b$의 값을 구하여라.

034

첫째항이 120이고 공차가 정수인 등차수열 $\{a_n\}$의 첫째항부터 제n항까지의 합 S_n은 $n=14$일 때 최댓값을 갖는다. 이때 a_{10}은?

① 39 ② 40 ③ 41
④ 42 ⑤ 43

유형 08 등비수열의 뜻과 일반항

첫째항이 5, 공비가 2인 등비수열 $\{a_n\}$에서 640은 제몇 항인가?

① 제7항 ② 제8항 ③ 제9항
④ 제10항 ⑤ 제11항

풀이

첫째항이 5, 공비가 2이므로
$a_n=5\times2^{n-1}$
따라서 $5\times2^{n-1}=640$에서
$2^{n-1}=128=2^7$, $n-1=7$
$\therefore n=8$
즉, 640은 제8항이다.

답 ②

035

다음 등비수열의 일반항 a_n을 구하여라.

(1) 2, 4, 8, 16, ⋯
(2) 216, 72, 24, ⋯

036 | 교육청 기출 |

등비수열 $\{a_n\}$에 대하여 $a_2=3$, $a_3=6$일 때, $\frac{a_2}{a_1}$의 값은?

① 1 ② 2 ③ 3
④ 4 ⑤ 5

037

제3항이 6이고, 제9항이 162인 등비수열 $\{a_n\}$의 공비는? (단, 수열의 각 항은 양수이다.)

① $\sqrt[3]{3}$ ② $\sqrt{3}$ ③ 3
④ $3\sqrt[3]{3}$ ⑤ $3\sqrt{3}$

038

$a_n=12\times3^{1-2n}$인 등비수열 $\{a_n\}$에서 첫째항과 공비를 차례대로 나열한 것은?

① 12, 3 ② 4, 3 ③ 4, $\frac{1}{3}$
④ 4, $\frac{1}{9}$ ⑤ $\frac{4}{3}$, $\frac{1}{9}$

039

등비수열 log 2, log 4, log 16, ⋯의 공비를 구하여라.

유형 09 조건을 만족시키는 등비수열의 항

제5항이 13, 제7항이 26인 등비수열 $\{a_n\}$의 제11항은?

① 102　② 103　③ 104　④ 105　⑤ 106

풀이

등비수열 $\{a_n\}$의 첫째항을 a, 공비를 r라고 하면

제5항이 13이므로 $ar^4=13$ ⋯⋯ ㉠

제7항이 26이므로 $ar^6=26$ ⋯⋯ ㉡

㉡÷㉠을 하면 $\frac{ar^6}{ar^4}=\frac{26}{13}=2$　$\therefore r^2=2$

$r^2=2$를 ㉠에 대입하면 $a\times2^2=13$　$\therefore a=\frac{13}{4}$

$\therefore a_{11}=ar^{10}=a\times(r^2)^5=\frac{13}{4}\times2^5=104$

답 ③

040

첫째항이 1이고 공비가 양수인 등비수열 $\{a_n\}$에 대하여 $a_3=a_2+12$일 때, a_5는?

① 16　② 32　③ 64　④ 128　⑤ 256

041

모든 항이 실수인 등비수열 $\{a_n\}$에 대하여 $a_1+a_3=6$, $a_1a_2+a_2a_3=12\sqrt{2}$일 때, a_2는?

① 1　② $\sqrt{2}$　③ 2　④ $2\sqrt{2}$　⑤ 4

042 서술형

등비수열 $\{a_n\}$에 대하여 $a_8=16a_6$, $a_3+a_5=544$일 때, $a_9=2^k$이다. 자연수 k의 값을 구하여라.

043

첫째항이 10인 등비수열 $\{a_n\}$에서 $a_3:a_6=1:5$일 때, a_7은?

① 150　② 200　③ 250　④ 300　⑤ 350

044 | 수능 기출 |

모든 항이 양수인 등비수열 $\{a_n\}$에 대하여

$$\frac{a_{16}}{a_{14}}+\frac{a_8}{a_7}=12$$

일 때, $\frac{a_3}{a_1}+\frac{a_6}{a_3}$의 값을 구하여라.

045

두 수 96과 6 사이에 세 양수 a_1, a_2, a_3을 넣어 96, a_1, a_2, a_3, 6이 이 순서대로 등비수열을 이루도록 할 때, $a_1+a_2+a_3$의 값은?

① 78 ② 80 ③ 82
④ 84 ⑤ 86

046

첫째항이 2이고 공비가 3인 등비수열 $\{a_n\}$에서 $a_n>2000$을 만족시키는 자연수 n의 최솟값은?

① 8 ② 9 ③ 10
④ 11 ⑤ 12

047

모든 항이 실수인 등비수열 $\{a_n\}$에 대하여 $a_2+a_4=10$, $a_5+a_7=80$일 때, 처음으로 1000보다 큰 항은 제몇 항인가?

① 제7항 ② 제8항 ③ 제9항
④ 제10항 ⑤ 제11항

유형 10 등비중항

세 수 $x+2$, $x-1$, 4가 이 순서대로 등비수열을 이룰 때, x의 값의 합은?

① 6 ② 7 ③ 8
④ 9 ⑤ 10

풀이

$x+2$, $x-1$, 4가 이 순서대로 등비수열을 이루므로
$(x-1)^2=4(x+2)$, $x^2-2x+1=4x+8$
$x^2-6x-7=0$, $(x+1)(x-7)=0$
$\therefore x=-1$ 또는 $x=7$
따라서 구하는 x의 값의 합은
$-1+7=6$

답 ①

048

세 수 $\sqrt{2}$, a, $8\sqrt{2}$가 이 순서대로 등비수열을 이룰 때, 양수 a의 값은?

① 2 ② $2\sqrt{2}$ ③ 4
④ $4\sqrt{2}$ ⑤ 8

049

두 양수 a, b에 대하여 세 수 a^2, 3, b^2이 이 순서대로 등비수열을 이룰 때, ab의 값은?

① 3 ② 6 ③ 9
③ 12 ④ 15

050 | 교육청 기출 |

첫째항이 a이고 공비가 $\frac{1}{2}$인 등비수열 $\{a_n\}$에 대하여 세 수 a_3, 2, a_7이 이 순서대로 등비수열을 이룰 때, 양수 a의 값은?

① 16 ② 20 ③ 24
④ 28 ⑤ 32

051 서술형

세 수 $\sin\theta$, $\frac{\sqrt{2}}{4}$, $\cos\theta$가 이 순서대로 등비수열을 이룰 때, $\sin\theta-\cos\theta$의 값을 구하여라. $\left(\text{단, } 0\le\theta<\frac{\pi}{4}\right)$

052

두 정수 a, b에 대하여 -1, a, b가 이 순서대로 등차수열을 이루고, $a-1$, $\sqrt{5}$, b가 이 순서대로 등비수열을 이룬다고 한다. 이때 $a+b$의 값은?

① 6 ② 7 ③ 8
④ 9 ⑤ 10

유형 11 등비수열을 이루는 세 수

등비수열을 이루는 세 양수의 합이 7이고 곱이 8일 때, 세 수의 제곱의 합을 구하여라.

풀이

세 수를 a, ar, ar^2으로 놓으면

세 수의 합이 7이므로 $a+ar+ar^2=7$

$\therefore a(1+r+r^2)=7$ ......㉠

세 수의 곱이 8이므로 $a\times ar\times ar^2=8$, $(ar)^3=8$

이때 ar는 실수이므로 $ar=2$ ......㉡

㉠÷㉡을 하면 $\frac{a(1+r+r^2)}{ar}=\frac{7}{2}$, $2(1+r+r^2)=7r$

$2r^2-5r+2=0$, $(2r-1)(r-2)=0$

$\therefore r=\frac{1}{2}$ 또는 $r=2$ ......㉢

㉢을 ㉡에 대입하면 $a=4$ 또는 $a=1$

따라서 세 수는 1, 2, 4이므로 세 수의 제곱의 합은

$1^2+2^2+4^2=1+4+16=21$

답 21

053

삼차방정식 $x^3-kx^2+6x+27=0$의 세 실근이 등비수열을 이룰 때, 상수 k의 값을 구하여라. (단, $k\neq0$)

054

함수 $y=x^3-2x^2-k$의 그래프와 직선 $y=x$가 서로 다른 세 점에서 만나고 그 교점의 x좌표가 등비수열을 이룰 때, 상수 k의 값을 구하여라.

유형 12 등비수열의 합

공비가 3이고 첫째항부터 제6항까지의 합이 1456인 등비수열의 첫째항은?

① 1　② 2　③ 3　④ 4　⑤ 5

풀이

등비수열의 첫째항을 a라고 하면 공비가 3이므로 첫째항부터 제6항까지의 합은

$\frac{a(3^6-1)}{3-1}=1456$, $364a=1456$

$\therefore a=4$

답 ④

055

다음 등비수열의 합을 구하여라.

(1) 첫째항이 1, 공비가 2, 항수가 10

(2) 첫째항이 27, 공비가 $-\frac{1}{3}$, 항수가 4

(3) 첫째항이 3, 공비가 1, 항수가 7

056

다음 등비수열의 합을 구하여라.

(1) 2, 6, 18, 54, $\cdots$, 486

(2) 8, 4, 2, 1, $\cdots$, $\frac{1}{16}$

057 | 평가원 기출 |

모든 항이 양수인 등비수열 $\{a_n\}$의 첫째항부터 제n항까지의 합을 S_n이라고 하자.

$S_4-S_3=2$, $S_6-S_5=50$

일 때, a_5의 값을 구하여라.

058

등비수열 $\{a_n\}$의 제5항이 3이고 제7항이 9일 때, ${a_1}^2+{a_2}^2+{a_3}^2+\cdots+{a_{10}}^2$의 값은?

① $3^{10}-1$　② $\frac{1}{6}(3^{10}-1)$　③ $\frac{1}{12}(3^{10}-1)$　④ $\frac{1}{18}(3^{10}-1)$　⑤ $\frac{1}{24}(3^{10}-1)$

059

두 등비수열 $\{a_n\}$, $\{b_n\}$의 첫째항이 각각 2, 3이고 공비가 각각 4, $\frac{1}{2}$일 때, 수열 $\{a_nb_n\}$의 첫째항부터 제7항까지의 합은?

① 760　② 761　③ 762　④ 763　⑤ 764

060

수열 1, a_1, a_2, a_3, $\cdots$, a_n, 256이 등비수열을 이루고 $a_1+a_2+a_3+\cdots+a_n=-86$일 때, n의 값은?

① 5 ② 6 ③ 7
④ 8 ⑤ 9

061 서술형

제3항이 10, 제6항이 80인 등비수열 $\{a_n\}$의 첫째항부터 제k항까지의 합이 처음으로 900보다 커진다고 할 때, 자연수 k의 값을 구하여라.

(단, 수열 $\{a_n\}$의 각 항은 실수이다.)

062

등비수열 $\frac{1}{2}$, $\frac{1}{4}$, $\frac{1}{8}$, $\cdots$에서 첫째항부터 제n항까지의 합이 0.98보다 커지도록 하는 자연수 n의 최솟값은?

① 5 ② 6 ③ 7
④ 8 ⑤ 9

유형 13 공비가 문자인 등비수열의 합

등비수열 1, $x-1$, $(x-1)^2$, $\cdots$의 첫째항부터 제n항까지의 합을 구하여라. (단, $x\neq2$)

풀이

주어진 등비수열의 공비는 $x-1$이고 $x\neq2$에서 $x-1\neq1$이다.
따라서 첫째항부터 제n항까지의 합은

$$\frac{(x-1)^n-1}{(x-1)-1}=\frac{(x-1)^n-1}{x-2}$$

답 $\frac{(x-1)^n-1}{x-2}$

063

등비수열 x, x^2, x^3, $\cdots$의 첫째항부터 제n항까지의 합은? (단, $x>1$)

① $\frac{(x-1)^n-1}{x-1}$ ② $\frac{x^n-1}{x}$
③ x^n-1 ④ $\frac{x^{n+1}-x}{x-1}$
⑤ $\frac{x^{n+1}-x}{x+1}$

064

양수 x에 대하여

$$x+x(x+1)+x(x+1)^2+\cdots+x(x+1)^n$$

을 간단히 하면? (단, $x>0$)

① $(x+1)^n-1$ ② $(x+1)^{n+1}-1$
③ $\frac{(x+1)^n-1}{x}$ ④ $\frac{(x+1)^{n+1}-1}{x}$
⑤ $\frac{(x+1)^{n+1}-1}{x+1}$

유형 14 부분의 합이 주어진 등비수열의 합

등비수열 $\{a_n\}$에 대하여
$a_1+a_2+\cdots+a_5=3$, $a_1+a_2+\cdots+a_{10}=33$일 때,
$a_1+a_2+\cdots+a_{20}$의 값은?

① 2700 ② 2777 ③ 3000
④ 3300 ⑤ 3333

풀이

등비수열 $\{a_n\}$의 첫째항을 a, 공비를 r라고 하면

$$a_1+a_2+\cdots+a_5=\frac{a(r^5-1)}{r-1}=3 \quad \cdots\cdots ㉠$$

$$a_1+a_2+\cdots+a_{10}=\frac{a(r^{10}-1)}{r-1}=\frac{a(r^5+1)(r^5-1)}{r-1}=33 \quad \cdots\cdots ㉡$$

㉡÷㉠을 하면 $r^5+1=11$ $\therefore r^5=10$

$$\therefore a_1+a_2+\cdots+a_{20}=\frac{a(r^{20}-1)}{r-1}=\frac{a(r^{10}+1)(r^{10}-1)}{r-1}=\frac{a(r^{10}-1)}{r-1}\times(r^{10}+1)=33(10^2+1)=3333 \ (\because ㉡)$$

답 ⑤

065

공비가 -2인 등비수열 $\{a_n\}$에 대하여 $a_1+a_3+a_5=84$일 때, 첫째항부터 제10항까지의 합은?

① -1364 ② -1023 ③ 10
④ 1023 ⑤ 1364

066

공비가 $\frac{1}{2}$인 등비수열의 첫째항부터 제5항까지의 합이 62일 때, 이 수열의 첫째항부터 제10항까지의 합은?

① $\frac{1023}{16}$ ② 64 ③ $\frac{1025}{16}$
④ $\frac{513}{8}$ ⑤ $\frac{1027}{16}$

067

공비가 양수인 등비수열 $\{a_n\}$에서
$a_1+a_2+\cdots+a_8=5$, $a_9+a_{10}+\cdots+a_{16}=80$일 때, 이 수열의 공비는?

① $\sqrt[4]{2}$ ② $\sqrt{2}$ ③ 2
④ $2\sqrt{2}$ ⑤ 4

068

공비가 1이 아닌 등비수열 $\{a_n\}$의 첫째항부터 제n항까지의 합을 S_n이라고 할 때, $S_{12}=8S_6$이 성립한다고 한다. 이때 $S_{24}=kS_6$을 만족시키는 상수 k의 값은?

① 300 ② 350 ③ 400
④ 450 ⑤ 500

유형 15 수열의 합과 일반항 사이의 관계

수열 $\{a_n\}$의 첫째항부터 제n항까지의 합 S_n이
$S_n=2n^2+4n$일 때, a_5는?

① 18　② 19　③ 20
④ 21　⑤ 22

풀이

$S_n=2n^2+4n$에서 수열의 합과 일반항 사이의 관계에 의하여

$$a_5=S_5-S_4$$
$$=(2\times5^2+4\times5)-(2\times4^2+4\times4)$$
$$=70-48=22$$

답 ⑤

069

수열 $\{a_n\}$의 첫째항부터 제n항까지의 합 S_n이
$S_n=n^2-n$일 때, $a_7+a_8+a_9$의 값은?

① 38　② 39　③ 40
④ 41　⑤ 42

070 서술형 

수열 $\{a_n\}$의 첫째항부터 제n항까지의 합 S_n이
$S_n=2^{n+1}-2$일 때, a_3+a_4의 값을 구하여라.

071

수열 $\{a_n\}$의 첫째항부터 제n항까지의 합 S_n이
$S_n=3n^2-5n+k-1$일 때, 수열 $\{a_n\}$이 첫째항부터 등차수열을 이루도록 하는 상수 k의 값은?

① 1　② 2　③ 3
④ 4　⑤ 5

072

수열 $\{a_n\}$의 첫째항부터 제n항까지의 합 S_n이
$S_n=4^n+k$일 때, 수열 $\{a_n\}$이 첫째항부터 등비수열을 이루도록 하는 상수 k의 값은?

① -4　② -3　③ -3
④ -2　⑤ -1

073 | 교육청 기출 |

수열 $\{a_n\}$의 첫째항부터 제n항까지의 합을 S_n이라고 할 때, $S_n=2n^2-3n$이다. $a_n>100$을 만족시키는 자연수 n의 최솟값은?

① 25　② 27　③ 29
④ 31　⑤ 33

실력을 높이는 연습 문제

01

수열 $\{a_n\}$이 공차가 -5인 등차수열일 때,
$a_1-a_2+a_3-a_4+a_5-\cdots+a_{99}-a_{100}$의 값은?

① -250 ② -150 ③ 100
④ 150 ⑤ 250

02 | 평가원 기출 |

공차가 -3인 등차수열 $\{a_n\}$에 대하여

$a_3a_7=64$, $a_8>0$

일 때, a_2는?

① 17 ② 18 ③ 19
④ 20 ⑤ 21

03

두 수 -11과 2 사이에 n개의 수를 넣어서 만든 등차수열의 공차가 $\frac{1}{3}$일 때, n의 값을 구하여라.

04

x에 대한 다항식 $p(x)=x^2+ax+b$를 $x-1$, x, $x+2$로 나눈 나머지가 이 순서대로 등차수열을 이룬다. $p(x)$는 $x-2$로 나누어떨어질 때, $a+b$의 값은?

① -9 ② -4 ③ 1
④ 6 ⑤ 11

05 실력 UP

이차방정식 $x^2-4x+2=0$의 두 실근을 각각 α, β라고 하면 세 실수 $\frac{1}{\alpha^3}$, k, $\frac{1}{\beta^3}$이 이 순서대로 등차수열을 이룬다. 이때 실수 k의 값은?

① $\frac{5}{2}$ ② 5 ③ $\frac{15}{2}$
④ 15 ⑤ $\frac{35}{2}$

06

등차수열을 이루는 네 수의 합이 8이고, 가장 작은 수와 가장 큰 수의 곱이 -221일 때, 네 수 중 가장 큰 수를 구하여라.

07

첫째항이 36이고 공차가 -4인 등차수열 $\{a_n\}$의 첫째항부터 제n항까지의 합이 처음으로 음수가 된다고 할 때, 자연수 n의 값은?

① 19 ② 20 ③ 21
④ 22 ⑤ 23

08

등차수열 -7, a_1, a_2, a_3, $\cdots$, a_n, 31의 합이 264일 때, n의 값은?

① 18 ② 19 ③ 20
④ 21 ⑤ 22

09

등차수열 $\{a_n\}$의 첫째항부터 제5항까지의 합이 60, 제6항부터 제10항까지의 합이 185일 때, 제11항부터 제15항까지의 합은?

① 290 ② 295 ③ 300
④ 305 ⑤ 310

10

첫째항이 45이고 공차가 -4인 등차수열 $\{a_n\}$의 첫째항부터 제n항까지의 합을 S_n이라고 하자. 모든 자연수 n에 대하여 $S_n \le k$를 만족시키는 상수 k의 최솟값은?

① 276 ② 277 ③ 278
④ 279 ⑤ 280

11 실력 UP

20과 200 사이의 자연수 중에서 9 또는 15로 나누어떨어지는 수의 총합을 구하여라.

12

첫째항이 $\sqrt[4]{6}$, 제4항이 6이고 공비가 실수인 등비수열 $\{a_n\}$에서 제4항 이후 처음으로 정수가 되는 항은 제몇 항인가?

① 제6항 ② 제7항 ③ 제8항
④ 제9항 ⑤ 제10항

13

등비수열 $\{a_n\}$의 첫째항이 0이 아니고 공비가 $\sqrt{2}$일 때, $\dfrac{a_9+a_{11}+a_{13}+a_{15}+a_{17}}{a_1+a_3+a_5+a_7+a_9}$의 값은?

① $4\sqrt{2}$ ② 8 ③ $8\sqrt{2}$
④ 16 ⑤ $16\sqrt{2}$

14 | 평가원 기출 |

첫째항이 3인 등비수열 $\{a_n\}$에 대하여

$$\frac{a_3}{a_2}-\frac{a_6}{a_4}=\frac{1}{4}$$

일 때, $a_5=\dfrac{q}{p}$이다. $p+q$의 값을 구하여라.

(단, p와 q는 서로소인 자연수이다.)

15

두 수 7과 224 사이에 네 수 a, b, c, d를 넣어 7, a, b, c, d, 224가 이 순서대로 등비수열을 이루도록 할 때, $d-a$의 값은?

① 97 ② 98 ③ 99
④ 100 ⑤ 101

16

세 실수 5, a, b가 이 순서대로 등비수열을 이루고 $\log_a 5b+5^{\log_5 b}=47$을 만족시킨다. 이때 $a+b$의 값은?

① 30 ② 40 ③ 50
④ 60 ⑤ 70

17

x에 대한 이차방정식 $x^2-kx+20=0$의 두 근 α, β $(\alpha<\beta)$에 대하여 α, $\beta-\alpha$, β가 이 순서대로 등비수열을 이룰 때, 양수 k의 값을 구하여라.

18

등비수열을 이루는 세 수 a, b, c에 대하여

$$a+b+c=14,\ ab+bc+ca=-84$$

일 때, abc의 값은?

① -216 ② -36 ③ -6
④ 36 ⑤ 216

19

수열 $\{a_n\}$이 첫째항이 2, 공차가 2인 등차수열일 때, 수열 $\{2^{a_n}\}$의 첫째항부터 제5항까지의 합은?

① 682 ② 852 ③ 1023
④ 1193 ⑤ 1364

20

등비수열

$$x+3,\ (x+3)(x+2)^2,\ (x+3)(x+2)^4,\ \cdots$$

의 첫째항부터 제n항까지의 합은? (단, $x>-1$)

① $\dfrac{(x+2)^{2n}-1}{x+2}$ ② $\dfrac{(x+2)^{2n}-1}{x+1}$
③ $\dfrac{(x+2)^{2n}-1}{x+3}$ ④ $\dfrac{(x+3)\{(x+2)^{n+2}-1\}}{x+1}$
⑤ $\dfrac{(x+3)\{(x+2)^{n+2}-1\}}{x+2}$

21

등비수열 $\{a_n\}$의 첫째항부터 제n항까지의 합 S_n에 대하여 $\dfrac{S_6}{S_3}=8$일 때, $\dfrac{a_6}{a_3}$의 값은?

① 5 ② 6 ③ 7
④ 8 ⑤ 9

22

등비수열 $\{a_n\}$의 첫째항부터 제n항까지의 합 S_n에 대하여 $S_{10}=2$이고 $S_{30}=86$이라고 할 때, S_{20}의 값은?

① 8 ② 10 ③ 12
④ 14 ⑤ 16

23 실력 UP

월이율 0.2 %인 적금 상품에 한 달마다 복리로 매월 말 20만 원씩 적립할 때, 5년 후의 원리합계는?

(단, $1.002^{60}=1.13$으로 계산한다.)

① 1000만 원 ② 1100만 원 ③ 1200만 원
④ 1300만 원 ⑤ 1400만 원

24

첫째항부터 제n항까지의 합 S_n이 $S_n=kn^2-n$인 수열 $\{a_n\}$의 첫째항부터 제10항까지의 합이 990일 때, a_4를 구하여라. (단, k는 상수이다.)

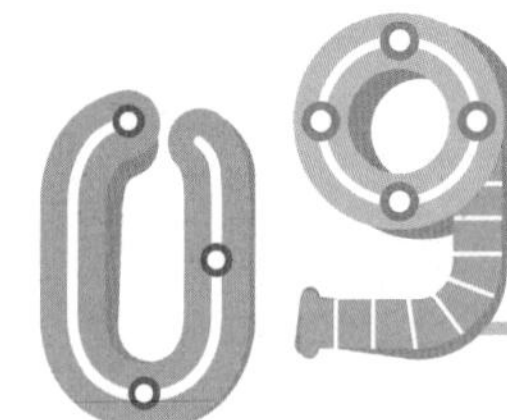

여러 가지 수열의 합

1. 합의 기호 $\sum$의 뜻

수열 $\{a_n\}$의 첫째항부터 제n항까지의 합 $a_1+a_2+a_3+\cdots+a_n$을 합의 기호 $\sum$를 사용하여 $\sum_{k=1}^{n} a_k$로 나타낼 수 있다. 즉,

$$a_1+a_2+a_3+\cdots+a_n=\sum_{k=1}^{n} a_k$$

참고 $\sum_{k=1}^{n} a_k$에서 문자 k 대신에 i 등의 다른 문자를 사용할 수 있다. 즉, $\sum_{k=1}^{n} a_k=\sum_{i=1}^{n} a_i$

예 $1+2+3+\cdots+n=\sum_{k=1}^{n} k$, $2+3+4+\cdots+(n+1)=\sum_{k=1}^{n}(k+1)$

○ $\sum$를 이용한 표현

$$\sum_{k=m}^{n} a_k=a_m+a_{m+1}+\cdots+a_n=\sum_{k=1}^{n} a_k-\sum_{k=1}^{m-1} a_k$$

(단, $2\le m\le n$)

2. $\sum$의 기본 성질

두 수열 $\{a_n\}$, $\{b_n\}$에 대하여

(1) $\sum_{k=1}^{n}(a_k+b_k)=\sum_{k=1}^{n} a_k+\sum_{k=1}^{n} b_k$

(2) $\sum_{k=1}^{n}(a_k-b_k)=\sum_{k=1}^{n} a_k-\sum_{k=1}^{n} b_k$

(3) $\sum_{k=1}^{n} ca_k=c\sum_{k=1}^{n} a_k$ (단, c는 상수이다.)

(4) $\sum_{k=1}^{n} c=cn$ (단, c는 상수이다.)

○ $\sum$의 계산

합의 기호 $\sum$를 이용하여 계산할 때는 다음에 주의한다.

(1) $\sum_{k=1}^{n} a_k\ne\sum_{k=1}^{n} a_n$

(2) $\sum_{k=1}^{n} a_kb_k\ne\sum_{k=1}^{n} a_k\sum_{k=1}^{n} b_k$

(3) $\sum_{k=1}^{n} {a_k}^2\ne\left(\sum_{k=1}^{n} a_k\right)^2$

(4) $\sum_{k=1}^{n}\frac{a_k}{b_k}\ne\frac{\sum_{k=1}^{n} a_k}{\sum_{k=1}^{n} b_k}$

3. 자연수의 거듭제곱의 합

(1) $\sum_{k=1}^{n} k=1+2+3+\cdots+n=\frac{n(n+1)}{2}$

(2) $\sum_{k=1}^{n} k^2=1^2+2^2+3^2+\cdots+n^2=\frac{n(n+1)(2n+1)}{6}$

(3) $\sum_{k=1}^{n} k^3=1^3+2^3+3^3+\cdots+n^3=\left\{\frac{n(n+1)}{2}\right\}^2$

4. 여러 가지 수열의 합

(1) 분모가 곱으로 된 수열의 합

부분분수로 변형하여 전개한다. 즉,

$$\sum_{k=1}^{n}\frac{1}{(k+a)(k+b)}=\frac{1}{b-a}\sum_{k=1}^{n}\left(\frac{1}{k+a}-\frac{1}{k+b}\right)$$

(2) 분모가 무리식인 수열의 합

분모를 유리화하여 전개한다. 즉,

$$\sum_{k=1}^{n}\frac{1}{\sqrt{k+a}+\sqrt{k+b}}=\frac{1}{a-b}\sum_{k=1}^{n}(\sqrt{k+a}-\sqrt{k+b})$$ (단, $a\ne b$)

○ 부분분수와 분모의 유리화

(1) $\frac{1}{AB}=\frac{1}{B-A}\left(\frac{1}{A}-\frac{1}{B}\right)$ (단, $A\ne B$)

(2) $\frac{1}{\sqrt{a}+\sqrt{b}}=\frac{\sqrt{a}-\sqrt{b}}{(\sqrt{a}+\sqrt{b})(\sqrt{a}-\sqrt{b})}=\frac{\sqrt{a}-\sqrt{b}}{a-b}$

기본을 다지는 유형

정답과 풀이 094쪽

유형 01 ∑의 뜻

$\sum_{k=1}^{6} a_k - \sum_{k=1}^{5} a_k = 3$일 때, a_6의 값은?

① 1 ② 2 ③ 3
④ 4 ⑤ 5

풀이

$\sum_{k=1}^{6} a_k = a_1 + a_2 + \cdots + a_5 + a_6$

$\sum_{k=1}^{5} a_k = a_1 + a_2 + \cdots + a_5$

이므로

$a_6 = \sum_{k=1}^{6} a_k - \sum_{k=1}^{5} a_k = 3$

답 ③

001

다음을 덧셈 기호 +를 사용하여 합의 꼴로 나타내어라.

(1) $\sum_{k=1}^{5} (k-1)$

(2) $\sum_{i=1}^{8} i^2$

(3) $\sum_{j=1}^{3} 6$

002

$\sum_{k=1}^{5} 2^{k+1} = 4 + a + 16 + b + 64$일 때, $a+b$의 값을 구하여라. (단, $b > a$)

003

다음 중 옳지 않은 것은?

① $2+4+6+\cdots+16 = \sum_{k=1}^{8} 2k$

② $2+2+2+2+2 = \sum_{k=1}^{5} 2$

③ $1+3+3^2+\cdots+3^n = \sum_{k=1}^{n} 3^{k-1}$

④ $11+12+13+\cdots+(n+10) = \sum_{k=1}^{n} (k+10)$

⑤ $1-1+1-1+1-1+1-1+1 = \sum_{k=1}^{9} (-1)^{k-1}$

004

$\sum_{k=1}^{15} (2^{k+1} \times 3^k)$의 값은?

① $2(6^{15}-1)$ ② $\frac{12}{5}(6^{15}-1)$ ③ $6(6^{15}-1)$
④ $2(6^{16}-1)$ ⑤ $\frac{12}{5}(6^{16}-1)$

유형 02 $\sum$의 성질

두 수열 $\{a_n\}$, $\{b_n\}$에 대하여

$\sum_{k=1}^{6} a_k=5$, $\sum_{k=1}^{6}(-a_k+3b_k-4)=1$일 때, $\sum_{k=1}^{6} b_k$의 값은?

① 10 ② 15 ③ 20
④ 25 ⑤ 30

풀이

$\sum_{k=1}^{6} b_k=b$라고 하면

$$\begin{aligned}\sum_{k=1}^{6}(-a_k+3b_k-4)&=-\sum_{k=1}^{6}a_k+\sum_{k=1}^{6}3b_k-\sum_{k=1}^{6}4\\&=-\sum_{k=1}^{6}a_k+3\sum_{k=1}^{6}b_k-\sum_{k=1}^{6}4\\&=-5+3\times b-4\times 6\\&=3b-29=1\end{aligned}$$

$3b=30$ $\quad\therefore b=10$

답 ①

005

두 수열 $\{a_n\}$, $\{b_n\}$에 대하여 $\sum_{k=1}^{5} a_k=-2$, $\sum_{k=1}^{5} b_k=4$일 때, 다음 식의 값을 구하여라.

(1) $\sum_{k=1}^{5}(a_k+b_k)$ (2) $\sum_{k=1}^{5}(a_k-2b_k)$

006

수열 $\{a_n\}$이 $\sum_{k=1}^{10} a_k=\sum_{k=1}^{9}(a_k+1)$을 만족시킬 때, a_{10}의 값은?

① 6 ② 7 ③ 8
④ 9 ⑤ 10

007 | 수능 기출 |

두 수열 $\{a_n\}$, $\{b_n\}$에 대하여

$$\sum_{k=1}^{5} a_k=8,\ \sum_{k=1}^{5} b_k=9$$

일 때, $\sum_{k=1}^{5}(2a_k-b_k+4)$의 값은?

① 19 ② 21 ③ 23
④ 25 ⑤ 27

008

$\sum_{k=1}^{10}(a_k^2+b_k^2)=10$, $\sum_{k=1}^{10} a_kb_k=2$일 때, $\sum_{k=1}^{10}(a_k+b_k)^2$의 값을 구하여라.

009

$\sum_{k=1}^{5} a_k^2=15$, $\sum_{k=1}^{5} a_k=5$일 때, $\sum_{k=1}^{5}(a_k-p)^2=90$을 만족시키는 모든 실수 p의 값의 합은?

① 1 ② 2 ③ 3
④ 4 ⑤ 5

010 서술형

$\sum_{k=1}^{n} a_k=3$, $\sum_{k=1}^{n} a_k^2=5$일 때, $\sum_{k=1}^{n} (a_k+3)^2=59$를 만족시키는 n의 값을 구하여라.

011

$\sum_{k=1}^{n} (k^2+1)-\sum_{k=1}^{n-1} (k^2-2)=26$을 만족시키는 자연수 n의 값은?

① 3 ② 4 ③ 5
④ 6 ⑤ 7

012

$\sum_{k=1}^{50} \frac{5^k-2^k}{4^k}=a\left(\frac{5}{4}\right)^{50}+b\left(\frac{1}{2}\right)^{50}+c$일 때, 세 정수 a, b, c에 대하여 $a+b+c$의 값은?

① -2 ② -1 ③ 0
④ 1 ⑤ 2

유형 03 자연수의 거듭제곱의 합

$\sum_{k=1}^{6} (k+1)(k^2-k+1)$의 값은?

① 445 ② 446 ③ 447
④ 448 ⑤ 449

풀이

$$\sum_{k=1}^{6} (k+1)(k^2-k+1)=\sum_{k=1}^{6} (k^3+1)$$
$$=\sum_{k=1}^{6} k^3+\sum_{k=1}^{6} 1$$
$$=\left(\frac{6\times7}{2}\right)^2+1\times6=447$$

답 ③

013

다음 식의 값을 구하여라.

(1) $\sum_{k=1}^{10} k(k-1)$

(2) $\sum_{k=1}^{10} (k-1)(k+3)$

014

$\sum_{k=1}^{8} (4k+a)=168$일 때, 상수 a의 값은?

① 3 ② 4 ③ 5
④ 6 ⑤ 7

015

$\sum_{k=1}^{10}(k^2-k+1)+\sum_{i=1}^{10}(i^2+i-1)$의 값은?

① 770 ② 775 ③ 780
④ 785 ⑤ 790

016

$\sum_{n=1}^{4}\frac{1^3+2^3+3^3+\cdots+n^3}{1+2+3+\cdots+n}$의 값은?

① 10 ② 20 ③ 30
④ 40 ⑤ 50

017 서술형

함수 $f(x)=\frac{1}{3}x+2$에 대하여 $\sum_{k=1}^{9}\{f(3k)f(6k)\}$의 값을 구하여라.

018

$\sum_{k=5}^{10}k^2$의 값은?

① 345 ② 350 ③ 355
④ 360 ⑤ 365

019 | 평가원 기출 |

$\sum_{k=1}^{9}(k+1)^2-\sum_{k=1}^{10}(k-1)^2$의 값은?

① 91 ② 93 ③ 95
④ 97 ⑤ 99

020

수열 $\{a_n\}$에서 $a_n=n-1$일 때, $\sum_{k=2}^{m}a_{k+1}=20$을 만족시키는 m의 값은?

① 6 ② 7 ③ 8
④ 9 ⑤ 10

유형 04 중복된 $\sum$의 계산

$\sum_{l=1}^{n}\left(\sum_{k=1}^{l}k\right)=35$일 때, n의 값은?

① 3 ② 4 ③ 5
④ 6 ⑤ 7

풀이

$$\sum_{l=1}^{n}\left(\sum_{k=1}^{l}k\right)=\sum_{l=1}^{n}\frac{l(l+1)}{2}$$
$$=\frac{1}{2}\sum_{l=1}^{n}(l^2+l)$$
$$=\frac{1}{2}\left(\sum_{l=1}^{n}l^2+\sum_{l=1}^{n}l\right)$$
$$=\frac{1}{2}\left\{\frac{n(n+1)(2n+1)}{6}+\frac{n(n+1)}{2}\right\}$$
$$=\frac{1}{2}\times\frac{n(n+1)(2n+4)}{6}$$
$$=\frac{n(n+1)(n+2)}{6}$$

즉, $\frac{n(n+1)(n+2)}{6}=35$이므로

$n(n+1)(n+2)=210$

이때 n은 자연수이고 $210=5\times6\times7$이므로

$n=5$

답 ③

풍쌤 유형 TIP

$\sum$를 여러 개 포함한 식은 변수와 상수를 구분하여 계산한 후 정리한다.

예) $\sum_{k=1}^{n}(k+i)$에서 k는 변수, i는 상수이므로

$$\sum_{k=1}^{n}(k+i)=\frac{n(n+1)}{2}+in$$

021

$\sum_{i=1}^{6}\left(\sum_{k=1}^{6}ki\right)$의 값은?

① 20^2 ② 21^2 ③ 22^2
④ 23^2 ⑤ 24^2

022

$\sum_{i=1}^{4}\left\{\sum_{j=1}^{i}\left(\sum_{k=1}^{j}3\right)\right\}$의 값은?

① 20 ② 40 ③ 60
④ 80 ⑤ 100

023 서술형

$\sum_{l=1}^{n}\left\{\sum_{k=1}^{l}(k-l)\right\}=-20$일 때, n의 값을 구하여라.

024

$\sum_{i=1}^{5}\left\{\sum_{j=1}^{i}(i+j+1)\right\}$의 값은?

① 90 ② 95 ③ 100
④ 105 ⑤ 110

유형 05 $\sum$를 이용한 수열의 합

수열의 합 $1\times2+3\times4+5\times6+\cdots+9\times10$의 값은?

① 150 ② 160 ③ 170
④ 180 ⑤ 190

풀이

주어진 수열의 제k항을 a_k라고 하면

$a_k=(2k-1)\times2k=4k^2-2k$

구하는 합은 첫째항부터 제5항까지의 합이므로

($a_n=(2n-1)\times2n=9\times10$에서 $2n=10$ $\therefore n=5$)

$$\sum_{k=1}^{5}(4k^2-2k)=4\sum_{k=1}^{5}k^2-2\sum_{k=1}^{5}k$$
$$=4\times\frac{5\times6\times11}{6}-2\times\frac{5\times6}{2}$$
$$=220-30=190$$

답 ⑤

풍쌤 유형 TIP

등차수열이나 등비수열이 아닌 수열의 합은 다음과 같은 순서로 구한다.

① 항의 규칙성을 파악하여 일반항 a_n을 구한다.

② a_n과 $\sum$를 이용하여 구하는 수열의 합을 나타낸 후, $\sum$의 성질을 이용한다.

025

다음 수열의 합을 구하여라.

(1) $1\times3,\ 3\times5,\ 5\times7,\ \cdots,\ 15\times17$

(2) $1+2,\ 2+2^2,\ 3+2^3,\ \cdots,\ 6+2^6$

026

수열 11, 101, 1001, …의 첫째항부터 제10항까지의 합은?

① $\frac{1}{9}(10^{10}-80)$ ② $\frac{1}{9}(10^{10}+80)$

③ $\frac{1}{9}(10^{11}-80)$ ④ $\frac{1}{9}(10^{11}+80)$

⑤ $\frac{1}{9}(10^{11}+90)$

027

수열 $\frac{1^2}{2},\ \frac{1^2+2^2}{3},\ \frac{1^2+2^2+3^2}{4},\ \frac{1^2+2^2+3^2+4^2}{5},$

$\frac{1^2+2^2+3^2+4^2+5^2}{6}$의 합은?

① $\frac{61}{3}$ ② $\frac{123}{6}$ ③ $\frac{62}{3}$

④ $\frac{125}{6}$ ⑤ 21

028

수열 $2,\ 2+4,\ 2+4+6,\ 2+4+6+8,\ \cdots$의 첫째항부터 제10항까지의 합은?

① 440 ② 442 ③ 444
④ 446 ⑤ 448

029

$$1+\frac{1}{2}(1+2)+\frac{1}{3}(1+2+3)+\cdots+\frac{1}{100}(1+2+3+\cdots+100)=515A$$

가 성립하도록 하는 상수 A의 값을 구하여라.

유형 06 $\sum$로 표현된 수열의 합과 일반항

수열 $\{a_n\}$에 대하여 $\sum_{k=1}^{n} a_k=3^n-1$일 때, $\sum_{k=1}^{3} a_{2k-1}$의 값은?

① 180 ② 181 ③ 182
④ 183 ⑤ 184

풀이

$S_n=\sum_{k=1}^{n} a_k=3^n-1$로 놓으면

$n\geq 2$일 때

$a_n=S_n-S_{n-1}$
$=(3^n-1)-(3^{n-1}-1)$
$=(3-1)\times 3^{n-1}$
$=2\times 3^{n-1}$ ⋯⋯ ㉠

$n=1$일 때

$a_1=S_1=3^1-1=2$

이때 $a_1=2$는 ㉠에 $n=1$을 대입한 것과 같으므로

$a_n=2\times 3^{n-1}$ $(n\geq 1)$

즉, $a_{2k-1}=2\times 3^{(2k-1)-1}=\frac{2}{9}\times 9^k$

$\therefore \sum_{k=1}^{3} a_{2k-1}=\sum_{k=1}^{3}\left(\frac{2}{9}\times 9^k\right)=\frac{2}{9}\sum_{k=1}^{3} 9^k$

$=\frac{2}{9}\times\frac{9(9^3-1)}{9-1}=\frac{2}{9}\times\frac{9}{8}\times 728=182$

답 ③

030

수열 $\{a_n\}$에 대하여 $\sum_{k=1}^{n} a_k=2n^2-n$일 때, a_7은?

① 21 ② 23 ③ 25
④ 27 ⑤ 29

031

수열 $\{a_n\}$에 대하여 $\sum_{k=1}^{n} a_k=n(n+2)$일 때, $\sum_{k=1}^{5} {a_k}^2$의 값은?

① 280 ② 285 ③ 290
④ 295 ⑤ 300

032 서술형

수열 $\{a_n\}$에 대하여 $\sum_{k=1}^{n} a_k=n^2+3n$일 때, $\sum_{k=1}^{6} ka_{3k+1}$의 값을 구하여라.

033

수열 $\{a_n\}$에 대하여 $\sum_{k=1}^{n} a_k=2^n-1$일 때, $\sum_{k=1}^{4} {a_{2k}}^2$의 값은?

① $\frac{1}{15}(2^{10}-1)$ ② $2^{10}-1$
③ $\frac{1}{60}(2^{20}-16)$ ④ $\frac{1}{15}(2^{20}-16)$
⑤ $2^{20}-16$

034

수열 $\{a_n\}$에 대하여 $\sum_{k=1}^{n} ka_k=n(n+1)$이 성립할 때, $\sum_{k=1}^{8} a_k$의 값을 구하여라.

유형 07 분수의 꼴인 수열의 합

수열 $\frac{1}{1\times3}$, $\frac{1}{3\times5}$, $\frac{1}{5\times7}$, $\frac{1}{7\times9}$, …의 첫째항부터 제10항까지의 합은?

① $\frac{5}{21}$ ② $\frac{10}{21}$ ③ $\frac{15}{21}$
④ $\frac{20}{21}$ ⑤ $\frac{25}{21}$

풀이

주어진 수열의 제k항을 a_k라고 하면

$$a_k=\frac{1}{(2k-1)(2k+1)}=\frac{1}{2}\left(\frac{1}{2k-1}-\frac{1}{2k+1}\right)$$

따라서 첫째항부터 제10항까지의 합은

$$\sum_{k=1}^{10}a_k=\frac{1}{2}\sum_{k=1}^{10}\left(\frac{1}{2k-1}-\frac{1}{2k+1}\right)$$
$$=\frac{1}{2}\left\{\left(1-\frac{1}{3}\right)+\left(\frac{1}{3}-\frac{1}{5}\right)+\cdots+\left(\frac{1}{19}-\frac{1}{21}\right)\right\}$$
$$=\frac{1}{2}\left(1-\frac{1}{21}\right)=\frac{10}{21}$$

답 ②

035

수열 $\frac{1}{1\times2}$, $\frac{1}{2\times3}$, $\frac{1}{3\times4}$, $\frac{1}{4\times5}$, …의 첫째항부터 제50항까지의 합을 구하여라.

036 | 교육청 기출 |

수열 $\{a_n\}$의 일반항이 $a_n=2n+1$일 때, $\sum_{n=1}^{12}\frac{1}{a_na_{n+1}}$의 값은?

① $\frac{1}{9}$ ② $\frac{4}{27}$ ③ $\frac{5}{27}$
④ $\frac{2}{9}$ ⑤ $\frac{7}{27}$

037

수열 $\frac{4}{2^2-1}$, $\frac{4}{4^2-1}$, $\frac{4}{6^2-1}$, …의 첫째항부터 제15항까지의 합은?

① $\frac{1}{31}$ ② $\frac{15}{31}$ ③ $\frac{29}{31}$
④ $\frac{30}{31}$ ⑤ $\frac{60}{31}$

038

$\sum_{k=1}^{n}\frac{2}{k(k+2)}=\frac{58}{45}$일 때, n의 값은?

① 8 ② 9 ③ 10
④ 11 ⑤ 12

039 서술형

$1+\frac{1}{1+2}+\frac{1}{1+2+3}+\cdots+\frac{1}{1+2+\cdots+99}$의 값을 구하여라.

유형 08 근호가 포함된 수열의 합

$\sum_{k=2}^{16} \frac{1}{\sqrt{k-1}+\sqrt{k}}$의 값은?

① 1　② 2　③ 3　④ 4　⑤ 5

풀이

$$\frac{1}{\sqrt{k-1}+\sqrt{k}}=\frac{\sqrt{k}-\sqrt{k-1}}{(\sqrt{k}+\sqrt{k-1})(\sqrt{k}-\sqrt{k-1})}$$
$$=\sqrt{k}-\sqrt{k-1}$$

$\therefore \sum_{k=2}^{16} \frac{1}{\sqrt{k-1}+\sqrt{k}}$

$=\sum_{k=2}^{16}(\sqrt{k}-\sqrt{k-1})$

$=(\sqrt{2}-1)+(\sqrt{3}-\sqrt{2})+(\sqrt{4}-\sqrt{3})+\cdots+(\sqrt{16}-\sqrt{15})$

$=\sqrt{16}-1=4-1=3$

답 ③

040

수열 $\frac{1}{1+\sqrt{2}}, \frac{1}{\sqrt{2}+\sqrt{3}}, \frac{1}{\sqrt{3}+\sqrt{4}}, \cdots$의 첫째항부터 제99항까지의 합은?

① $\frac{15}{2}$　② 8　③ $\frac{17}{2}$　④ 9　⑤ $\frac{19}{2}$

041

수열 $\{a_n\}$의 일반항이 $a_n=\sqrt{n}$일 때,

$\sum_{k=1}^{40} \frac{1}{a_{2k-1}+a_{2k+1}}$의 값을 구하여라.

042

$\sum_{k=1}^{n} \frac{3}{\sqrt{3k-1}+\sqrt{3k+2}}=4\sqrt{2}$일 때, n의 값을 구하여라.

043 | 평가원 기출 |

첫째항이 4이고 공차가 1인 등차수열 $\{a_n\}$에 대하여

$\sum_{k=1}^{12} \frac{1}{\sqrt{a_{k+1}}+\sqrt{a_k}}$의 값은?

① 1　② 2　③ 3　④ 4　⑤ 5

044

수열 $\frac{2}{1+\sqrt{3}}, \frac{2}{\sqrt{2}+\sqrt{4}}, \frac{2}{\sqrt{3}+\sqrt{5}}, \cdots$의 첫째항부터 제47항까지의 합이 $p\sqrt{3}+q\sqrt{2}+r$이다. 세 상수 p, q, r에 대하여 $p+q+r$의 값은?

① 8　② 9　③ 10　④ 11　⑤ 12

유형 09 로그가 포함된 수열의 합

수열 $\{a_n\}$의 일반항이 $a_n=\log_2 \frac{n+2}{n+1}$일 때, $\sum_{k=1}^{30} a_k$의 값은?

① 4 ② 5 ③ 6
④ 7 ⑤ 8

풀이

$a_n=\log_2 \frac{n+2}{n+1}=\log_2 (n+2)-\log_2 (n+1)$

이므로

$\sum_{k=1}^{30} a_k=\sum_{k=1}^{30} \{\log_2 (k+2)-\log_2 (k+1)\}$

$=(\log_2 3-\log_2 2)+(\log_2 4-\log_2 3)+\cdots+(\log_2 32-\log_2 31)$

$=\log_2 32-\log_2 2=\log_2 2^5-1$

$=5-1=4$

답 ①

045

$\sum_{n=2}^{25} (\log_{n+1} 3-\log_{n+2} 3)$의 값은?

① $\frac{1}{3}$ ② $\frac{2}{3}$ ③ 1
④ $\frac{4}{3}$ ⑤ $\frac{5}{3}$

046 서술형

수열 $\{a_n\}$의 일반항이 $a_n=\log_4 \left(1+\frac{1}{n}\right)$일 때, 첫째항부터 제$n$항까지의 합이 4이다. 이때 n의 값을 구하여라.

047

$\sum_{k=1}^{n} \log_3 \frac{\sqrt{k+1}}{\sqrt{k}}=2$일 때, 자연수 n의 값은?

① 77 ② 78 ③ 79
④ 80 ⑤ 81

048

첫째항이 1이고 공비가 2인 등비수열 $\{a_n\}$에 대하여 $\sum_{k=1}^{n} \log_{16} a_k=7$을 만족시키는 자연수 n의 값은?

① 6 ② 7 ③ 8
④ 9 ⑤ 10

049 | 교육청 기출 |

수열 $\{a_n\}$에 대하여 $\sum_{k=1}^{n} a_k=\log_2 (n^2+n)$일 때, $\sum_{n=1}^{15} a_{2n+1}$의 값을 구하여라.

실력을 높이는 연습 문제

정답과 풀이 101쪽

01

다음 |보기|에서 옳은 것만을 있는 대로 고른 것은?

보기
ㄱ. $\sum_{k=1}^{n} a_k^2 = \sum_{k=1}^{n} a_n^2$
ㄴ. $\sum_{k=1}^{n} a_k^2 = \left(\sum_{k=1}^{n} a_k\right)^2$
ㄷ. $\sum_{k=1}^{n} a_k = \sum_{i=1}^{n} a_i$

① ㄱ ② ㄷ ③ ㄱ, ㄷ
④ ㄴ, ㄷ ⑤ ㄱ, ㄴ, ㄷ

02

등차수열 $\{a_n\}$에 대하여 $\sum_{k=2}^{7} a_k - \sum_{k=1}^{6} a_k = 24$일 때, 수열 $\{a_n\}$의 공차는?

① 2 ② 3 ③ 4
④ 5 ⑤ 6

03

두 등차수열 $\{a_n\}$, $\{b_n\}$에 대하여 $a_1 + b_1 = 3$, $a_{10} + b_{10} = 18$일 때, $\sum_{k=1}^{10} a_k + \sum_{k=1}^{10} b_k$의 값을 구하여라.

04

수열 $\{a_n\}$에 대하여

$$\sum_{k=1}^{20} (a_k - 1)^2 = 30,\ \sum_{k=1}^{20} a_k(a_k + 2) = 14$$

일 때, $\sum_{k=1}^{20} a_k^2$의 값은?

① 12 ② 15 ③ 18
④ 21 ⑤ 24

05

$\sum_{k=1}^{n-1} (2k - 4) = -2$를 만족시키는 n의 값의 합은?

(단, $n > 1$)

① 2 ② 3 ③ 4
④ 5 ⑤ 6

06

$\sum_{k=1}^{5} \frac{(k+1)^3}{2k} + \sum_{n=2}^{5} \frac{(n-1)^3}{2n}$의 값은?

① 62 ② 64 ③ 66
④ 68 ⑤ 70

07

수열의 합 $5\times3+7\times6+9\times9+\ \cdots\ +17\times21$의 값을 구하여라.

08

수열 $1,\ 2+4,\ 3+6+9,\ 4+8+12+16,\ \cdots$의 첫째항부터 제6항까지의 합을 구하여라.

09 실력 UP

자연수 n에 대하여 4^n의 모든 양의 약수의 합을 a_n이라 고 할 때, $\sum_{n=1}^{3} a_n$의 값은?

① 162 ② 165 ③ 168
④ 171 ⑤ 174

10 실력 UP

$\sum_{k=1}^{n} a_k=3n^2+5n+1$일 때, $\sum_{k=1}^{4} ka_{2k-1}$의 값은?

① 321 ② 323 ③ 325
④ 327 ⑤ 329

11

두 수열 $\{a_n\}$, $\{b_n\}$의 일반항이 각각 $a_n=2^n$, $b_n=-2n$일 때, $\sum_{i=1}^{5}\left\{\sum_{j=1}^{5}(a_i+b_j)\right\}$의 값은?

① 130 ② 140 ③ 150
④ 160 ⑤ 170

12 실력 UP

수열의 합

$$1\times(n+1)+2\times n+3\times(n-1)+\ \cdots\ +(n-1)\times3+n\times2$$

를 간단히 하여라.

13 | 교육청 기출 |

n이 자연수일 때, x에 대한 다항식 $x^3+(1-n)x^2+n$을 $x-n$으로 나눈 나머지를 a_n이라고 하자. $\sum_{n=1}^{10} \frac{1}{a_n}$의 값은?

① $\frac{7}{8}$ ② $\frac{8}{9}$ ③ $\frac{9}{10}$
④ $\frac{10}{11}$ ⑤ $\frac{11}{12}$

14

이차방정식 $x^2-2x+n^2-1=0$의 서로 다른 두 실근을 α_n, β_n이라고 할 때, $\sum_{n=2}^{10}\left(\frac{1}{\alpha_n}+\frac{1}{\beta_n}\right)$의 값은?

(단, n은 실수이다.)

① $\frac{10}{11}$ ② $\frac{61}{55}$ ③ $\frac{72}{55}$
④ $\frac{83}{55}$ ⑤ $\frac{94}{55}$

15

$\sum_{k=1}^{n} a_k=(n+1)^2$일 때, $\sum_{k=1}^{11} \frac{1}{a_k a_{k+1}}$의 값을 구하여라.

16

첫째항과 공차가 모두 1인 등차수열 $\{a_n\}$에 대하여 $\sum_{k=1}^{24} \frac{1}{\sqrt{a_{k+1}}+\sqrt{a_k}}$의 값은?

① 3 ② $\frac{7}{2}$ ③ 4
④ $\frac{9}{2}$ ⑤ 5

17

$\sum_{k=1}^{63} \frac{1}{(k+1)\sqrt{k}+k\sqrt{k+1}}$의 값은?

① $\frac{3}{4}$ ② $\frac{4}{5}$ ③ $\frac{5}{6}$
④ $\frac{6}{7}$ ⑤ $\frac{7}{8}$

18

$\sum_{k=2}^{99} \log\left(1-\frac{1}{k^2}\right)$의 값은?

① 0 ② $\log\frac{50}{99}$ ③ $\log\frac{99}{50}$
④ $\log\frac{99}{100}$ ⑤ $\log\frac{100}{99}$

수학적 귀납법

1. 수열의 귀납적 정의

수열 $\{a_n\}$을

(i) 첫째항 a_1의 값

(ii) 두 항 a_n과 a_{n+1} 사이의 관계식 $(n=1, 2, 3, \cdots)$

으로 정의하는 것을 수열의 귀납적 정의라고 한다.

예 수열 $\{a_n\}$을 $a_1=1$, $a_{n+1}=a_n+1$ $(n=1, 2, 3, \cdots)$로 정의하면
$a_1=1$, $a_2=a_1+1=2$, $a_3=a_2+1=3$, $\cdots$
과 같이 수열 $\{a_n\}$의 모든 항을 구할 수 있다.

수열의 귀납적 정의
(2)의 a_n과 a_{n+1} 사이의 관계식에 $n=1, 2, 3, \cdots$을 차례로 대입하면 수열 $\{a_n\}$의 모든 항을 구할 수 있다.

2. 등차수열의 귀납적 정의

공차가 d인 등차수열 $\{a_n\}$에서 다음이 성립한다.

(1) $a_{n+1}=a_n+d$ ➡ $a_{n+1}-a_n=d$ (일정) ⬅ 공차가 d인 등차수열

(2) $2a_{n+1}=a_n+a_{n+2}$ ➡ $a_{n+1}-a_n=a_{n+2}-a_{n+1}$ ⬅ 등차중항

3. 등비수열의 귀납적 정의

공비가 r인 등비수열 $\{a_n\}$에서 다음이 성립한다.

(1) $a_{n+1}=ra_n$ ➡ $a_{n+1}\div a_n=r$ (일정) ⬅ 공비가 r인 등차수열

(2) ${a_{n+1}}^2=a_na_{n+2}$ ➡ $a_{n+1}\div a_n=a_{n+2}\div a_{n+1}$ ⬅ 등비중항

4. 귀납적으로 정의된 수열의 일반항

(1) $a_{n+1}=a_n+f(n)$의 꼴

n에 1, 2, 3, $\cdots$, $n-1$을 대입하여 변끼리 더한다. 즉,

$$a_n=a_1+f(1)+f(2)+f(3)+\cdots+f(n-1)=a_1+\sum_{k=1}^{n-1}f(k)$$

(2) $a_{n+1}=a_nf(n)$의 꼴

n에 1, 2, 3, $\cdots$, $n-1$을 대입하여 변끼리 곱한다. 즉,

$$a_n=a_1f(1)f(2)\cdots f(n-1)$$

귀납적으로 정의된 수열의 일반항

(1) $a_{n+1}=a_n+f(n)$의 꼴

$$\begin{aligned} \cancel{a_2}&=a_1+f(1)\\ \cancel{a_3}&=\cancel{a_2}+f(2)\\ \cancel{a_4}&=\cancel{a_3}+f(3)\\ &\vdots\\ +)\ a_n&=\cancel{a_{n-1}}+f(n-1)\\ \hline a_n&=a_1+f(1)+f(2)+\cdots+f(n-1) \end{aligned}$$

(2) $a_{n+1}=a_nf(n)$의 꼴

$$\begin{aligned} \cancel{a_2}&=a_1f(1)\\ \cancel{a_3}&=\cancel{a_2}f(2)\\ \cancel{a_4}&=\cancel{a_3}f(3)\\ &\vdots\\ \times)\ a_n&=\cancel{a_{n-1}}f(n-1)\\ \hline a_n&=a_1f(1)f(2)\cdots f(n-1) \end{aligned}$$

5. 수학적 귀납법

자연수 n에 대한 명제 $p(n)$이 모든 자연수 n에 대하여 성립함을 증명하려면 다음 두 가지를 보인다.

(i) $n=1$일 때, 명제 $p(n)$이 성립한다.

(ii) $n=k$일 때, 명제 $p(n)$이 성립한다고 가정하면 $n=k+1$일 때도 명제 $p(n)$이 성립한다.

이와 같은 방법으로 어떤 명제가 참임을 증명하는 방법을 수학적 귀납법이라고 한다.

참고 $n\ge a$ (a는 자연수)인 모든 자연수 n에 대하여 명제 $p(n)$이 성립함을 증명하려면 다음 두 가지를 보인다.
(1) $n=a$일 때, 명제 $p(n)$이 성립한다.
(2) $n=k$ $(k\ge a)$일 때, 명제 $p(n)$이 성립한다고 가정하면 $n=k+1$일 때도 명제 $p(n)$이 성립한다.

기본을 다지는 유형

정답과 풀이 104쪽

유형 01 수열의 귀납적 정의

수열 $\{a_n\}$을 $a_1=1$, $a_2=2$, $a_{n+2}=3a_n-2a_{n+1}$ $(n=1, 2, 3, \cdots)$으로 정의할 때, a_4는?

① -8 ② -4 ③ -1
④ 4 ⑤ 8

풀이

$n=1$일 때,
$a_3=3a_1-2a_2=3\times1-2\times2=-1$
$n=2$일 때,
$a_4=3a_2-2a_3=3\times2-2\times(-1)=8$

답 ⑤

001

$a_1=1$인 수열 $\{a_n\}$이 모든 자연수 n에 대하여

$a_{n+1}-2=\dfrac{n}{a_n+2}$을 만족시킬 때, a_3을 구하여라.

002

수열 $\{a_n\}$이 모든 자연수 n에 대하여 $a_na_{n+1}=\dfrac{n}{2}$을 만족시키고 $a_3=2$일 때, $a_1+a_4+a_5$의 값은?

① $\dfrac{25}{6}$ ② $\dfrac{17}{4}$ ③ $\dfrac{13}{3}$
④ $\dfrac{53}{12}$ ⑤ $\dfrac{9}{2}$

003

$$a_1=4,\ a_{n+1}=\begin{cases}\dfrac{1}{2}a_n & (a_n\text{이 짝수})\\ a_n+1 & (a_n\text{이 홀수})\end{cases}\ (n=1,\ 2,\ 3,\ \cdots)$$

로 정의된 수열 $\{a_n\}$에 대하여 a_{50}은?

① 1 ② 2 ③ 3
④ 4 ⑤ 5

004 서술형 

첫째항이 6인 수열 $\{a_n\}$이 모든 자연수 n에 대하여

$$a_{n+1}=\begin{cases}a_n-2 & (a_n>5)\\ 2a_n & (a_n\le5)\end{cases}$$

을 만족시킬 때, $\sum_{n=1}^{10}a_n$의 값을 구하여라.

005 | 수능 기출 |

수열 $\{a_n\}$은 $a_1=2$이고, 모든 자연수 n에 대하여

$$a_{n+1}=\begin{cases}1+a_n & (n\text{이 짝수인 경우})\\ \dfrac{a_n}{2-3a_n} & (n\text{이 홀수인 경우})\end{cases}$$

을 만족시킨다. $\sum_{n=1}^{40}a_n$의 값은?

① 30 ② 35 ③ 40
④ 45 ⑤ 50

유형 02 등차수열의 귀납적 정의

수열 $\{a_n\}$을 $a_1=4$, $a_{n+1}=a_n+5$ $(n=1, 2, 3, \cdots)$로 정의할 때, a_5는?

① 24　② 26　③ 28　④ 30　⑤ 32

풀이

수열 $\{a_n\}$은 첫째항이 4, 공차가 5인 등차수열이므로

$a_n=4+(n-1)\times5=5n-1$

$\therefore a_5=5\times5-1=24$

답 ①

006

수열 $\{a_n\}$을 $\begin{cases} a_1=30 \\ a_{n+1}=a_n-3 \end{cases}$ $(n=1, 2, 3, \cdots)$으로 정의할 때, a_{10}은?

① 1　② 2　③ 3　④ 4　⑤ 5

007 서술형

수열 $\{a_n\}$을 $a_1=2$, $a_n=a_{n+1}-4$ $(n=1, 2, 3, \cdots)$로 정의할 때, $a_k=82$를 만족시키는 자연수 k의 값을 구하여라.

008

수열 $\{a_n\}$이 $a_1=-4$, $a_2=4$이고, $a_{n+2}-2a_{n+1}+a_n=0$ $(n=1, 2, 3, \cdots)$을 만족시킬 때, a_{12}는?

① 80　② 84　③ 88　④ 92　⑤ 96

009

수열 $\{a_n\}$에 대하여 $a_1=2$, $a_{n+1}=a_n+2$ $(n=1, 2, 3, \cdots)$일 때, $\sum_{k=1}^{10}\frac{1}{a_k a_{k+1}}$의 값은?

① $\frac{1}{11}$　② $\frac{3}{22}$　③ $\frac{2}{11}$　④ $\frac{5}{22}$　⑤ $\frac{3}{11}$

010

수열 $\{a_n\}$이 모든 자연수 n에 대하여 $a_{n+1}=\frac{a_n+a_{n+2}}{2}$를 만족시킨다. $a_1=-1$, $a_2=2$일 때, $a_4+a_6+a_8+a_{10}$의 값은?

① 60　② 62　③ 64　④ 66　⑤ 68

유형 03 등비수열의 귀납적 정의

수열 $\{a_n\}$을 $a_1=2$, $a_{n+1}=2a_n$ $(n=1, 2, 3, \cdots)$으로 정의할 때, a_6은?

① 32 ② 64 ③ 128
④ 256 ⑤ 512

풀이

수열 $\{a_n\}$은 첫째항이 2, 공비가 2인 등비수열이므로

$a_n=2\times2^{n-1}=2^n$

$\therefore a_6=2^6=64$

 ②

011

$a_1=8$, $\frac{a_{n+1}}{a_n}=\frac{1}{2}$ $(n=1, 2, 3, \cdots)$로 정의한 수열 $\{a_n\}$의 일반항 a_n은?

① $a_n=\left(\frac{1}{2}\right)^{n-4}$ ② $a_n=\left(\frac{1}{2}\right)^{n-3}$
③ $a_n=\left(\frac{1}{2}\right)^{n+2}$ ④ $a_n=2^{n-4}$
⑤ $a_n=2^{n+2}$

012

수열 $\{a_n\}$을 $a_1=1$, $3a_{n+1}=a_n$ $(n=1, 2, 3, \cdots)$으로 정의할 때, $\frac{a_{12}}{a_6a_8}$의 값을 구하여라.

013 서술형

$a_1=16$, $a_2=64$, ${a_{n+1}}^2=a_na_{n+2}$ $(n=1, 2, 3, \cdots)$로 정의된 수열 $\{a_n\}$에 대하여 $a_k=256$을 만족시키는 자연수 k의 값을 구하여라.

014

$a_1=1$, ${a_{n+1}}^2=a_na_{n+2}$ $(n=1, 2, 3, \cdots)$로 정의된 수열 $\{a_n\}$에 대하여 $\frac{a_{11}}{a_1}+\frac{a_{12}}{a_2}+\frac{a_{13}}{a_3}=15$일 때, $\frac{a_{20}}{a_{10}}$의 값은?

① 1 ② $\sqrt{5}$ ③ 5
④ $5\sqrt{5}$ ⑤ 25

015

수열 $\{a_n\}$을 $a_1=\frac{1}{4}$, $a_2=\frac{1}{2}$,

$2\log a_{n+1}=\log a_n+\log a_{n+2}$ $(n=1, 2, 3, \cdots)$

로 정의할 때, a_{10}은?

① 16 ② 32 ③ 64
④ 128 ⑤ 256

유형 04 귀납적으로 정의된 수열 − $a_{n+1}=a_n+f(n)$의 꼴

수열 $\{a_n\}$이 $a_1=1$, $a_{n+1}=a_n+n$ $(n=1, 2, 3, \cdots)$을 만족시킬 때, a_6은?

① 16 ② 18 ③ 20
④ 22 ⑤ 24

풀이

$a_{n+1}=a_n+n$에서 $a_{n+1}-a_n=n$이므로 양변에 n 대신 1, 2, 3, ⋯, $n-1$을 차례로 대입하여 변끼리 더하면

$$a_2-a_1=1$$
$$a_3-a_2=2$$
$$a_4-a_3=3$$
$$\vdots$$
$$+)\ a_n-a_{n-1}=n-1$$
$$a_n-a_1=\sum_{k=1}^{n-1}k$$

$\therefore a_n=a_1+\sum_{k=1}^{n-1}k$

이때 $a_1=1$이므로

$$a_n=1+\sum_{k=1}^{n-1}k=1+\frac{n(n-1)}{2}$$
$$=\frac{n^2-n+2}{2}$$

$\therefore a_6=\frac{6^2-6+2}{2}=16$

답 ①

016

수열 $\{a_n\}$이 $a_1=1$, $a_{n+1}=a_n+2n$ $(n=1, 2, 3, \cdots)$을 만족시킬 때, a_8은?

① 49 ② 51 ③ 53
④ 55 ⑤ 57

017

수열 $\{a_n\}$을 $a_1=1$, $a_{n+1}=a_n+2^{n-1}$ $(n=1, 2, 3, \cdots)$으로 정의할 때, $a_k=1024$를 만족시키는 자연수 k의 값은?

① 8 ② 9 ③ 10
④ 11 ⑤ 12

018

$a_1=\sqrt{2}$, $a_n=a_{n-1}+\frac{1}{\sqrt{n}+\sqrt{n+1}}$ $(n=2, 3, 4, \cdots)$로 정의되는 수열 $\{a_n\}$에 대하여 a_{15}는?

① $\sqrt{13}$ ② $\sqrt{14}$ ③ $\sqrt{15}$
④ 4 ⑤ $\sqrt{17}$

019

$a_1=10$, $a_{n+1}-a_n=(-1)^n\times n$ $(n=1, 2, 3, \cdots)$을 만족시키는 수열 $\{a_n\}$의 제101항은?

① 20 ② 30 ③ 40
④ 50 ⑤ 60

유형 05 귀납적으로 정의된 수열 − $a_{n+1}=a_nf(n)$의 꼴

수열 $\{a_n\}$을 $a_1=1$, $a_{n+1}=\dfrac{n+1}{n}a_n$ $(n=1, 2, 3, \cdots)$으로 정의할 때, a_5는?

① 3 ② 4 ③ 5
④ 6 ⑤ 7

풀이

$a_{n+1}=\dfrac{n+1}{n}a_n$의 양변에 n 대신 $1, 2, 3, \cdots, n-1$을 차례로 대입하여 변끼리 곱하면

$$a_2=\frac{2}{1}a_1$$
$$a_3=\frac{3}{2}a_2$$
$$a_4=\frac{4}{3}a_3$$
$$\vdots$$
$$\times\big)\ a_n=\frac{n}{n-1}a_{n-1}$$
$$a_n=\frac{2}{1}\times\frac{3}{2}\times\frac{4}{3}\times\cdots\times\frac{n}{n-1}\times a_1$$
$$=na_1$$

$\therefore a_5=5a_1=5$

답 ③

020

$a_1=1$, $a_n=\dfrac{n+1}{n-1}a_{n-1}$ $(n=2, 3, 4, \cdots)$로 정의된 수열 $\{a_n\}$에 대하여 a_{10}은?

① 55 ② 60 ③ 65
④ 70 ⑤ 75

021

$a_1=1$, $a_{n+1}=4^na_n$ $(n=1, 2, 3, \cdots)$으로 정의된 수열 $\{a_n\}$에서 $a_k=2^{12}$을 만족시키는 자연수 k의 값은?

① 3 ② 4 ③ 5
④ 6 ⑤ 7

022 서술형

$a_1=1$, $a_{n+1}=a_n\log_{n+1}(n+2)$ $(n=1, 2, 3, \cdots)$로 정의된 수열 $\{a_n\}$에 대하여 a_{63}을 구하여라.

023

수열 $\{a_n\}$을 $a_1=1$, $a_n=\dfrac{n^2-1}{n^2}a_{n-1}$ $(n=2, 3, 4, \cdots)$로 정의할 때, a_9는?

① $\dfrac{1}{9}$ ② $\dfrac{5}{9}$ ③ $\dfrac{10}{9}$
④ $\dfrac{20}{11}$ ⑤ $\dfrac{21}{10}$

유형 06 a_n과 S_n의 관계식으로 정의된 수열

수열 $\{a_n\}$의 첫째항부터 제n항까지의 합을 S_n이라고 할 때, $a_1=1$, $a_{n+1}=S_n$ $(n=1, 2, 3, \cdots)$이 성립한다. 이때 S_5의 값은?

① 16 ② 32 ③ 64
④ 128 ⑤ 256

풀이

수열의 합과 일반항 사이의 관계에 의하여

$a_{n+1}=S_{n+1}-S_n$이므로 $a_{n+1}=S_n$에서

$S_n=S_{n+1}-S_n$ $\therefore S_{n+1}=2S_n$

따라서 수열 $\{S_n\}$은 공비가 2인 등비수열이다.

이때 $S_1=a_1=1$이므로

$S_n=2^{n-1}$

$\therefore S_5=2^4=16$

답 ①

풍쌤 유형 TIP

a_n과 S_n이 함께 등장하는 문제는 수열의 합과 일반항 사이의 관계를 이용한다.

$a_1=S_1$, $a_n=S_n-S_{n-1}$ $(n\geq 2)$

024

수열 $\{a_n\}$의 첫째항부터 제n항까지의 합을 S_n이라고 할 때, $a_1=27$, $S_n=4a_n-2$ $(n=2, 3, \cdots)$가 성립한다. 이때 a_4는?

① $\frac{16}{3}$ ② 16 ③ $\frac{64}{3}$
④ 64 ⑤ 192

025

수열 $\{a_n\}$의 첫째항부터 제n항까지의 합을 S_n이라고 할 때, $a_1=2$, $S_n=2a_{n+1}$ $(n=1, 2, 3, \cdots)$이 성립한다. 이때 $S_k=\frac{81}{8}$을 만족시키는 자연수 k의 값을 구하여라.

유형 07 수학적 귀납법

자연수 n에 대하여 명제 $p(n)$은 다음 두 조건을 만족시킨다.

> (가) $p(1)$이 참이다.
> (나) $p(n)$이 참이면 $p(3n)$과 $p(5n)$이 참이다.

다음 중 반드시 참이라고 할 수 없는 명제는?

① $p(15)$ ② $p(27)$ ③ $p(36)$
④ $p(56)$ ⑤ $p(125)$

풀이

$p(1)$이 참이므로 조건 (나)에 의하여 $p(3k)$ 또는 $p(5l)$ (k, l은 자연수)의 꼴의 명제는 반드시 참이다.

① $15=3\times5$ ② $27=3\times9$ ③ $36=3\times12$
④ $56=7\times8$ ⑤ $125=5\times25$

이므로 ④는 반드시 참이라고 할 수 없다.

답 ④

026

모든 자연수 n에 대하여 명제 $p(n)$이 참이면 명제 $p(n+2)$가 참이다. 옳은 것만을 |보기|에서 있는 대로 고른 것은?

> **보기**
> ㄱ. $p(1)$이 참이면 홀수 k에 대하여 $p(k)$가 참이다.
> ㄴ. $p(2)$가 참이면 짝수 k에 대하여 $p(k)$가 참이다.
> ㄷ. $p(1)$, $p(2)$가 모두 참이면 모든 자연수 k에 대하여 $p(k)$가 참이다.

① ㄱ ② ㄴ ③ ㄱ, ㄴ
④ ㄴ, ㄷ ⑤ ㄱ, ㄴ, ㄷ

유형 08 수학적 귀납법을 이용한 증명

모든 자연수 n에 대하여

$$1^2+2^2+3^2+\cdots+n^2=\frac{n(n+1)(2n+1)}{6}$$

이 성립함을 수학적 귀납법으로 증명하여라.

풀이

(i) $n=1$일 때

$(\text{좌변})=1^2=1$

$(\text{우변})=\frac{1\times(1+1)(2\times1+1)}{6}=\frac{1\times2\times3}{6}=1$

따라서 주어진 등식이 성립한다.

(ii) $n=k$일 때, 주어진 등식이 성립한다고 가정하면

$1^2+2^2+3^2+\cdots+k^2=\frac{k(k+1)(2k+1)}{6}$

위 식의 양변에 $(k+1)^2$을 더하면

$1^2+2^2+3^2+\cdots+k^2+(k+1)^2$

$=\frac{k(k+1)(2k+1)}{6}+(k+1)^2$

$=\frac{(k+1)\{k(2k+1)+6(k+1)\}}{6}$

$=\frac{(k+1)\{(2k^2+k)+(6k+6)\}}{6}$

$=\frac{(k+1)(2k^2+7k+6)}{6}$

$=\frac{(k+1)(k+2)(2k+3)}{6}$

즉, $n=k+1$일 때도 주어진 등식이 성립한다.

따라서 (i), (ii)에 의하여 주어진 등식은 모든 자연수 n에 대하여 성립한다.

답 풀이 참조

027

다음은 모든 자연수 n에 대하여

$$1+3+5+\cdots+(2n-1)=n^2$$

이 성립함을 수학적 귀납법으로 증명한 것이다.

증명

(i) $n=1$일 때,

$(\text{좌변})=2\times1-1=1$, $(\text{우변})=1^2=1$

따라서 주어진 등식이 성립한다.

(ii) $n=k$일 때, 주어진 등식이 성립한다고 가정하면

$1+3+5+\cdots+(2k-1)=k^2$

위 식의 양변에 (가) 을 더하면

$1+3+5+\cdots+(2k-1)+$ (가) $=$ (나)

즉, $n=k+1$일 때도 주어진 등식이 성립한다.

따라서 (i), (ii)에 의하여 주어진 등식은 모든 자연수 n에 대하여 성립한다.

위의 (가), (나)에 알맞은 식을 각각 $f(k)$, $g(k)$라고 할 때, $f(2)g(1)$의 값을 구하여라.

028

다음은 모든 자연수 n에 대하여

$$1+2+2^2+\cdots+2^{n-1}=2^n-1$$

이 성립함을 수학적 귀납법으로 증명한 것이다.

증명

(i) $n=1$일 때,

$(\text{좌변})=2^0=1$, $(\text{우변})=2^1-1=1$

따라서 주어진 등식이 성립한다.

(ii) $n=k$일 때, 주어진 등식이 성립한다고 가정하면

$1+2+2^2+\cdots+2^{k-1}=2^k-1$

위 식의 양변에 (가) 을 더하면

$1+2+2^2+\cdots+2^{k-1}+$ (가)

$=$ (나)

즉, 주어진 등식은 $n=k+1$일 때도 성립한다.

따라서 (i), (ii)에 의하여 주어진 등식은 모든 자연수 n에 대하여 성립한다.

위의 (가), (나)에 알맞은 식을 각각 $f(k)$, $g(k)$라고 할 때, $f(1)+g(1)$의 값을 구하여라.

029

다음은 모든 자연수 n에 대하여

$$\frac{1}{1\times2}+\frac{1}{2\times3}+\frac{1}{3\times4}+\cdots+\frac{1}{n(n+1)}=\frac{n}{n+1}$$

이 성립함을 수학적 귀납법으로 증명한 것이다.

증명

(i) $n=1$일 때,

$(\text{좌변})=\frac{1}{1\times2}=\frac{1}{2}$, $(\text{우변})=\frac{1}{1+1}=\frac{1}{2}$

따라서 주어진 등식이 성립한다.

(ii) $n=k$일 때, 주어진 등식이 성립한다고 가정하면

$$\frac{1}{1\times2}+\frac{1}{2\times3}+\frac{1}{3\times4}+\cdots+\frac{1}{k(k+1)}=\frac{k}{k+1}$$

위 식의 양변에 $\boxed{(가)}$을 더하면

$$\frac{1}{1\times2}+\frac{1}{2\times3}+\frac{1}{3\times4}+\cdots+\frac{1}{k(k+1)}+\boxed{(가)}$$

$$=\frac{k}{k+1}+\boxed{(가)}$$

$$=\boxed{(나)}$$

즉, $n=k+1$일 때도 주어진 등식이 성립한다.

따라서 (i), (ii)에 의하여 주어진 등식은 모든 자연수 n에 대하여 성립한다.

위의 (가), (나)에 알맞은 식을 차례로 나열한 것은?

① $\frac{1}{k(k+1)}$, $\frac{k+2}{k+1}$

② $\frac{1}{k(k+1)}$, $\frac{k+1}{k+2}$

③ $\frac{1}{(k+1)(k+2)}$, $\frac{k+2}{k+1}$

④ $\frac{1}{(k+1)(k+2)}$, $\frac{k+1}{k+2}$

⑤ $\frac{1}{(k+1)(k+2)}$, $\frac{k+2}{k+3}$

030

다음은 $n\geq4$인 모든 자연수 n에 대하여 $2^n\geq n^2$이 성립함을 수학적 귀납법으로 증명하는 과정이다.

증명

(i) $n=4$일 때,

$(\text{좌변})=2^4=16$, $(\text{우변})=4^2=16$

따라서 주어진 부등식이 성립한다.

(ii) $n=k$ $(k\geq4)$일 때, 주어진 부등식이 성립한다고 하면

$2^k\geq k^2$

위 식의 양변에 $\boxed{(가)}$를 곱하면

$\boxed{(가)}\times2^k\geq\boxed{(가)}\times k^2$

이때

$\boxed{(가)}\times k^2-(k+1)^2=\boxed{(나)}\geq0$

이므로

$\boxed{(가)}\times2^k\geq(k+1)^2$

$\therefore 2^{k+1}\geq(k+1)^2$

즉, $n=k+1$일 때도 주어진 부등식이 성립한다.

따라서 (i), (ii)에 의하여 주어진 부등식은 $n\geq4$인 모든 자연수 n에 대하여 성립한다.

위의 (가)에 알맞은 수를 a, (나)에 알맞은 식을 $f(k)$라고 할 때, $f(a)$의 값은?

① -5 ② -3 ③ -1
④ 1 ⑤ 3

실력을 높이는 연습 문제

정답과 풀이 110쪽

01 | 평가원 기출 |

수열 $\{a_n\}$은 $a_1=1$이고, 모든 자연수 n에 대하여

$$\begin{cases} a_{3n-1}=2a_n+1 \\ a_{3n}=-a_n+2 \\ a_{3n+1}=a_n+1 \end{cases}$$

을 만족시킨다. $a_{11}+a_{12}+a_{13}$의 값은?

① 6 ② 7 ③ 8
④ 9 ⑤ 10

02

수열 $\{a_n\}$을 $a_1=-32$, $a_{n+1}-3=a_n$ $(n=1, 2, 3, \cdots)$으로 정의할 때, 이 수열에서 처음으로 양수가 되는 항은?

① 제8항 ② 제9항 ③ 제10항
④ 제11항 ⑤ 제12항

03

$a_1=-4$, $a_2=-2$, $2a_{n+1}=a_n+a_{n+2}$ $(n=1, 2, 3, \cdots)$로 정의된 수열 $\{a_n\}$의 첫째항부터 제10항까지의 합을 구하여라.

04

수열 $\{a_n\}$을 $a_1=1$, $a_{n+1}=\sqrt{3}a_n$ $(n=1, 2, 3, \cdots)$으로 정의할 때, 이 수열에서 처음으로 300 이상이 되는 항은?

① 제11항 ② 제12항 ③ 제13항
④ 제14항 ⑤ 제15항

05

모든 항이 양수인 수열 $\{a_n\}$은 $\frac{a_{n+2}}{a_{n+1}}=\frac{a_{n+1}}{a_n}$ $(n=1, 2, 3, \cdots)$을 만족시킨다. $a_1=4$, $a_3=100$일 때, $\frac{a_{17}}{a_{12}}=k^k$을 만족시키는 자연수 k의 값은?

① 2 ② 3 ③ 4
④ 5 ⑤ 6

06

$a_1=5$, $a_{n+1}=a_n+1-n$으로 정의된 수열 $\{a_n\}$에 대하여 a_{10}은?

① -31 ② -30 ③ -29
④ 30 ⑤ 31

07

$a_1=1$, $a_{n+1}=a_n+f(n)$ $(n=1, 2, 3, \cdots)$으로 정의된 수열 $\{a_n\}$에 대하여 $\sum_{k=1}^{n} f(k)=2^n-1$일 때, a_6은?

① 15 ② 16 ③ 31
④ 32 ⑤ 64

08

수열 $\{a_n\}$을 $a_1=1$, $(2n-1)a_{n+1}=(2n+1)a_n$ $(n=1, 2, 3, \cdots)$으로 정의할 때, $\sum_{k=1}^{5} a_k$의 값은?

① 19 ② 21 ③ 25
④ 27 ⑤ 29

09

$a_1=3$, $a_{n+1}=3^n a_n$ $(n=1, 2, 3, \cdots)$으로 정의된 수열 $\{a_n\}$에 대하여 $a_k=3^7$을 만족시키는 자연수 k의 값은?

① 4 ② 5 ③ 6
④ 7 ⑤ 8

10

$a_1=3$, $a_{n+1}=2a_n-2$ $(n=1, 2, 3, \cdots)$로 정의되는 수열 $\{a_n\}$에서 a_8을 구하여라.

11 실력 UP

수열 $\{a_n\}$의 첫째항부터 제n항까지의 합을 S_n이라고 할 때, $a_1=2$, $S_n=a_{n+1}+1$ $(n=1, 2, 3, \cdots)$이 성립한다. 이때 S_5의 값은?

① 9 ② 17 ③ 33
④ 65 ⑤ 129

12

90 L의 물이 들어 있는 물탱크에서 물의 $\frac{2}{3}$를 사용하고 10 L의 물을 넣는다. 이와 같은 시행을 n번 반복했을 때, 물탱크에 들어 있는 물의 양을 a_n L라고 하자. 이때 a_n과 a_{n+1}의 관계식은? (단, $n=1, 2, 3, \cdots$)

① $a_{n+1}=\frac{1}{3}a_n-10$ ② $a_{n+1}=\frac{1}{3}a_n+10$
③ $a_{n+1}=\frac{1}{3}a_n+15$ ④ $a_{n+1}=\frac{2}{3}a_n-10$
⑤ $a_{n+1}=\frac{2}{3}a_n+10$

13

자연수 n에 대하여 명제 $p(n)$은 다음 두 조건을 만족시킨다.

> (가) $p(1)$이 참이다.
> (나) $p(n)$이 참이면 $p(n+2)$와 $p(n+5)$가 참이다.

다음 중 반드시 참이라고 할 수 없는 명제는?

① $p(4)$　② $p(5)$　③ $p(6)$
④ $p(7)$　⑤ $p(8)$

14

다음은 모든 자연수 n에 대하여 $3^{2n}-1$은 8의 배수임을 수학적 귀납법으로 증명한 것이다.

증명

(i) $n=1$일 때, $3^2-1=8$이므로 주어진 명제는 참이다.
(ii) $n=k$일 때, 주어진 명제가 참이라고 가정하면
$3^{2k}-1=8m$ (단, m은 자연수)
$\therefore 3^{2k}=$ (가)
$n=k+1$일 때,
$3^{2(k+1)}-1=9\times3^{2k}-1$
$=9\times($ (가) $)-1$
$=8\times($ (나) $)$
즉, 주어진 명제는 $n=k+1$일 때도 참이다.
따라서 (i), (ii)에 의하여 주어진 명제는 모든 자연수 n에 대하여 참이다.

위의 (가), (나)에 알맞은 식을 차례로 나열한 것은?

① $8m+1$, $9m+1$
② $8m+1$, $9m+2$
③ $8m+1$, $9m-1$
④ $8m+2$, $9m+1$
⑤ $8m+2$, $9m+2$

15 | 평가원 기출 | 실력 UP

수열 $\{a_n\}$의 일반항은

$$a_n=(2^{2n}-1)\times2^{n(n-1)}+(n-1)\times2^{-n}$$

이다. 다음은 모든 자연수 n에 대하여

$$\sum_{k=1}^{n}a_k=2^{n(n+1)}-(n+1)\times2^{-n} \quad \cdots\cdots (*)$$

임을 수학적 귀납법을 이용하여 증명한 것이다.

증명

(i) $n=1$일 때, (좌변)$=3$, (우변)$=3$이므로 $(*)$이 성립한다.
(ii) $n=m$일 때, $(*)$이 성립한다고 가정하면
$\sum_{k=1}^{m}a_k=2^{m(m+1)}-(m+1)\times2^{-m}$
이다.
$n=m+1$일 때
$\sum_{k=1}^{m+1}a_k=2^{m(m+1)}-(m+1)\times2^{-m}$
$+(2^{2m+2}-1)\times$ (가) $+m\times2^{-m-1}$
$=$ (가) $\times$ (나) $-\frac{m+2}{2}\times2^{-m}$
$=2^{(m+1)(m+2)}-(m+2)\times2^{-(m+1)}$
이다.
즉, $n=m+1$일 때도 $(*)$이 성립한다.
따라서 (i), (ii)에 의하여 주어진 등식은 모든 자연수 n에 대하여 성립한다.

위의 (가), (나)에 알맞은 식을 각각 $f(m)$, $g(m)$이라고 할 때, $\frac{g(7)}{f(3)}$의 값은?

① 2　② 4　③ 8
④ 16　⑤ 32

상용로그표

수	0	1	2	3	4	5	6	7	8	9
1.0	.0000	.0043	.0086	.0128	.0170	.0212	.0253	.0294	.0334	.0374
1.1	.0414	.0453	.0492	.0531	.0569	.0607	.0645	.0682	.0719	.0755
1.2	.0792	.0828	.0864	.0899	.0934	.0969	.1004	.1038	.1072	.1106
1.3	.1139	.1173	.1206	.1239	.1271	.1303	.1335	.1367	.1399	.1430
1.4	.1461	.1492	.1523	.1553	.1584	.1614	.1644	.1673	.1703	.1732
1.5	.1761	.1790	.1818	.1847	.1875	.1903	.1931	.1959	.1987	.2014
1.6	.2041	.2068	.2095	.2122	.2148	.2175	.2201	.2227	.2253	.2279
1.7	.2304	.2330	.2355	.2380	.2405	.2430	.2455	.2480	.2504	.2529
1.8	.2553	.2577	.2601	.2625	.2648	.2672	.2695	.2718	.2742	.2765
1.9	.2788	.2810	.2833	.2856	.2878	.2900	.2923	.2945	.2967	.2989
2.0	.3010	.3032	.3054	.3075	.3096	.3118	.3139	.3160	.3181	.3201
2.1	.3222	.3243	.3263	.3284	.3304	.3324	.3345	.3365	.3385	.3404
2.2	.3424	.3444	.3464	.3483	.3502	.3522	.3541	.3560	.3579	.3598
2.3	.3617	.3636	.3655	.3674	.3692	.3711	.3729	.3747	.3766	.3784
2.4	.3802	.3820	.3838	.3856	.3874	.3892	.3909	.3927	.3945	.3962
2.5	.3979	.3997	.4014	.4031	.4048	.4065	.4082	.4099	.4116	.4133
2.6	.4150	.4166	.4183	.4200	.4216	.4232	.4249	.4265	.4281	.4298
2.7	.4314	.4330	.4346	.4362	.4378	.4393	.4409	.4425	.4440	.4456
2.8	.4472	.4487	.4502	.4518	.4533	.4548	.4564	.4579	.4594	.4609
2.9	.4624	.4639	.4654	.4669	.4683	.4698	.4713	.4728	.4742	.4757
3.0	.4771	.4786	.4800	.4814	.4829	.4843	.4857	.4871	.4886	.4900
3.1	.4914	.4928	.4942	.4955	.4969	.4983	.4997	.5011	.5024	.5038
3.2	.5051	.5065	.5079	.5092	.5105	.5119	.5132	.5145	.5159	.5172
3.3	.5185	.5198	.5211	.5224	.5237	.5250	.5263	.5276	.5289	.5302
3.4	.5315	.5328	.5340	.5353	.5366	.5378	.5391	.5403	.5416	.5428
3.5	.5441	.5453	.5465	.5478	.5490	.5502	.5514	.5527	.5539	.5551
3.6	.5563	.5575	.5587	.5599	.5611	.5623	.5635	.5647	.5658	.5670
3.7	.5682	.5694	.5705	.5717	.5729	.5740	.5752	.5763	.5775	.5786
3.8	.5798	.5809	.5821	.5832	.5843	.5855	.5866	.5877	.5888	.5899
3.9	.5911	.5922	.5933	.5944	.5955	.5966	.5977	.5988	.5999	.6010
4.0	.6021	.6031	.6042	.6053	.6064	.6075	.6085	.6096	.6107	.6117
4.1	.6128	.6138	.6149	.6160	.6170	.6180	.6191	.6201	.6212	.6222
4.2	.6232	.6243	.6253	.6263	.6274	.6284	.6294	.6304	.6314	.6325
4.3	.6335	.6345	.6355	.6365	.6375	.6385	.6395	.6405	.6415	.6425
4.4	.6435	.6444	.6454	.6464	.6474	.6484	.6493	.6503	.6513	.6522
4.5	.6532	.6542	.6551	.6561	.6571	.6580	.6590	.6599	.6609	.6618
4.6	.6628	.6637	.6646	.6656	.6665	.6675	.6684	.6693	.6702	.6712
4.7	.6721	.6730	.6739	.6749	.6758	.6767	.6776	.6785	.6794	.6803
4.8	.6812	.6821	.6830	.6839	.6848	.6857	.6866	.6875	.6884	.6893
4.9	.6902	.6911	.6920	.6928	.6937	.6946	.6955	.6964	.6972	.6981
5.0	.6990	.6998	.7007	.7016	.7024	.7033	.7042	.7050	.7059	.7067
5.1	.7076	.7084	.7093	.7101	.7110	.7118	.7126	.7135	.7143	.7152
5.2	.7160	.7168	.7177	.7185	.7193	.7202	.7210	.7218	.7226	.7235
5.3	.7243	.7251	.7259	.7267	.7275	.7284	.7292	.7300	.7308	.7316
5.4	.7324	.7332	.7340	.7348	.7356	.7364	.7372	.7380	.7388	.7396

상용로그표

수	0	1	2	3	4	5	6	7	8	9
5.5	.7404	.7412	.7419	.7427	.7435	.7443	.7451	.7459	.7466	.7474
5.6	.7482	.7490	.7497	.7505	.7513	.7520	.7528	.7536	.7543	.7551
5.7	.7559	.7566	.7574	.7582	.7589	.7597	.7604	.7612	.7619	.7627
5.8	.7634	.7642	.7649	.7657	.7664	.7672	.7679	.7686	.7694	.7701
5.9	.7709	.7716	.7723	.7731	.7738	.7745	.7752	.7760	.7767	.7774
6.0	.7782	.7789	.7796	.7803	.7810	.7818	.7825	.7832	.7839	.7846
6.1	.7853	.7860	.7868	.7875	.7882	.7889	.7896	.7903	.7910	.7917
6.2	.7924	.7931	.7938	.7945	.7952	.7959	.7966	.7973	.7980	.7987
6.3	.7993	.8000	.8007	.8014	.8021	.8028	.8035	.8041	.8048	.8055
6.4	.8062	.8069	.8075	.8082	.8089	.8096	.8102	.8109	.8116	.8122
6.5	.8129	.8136	.8142	.8149	.8156	.8162	.8169	.8176	.8182	.8189
6.6	.8195	.8202	.8209	.8215	.8222	.8228	.8235	.8241	.8248	.8254
6.7	.8261	.8267	.8274	.8280	.8287	.8293	.8299	.8306	.8312	.8319
6.8	.8325	.8331	.8338	.8344	.8351	.8357	.8363	.8370	.8376	.8382
6.9	.8388	.8395	.8401	.8407	.8414	.8420	.8426	.8432	.8439	.8445
7.0	.8451	.8457	.8463	.8470	.8476	.8482	.8488	.8494	.8500	.8506
7.1	.8513	.8519	.8525	.8531	.8537	.8543	.8549	.8555	.8561	.8567
7.2	.8573	.8579	.8585	.8591	.8597	.8603	.8609	.8615	.8621	.8627
7.3	.8633	.8639	.8645	.8651	.8657	.8663	.8669	.8675	.8681	.8686
7.4	.8692	.8698	.8704	.8710	.8716	.8722	.8727	.8733	.8739	.8745
7.5	.8751	.8756	.8762	.8768	.8774	.8779	.8785	.8791	.8797	.8802
7.6	.8808	.8814	.8820	.8825	.8831	.8837	.8842	.8848	.8854	.8859
7.7	.8865	.8871	.8876	.8882	.8887	.8893	.8899	.8904	.8910	.8915
7.8	.8921	.8927	.8932	.8938	.8943	.8949	.8954	.8960	.8965	.8971
7.9	.8976	.8982	.8987	.8993	.8998	.9004	.9009	.9015	.9020	.9025
8.0	.9031	.9036	.9042	.9047	.9053	.9058	.9063	.9069	.9074	.9079
8.1	.9085	.9090	.9096	.9101	.9106	.9112	.9117	.9122	.9128	.9133
8.2	.9138	.9143	.9149	.9154	.9159	.9165	.9170	.9175	.9180	.9186
8.3	.9191	.9196	.9201	.9206	.9212	.9217	.9222	.9227	.9232	.9238
8.4	.9243	.9248	.9253	.9258	.9263	.9269	.9274	.9279	.9284	.9289
8.5	.9294	.9299	.9304	.9309	.9315	.9320	.9325	.9330	.9335	.9340
8.6	.9345	.9350	.9355	.9360	.9365	.9370	.9375	.9380	.9385	.9390
8.7	.9395	.9400	.9405	.9410	.9415	.9420	.9425	.9430	.9435	.9440
8.8	.9445	.9450	.9455	.9460	.9465	.9469	.9474	.9479	.9484	.9489
8.9	.9494	.9499	.9504	.9509	.9513	.9518	.9523	.9528	.9533	.9538
9.0	.9542	.9547	.9552	.9557	.9562	.9566	.9571	.9576	.9581	.9586
9.1	.9590	.9595	.9600	.9605	.9609	.9614	.9619	.9624	.9628	.9633
9.2	.9638	.9643	.9647	.9652	.9657	.9661	.9666	.9671	.9675	.9680
9.3	.9685	.9689	.9694	.9699	.9703	.9708	.9713	.9717	.9722	.9727
9.4	.9731	.9736	.9741	.9745	.9750	.9754	.9759	.9763	.9768	.9773
9.5	.9777	.9782	.9786	.9791	.9795	.9800	.9805	.9809	.9814	.9818
9.6	.9823	.9827	.9832	.9836	.9841	.9845	.9850	.9854	.9859	.9863
9.7	.9868	.9872	.9877	.9881	.9886	.9890	.9894	.9899	.9903	.9908
9.8	.9912	.9917	.9921	.9926	.9930	.9934	.9939	.9943	.9948	.9952
9.9	.9956	.9961	.9965	.9969	.9974	.9978	.9983	.9987	.9991	.9996

삼각함수표

각	sin	cos	tan	각	sin	cos	tan
0°	.0000	1.0000	.0000	45°	.7071	.7071	1.0000
1°	.0175	.9998	.0175	46°	.7193	.6947	1.0355
2°	.0349	.9994	.0349	47°	.7314	.6820	1.0724
3°	.0523	.9986	.0524	48°	.7431	.6691	1.1106
4°	.0698	.9976	.0699	49°	.7547	.6561	1.1504
5°	.0872	.9962	.0875	50°	.7660	.6428	1.1918
6°	.1045	.9945	.1051	51°	.7771	.6293	1.2349
7°	.1219	.9925	.1228	52°	.7880	.6157	1.2799
8°	.1392	.9903	.1405	53°	.7986	.6018	1.3270
9°	.1564	.9877	.1584	54°	.8090	.5878	1.3764
10°	.1736	.9848	.1763	55°	.8192	.5736	1.4281
11°	.1908	.9816	.1944	56°	.8290	.5592	1.4826
12°	.2079	.9781	.2126	57°	.8387	.5446	1.5399
13°	.2250	.9744	.2309	58°	.8480	.5299	1.6003
14°	.2419	.9703	.2493	59°	.8572	.5150	1.6643
15°	.2588	.9659	.2679	60°	.8660	.5000	1.7321
16°	.2756	.9613	.2867	61°	.8746	.4848	1.8040
17°	.2924	.9563	.3057	62°	.8829	.4695	1.8807
18°	.3090	.9511	.3249	63°	.8910	.4540	1.9626
19°	.3256	.9455	.3443	64°	.8988	.4384	2.0503
20°	.3420	.9397	.3640	65°	.9063	.4226	2.1445
21°	.3584	.9336	.3839	66°	.9135	.4067	2.2460
22°	.3746	.9272	.4040	67°	.9205	.3907	2.3559
23°	.3907	.9205	.4245	68°	.9272	.3746	2.4751
24°	.4067	.9135	.4452	69°	.9336	.3584	2.6051
25°	.4226	.9063	.4663	70°	.9397	.3420	2.7475
26°	.4384	.8988	.4877	71°	.9455	.3256	2.9042
27°	.4540	.8910	.5095	72°	.9511	.3090	3.0777
28°	.4695	.8829	.5317	73°	.9563	.2924	3.2709
29°	.4848	.8746	.5543	74°	.9613	.2756	3.4874
30°	.5000	.8660	.5774	75°	.9659	.2588	3.7321
31°	.5150	.8572	.6009	76°	.9703	.2419	4.0108
32°	.5299	.8480	.6249	77°	.9744	.2250	4.3315
33°	.5446	.8387	.6494	78°	.9781	.2079	4.7046
34°	.5592	.8290	.6745	79°	.9816	.1908	5.1446
35°	.5736	.8192	.7002	80°	.9848	.1736	5.6713
36°	.5878	.8090	.7265	81°	.9877	.1564	6.3138
37°	.6018	.7986	.7536	82°	.9903	.1392	7.1154
38°	.6157	.7880	.7813	83°	.9925	.1219	8.1443
39°	.6293	.7771	.8098	84°	.9945	.1045	9.5144
40°	.6428	.7660	.8391	85°	.9962	.0872	11.4301
41°	.6561	.7547	.8693	86°	.9976	.0698	14.3007
42°	.6691	.7431	.9004	87°	.9986	.0523	19.0811
43°	.6820	.7314	.9325	88°	.9994	.0349	28.6363
44°	.6947	.7193	.9657	89°	.9998	.0175	57.2900
45°	.7071	.7071	1.0000	90°	1.0000	.0000	

01 지수

기본을 다지는 유형

001 (1) 3, $\frac{-3\pm3\sqrt{3}i}{2}$ (2) -3, $\frac{3\pm3\sqrt{3}i}{2}$ (3) $\pm2i$, ±2 (4) $\pm\sqrt{2}i$, $\pm\sqrt{2}$
002 (1) $2\sqrt{2}$, $-2\sqrt{2}$ (2) -4 (3) 1 (4) $\sqrt{5}$, $-\sqrt{5}$ **003** ③ **004** 2 **005** ③
006 (1) 2 (2) $\frac{1}{9}$ (3) 2 (4) $\frac{1}{3}$ **007** (1) 3 (2) 2 (3) $\frac{1}{27}$ (4) 2
008 4 **009** ③ **010** ① **011** 18 **012** ④
013 (1) $\frac{1}{16}$ (2) 1 (3) a^3 (4) a^3 **014** (1) $\frac{1}{27}$ (2) $\frac{3}{2}$ (3) $\frac{1}{4}$
015 $\frac{3}{2}$ **016** $\frac{15}{2}$ **017** ③ **018** ③ **019** ④
020 3 **021** ④ **022** ① **023** ③ **024** 26
025 ② **026** ② **027** ④ **028** ① **029** 9
030 ③ **031** ④ **032** 5 **033** ② **034** ③
035 $8\sqrt{5}-8$ **036** ⑤ **037** ② **038** ③ **039** ①
040 3 **041** ② **042** $\frac{3}{7}$ **043** 2 **044** ④
045 ③

실력을 높이는 연습 문제

01 ① **02** ③ **03** ① **04** ③ **05** ④
06 ① **07** ⑤ **08** ④ **09** $21\sqrt{5}$ **10** ④
11 $\frac{5}{7}$ **12** ③

02 로그

기본을 다지는 유형

001 (1) 8 (2) 3 (3) 2 (4) $\frac{1}{3}$ **002** ③ **003** 6 **004** ②
005 ⑤ **006** ④ **007** ③ **008** 5 **009** ②
010 ①, ⑤ **011** (1) 3 (2) 2 (3) 2 (4) 2 **012** ④ **013** ①
014 ② **015** 24 **016** ② **017** ⑤ **018** ③
019 ⑤ **020** 168 **021** ① **022** $\frac{11}{4}$ **023** ①
024 108 **025** ③ **026** ⑤ **027** ② **028** ③
029 ④ **030** $\frac{6y}{x}$ **031** ② **032** ① **033** ⑤
034 ① **035** 2 **036** ③ **037** $\frac{5}{2}$ **038** ③
039 21 **040** ④ **041** ④ **042** ② **043** ⑤
044 ④ **045** $\frac{5}{4}$ **046** ③ **047** (1) 2 (2) -3 (3) $\frac{3}{4}$
(4) $-\frac{1}{6}$ **048** (1) 0.7781 (2) 1.0791 (3) 1.3980 (4) 1.4771
049 193 **050** ① **051** ④ **052** ④ **053** 36
054 ⑤ **055** ③ **056** ②, ③ **057** ③ **058** ②
059 5장 **060** ③ **061** ⑤ **062** 2

실력을 높이는 연습 문제

01 ④ **02** ⑤ **03** ② **04** ① **05** 385
06 ① **07** ① **08** ④ **09** 15 **10** ③
11 ⑤ **12** ③ **13** ② **14** 1 **15** ①
16 ⑤ **17** ⑤ **18** ③ **19** 11.818 **20** ①
21 ③ **22** 9 **23** ④ **24** 35

03 지수함수

기본을 다지는 유형

001 ③ **002** ⑤ **003** ⑤ **004** ② **005** ②
006 ⑤ **007** -4 **008** ② **009** ④ **010** ③
011 -2 **012** ② **013** ② **014** ② **015** 9
016 ① **017** $2k$ **018** ① **019** ③ **020** ②
021 ⑤ **022** ② **023** ④ **024** ③
025 (1) 최댓값: 1, 최솟값: $\frac{1}{9}$ (2) 최댓값: $\frac{1}{2}$, 최솟값: $\frac{1}{128}$
(3) 최댓값: $-\frac{1}{2}$, 최솟값: -2 **026** 2 **027** ④
028 ① **029** ④ **030** (1) 최솟값: $\frac{1}{8}$ (2) 최댓값: $\frac{1}{2}$
(3) 최댓값: $\frac{64}{27}$ (4) 최솟값: $\frac{125}{8}$ **031** ⑤ **032** ③
033 17 **034** $\frac{\sqrt{3}}{81}$ **035** ① **036** ② **037** ②
038 67 **039** (1) $x=7$ (2) $x=-\frac{1}{2}$ (3) $x=-\frac{1}{4}$ (4) $x=-2$
040 4 **041** ③ **042** 3 **043** ① **044** ③
045 $\sqrt{3}$ **046** ① **047** ④ **048** ④ **049** ⑤
050 $6\sqrt{2}$ **051** 5 **052** ④ **053** ③ **054** $x\leq-5$
055 ⑤ **056** ① **057** ② **058** ② **059** 6
060 ① **061** ③ **062** -2 **063** ② **064** 6
065 ⑤ **066** ④ **067** $1<x\leq2$ **068** ①

실력을 높이는 연습 문제

01 ④ **02** ⑤ **03** ② **04** ② **05** ④
06 ③ **07** ④ **08** ③ **09** 2 **10** ⑤
11 10 **12** ② **13** ② **14** ① **15** 3
16 126 **17** ② **18** 4

04 로그함수

기본을 다지는 유형

001 (1) $\{x|x<6\}$ (2) $\{x|x>2\}$ (3) $\{x|x\neq2\}$
002 ② **003** ③ **004** ⑤ **005** ③ **006** ④
007 25 **008** ④ **009** -6 **010** ⑤ **011** ②
012 ④ **013** 6 **014** 1 **015** ③ **016** ④
017 ① **018** 26 **019** 3 **020** ③ **021** ⑤

022 ⑤ 023 ② 024 (1) 최댓값: 2, 최솟값: -2 (2) 최댓값: 6, 최솟값: 2 (3) 최댓값: 4, 최솟값: -1 (4) 최댓값: -4, 최솟값: -5 025 $\frac{3}{2}$ 026 ②
027 ④ 028 ① 029 (1) 최솟값: 0 (2) 최댓값: -2 (3) 최댓값: $\frac{3}{2}$ (4) 최솟값: -3 030 ③ 031 ③
032 ⑤ 033 17 034 ④ 035 $-\frac{7}{8}$ 036 ②
037 ④ 038 19 039 (1) $x=15$ (2) $x=82$ (3) $x=7$ (4) $x=\frac{9}{2}$ 040 ② 041 ① 042 ⑤ 043 ③
044 ① 045 $x=\frac{1}{8}$ 또는 $x=8$ 046 ③ 047 ⑤
048 ① 049 ② 050 6 051 ④ 052 ②
053 (1) $-3<x\le 24$ (2) $\frac{1}{4}<x<\frac{1}{2}$ (3) $x>1$ (4) $-1<x\le\frac{2}{3}$
054 77 055 ⑤ 056 ② 057 4 058 ④
059 4 060 ② 061 ② 062 ④ 063 15
064 ③ 065 ① 066 ③

실력을 높이는 연습 문제

01 ① 02 ① 03 ④ 04 ① 05 ③
06 ④ 07 8 08 ③ 09 ② 10 ④
11 ③ 12 12 13 ⑤ 14 ① 15 9
16 ③ 17 ⑤ 18 ① 19 ③ 20 ④
21 2 22 ② 23 ⑤

05 삼각함수

기본을 다지는 유형

001 (1) $360^\circ n+350^\circ$ (단, n은 정수이다.)
(2) $360^\circ n+240^\circ$ (단, n은 정수이다.)
(3) $360^\circ n+120^\circ$ (단, n은 정수이다.)
(4) $360^\circ n+180^\circ$ (단, n은 정수이다.)
002 ③ 003 ② 004 ③ 005 ②
006 제1, 3사분면 007 ① 008 ④ 009 ③
010 ⑤ 011 45° 012 ② 013 (1) $\frac{\pi}{4}$ (2) $\frac{7}{6}\pi$ (3) $-\frac{5}{3}\pi$ (4) 120° (5) -150° (6) $\frac{360^\circ}{\pi}$
014 (1) $2n\pi+\frac{\pi}{3}$ (2) $2n\pi+\frac{2}{5}\pi$ (3) $2n\pi+\pi$ (4) $2n\pi+\frac{5}{6}\pi$
015 ① 016 ⑤ 017 ④ 018 16 019 ①
020 ④ 021 ② 022 ① 023 (1) $\frac{12}{13}$ (2) $\frac{5}{13}$ (3) $\frac{12}{5}$
024 ④ 025 $\frac{31}{2}$ 026 ③ 027 16 028 ③
029 ③ 030 ① 031 ③ 032 $2\sin\theta$ 033 ③
034 ⑤ 035 $-\frac{5}{13}$, $\frac{12}{5}$ 036 ① 037 $\frac{4}{5}$
038 ④ 039 $2\sqrt{2}-3$ 040 (1) $-\frac{4}{9}$ (2) $\pm\frac{\sqrt{17}}{3}$ 041 ①
042 ⑤ 043 ④ 044 $-\sqrt{35}$ 045 ① 046 ②

실력을 높이는 연습 문제

01 ④ 02 ⑤ 03 ③ 04 3π 05 ④
06 ② 07 2 08 ④ 09 ④ 10 ①
11 제2, 4사분면 12 ② 13 ① 14 ④
15 ③ 16 ③ 17 ⑤

06 삼각함수의 그래프

기본을 다지는 유형

001 ④ 002 ③ 003 ③ 004 ⑤ 005 2π
006 ⑤ 007 $\frac{11}{2}$ 008 $\frac{7}{6}\pi$ 009 ① 010 ①
011 8π 012 3π 013 4
014 (1) 최댓값: 1, 최솟값: -1 (2) 최댓값: 3, 최솟값: -1 (3) 최댓값: 없다., 최솟값: 없다. 015 ② 016 ①
017 -7 018 14 019 ③ 020 ②
021 (1) $\frac{1}{2}$ (2) $-\frac{\sqrt{2}}{2}$ (3) $-\sqrt{3}$ (4) $\frac{1}{2}$ 022 ① 023 ③
024 ⑤ 025 48 026 ⑤ 027 1 028 2
029 ② 030 ③ 031 8 032 ③ 033 ①
034 ② 035 ④ 036 최댓값: 없다., 최솟값: 2
037 ② 038 (1) $x=\frac{7}{6}\pi$ 또는 $x=\frac{11}{6}\pi$ (2) $x=\frac{\pi}{3}$ 또는 $x=\frac{5}{3}\pi$ (3) $x=\frac{\pi}{4}$ 또는 $x=\frac{5}{4}\pi$ 039 $\frac{\pi}{3}$ 040 $x=\frac{3}{2}\pi$ 041 ③
042 ④ 043 ④ 044 $\frac{\pi}{12}$ 045 3
046 $\theta=0$ 또는 $\theta=\frac{\pi}{6}$ 또는 $\theta=\frac{5}{6}\pi$ 또는 $\theta=\pi$
047 (1) $\frac{\pi}{4}<x<\frac{3}{4}\pi$ (2) $\frac{2}{3}\pi\le x\le\frac{4}{3}\pi$ (3) $\frac{\pi}{6}<x<\frac{\pi}{2}$ 또는 $\frac{7}{6}\pi<x<\frac{3}{2}\pi$ 048 $-\frac{1}{2}$ 049 ④
050 ③ 051 $\frac{2}{3}\pi<x<\pi$
052 $0\le x<\frac{\pi}{6}$ 또는 $\frac{11}{6}\pi<x<2\pi$ 053 ④ 054 2π
055 $\frac{\pi}{12}$ 056 $0\le x\le\frac{4}{3}\pi$

실력을 높이는 연습 문제

01 ⑤ 02 ② 03 ④ 04 ④ 05 ④
06 ③ 07 ③ 08 ③ 09 8 10 ①
11 ⑤ 12 ⑤ 13 ① 14 ③ 15 2
16 ② 17 ① 18 ③ 19 ③ 20 ②
21 π 22 ② 23 ④ 24 ④

07 삼각함수의 활용

기본을 다지는 유형

001 (1) $2\sqrt{6}$ (2) $\frac{\pi}{4}$ **002** (1) $\sqrt{2}$ (2) 30° 또는 150° (3) 8

003 ③ **004** ④ **005** ② **006** ④ **007** ①

008 $5(\sqrt{3}+1)$ **009** $\frac{3}{2}$ **010** 12

011 (1) 1 (2) $\sqrt{14}$ **012** ② **013** $3\sqrt{10}$ **014** ④

015 ⑤ **016** ③ **017** ④ **018** $\frac{3\sqrt{6}}{2}$ **019** ⑤

020 41 **021** ② **022** ① **023** ⑤ **024** ④

025 ③ **026** ④ **027** ① **028** ②

029 $B=90°$인 직각삼각형 **030** (1) 9 (2) $25\sqrt{6}$ **031** ①

032 ⑤ **033** ③ **034** ⑤ **035** $\frac{25}{26}$ **036** 9

037 ② **038** $4\sqrt{3}+3\sqrt{6}$

실력을 높이는 연습 문제

01 ⑤ **02** ③ **03** 18 **04** ⑤ **05** ③

06 ③ **07** ④ **08** ② **09** $\frac{15\sqrt{3}}{4}$ **10** ①

11 ⑤ **12** ④

08 등차수열과 등비수열

기본을 다지는 유형

001 (1) $a_n=3n-2$ (2) $a_n=-5n+11$ **002** ④ **003** ③

004 6 **005** ⑤ **006** ① **007** ② **008** ④

009 26 **010** ③ **011** ④ **012** ② **013** ②

014 ⑤ **015** 54 **016** ③ **017** ① **018** ④

019 ① **020** ① **021** (1) 130 (2) -156

022 (1) 30 (2) 11 **023** 9 **024** ② **025** 43

026 ③ **027** ⑤ **028** 448 **029** 590 **030** ②

031 ④ **032** ① **033** 253 **034** ①

035 (1) $a_n=2^n$ (2) $a_n=8\times\left(\frac{1}{3}\right)^{n-4}$ **036** ② **037** ②

038 ④ **039** 2 **040** ⑤ **041** ④ **042** 17

043 ③ **044** 36 **045** ④ **046** ① **047** ⑤

048 ③ **049** ① **050** ⑤ **051** $-\frac{\sqrt{3}}{2}$ **052** ②

053 -2 **054** $-\frac{1}{8}$ **055** (1) 1023 (2) 20 (3) 21

056 (1) 728 (2) $\frac{255}{16}$ **057** 10 **058** ④ **059** ③

060 ③ **061** 9 **062** ② **063** ④ **064** ②

065 ① **066** ① **067** ② **068** ③ **069** ⑤

070 24 **071** ① **072** ⑤ **073** ②

실력을 높이는 연습 문제

01 ⑤ **02** ③ **03** 38 **04** ① **05** ①

06 17 **07** ② **08** ③ **09** ⑤ **10** ①

11 3150 **12** ③ **13** ④ **14** 19 **15** ②

16 ④ **17** 10 **18** ① **19** ⑤ **20** ②

21 ③ **22** ④ **23** ④ **24** 69

09 여러 가지 수열의 합

기본을 다지는 유형

001 (1) $0+1+2+3+4$ (2) $1^2+2^2+3^2+\cdots+8^2$ (3) $6+6+6$

002 40 **003** ③ **004** ② **005** (1) 2 (2) -10

006 ④ **007** ⑤ **008** 14 **009** ② **010** 4

011 ② **012** ③ **013** (1) 330 (2) 465 **014** ①

015 ① **016** ② **017** 876 **018** ③ **019** ⑤

020 ① **021** ② **022** ③ **023** 5 **024** ④

025 (1) 808 (2) 147 **026** ④ **027** ④ **028** ①

029 5 **030** ③ **031** ② **032** 630 **033** ③

034 16 **035** $\frac{50}{51}$ **036** ② **037** ⑤ **038** ①

039 $\frac{99}{50}$ **040** ④ **041** 4 **042** 16 **043** ②

044 ② **045** ② **046** 255 **047** ④ **048** ③

049 4

실력을 높이는 연습 문제

01 ② **02** ③ **03** 105 **04** ① **05** ④

06 ⑤ **07** 1092 **08** 266 **09** ② **10** ①

11 ④ **12** $\frac{n(n+1)(n+5)}{6}$ **13** ④ **14** ③

15 $\frac{13}{100}$ **16** ③ **17** ⑤ **18** ②

10 수학적 귀납법

기본을 다지는 유형

001 $\frac{32}{13}$ **002** ④ **003** ② **004** 60 **005** ①

006 ③ **007** 21 **008** ② **009** ④ **010** ⑤

011 ① **012** 3 **013** 3 **014** ③ **015** ④

016 ⑤ **017** ④ **018** ④ **019** ⑤ **020** ①

021 ② **022** 6 **023** ② **024** ④ **025** 5

026 ⑤ **027** 20 **028** 5 **029** ④ **030** ③

실력을 높이는 연습 문제

01 ③ **02** ⑤ **03** 50 **04** ② **05** ④

06 ① **07** ④ **08** ③ **09** ① **10** 130

11 ② **12** ② **13** ① **14** ① **15** ④

고등 풍산자와 함께하면

개념부터 ~ 고난도 문제까지!

어떤 시험 문제도 익숙해집니다!

고등 풍산자 1등급 로드맵

대표 유형 중심의

실력을 높이는 **유형 연습서**

지학사

풍산자 라이트 유형

정답과 풀이

수학I

풍산자

라이트 유형

수학Ⅰ

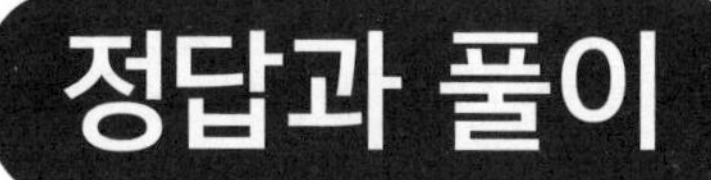

01 지수

기본을 다지는 유형

본문 009쪽

001

(1) 27의 세제곱근을 x라고 하면 $x^3=27$

$x^3-27=0$, $(x-3)(x^2+3x+9)=0$

$\therefore x=3$ 또는 $x=\dfrac{-3\pm3\sqrt{3}i}{2}$

(2) -27의 세제곱근을 x라고 하면 $x^3=-27$

$x^3+27=0$, $(x+3)(x^2-3x+9)=0$

$\therefore x=-3$ 또는 $x=\dfrac{3\pm3\sqrt{3}i}{2}$

(3) 16의 네제곱근을 x라고 하면 $x^4=16$

$x^4-16=0$, $(x^2+4)(x^2-4)=0$

$(x^2+4)(x+2)(x-2)=0$

$\therefore x=\pm2i$ 또는 $x=\pm2$

(4) 4의 네제곱근을 x라고 하면 $x^4=4$

$x^4-4=0$, $(x^2+2)(x^2-2)=0$

$(x^2+2)(x+\sqrt{2})(x-\sqrt{2})=0$

$\therefore x=\pm\sqrt{2}i$ 또는 $x=\pm\sqrt{2}$

답 (1) 3, $\dfrac{-3\pm3\sqrt{3}i}{2}$ (2) -3, $\dfrac{3\pm3\sqrt{3}i}{2}$
(3) $\pm2i$, ±2 (4) $\pm\sqrt{2}i$, $\pm\sqrt{2}$

002

(1) 8의 제곱근을 x라고 하면 $x^2=8$

$\therefore x=\pm2\sqrt{2}$

따라서 8의 제곱근은 $2\sqrt{2}$, $-2\sqrt{2}$이고, 이 중에서 실수인 것은 $2\sqrt{2}$, $-2\sqrt{2}$이다.

(2) -64의 세제곱근을 x라고 하면 $x^3=-64$

$x^3+64=0$, $(x+4)(x^2-4x+16)=0$

$\therefore x=-4$ 또는 $x=2\pm2\sqrt{3}i$

따라서 -64의 세제곱근은 -4, $2+2\sqrt{3}i$, $2-2\sqrt{3}i$이고, 이 중에서 실수인 것은 -4이다.

(3) 1의 세제곱근을 x라고 하면 $x^3=1$

$x^3-1=0$, $(x-1)(x^2+x+1)=0$

$\therefore x=1$ 또는 $x=\dfrac{-1\pm\sqrt{3}i}{2}$

따라서 1의 세제곱근은 1, $\dfrac{-1+\sqrt{3}i}{2}$, $\dfrac{-1-\sqrt{3}i}{2}$이고, 이 중에서 실수인 것은 1이다.

(4) 25의 네제곱근을 x라고 하면 $x^4=25$

$x^4-25=0$, $(x^2+5)(x^2-5)=0$

$(x^2+5)(x+\sqrt{5})(x-\sqrt{5})=0$

$\therefore x=\pm\sqrt{5}i$ 또는 $x=\pm\sqrt{5}$

따라서 25의 네제곱근은 $\sqrt{5}i$, $-\sqrt{5}i$, $\sqrt{5}$, $-\sqrt{5}$이고, 이 중에서 실수인 것은 $\sqrt{5}$, $-\sqrt{5}$이다.

답 (1) $2\sqrt{2}$, $-2\sqrt{2}$ (2) -4
(3) 1 (4) $\sqrt{5}$, $-\sqrt{5}$

003

-12의 세제곱근 중 실수인 것은 방정식 $x^3=-12$의 실근이므로 1개이다.

$\therefore m=1$

또, 15의 네제곱근 중 실수인 것은 방정식 $x^4=15$의 실근이므로 2개이다.

$\therefore n=2$

$\therefore m+n=1+2=3$

답 ③

004

양수인 것은 ㅁ, ㅂ이므로

$a=2$ ······ ❶

음수인 것은 ㄱ, ㄷ, ㄹ, ㅅ이므로

$b=4$ ······ ❷

$\therefore b-a=4-2=2$ ······ ❸

답 2

채점 기준	비율
❶ a의 값을 구할 수 있다.	45%
❷ b의 값을 구할 수 있다.	45%
❸ $b-a$의 값을 구할 수 있다.	10%

참고

ㄴ, ㅇ, ㅈ은 허수이다.

005

$f_2(-3)$은 -3의 제곱근 중 실수인 것이다.

이때 방정식 $x^2=-3$의 실근은 존재하지 않으므로

$f_2(-3)=0$

$f_3(-2)$는 -2의 세제곱근 중 실수인 것이다.

이때 방정식 $x^3=-2$의 실근은 1개이므로

$f_3(-2)=1$

$f_4(5)$는 5의 네제곱근 중 실수인 것이다.

이때 방정식 $x^4=5$의 실근은 2개이므로

$f_4(5)=2$

$\therefore f_2(-3)+f_3(-2)+f_4(5)=0+1+2=3$

답 ③

006

(1) $\sqrt[4]{2}\times\sqrt[4]{8}=\sqrt[4]{2\times8}=\sqrt[4]{16}=\sqrt[4]{2^4}=2$

(2) $\sqrt[3]{\dfrac{1}{81}}\times\sqrt[3]{\dfrac{1}{9}}=\sqrt[3]{\dfrac{1}{81}\times\dfrac{1}{9}}=\sqrt[3]{\left(\dfrac{1}{3}\right)^6}$

$=\left(\dfrac{1}{3}\right)^2=\dfrac{1}{9}$

(3) $\dfrac{\sqrt[3]{64}}{\sqrt[3]{8}}=\sqrt[3]{\dfrac{64}{8}}=\sqrt[3]{8}=\sqrt[3]{2^3}=2$

(4) $\dfrac{\sqrt[4]{2}}{\sqrt[4]{162}}=\sqrt[4]{\dfrac{2}{162}}=\sqrt[4]{\dfrac{1}{81}}=\sqrt[4]{\left(\dfrac{1}{3}\right)^4}=\dfrac{1}{3}$

답 (1) 2 (2) $\dfrac{1}{9}$ (3) 2 (4) $\dfrac{1}{3}$

007

(1) $(\sqrt[4]{9})^2=\sqrt[4]{9^2}=\sqrt[4]{81}=\sqrt[4]{3^4}=3$

(2) $\sqrt{\sqrt[4]{256}}=\sqrt[4]{\sqrt{256}}=\sqrt[4]{16}=\sqrt[4]{2^4}=2$

(3) $\sqrt[6]{\left(\frac{1}{9}\right)^9}=\sqrt[6]{\left(\frac{1}{3}\right)^{18}}=\left(\frac{1}{3}\right)^3=\frac{1}{27}$

(4) $\sqrt[5]{8}\times\sqrt[10]{16}=\sqrt[10]{8^2}\times\sqrt[10]{16}=\sqrt[10]{2^6\times2^4}=\sqrt[10]{2^{10}}=2$

답 (1) 3 (2) 2 (3) $\frac{1}{27}$ (4) 2

|다른 풀이|

(2) $\sqrt{\sqrt[4]{256}}=\sqrt{\sqrt[4]{2^8}}=\sqrt{2^2}=2$

008

$\sqrt[4]{48}+\sqrt[4]{243}-\sqrt[4]{3}=\sqrt[4]{2^4\times3}+\sqrt[4]{3^4\times3}-\sqrt[4]{3}$

$=2\sqrt[4]{3}+3\sqrt[4]{3}-\sqrt[4]{3}=4\sqrt[4]{3}$

$\therefore a=4$

답 4

009

$(\sqrt[3]{2\times\sqrt[4]{6}})^4=\sqrt[3]{(2\times\sqrt[4]{6})^4}=\sqrt[3]{2^4\times(\sqrt[4]{6})^4}$

$=\sqrt[3]{16\times6}=\sqrt[3]{96}$

이때 $\sqrt[3]{64}<\sqrt[3]{96}<\sqrt[3]{125}$이므로

$4<\sqrt[3]{96}<5$

따라서 $(\sqrt[3]{2\times\sqrt[4]{6}})^4$보다 작은 자연수 중 가장 큰 수는 4이다.

답 ③

010

$\sqrt{\frac{\sqrt[5]{a^4}}{\sqrt{a}}}\times\sqrt[4]{\frac{\sqrt{a^2}}{\sqrt[5]{a^6}}}=\frac{\sqrt{\sqrt[5]{a^4}}}{\sqrt{\sqrt{a}}}\times\frac{\sqrt[4]{\sqrt{a^2}}}{\sqrt[4]{\sqrt[5]{a^6}}}$

$=\frac{\sqrt[10]{a^4}}{\sqrt[4]{a}}\times\frac{\sqrt[4]{a}}{\sqrt[20]{a^6}}$

$=\frac{\sqrt[10]{a^4}}{\sqrt[20]{a^6}}=\sqrt[20]{\frac{a^8}{a^6}}$

$=\sqrt[20]{a^2}=\sqrt[10]{a}$

$\therefore n=1$

답 ①

011

$A=\sqrt{\sqrt[3]{25}}$, $B=\sqrt[6]{10}$, $C=\sqrt[3]{2\sqrt{7}}$이라고 하면

$A^6=(\sqrt{\sqrt[3]{25}})^6=25$

$B^6=(\sqrt[6]{10})^6=10$

$C^6=(\sqrt[3]{2\sqrt{7}})^6=(\sqrt[3]{\sqrt{28}})^6=28$

$\therefore B^6<A^6<C^6$

이때 A, B, C는 양수이므로

$B<A<C$

따라서 $M=\sqrt[3]{2\sqrt{7}}$, $m=\sqrt[6]{10}$이므로

$M^6-m^6=28-10=18$

답 18

|다른 풀이|

근호 앞의 수를 6으로 통일하면

$\sqrt{\sqrt[3]{25}}=\sqrt[6]{25}$, $\sqrt[3]{2\sqrt{7}}=\sqrt[3]{\sqrt{28}}=\sqrt[6]{28}$이므로

$\sqrt[6]{10}<\sqrt[6]{25}<\sqrt[6]{28}$

$\therefore M=\sqrt[6]{28}=\sqrt[3]{2\sqrt{7}}$, $m=\sqrt[6]{10}$

012

$A-C=\sqrt{2}+\sqrt[3]{5}-(\sqrt[4]{3}+\sqrt[3]{5})$

$=\sqrt{2}-\sqrt[4]{3}$

$=\sqrt[4]{4}-\sqrt[4]{3}>0$

$\therefore A>C$

$B-C=\sqrt[4]{2}+\sqrt[4]{3}-(\sqrt[4]{3}+\sqrt[3]{5})$

$=\sqrt[4]{2}-\sqrt[3]{5}$

$=\sqrt[12]{8}-\sqrt[12]{625}<0$

$\therefore B<C$

$\therefore B<C<A$

답 ④

참고

근호 앞의 수를 통일하여 대소 관계를 판정할 수 없는 경우에는 두 수의 차를 이용하여 대소 관계를 판정한다.

013

(1) $4^{-2}=\left(\frac{1}{4}\right)^2=\frac{1}{16}$

(2) $\left(-\frac{1}{5}\right)^0=1$

(3) $(a^3\div a^4)^{-3}=(a^{3-4})^{-3}=(a^{-1})^{-3}=a^3$

(4) $(a^{-1})^2\div(a^2)^{-4}\times a^{-3}=a^{-2}\div a^{-8}\times a^{-3}$

$=a^{-2-(-8)-3}=a^3$

답 (1) $\frac{1}{16}$ (2) 1 (3) a^3 (4) a^3

014

(1) $(3^{-2})^{-2}\div3^6\times3^{-1}=3^4\div3^6\times3^{-1}$

$=3^{4-6-1}=3^{-3}=\frac{1}{27}$

(2) $\left(\frac{8}{3}\right)^{\frac{1}{3}}\times\left\{\left(\frac{64}{81}\right)^{-\frac{1}{2}}\right\}^{\frac{2}{3}}=\left(\frac{8}{3}\right)^{\frac{1}{3}}\times\left(\frac{64}{81}\right)^{-\frac{1}{3}}$

$=\left(\frac{8}{3}\right)^{\frac{1}{3}}\times\left(\frac{81}{64}\right)^{\frac{1}{3}}$

$=\left(\frac{8}{3}\times\frac{81}{64}\right)^{\frac{1}{3}}$

$=\left(\frac{27}{8}\right)^{\frac{1}{3}}=\left\{\left(\frac{3}{2}\right)^3\right\}^{\frac{1}{3}}=\frac{3}{2}$

(3) $\left(\frac{2^{\sqrt{7}}}{8}\right)^{\sqrt{7}+3}=\left(\frac{2^{\sqrt{7}}}{2^3}\right)^{\sqrt{7}+3}=(2^{\sqrt{7}-3})^{\sqrt{7}+3}$

$=2^{(\sqrt{7}-3)(\sqrt{7}+3)}=2^{7-9}$

$=2^{-2}=\frac{1}{4}$

답 (1) $\frac{1}{27}$ (2) $\frac{3}{2}$ (3) $\frac{1}{4}$

015

$9\times4^{-\frac{1}{6}}\times(3^{\sqrt{2}}\times2^{\frac{2\sqrt{2}}{3}})^{-\frac{\sqrt{2}}{2}}$

$=3^2\times2^{-\frac{1}{3}}\times\{3^{\sqrt{2}\times\left(-\frac{\sqrt{2}}{2}\right)}\times2^{\frac{2\sqrt{2}}{3}\times\left(-\frac{\sqrt{2}}{2}\right)}\}$

$=3^2\times2^{-\frac{1}{3}}\times3^{-1}\times2^{-\frac{2}{3}}$

$=3^{2-1}\times2^{-\frac{1}{3}-\frac{2}{3}}$

$=3^1\times2^{-1}=\frac{3}{2}$

답 $\frac{3}{2}$

016

$12^{\frac{2}{3}} \div 18^{-\frac{1}{2}} \times 8^{\frac{8}{9}}$

$=(2^2\times 3)^{\frac{2}{3}} \div (2\times 3^2)^{-\frac{1}{2}} \times (2^3)^{\frac{8}{9}}$

$=(2^{\frac{4}{3}}\times 3^{\frac{2}{3}})\times(2^{\frac{1}{2}}\times 3)\times 2^{\frac{8}{3}}$

$=2^{\frac{4}{3}+\frac{1}{2}+\frac{8}{3}}\times 3^{\frac{2}{3}+1}=2^{\frac{9}{2}}\times 3^{\frac{5}{3}}$

따라서 $\alpha=\frac{9}{2}$, $\beta=\frac{5}{3}$이므로

$\alpha\beta=\frac{9}{2}\times\frac{5}{3}=\frac{15}{2}$

답 $\frac{15}{2}$

017

ㄱ. $36^{-0.25}=(6^2)^{-\frac{1}{4}}=6^{-\frac{1}{2}}=\frac{1}{\sqrt{6}}$ (참)

ㄴ. $\left(\frac{9^{\sqrt{2}}}{27}\right)^{2\sqrt{2}+3}=\left(\frac{3^{2\sqrt{2}}}{3^3}\right)^{2\sqrt{2}+3}=(3^{2\sqrt{2}-3})^{2\sqrt{2}+3}=3^{(2\sqrt{2}-3)(2\sqrt{2}+3)}$

$=3^{-1}=\frac{1}{3}$ (참)

ㄷ. $(\sqrt{5})^{5\sqrt{5}}=\{(\sqrt{5})^5\}^{\sqrt{5}}=(25\sqrt{5})^{\sqrt{5}}$ (거짓)

따라서 옳은 것은 ㄱ, ㄴ이다.

답 ③

018

$\frac{27^{10}}{27^{10}-27^{-10}}+\frac{9^{-15}}{9^{-15}-9^{15}}=\frac{(3^3)^{10}}{(3^3)^{10}-(3^3)^{-10}}+\frac{(3^2)^{-15}}{(3^2)^{-15}-(3^2)^{15}}$

$=\frac{3^{30}}{3^{30}-3^{-30}}+\frac{3^{-30}}{3^{-30}-3^{30}}$

$=\frac{3^{60}}{3^{60}-1}+\frac{1}{1-3^{60}}$

두 항의 분자와 분모에 3^{30}을 각각 곱한다.

$=\frac{3^{60}-1}{3^{60}-1}=1$

답 ③

019

$f(x)=\frac{1+x+x^2+x^3+x^4+x^5}{x^{-2}+x^{-3}+x^{-4}+x^{-5}+x^{-6}+x^{-7}}$

$=\frac{1+x+x^2+x^3+x^4+x^5}{\frac{1}{x^2}+\frac{1}{x^3}+\frac{1}{x^4}+\frac{1}{x^5}+\frac{1}{x^6}+\frac{1}{x^7}}$

$=\frac{1+x+x^2+x^3+x^4+x^5}{\frac{1}{x^7}(x^5+x^4+x^3+x^2+x+1)}$

$=\frac{1}{\frac{1}{x^7}}=x^7$

$\therefore f(\sqrt{2})=(\sqrt{2})^7=8\sqrt{2}$

답 ④

020

$\left(\frac{1}{512}\right)^{\frac{1}{n}}=(2^{-9})^{\frac{1}{n}}=2^{-\frac{9}{n}}$ ······ ❶

즉, $2^{-\frac{9}{n}}$이 자연수가 되려면 $-n$은 9의 양의 약수이어야 한다. ······ ❷

9의 양의 약수는 1, 3, 9이므로 주어진 조건을 만족시키는 n은 -1, -3, -9의 3개이다. ······ ❸

답 3

채점 기준	비율
❶ 주어진 식을 밑이 자연수가 되도록 바꿀 수 있다.	35%
❷ 주어진 식이 자연수가 되도록 하는 n의 조건을 찾을 수 있다.	35%
❸ 조건을 만족시키는 n을 찾고, 그 개수를 구할 수 있다.	30%

021

$\sqrt{\sqrt[4]{a}}\times\sqrt{a\times\sqrt[3]{a\sqrt{a}}}=\sqrt[8]{a}\times\sqrt{a}\times\sqrt{\sqrt[3]{a}}\times\sqrt{\sqrt[3]{\sqrt{a}}}$

$=\sqrt[8]{a}\times\sqrt{a}\times\sqrt[6]{a}\times\sqrt[12]{a}$

$=a^{\frac{1}{8}}\times a^{\frac{1}{2}}\times a^{\frac{1}{6}}\times a^{\frac{1}{12}}$

$=a^{\frac{1}{8}+\frac{1}{2}+\frac{1}{6}+\frac{1}{12}}$

$=a^{\frac{3+12+4+2}{24}}=a^{\frac{7}{8}}$

답 ④

022

$\sqrt[4]{a\sqrt{a^k}}=4\sqrt{a}\times\sqrt[4]{\sqrt{a^k}}=\sqrt[4]{a}\times\sqrt[8]{a^k}=a^{\frac{1}{4}}\times a^{\frac{k}{8}}=a^{\frac{1}{4}+\frac{k}{8}}=a^{\frac{2+k}{8}}$,

$\left(\frac{1}{a}\right)^{\frac{5}{3}}=(a^{-1})^{\frac{5}{3}}=a^{-\frac{5}{3}}$

이므로

$a^{\frac{2+k}{8}}=a^{-\frac{5}{3}}$, $\frac{2+k}{8}=-\frac{5}{3}$

$3(2+k)=-40$, $3k=-46$

$\therefore k=-\frac{46}{3}$

답 ①

023

$\frac{\sqrt{4\sqrt{2\times\sqrt[3]{3}}}}{\sqrt[12]{12}}=\frac{\sqrt{4}\times\sqrt{\sqrt{2}}\times\sqrt{\sqrt{\sqrt[3]{3}}}}{\sqrt[12]{12}}=\frac{\sqrt{4}\times\sqrt[4]{2}\times\sqrt[12]{3}}{\sqrt[12]{2^2\times 3}}$

$=\frac{4^{\frac{1}{2}}\times 2^{\frac{1}{4}}\times 3^{\frac{1}{12}}}{(2^2\times 3)^{\frac{1}{12}}}=\frac{2^1\times 2^{\frac{1}{4}}\times 3^{\frac{1}{12}}}{2^{\frac{1}{6}}\times 3^{\frac{1}{12}}}$

$=2^{1+\frac{1}{4}-\frac{1}{6}}\times 3^{\frac{1}{12}-\frac{1}{12}}=2^{\frac{13}{12}}$

$=(2^{13})^{\frac{1}{12}}=\sqrt[12]{2^{13}}$

따라서 주어진 조건을 만족시키는 양수 a의 값은 2^{13}이다.

답 ③

024

$\sqrt[8]{3^n}=3^{\frac{n}{8}}$이 자연수가 되려면 n은 0 또는 8의 배수이어야 한다.

$n=0$이면 $3^0=1$이다.

이때 n은 200 이하의 정수이므로 0, 8, 16, 24, $\cdots$, 200의 26개이다.

답 26

025

$A=\sqrt[4]{\sqrt[3]{32}}\times\sqrt[6]{4}=\sqrt[12]{32}\times\sqrt[6]{4}=\sqrt[12]{2^5}\times\sqrt[3]{2}=2^{\frac{5}{12}}\times 2^{\frac{1}{3}}=2^{\frac{3}{4}}$

즉, $A^n=(2^{\frac{3}{4}})^n=2^{\frac{3}{4}n}$이 정수가 되려면 n은 0 또는 4의 배수이어야 한다.

따라서 주어진 조건을 만족시키는 자연수 n의 최솟값은 4이다.

답 ②

026

$a=2^{\frac{1}{2}}$에서 $2=a^2$

$b=3^{\frac{2}{3}}$에서 $3=b^{\frac{3}{2}}$

이때 $648=8\times81=2^3\times3^4$이므로

$a^m b^n=648=2^3\times3^4=(a^2)^3\times(b^{\frac{3}{2}})^4$

$=a^6b^6$

따라서 $m=6$, $n=6$이므로

$m+n=6+6=12$

답 ②

027

$a^2=\sqrt[4]{3}$에서 $a^2=3^{\frac{1}{4}}$, $a=3^{\frac{1}{8}}$

$b^3=\sqrt[3]{4}$에서 $b^3=4^{\frac{1}{3}}$, $b=4^{\frac{1}{9}}$

$\therefore (ab)^9=a^9b^9=(3^{\frac{1}{8}})^9\times(4^{\frac{1}{9}})^9=3^{\frac{9}{8}}\times4$

답 ④

028

$28^a\div28^b=81\div9=9$이므로 ← $a-b$가 나오도록 식을 만든다.

$28^{a-b}=9$

$\therefore 9^{\frac{1}{a-b}}=(28^{a-b})^{\frac{1}{a-b}}=28$

답 ①

029

$3^{a-1}=2$에서 $\frac{3^a}{3}=2$, $3^a=6$

$6^{2b}=5$에서 $(3^a)^{2b}=3^{2ab}=5$

$\therefore 5^{\frac{1}{ab}}=(3^{2ab})^{\frac{1}{ab}}=3^2=9$

답 9

030

$31^x=8$에서 $31^x=2^3$

$31=(2^3)^{\frac{1}{x}}=2^{\frac{3}{x}}$

$496^y=32$에서 $496^y=2^5$

$496=(2^5)^{\frac{1}{y}}=2^{\frac{5}{y}}$

이때 $2^{\frac{5}{y}-\frac{3}{x}}=\frac{2^{\frac{5}{y}}}{2^{\frac{3}{x}}}=\frac{496}{31}=16=2^4$이므로

$\frac{5}{y}-\frac{3}{x}=4$

답 ③

031

$7^{\frac{1}{2}}=A$, $3^{\frac{1}{2}}=B$로 놓으면

(주어진 식)$=(A+B)^2+(A-B)^2$

$=(A^2+2AB+B^2)+(A^2-2AB+B^2)$

$=2(A^2+B^2)$

$=2\{(7^{\frac{1}{2}})^2+(3^{\frac{1}{2}})^2\}$

$=2(7+3)=20$

답 ④

032

$2^{\frac{1}{3}}=A$, $3^{\frac{1}{3}}=B$로 놓으면 $4^{\frac{1}{3}}=A^2$, $9^{\frac{1}{3}}=B^2$이므로

(주어진 식)$=(A+B)(A^2-AB+B^2)$

$=A^3+B^3=(2^{\frac{1}{3}})^3+(3^{\frac{1}{3}})^3$

$=2+3=5$

답 5

풍쌤 개념 CHECK

인수분해_高 수학

$a^3+b^3=(a+b)(a^2-ab+b^2)$

$a^3-b^3=(a-b)(a^2+ab+b^2)$

033

두 항씩 통분해 가며 $(a+b)(a-b)=a^2-b^2$을 연쇄적으로 적용하면

$\frac{2}{1-5^{\frac{1}{8}}}+\frac{2}{1+5^{\frac{1}{8}}}+\frac{4}{1+5^{\frac{1}{4}}}+\frac{8}{1+5^{\frac{1}{2}}}$

→ $\frac{2(1+5^{\frac{1}{8}})+2(1-5^{\frac{1}{8}})}{(1-5^{\frac{1}{8}})(1+5^{\frac{1}{8}})}=\frac{4}{(1-5^{\frac{1}{8}})(1+5^{\frac{1}{8}})}$

$=\frac{4}{(1-5^{\frac{1}{8}})(1+5^{\frac{1}{8}})}+\frac{4}{1+5^{\frac{1}{4}}}+\frac{8}{1+5^{\frac{1}{2}}}$

$=\frac{4}{1-5^{\frac{1}{4}}}+\frac{4}{1+5^{\frac{1}{4}}}+\frac{8}{1+5^{\frac{1}{2}}}$

$=\frac{8}{(1-5^{\frac{1}{4}})(1+5^{\frac{1}{4}})}+\frac{8}{1+5^{\frac{1}{2}}}$

$=\frac{8}{1-5^{\frac{1}{2}}}+\frac{8}{1+5^{\frac{1}{2}}}$

$=\frac{16}{(1-5^{\frac{1}{2}})(1+5^{\frac{1}{2}})}$

$=\frac{16}{1-5}=-4$

답 ②

034

$\{4^{\sqrt{3}}+(\sqrt{2})^{\sqrt{3}}\}\{4^{\sqrt{3}}-(\sqrt{2})^{\sqrt{3}}\}$

$=(4^{\sqrt{3}})^2-\{(\sqrt{2})^{\sqrt{3}}\}^2=4^{2\sqrt{3}}-\{(\sqrt{2})^2\}^{\sqrt{3}}$

$=2^{4\sqrt{3}}-2^{\sqrt{3}}=2^{\sqrt{3}}\times2^{3\sqrt{3}}-2^{\sqrt{3}}$

$=2^{\sqrt{3}}(2^{3\sqrt{3}}-1)$

답 ③

035

$(x^{\frac{2}{3}}+x^{-\frac{1}{3}})^3-(x^{\frac{2}{3}}-x^{-\frac{1}{3}})^3$

$=\{(x^{\frac{2}{3}})^3+3\times(x^{\frac{2}{3}})^2\times x^{-\frac{1}{3}}+3\times x^{\frac{2}{3}}\times(x^{-\frac{1}{3}})^2+(x^{-\frac{1}{3}})^3\}$

$-\{(x^{\frac{2}{3}})^3-3\times(x^{\frac{2}{3}})^2\times x^{-\frac{1}{3}}+3\times x^{\frac{2}{3}}\times(x^{-\frac{1}{3}})^2-(x^{-\frac{1}{3}})^3\}$

$=(x^2+3x+3+x^{-1})-(x^2-3x+3-x^{-1})$

$=6x+2x^{-1}$ ······ ❶

$=6(\sqrt{5}-2)+\frac{2}{\sqrt{5}-2}$

$=6(\sqrt{5}-2)+\frac{2(\sqrt{5}+2)}{(\sqrt{5}-2)(\sqrt{5}+2)}$

$=6\sqrt{5}-12+2\sqrt{5}+4$

$=8\sqrt{5}-8$ ······ ❷

답 $8\sqrt{5}-8$

채점 기준	비율
❶ 곱셈 공식을 이용하여 주어진 식을 정리할 수 있다.	60%
❷ 분모의 유리화를 이용해 식의 값을 구할 수 있다.	40%

036

$a^{\frac{1}{2}}-a^{-\frac{1}{2}}=2$의 양변을 제곱하면

$a-2+a^{-1}=4$

$\therefore a+a^{-1}=6$

$a+a^{-1}=6$의 양변을 제곱하면

$a^2+2+a^{-2}=36$

$\therefore a^2+a^{-2}=34$

$\therefore \dfrac{a^2+a^{-2}-4}{a+a^{-1}-1}=\dfrac{34-4}{6-1}=\dfrac{30}{5}=6$

답 ⑤

037

$a^2+b^2=(a+b)^2-2ab$이므로

$2^{2x}+2^{-2x}=(2^x+2^{-x})^2-2\times 2^x\times 2^{-x}$ → $a=2^x$, $b=2^{-x}$으로 생각한다.

$=3^2-2=7$

또, $a^3+b^3=(a+b)^3-3ab(a+b)$이므로

$2^{3x}+2^{-3x}=(2^x+2^{-x})^3-3\times 2^x\times 2^{-x}(2^x+2^{-x})$

$=3^3-3\times 3=18$

$\therefore \dfrac{2^{2x}+2^{-2x}}{2^{3x}+2^{-3x}}=\dfrac{7}{18}$

답 ②

038

$a^3+b^3=(a+b)^3-3ab(a+b)$이므로

$\alpha+\alpha^{-1}=(\alpha^{\frac{1}{3}}+\alpha^{-\frac{1}{3}})^3-3\times\alpha^{\frac{1}{3}}\times\alpha^{-\frac{1}{3}}(\alpha^{\frac{1}{3}}+\alpha^{-\frac{1}{3}})$

$=(\sqrt{6})^3-3\times\sqrt{6}=3\sqrt{6}$

또, $(a-b)^2=(a+b)^2-4ab$이므로

$(\alpha-\alpha^{-1})^2=(\alpha+\alpha^{-1})^2-4\times\alpha\times\alpha^{-1}$

$=(3\sqrt{6})^2-4=50$

이때 $\alpha>1$이므로 $\alpha-\alpha^{-1}>0$ → $\alpha-\alpha^{-1}=\alpha-\dfrac{1}{\alpha}=\dfrac{\alpha^2-1}{\alpha}$, $\alpha>1$에서 $\alpha^2>1$이므로 $\dfrac{\alpha^2-1}{\alpha}>0$

$\therefore \alpha-\alpha^{-1}=\sqrt{50}=5\sqrt{2}$

$\therefore \dfrac{\alpha-\alpha^{-1}}{\alpha+\alpha^{-1}}=\dfrac{5\sqrt{2}}{3\sqrt{6}}=\dfrac{5\sqrt{3}}{9}$

답 ③

039

$x^3=(3^{\frac{1}{3}}-3^{-\frac{1}{3}})^3$

$=(3^{\frac{1}{3}})^3-(3^{-\frac{1}{3}})^3-3\times 3^{\frac{1}{3}}\times 3^{-\frac{1}{3}}(3^{\frac{1}{3}}-3^{-\frac{1}{3}})$

$=3-\dfrac{1}{3}-3(3^{\frac{1}{3}}-3^{-\frac{1}{3}})=\dfrac{8}{3}-3x$

$\therefore x^3+3x=\dfrac{8}{3}$

$\therefore 3x^3+9x=3(x^3+3x)=3\times\dfrac{8}{3}=8$

답 ①

040

$(x+x^{-1})^2=x^2+2+x^{-2}=7+2=9$이므로

$x+x^{-1}=3$ ($\because$ $x>1$에서 $x+x^{-1}>0$)

또, $(x^{\frac{1}{2}}-x^{-\frac{1}{2}})^2=x-2+x^{-1}=3-2=1$이므로

$x^{\frac{1}{2}}-x^{-\frac{1}{2}}=1$ ($\because$ $x>1$에서 $x^{\frac{1}{2}}-x^{-\frac{1}{2}}>0$)

$\therefore \dfrac{x+x^{-1}}{x^{\frac{1}{2}}-x^{-\frac{1}{2}}}=3$

답 3

041

$\dfrac{a^{3x}-a^{-3x}}{a^x-a^{-x}}=\dfrac{a^x(a^{3x}-a^{-3x})}{a^x(a^x-a^{-x})}=\dfrac{a^{4x}-a^{-2x}}{a^{2x}-1}$

$=\dfrac{(a^{2x})^2-(a^{2x})^{-1}}{a^{2x}-1}=\dfrac{2^2-\frac{1}{2}}{2-1}$

$=\dfrac{7}{2}$

답 ②

|다른 풀이| → $a^3-b^3=(a-b)(a^2+ab+b^2)$을 이용하여 인수분해한다.

$\dfrac{a^{3x}-a^{-3x}}{a^x-a^{-x}}=\dfrac{(a^x-a^{-x})(a^{2x}+a^x\times a^{-x}+a^{-2x})}{a^x-a^{-x}}$

$=a^{2x}+1+a^{-2x}$

$=2+1+\dfrac{1}{2}=\dfrac{7}{2}$

042

$4^x=2^{2x}=3$이므로

$\dfrac{2^x+2^{-x}}{8^x+8^{-x}}=\dfrac{2^x(2^x+2^{-x})}{2^x(2^{3x}+2^{-3x})}=\dfrac{2^{2x}+1}{2^{4x}+2^{-2x}}$

$=\dfrac{2^{2x}+1}{(2^{2x})^2+(2^{2x})^{-1}}$

$=\dfrac{3+1}{3^2+\frac{1}{3}}$

$=\dfrac{4}{\frac{28}{3}}=\dfrac{3}{7}$

답 $\dfrac{3}{7}$

|다른 풀이|

$\dfrac{2^x+2^{-x}}{8^x+8^{-x}}=\dfrac{2^x+2^{-x}}{(2^x+2^{-x})(2^{2x}-2^x\times 2^{-x}+2^{-2x})}$

$=\dfrac{1}{2^{2x}-1+2^{-2x}}$

$=\dfrac{1}{3-1+\frac{1}{3}}=\dfrac{3}{7}$

043

$(\sqrt{3})^{\frac{1}{x}}=a$에서 $a^x=\sqrt{3}$ ······ ❶

$\therefore \dfrac{a^x+a^{-x}}{a^x-a^{-x}}=\dfrac{a^x(a^x+a^{-x})}{a^x(a^x-a^{-x})}=\dfrac{a^{2x}+1}{a^{2x}-1}$ ······ ❷

$=\dfrac{(\sqrt{3})^2+1}{(\sqrt{3})^2-1}=2$ ······ ❸

답 2

채점 기준	비율
❶ a^x의 값을 구할 수 있다.	30%
❷ 주어진 식의 분모와 분자에 a^x을 곱하여 정리할 수 있다.	50%
❸ 주어진 식의 값을 구할 수 있다.	20%

|다른 풀이|

주어진 식에 $a^x=\sqrt{3}$을 대입하면

$$\frac{\sqrt{3}+\frac{1}{\sqrt{3}}}{\sqrt{3}-\frac{1}{\sqrt{3}}}=\frac{\frac{3+1}{\sqrt{3}}}{\frac{3-1}{\sqrt{3}}}=\frac{4}{2}=2$$

044

$a^{-2x}=3$에서 $a^{2x}=\frac{1}{3}$

$$\therefore \frac{a^{3x}-a^{-3x}}{a^{3x}+a^{-3x}}=\frac{a^x(a^{3x}-a^{-3x})}{a^x(a^{3x}+a^{-3x})}=\frac{a^{4x}-a^{-2x}}{a^{4x}+a^{-2x}}$$

$$=\frac{\left(\frac{1}{3}\right)^2-3}{\left(\frac{1}{3}\right)^2+3}=-\frac{13}{14}$$

답 ④

045

$$\frac{a^x-2a^{-x}}{a^x+a^{-x}}=\frac{a^x(a^x-2a^{-x})}{a^x(a^x+a^{-x})}=\frac{a^{2x}-2}{a^{2x}+1}$$

즉, $\frac{a^{2x}-2}{a^{2x}+1}=\frac{1}{4}$에서

$4(a^{2x}-2)=a^{2x}+1$, $3a^{2x}=9$

$\therefore a^{2x}=3$

$\therefore a^{2x}+a^{-2x}=3+\frac{1}{3}=\frac{10}{3}$

답 ③

실력을 높이는 연습 문제

본문 018쪽

01

(i) $-n^2+9n-18>0$일 때

$-n^2+9n-18$이 양수일 때 n제곱근 중에서 음의 실수가 존재하려면 n은 짝수이어야 한다.

$-n^2+9n-18>0$, $n^2-9n+18<0$

$(n-3)(n-6)<0$

$\therefore 3<n<6$

따라서 조건을 만족시키는 n의 값은 4이다.

(ii) $-n^2+9n-18<0$일 때

$-n^2+9n-18$이 음수일 때 n제곱근 중에서 음의 실수가 존재하려면 n은 홀수이어야 한다.

$-n^2+9n-18<0$, $n^2-9n+18>0$

$(n-3)(n-6)>0$

$\therefore n<3$ 또는 $n>6$

이때 주어진 조건에 의하여 $2\le n\le 11$이므로

$2\le n<3$ 또는 $6<n\le 11$

따라서 조건을 만족시키는 n의 값은 7, 9, 11이다.

(i), (ii)에 의하여 조건을 만족시키는 n의 값은 4, 7, 9, 11이므로 그 합은 $4+7+9+11=31$

답 ①

02

근호 앞의 수 3, 2, 4를 최소공배수인 12로 통일하면

$\sqrt[3]{ab^2}\times\sqrt{a^2b}\div\sqrt[4]{b^2}$

$=\sqrt[12]{(ab^2)^4}\times\sqrt[12]{(a^2b)^6}\div\sqrt[12]{(b^2)^3}$

$=\frac{\sqrt[12]{a^4b^8}\times\sqrt[12]{a^{12}b^6}}{\sqrt[12]{b^6}}$

$=\sqrt[12]{\frac{a^4b^8\times a^{12}b^6}{b^6}}$

$=\sqrt[12]{a^{16}b^8}=\sqrt[3]{a^4b^2}$

답 ③

|다른 풀이|

$\sqrt[4]{b^2}=\sqrt{b}$이므로

$\sqrt[3]{ab^2}\times\sqrt{a^2b}\div\sqrt[4]{b^2}=\sqrt[3]{ab^2}\times\sqrt{a^2b}\div\sqrt{b}$

즉, 근호 앞의 수 3, 2, 2를 최소공배수인 6으로 통일하면

$\sqrt[3]{ab^2}\times\sqrt{a^2b}\div\sqrt{b}$

$=\sqrt[6]{(ab^2)^2}\times\sqrt[6]{(a^2b)^3}\div\sqrt[6]{b^3}$

$=\frac{\sqrt[6]{a^2b^4}\times\sqrt[6]{a^6b^3}}{\sqrt[6]{b^3}}$

$=\sqrt[6]{\frac{a^2b^4\times a^6b^3}{b^3}}$

$=\sqrt[6]{a^8b^4}=\sqrt[3]{a^4b^2}$

03

$$\sqrt[6]{\frac{\sqrt[12]{16}}{\sqrt[6]{64}}}=\frac{\sqrt[72]{16}}{\sqrt[36]{64}}=\frac{\sqrt[72]{2^4}}{\sqrt[36]{2^6}}=\frac{\sqrt[18]{2}}{\sqrt[18]{2^3}}=\sqrt[18]{\frac{2}{2^3}}$$

$$=\sqrt[18]{\frac{1}{4}}=\sqrt[18]{2^{-2}}$$

따라서 주어진 식을 만족시키는 k의 값은 -2이다.

답 ①

04

$3=\sqrt[3]{27}$이므로

$\sqrt[3]{36}>\sqrt[3]{27}$

$\therefore 3*\sqrt[3]{36}=(\sqrt[3]{36})^3=36$

또, $2^{-\frac{1}{2}}=\frac{\sqrt{2}}{2}$이므로

$36>\frac{\sqrt{2}}{2}$

$\therefore 36*\frac{\sqrt{2}}{2}=36^{\frac{\sqrt{2}}{2}}=(36^{\frac{1}{2}})^{\sqrt{2}}=6^{\sqrt{2}}$

답 ③

05

문제 접근하기

x를 세제곱하면 $64^{\frac{1}{7}}$임을 이용하여 $x^3=64^{\frac{1}{7}}$이라는 식을 얻을 수 있다. 이때 지수 n이 아닌 x^n에 1000 이하의 자연수라는 조건이 달려 있으므로 x^n이 '자연수가 되도록 하는' 조건과 '1000 이하의 수가 되도록 하는' 조건을 둘 다 확인해야 한다.

x는 $64^{\frac{1}{7}}$의 세제곱근이므로

$x^3=64^{\frac{1}{7}}$, $x^3=(2^6)^{\frac{1}{7}}$

$x^3=2^{\frac{6}{7}}$ $\qquad\therefore x=2^{\frac{2}{7}}$

즉, $x^n=2^{\frac{2}{7}n}$이 자연수가 되려면 n은 0 또는 7의 배수이어야 한다.

이때 $n=28$이면 $x^{28}=2^8=256$, $n=35$이면 $x^{35}=2^{10}=1024$이므로 x^n이 1000 이하의 자연수가 되도록 하는 n은 28 이하의 7의 배수이다.

따라서 구하는 자연수 n은 7, 14, 21, 28의 4개이다.

답 ④

06

$$\begin{aligned}2^{ab+a+b}&=(2^a)^b\times2^a\times2^b\\&=3^b\times3\times2^b\\&=(3^b\times2^b)\times3\\&=(3\times2)^b\times3\\&=6^b\times3=5\times3\\&=15\end{aligned}$$

답 ①

07

$a=4^{\frac{1}{6}}=2^{\frac{1}{3}}$, $b=8^{\frac{1}{12}}=2^{\frac{1}{4}}$이므로

$(\sqrt[11]{a^2b})^n=(a^2b)^{\frac{n}{11}}=(2^{\frac{2}{3}}\times2^{\frac{1}{4}})^{\frac{n}{11}}=(2^{\frac{11}{12}})^{\frac{n}{11}}=2^{\frac{n}{12}}$

즉, $2^{\frac{n}{12}}$이 자연수가 되려면 n은 0 또는 12의 배수이어야 한다.

이때 n은 100 이하의 자연수이므로 12, 24, 36, ⋯, 96의 8개이다.

답 ⑤

08

$\sqrt[3]{15}=A$, $\sqrt[3]{7}=B$로 놓으면

$\sqrt[3]{225}=\sqrt[3]{15^2}=(\sqrt[3]{15})^2=A^2$

$\sqrt[3]{105}=\sqrt[3]{15\times7}=\sqrt[3]{15}\times\sqrt[3]{7}=AB$

$\sqrt[3]{49}=\sqrt[3]{7^2}=(\sqrt[3]{7})^2=B^2$

$$\begin{aligned}\therefore (\text{주어진 식})&=(A+B)(A^2-AB+B^2)\\&=A^3+B^3\\&=(\sqrt[3]{15})^3+(\sqrt[3]{7})^3\\&=15+7=22\end{aligned}$$

답 ④

풍쌤 개념 CHECK

곱셈 공식_高 수학

(1) $(a+b+c)^2=a^2+b^2+c^2+2ab+2bc+2ca$

(2) $(a\pm b)^3=a^3\pm3a^2b+3ab^2\pm b^3$ (복부호동순)

(3) $(a\pm b)(a^2\mp ab+b^2)=a^3\pm b^3$ (복부호동순)

09

$\sqrt[3]{x}+\frac{1}{\sqrt[3]{x}}=3$에서 $x^{\frac{1}{3}}+x^{-\frac{1}{3}}=3$이므로 양변을 제곱하면

$(x^{\frac{1}{3}}+x^{-\frac{1}{3}})^2=x^{\frac{2}{3}}+2+x^{-\frac{2}{3}}=9$

$\therefore x^{\frac{2}{3}}+x^{-\frac{2}{3}}=7$

또, 위 식의 양변을 제곱하면

$(x^{\frac{2}{3}}+x^{-\frac{2}{3}})^2=x^{\frac{4}{3}}+2+x^{-\frac{4}{3}}=49$

$\therefore x^{\frac{4}{3}}+x^{-\frac{4}{3}}=47$

$(x^{\frac{2}{3}}-x^{-\frac{2}{3}})^2=x^{\frac{4}{3}}-2+x^{-\frac{4}{3}}=47-2=45$

이므로

$x^{\frac{2}{3}}-x^{-\frac{2}{3}}=3\sqrt{5}$ ($\because x>1$에서 $x^{\frac{2}{3}}-x^{-\frac{2}{3}}>0$)

$$\begin{aligned}\therefore \sqrt[3]{x^4}-\frac{1}{\sqrt[3]{x^4}}&=x^{\frac{4}{3}}-x^{-\frac{4}{3}}=(x^{\frac{2}{3}}+x^{-\frac{2}{3}})(x^{\frac{2}{3}}-x^{-\frac{2}{3}})\\&=7\times3\sqrt{5}=21\sqrt{5}\end{aligned}$$

답 $21\sqrt{5}$

10

이차방정식의 근과 계수의 관계에 의하여

$\alpha+\beta=-a$, $\alpha\beta=10$ ⋯⋯ ㉠

$$\begin{aligned}\frac{\alpha^{-2}-\beta^{-2}}{\alpha^{-1}-\beta^{-1}}&=\frac{\alpha^2\beta^2(\alpha^{-2}-\beta^{-2})}{\alpha^2\beta^2(\alpha^{-1}-\beta^{-1})}\\&=\frac{\beta^2-\alpha^2}{\alpha\beta^2-\alpha^2\beta}\\&=\frac{(\beta+\alpha)(\beta-\alpha)}{\alpha\beta(\beta-\alpha)}\\&=\frac{\alpha+\beta}{\alpha\beta}\ (\because \beta-\alpha\neq0)\end{aligned}$$

$\therefore \frac{\alpha+\beta}{\alpha\beta}=\frac{2}{5}$

위의 식에 ㉠을 대입하면

$\frac{-a}{10}=\frac{2}{5}$ $\qquad\therefore a=-4$

답 ④

풍쌤 개념 CHECK

이차방정식의 근과 계수의 관계_高 수학

이차방정식 $ax^2+bx+c=0$의 두 실근을 α, β라고 하면 다음이 성립한다.

(1) $\alpha+\beta=-\frac{b}{a}$ $\qquad$ (2) $\alpha\beta=\frac{c}{a}$

11

문제 접근하기

$f(2\alpha)$, $f(2\beta)$의 값이 주어졌으므로 이를 이용하여 $3^{2\alpha}$과 $3^{2\beta}$의 값을 구할 수 있다. 따라서 $f(\alpha+\beta)$를 식으로 나타낸 후, $3^{2\alpha}$과 $3^{2\beta}$을 이용할 수 있는 형태로 만들어 본다.

$f(2\alpha)=\dfrac{3^{2\alpha}-3^{-2\alpha}}{3^{2\alpha}+3^{-2\alpha}}=\dfrac{3}{5}$에서

$5(3^{2\alpha}-3^{-2\alpha})=3(3^{2\alpha}+3^{-2\alpha})$

$5\times3^{2\alpha}-5\times3^{-2\alpha}=3\times3^{2\alpha}+3\times3^{-2\alpha}$

$2\times3^{2\alpha}=8\times3^{-2\alpha}$, $(3^{2\alpha})^2=4$

$\therefore 3^{2\alpha}=2$ ($\because 3^{2\alpha}>0$)

$f(2\beta)=\dfrac{3^{2\beta}-3^{-2\beta}}{3^{2\beta}+3^{-2\beta}}=\dfrac{4}{5}$에서

$5(3^{2\beta}-3^{-2\beta})=4(3^{2\beta}+3^{-2\beta})$

$5\times3^{2\beta}-5\times3^{-2\beta}=4\times3^{2\beta}+4\times3^{-2\beta}$

$3^{2\beta}=9\times3^{-2\beta}$, $(3^{2\beta})^2=9$

$\therefore 3^{2\beta}=3$ ($\because 3^{2\beta}>0$)

$$\begin{aligned}\therefore f(\alpha+\beta)&=\frac{3^{\alpha+\beta}-3^{-(\alpha+\beta)}}{3^{\alpha+\beta}+3^{-(\alpha+\beta)}}\\&=\frac{3^{\alpha+\beta}(3^{\alpha+\beta}-3^{-(\alpha+\beta)})}{3^{\alpha+\beta}(3^{\alpha+\beta}+3^{-(\alpha+\beta)})}\\&=\frac{3^{2(\alpha+\beta)}-1}{3^{2(\alpha+\beta)}+1}\\&=\frac{3^{2\alpha}\times3^{2\beta}-1}{3^{2\alpha}\times3^{2\beta}+1}\\&=\frac{2\times3-1}{2\times3+1}=\frac{5}{7}\end{aligned}$$

답 $\dfrac{5}{7}$

12

문제 접근하기

주어진 조건이 어떤 문자에 대입되는 숫자인지 파악한다. 4년, 10년은 $t=4$, $t=10$으로 나타낼 수 있고, 처음 물질의 양은 m_0, 4년 후 물질의 양은 $\frac{1}{4}m_0$과 같이 나타낼 수 있다.

4년 후 이 방사능 물질의 양은 $\frac{1}{4}m_0$이므로

$\frac{1}{4}m_0=m_0\times a^{-4}$ $\qquad\therefore a^{-4}=\frac{1}{4}$

따라서 10년 후의 이 방사능 물질의 양 m_{10}은

$$\begin{aligned}m_{10}&=m_0\times a^{-10}=m_0\times(a^{-4})^{\frac{5}{2}}\\&=m_0\times\left(\frac{1}{4}\right)^{\frac{5}{2}}=\frac{1}{32}m_0\end{aligned}$$

$\therefore k=\frac{1}{32}$

답 ③

02 로그

기본을 다지는 유형

본문 021쪽

001

(1) $\log_2 x=3$에서 $x=2^3=8$

(2) $\log_9 x=\frac{1}{2}$에서 $x=9^{\frac{1}{2}}=3$

(3) $\log_x 32=5$에서 $x^5=32$

양변에 $\frac{1}{5}$제곱을 하면 $(x^5)^{\frac{1}{5}}=32^{\frac{1}{5}}$

$\therefore x=(2^5)^{\frac{1}{5}}=2$

(4) $\log_x 27=-3$에서 $x^{-3}=27$

양변에 $-\frac{1}{3}$제곱을 하면 $(x^{-3})^{-\frac{1}{3}}=27^{-\frac{1}{3}}$

$\therefore x=(3^3)^{-\frac{1}{3}}=\frac{1}{3}$

답 (1) 8 (2) 3 (3) 2 (4) $\frac{1}{3}$

002

$\log_{\sqrt{2}} a=6$에서 $a=(\sqrt{2})^6=2^3=8$

$\log_{\frac{1}{4}} 16=b$에서 $16=\left(\frac{1}{4}\right)^b$, $4^2=4^{-b}$

$\therefore b=-2$

따라서 $b^6=(-2)^6=64$이므로 $\log_a b^6=\log_8 64$

이때 $\log_8 64=k$로 놓으면 로그의 정의에 의하여

$8^k=64=8^2$ $\qquad\therefore k=2$

답 ③

003

$a^{\frac{1}{2}}=8$의 양변을 제곱하면

$(a^{\frac{1}{2}})^2=8^2=(2^3)^2=2^6$ $\qquad\therefore a=2^6$

즉, $\log_2 a=\log_2 2^6$이므로 $\log_2 2^6=k$로 놓으면 로그의 정의에 의하여

$2^k=2^6$ $\qquad\therefore k=6$

답 6

004

$\log_2(\log_3(\log_4 x))=0$에서 로그의 정의에 의하여

($\log_3(\log_4 x)=A$로 놓으면 $\log_2 A=0$으로 생각할 수 있다.)

$\log_3(\log_4 x)=2^0=1$

또, $\log_3(\log_4 x)=1$에서 로그의 정의에 의하여

$\log_4 x=3^1=3$

$\therefore x=4^3=64$

답 ②

005

$\log_2(5+\log_3 x)=5$에서 로그의 정의에 의하여

$5+\log_3 x=2^5$

$\therefore \log_3 x=32-5=27$

$\log_3 x=27$에서 로그의 정의에 의하여 $x=3^{27}$
따라서 $a=3$, $b=27$이므로
$a+b=3+27=30$

답 ⑤

|다른 풀이|
$5+\log_3 x=\log_3 3^5+\log_3 x$
$\quad=\log_3 (3^5\times x)$
이므로
$\log_2 (5+\log_3 x)=\log_2 \{\log_3 (3^5\times x)\}=5$
$\log_3 (3^5\times x)=2^5=32$, $3^5\times x=3^{32}$
$\therefore x=\dfrac{3^{32}}{3^5}=3^{27}$

006

밑의 조건에 의하여 $x-9>0$, $x-9\neq 1$
$x>9$, $x\neq 10$
$\therefore 9<x<10$ 또는 $x>10$

답 ④

007

밑의 조건에 의하여 $x+4>0$, $x+4\neq 1$
$x>-4$, $x\neq -3$
$\therefore -4<x<-3$ 또는 $x>-3$ ⋯⋯ ㉠
진수의 조건에 의하여 $-x^2-6x+7>0$
$x^2+6x-7<0$, $(x-1)(x+7)<0$
$\therefore -7<x<1$ ⋯⋯ ㉡
㉠, ㉡의 공통부분을 구하면
$-4<x<-3$ 또는 $-3<x<1$
따라서 정수 x는 -2, -1, 0의 3개이다.

답 ③

008

밑의 조건에 의하여 $|x-3|>0$, $|x-3|\neq 1$
$\therefore x\neq 3$, $x\neq 4$, $x\neq 2$ ⋯⋯ ㉠
⋯⋯ ❶
진수의 조건에 의하여 $12+4x-x^2>0$
$x^2-4x-12<0$, $(x+2)(x-6)<0$
$\therefore -2<x<6$ ⋯⋯ ㉡
⋯⋯ ❷
㉠, ㉡을 만족시키는 정수 x는 -1, 0, 1, 5이므로 그 합은
$-1+0+1+5=5$ ⋯⋯ ❸

답 5

채점 기준	비율
❶ 밑의 조건을 만족시키는 x의 값의 범위를 구할 수 있다.	40%
❷ 진수의 조건을 만족시키는 x의 값의 범위를 구할 수 있다.	40%
❸ 주어진 로그가 정의되도록 하는 정수 x를 구하고, 그 합을 구할 수 있다.	20%

009

ㄱ. 진수 x^4이 양수이므로 항상 로그가 정의된다.
ㄴ. $x<0$이면 $x^5<0$이므로 진수의 조건에 의하여 로그가 정의되지 않는다.
ㄷ. 진수 $|x|$가 양수이므로 항상 로그가 정의된다.
ㄹ. $x=-1$ 또는 $x=1$이면 $|x|=1$이므로 밑의 조건에 의하여 로그가 정의되지 않는다.
따라서 로그가 항상 정의되는 것은 ㄱ, ㄷ이다.

답 ②

010

(i) $\log_{x-3}(x-8)^2$의 밑의 조건에 의하여
$x-3>0$, $x-3\neq 1$
$\therefore 3<x<4$ 또는 $x>4$ ⋯⋯ ㉠
진수의 조건에 의하여 $(x-8)^2>0$
$\therefore x\neq 8$ ⋯⋯ ㉡
㉠, ㉡의 공통부분을 구하면
$\therefore 3<x<4$ 또는 $4<x<8$ 또는 $x>8$
(ii) $\log_{6-x}|x-5|$의 밑의 조건에 의하여
$6-x>0$, $6-x\neq 1$
$\therefore x<5$ 또는 $5<x<6$ ⋯⋯ ㉢
진수의 조건에 의하여 $|x-5|>0$
$\therefore x\neq 5$ ⋯⋯ ㉣
㉢, ㉣의 공통부분을 구하면
$\therefore x<5$ 또는 $5<x<6$
(i), (ii)에 의하여 주어진 로그가 모두 정의되도록 하는 x의 값의 범위는
$3<x<4$ 또는 $4<x<5$ 또는 $5<x<6$
따라서 정수 x의 값의 범위가 아닌 것은 ①, ⑤이다.

답 ①, ⑤

참고
(i), (ii)를 수직선에 나타내면 다음과 같다.

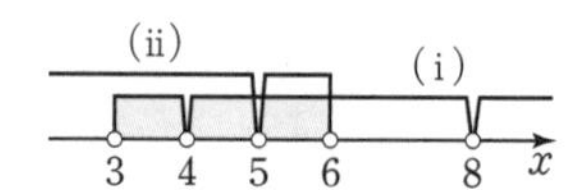

011

(1) $\log_2 7+\log_2 \dfrac{8}{7}=\log_2 \left(7\times\dfrac{8}{7}\right)=\log_2 8$
$\quad=\log_2 2^3=3$
(2) $\log_3 108-\log_3 12=\log_3 \dfrac{108}{12}=\log_3 9$
$\quad=\log_3 3^2=2$
(3) $6\log_5 \sqrt[3]{10}-2\log_5 2$
$=\log_5 (\sqrt[3]{10})^6-\log_5 2^2$
$=\log_5 10^2-\log_5 2^2=\log_5 \dfrac{100}{4}$
$=\log_5 25=\log_5 5^2=2$
(4) $\log_2 \sqrt{5}+\dfrac{1}{2}\log_2 \dfrac{36^2}{5}-\log_2 9$
$=\log_2 \sqrt{5}+\log_2 \left(\dfrac{36^2}{5}\right)^{\frac{1}{2}}-\log_2 9$
$=\log_2 \sqrt{5}+\log_2 \dfrac{36}{\sqrt{5}}-\log_2 9$
$=\log_2 \left(\sqrt{5}\times\dfrac{36}{\sqrt{5}}\div 9\right)=\log_2 4$
$=\log_2 2^2=2$

답 (1) 3 (2) 2 (3) 2 (4) 2

012

$\log_2 4x+3\log_2 y-\frac{1}{2}\log_2 z$

$=\log_2 4x+\log_2 y^3-\log_2 \sqrt{z}$

$=\log_2 \left(\frac{4xy^3}{\sqrt{z}}\right)=3$

이므로

$\frac{4xy^3}{\sqrt{z}}=2^3 \qquad \therefore \frac{xy^3}{\sqrt{z}}=2$

$\therefore \frac{x^2y^6}{z}=\left(\frac{xy^3}{\sqrt{z}}\right)^2=2^2=4$

답 ④

013

$\log_2 32+\frac{4}{3}\log_2 \frac{1}{2}-2\log_2 \sqrt[3]{2}-5$

$=\log_2 2^5+\log_2 2^{-\frac{4}{3}}-\log_2 2^{\frac{2}{3}}-\log_2 2^5$

$=\log_2 (2^5\times 2^{-\frac{4}{3}}\div 2^{\frac{2}{3}}\div 2^5)$

$=\log_2 2^{-\frac{4}{3}-\frac{2}{3}}=-2$

따라서 $\log_3 x=-2$에서

$x=3^{-2}=\frac{1}{9}$

답 ①

014

$\underbrace{\log_5 1}_{0}+\log_5 2+\log_5 \frac{3}{2}+\log_5 \frac{4}{3}+\cdots+\log_5 \frac{25}{24}$

$=\log_5 \frac{2}{1}+\log_5 \frac{3}{2}+\log_5 \frac{4}{3}+\cdots+\log_5 \frac{25}{24}$

$=\log_5 \left(\frac{2}{1}\times\frac{3}{2}\times\frac{4}{3}\times\cdots\times\frac{25}{24}\right)$

$=\log_5 25=\log_5 5^2=2$

답 ②

참고

로그의 계산에서는 다음을 주의한다.

(1) $\log_a (x+y)\neq\log_a x+\log_a y$

(2) $\log_a (x-y)\neq\log_a x-\log_a y$

(3) $(\log_a x)^k\neq k\log_a x$

015

$\log_2 x+\frac{1}{2}\log_2 \frac{1}{x}=\log_2 x+\frac{1}{2}\log_2 x^{-1}$

$=\log_2 x-\frac{1}{2}\log_2 x$

$=\frac{1}{2}\log_2 x=8$

즉, $\log_2 x=16$에서 $x=2^{16}$ ······ ❶

$\therefore \log_4 x-\log_2 \frac{1}{x}=\log_4 2^{16}-\log_2 \frac{1}{2^{16}}$

$=\log_4 4^8-\log_2 2^{-16}$

$=8-(-16)=24$ ······ ❷

답 24

채점 기준	비율
❶ 주어진 조건을 정리하여 x의 값을 구할 수 있다.	40%
❷ 주어진 식의 값을 구할 수 있다.	60%

|다른 풀이|

$\therefore \log_4 x-\log_2 \frac{1}{x}=\frac{1}{2}\log_2 x+\log_2 x$

$=\frac{3}{2}\log_2 x=\frac{3}{2}\log_2 2^{16}$

$=\frac{3}{2}\times 16=24$

016

$\log_4 8+\frac{\log_8 48}{\log_8 4}-\frac{1}{\log_{24} 4}$

$=\log_4 8+\log_4 48-\log_4 24$

$=\log_4 \frac{8\times 48}{24}$

$=\log_4 16$

$=\log_4 4^2=2$

답 ②

017

$\log_a x=\frac{1}{2}$, $\log_b x=\frac{1}{4}$, $\log_c x=\frac{1}{8}$에서 밑과 진수를 바꾸면

$\log_x a=2$, $\log_x b=4$, $\log_x c=8$

$\therefore \log_{abc} x=\frac{1}{\log_x abc}$

$=\frac{1}{\log_x a+\log_x b+\log_x c}$

$=\frac{1}{2+4+8}=\frac{1}{14}$

답 ⑤

018

$\log_5 a\times\log_a 2a\times\log_{2a} 4a$

$=\log_5 a\times\frac{\log_5 2a}{\log_5 a}\times\frac{\log_5 4a}{\log_5 2a}$

$=\log_5 4a$

즉, $\log_5 4a=\log_5 a^2$이므로

$4a=a^2$, $a^2-4a=0$

$a(a-4)=0$

$\therefore a=4\ (\because a>0)$

답 ③

019

$\log_a \frac{a^3}{b^2}=\log_a a^3-\log_a b^2$

$=3-2\log_a b=2$

이므로

$2\log_a b=1 \qquad \therefore \log_a b=\frac{1}{2}$

$\therefore \log_b a=\frac{1}{\log_a b}=2$

$\therefore \log_a b+3\log_b a=\frac{1}{2}+3\times 2=\frac{13}{2}$

답 ⑤

020

주어진 식에서 밑을 모두 x로 바꾸면

$\log_x 2+\log_x 3+\log_x 7=\log_x a-\log_x 4$

$\log_x a = \log_x 2 + \log_x 3 + \log_x 7 + \log_x 4$
$= \log_x (2\times3\times7\times4)$
$= \log_x 168$
$\therefore a = 168$

답 168

021

$(\log_2 \sqrt{3} + \log_{\sqrt{2}} 3) \times \frac{1}{2} \log_{27} 2\sqrt{2}$
$= (\log_2 3^{\frac{1}{2}} + \log_{2^{\frac{1}{2}}} 3) \times \frac{1}{2} \log_{3^3} 2^{\frac{3}{2}}$
$= \left(\frac{1}{2}\log_2 3 + 2\log_2 3\right) \times \frac{1}{4}\log_3 2$
$= \frac{5}{2}\log_2 3 \times \frac{1}{4}\log_3 2$
$= \frac{5}{2} \times \frac{1}{4} \times \log_2 3 \times \frac{1}{\log_2 3}$
$= \frac{5}{8}$

답 ①

022

$(\log_4 27 + \log_8 3)(\log_9 2 + \log_3 2)$
$= (\log_{2^2} 3^3 + \log_{2^3} 3)(\log_{3^2} 2 + \log_3 2)$
$= \left(\frac{3}{2}\log_2 3 + \frac{1}{3}\log_2 3\right)\left(\frac{1}{2}\log_3 2 + \log_3 2\right)$
$= \frac{11}{6}\log_2 3 \times \frac{3}{2}\log_3 2$
$= \frac{11}{6} \times \frac{3}{2} \times \frac{\log_{10} 3}{\log_{10} 2} \times \frac{\log_{10} 2}{\log_{10} 3} = \frac{11}{4}$

→ $\log_2 3 \times \frac{1}{\log_2 3}$과 같이 나타낼 수도 있다.

답 $\frac{11}{4}$

023

$A = \log_{\sqrt{2}} \frac{1}{4} = \log_{2^{\frac{1}{2}}} 2^{-2}$
$= -2 \times 2\log_2 2 = -4$
$B = -2\log_8 \frac{1}{8} = -2\log_{2^3} 2^{-3}$
$= -2 \times (-3) \times \frac{1}{3}\log_2 2 = 2$
$C = 4^{\log_2 3} = 2^{2\log_2 3} = 2^{\log_2 9} = 9$
$\therefore A < B < C$

답 ①

024

주어진 식의 지수 부분을 간단히 하면

$\log_{\sqrt{5}} 2 + 2\log_5 3 - \frac{1}{2}\log_{\frac{1}{5}} 9$
$= \log_{5^{\frac{1}{2}}} 2 + 2\log_5 3 - \frac{1}{2}\log_{5^{-1}} 9$
$= 2\log_5 2 + 2\log_5 3 + \frac{1}{2}\log_5 9$
$= \log_5 2^2 + \log_5 3^2 + \log_5 9^{\frac{1}{2}}$
$= \log_5 (4\times9\times3) = \log_5 108$
$\therefore$ (주어진 식)$= 5^{\log_5 108} = 108$

답 108

025

주어진 식의 지수 부분을 간단히 하면

$\log_3 4 + \log_3 2 = \log_3 (4\times2) = \log_3 2^3 = 3\log_3 2$

이므로

(주어진 식)$= (3^{3\log_3 2})^2 + (2^{3\log_3 2})^{\log_2 3}$
$= (2^{3\log_3 3})^2 + 2^{3\log_3 2 \times \log_2 3}$
$= (2^3)^2 + 2^3 = 2^6 + 2^3$
$= 64 + 8 = 72$

→ $3\log_3 2 \times \log_2 3 = 3\log_3 2 \times \frac{1}{\log_3 2} = 3$

답 ③

026

$\log_2 3 = a$에서 $\log_3 2 = \frac{1}{a}$

$\therefore \log_{20} 90 = \frac{\log_3 90}{\log_3 20} = \frac{\log_3 (2\times3^2\times5)}{\log_3 (2^2\times5)}$
$= \frac{\log_3 2 + \log_3 3^2 + \log_3 5}{\log_3 2^2 + \log_3 5}$
$= \frac{\log_3 2 + 2\log_3 3 + \log_3 5}{2\log_3 2 + \log_3 5}$
$= \frac{\frac{1}{a} + 2 + b}{\frac{2}{a} + b} = \frac{ab + 2a + 1}{ab + 2}$

답 ⑤

027

$\log_{10} 18 = \log_{10} (2\times3^2) = \log_{10} 2 + 2\log_{10} 3$

이므로

$\log_{10} 2 + 2\log_{10} 3 = a$ .... ㉠

$\log_{10} 36 = \log_{10} (2^2\times3^2) = 2\log_{10} 2 + 2\log_{10} 3$

이므로

$2\log_{10} 2 + 2\log_{10} 3 = b$ .... ㉡

㉡－㉠을 하면

$\log_{10} 2 = b - a$

위의 식을 ㉠에 대입하면

$b - a + 2\log_{10} 3 = a$, $2\log_{10} 3 = 2a - b$

$\therefore \log_{10} 3 = a - \frac{b}{2}$

$\therefore \log_{10} 12 = \log_{10} (2^2\times3) = 2\log_{10} 2 + \log_{10} 3$
$= 2(b-a) + a - \frac{b}{2} = -a + \frac{3}{2}b$

답 ②

028

$\log_3 15 = \log_3 (3\times5) = \log_3 3 + \log_3 5$
$= 1 + \log_3 5 = a$

이므로

$\log_3 5 = a - 1$

$\therefore \log_{75} 45 = \frac{\log_3 45}{\log_3 75} = \frac{\log_3 (3^2\times5)}{\log_3 (3\times5^2)}$
$= \frac{\log_3 3^2 + \log_3 5}{\log_3 3 + \log_3 5^2} = \frac{2 + \log_3 5}{1 + 2\log_3 5}$
$= \frac{2 + a - 1}{1 + 2(a-1)} = \frac{a+1}{2a-1}$

답 ③

029

$10^x=5$의 양변에 밑이 10인 로그를 취하면

$x=\log_{10}5$

$\therefore \log_{100}125=\log_{10^2}5^3=\frac{3}{2}\log_{10}5=\frac{3}{2}x$

$\therefore k=\frac{3}{2}$

답 ④

030

$10^x=a$, $10^y=b$의 양변에 밑이 10인 로그를 취하면

$x=\log_{10}a$, $y=\log_{10}b$ ……… ❶

$\therefore \log_{\sqrt[3]{a}}b^2=\frac{\log_{10}b^2}{\log_{10}\sqrt[3]{a}}=\frac{2\log_{10}b}{\frac{1}{3}\log_{10}a}$

$=\frac{2y}{\frac{1}{3}x}=\frac{6y}{x}$ ……… ❷

답 $\frac{6y}{x}$

채점 기준	비율
❶ 로그의 정의를 이용하여 x, y를 나타낼 수 있다.	40%
❷ 로그의 성질을 이용하여 주어진 식을 정리하여 x, y로 나타낼 수 있다.	60%

031

$2^a=70$의 양변에 밑이 2인 로그를 취하면

$a=\log_2 70$

$5^b=70$의 양변에 밑이 5인 로그를 취하면

$b=\log_5 70$

$7^c=70$의 양변에 밑이 7인 로그를 취하면

$c=\log_7 70$

밑의 변환에 의하여

$\frac{1}{a}=\log_{70}2$, $\frac{1}{b}=\log_{70}5$, $\frac{1}{c}=\log_{70}7$

$\therefore \frac{1}{a}+\frac{1}{b}+\frac{1}{c}=\log_{70}2+\log_{70}5+\log_{70}7$

$=\log_{70}(2\times5\times7)=\log_{70}70=1$

답 ②

032

243과 27은 모두 3의 거듭제곱이므로 주어진 식의 각 변에 밑이 3인 로그를 취한다.

$8^a=243$에서 $\log_3 8^a=\log_3 243$, $\log_3 8^a=\log_3 3^5$

$a\log_3 8=5 \quad \therefore \frac{5}{a}=\log_3 8$ ……… ㉠

$24^b=27$에서 $\log_3 24^b=\log_3 27$, $\log_3 24^b=\log_3 3^3$

$b\log_3 24=3 \quad \therefore \frac{3}{b}=\log_3 24$ ……… ㉡

㉠−㉡을 하면

$\frac{5}{a}-\frac{3}{b}=\log_3 8-\log_3 24=\log_3\frac{8}{24}$

$=\log_3\frac{1}{3}=-1$

답 ①

| 다른 풀이 |

$p^x=q$의 양변에 $\frac{1}{x}$제곱을 하면 $p=q^{\frac{1}{x}}$임을 이용한다.

$8^a=243$에서 $8=243^{\frac{1}{a}}=(3^5)^{\frac{1}{a}}$

$\therefore 8=3^{\frac{5}{a}}$ ……… ㉠

$24^b=27$에서 $24=27^{\frac{1}{b}}=(3^3)^{\frac{1}{b}}$

$\therefore 24=3^{\frac{3}{b}}$ ……… ㉡

㉠÷㉡을 하면 $\frac{8}{24}=\frac{3^{\frac{5}{a}}}{3^{\frac{3}{b}}}$

$\frac{1}{3}=3^{\frac{5}{a}-\frac{3}{b}}$, $3^{-1}=3^{\frac{5}{a}-\frac{3}{b}}$

$\therefore \frac{5}{a}-\frac{3}{b}=-1$

033

$3^a=\sqrt{7}$의 양변에 밑이 3인 로그를 취하면

$a=\log_3\sqrt{7}=\frac{1}{2}\log_3 7$

$7^b=9$의 양변에 밑이 7인 로그를 취하면

$b=\log_7 9=\log_7 3^2=2\log_7 3$

$\therefore ab=\frac{1}{2}\log_3 7\times2\log_7 3$

$=\frac{\log_{10}7}{\log_{10}3}\times\frac{\log_{10}3}{\log_{10}7}=1$

답 ⑤

034

$2^x=3^y=\sqrt{6^z}=k$로 놓자.

$2^x=k$의 양변에 밑이 2인 로그를 취하면

$x=\log_2 k$

$3^y=k$의 양변에 밑이 3인 로그를 취하면

$y=\log_3 k$

$\sqrt{6^z}=k$, 즉 $6^z=k^2$의 양변에 밑이 6인 로그를 취하면

$z=\log_6 k^2=2\log_6 k$

밑의 변환에 의하여

$\frac{1}{x}=\log_k 2$, $\frac{1}{y}=\log_k 3$, $\frac{2}{z}=\log_k 6$

$\therefore \frac{1}{x}+\frac{1}{y}-\frac{2}{z}=\log_k 2+\log_k 3-\log_k 6$

$=\log_k\frac{2\times3}{6}=\log_k 1=0$

답 ①

035

$2^x=\log_2 3$의 양변에 밑이 2인 로그를 취하면

$x=\log_2(\log_2 3)$

$2^y=\log_3 16$의 양변에 밑이 2인 로그를 취하면

$y=\log_2(\log_3 16)$

$\therefore x+y=\log_2(\log_2 3)+\log_2(\log_3 16)$

$=\log_2(\log_2 3\times\log_3 16)$

$=\log_2(\log_2 3\times\log_3 2^4)$

$=\log_2(\log_2 3\times4\log_3 2)$

$=\log_2 4=\log_2 2^2=2$

답 2

|다른 풀이|

$2^x \times 2^y = \log_2 3 \times \log_3 16 = \log_2 3 \times \log_3 2^4$

$= 4 \times \log_2 3 \times \log_3 2 = 4$

이때 $2^x \times 2^y = 2^{x+y}$이므로

$2^{x+y} = 4 = 2^2 \qquad \therefore x+y=2$

036

$3^{a+b}=8$의 양변에 밑이 3인 로그를 취하면

$a+b=\log_3 8=\log_3 2^3=3\log_3 2$

$2^{a-b}=7$의 양변에 밑이 2인 로그를 취하면

$a-b=\log_2 7$

$\therefore a^2-b^2=(a+b)(a-b)=3\log_3 2 \times \log_2 7$

$=3\times\log_3 2\times\dfrac{\log_3 7}{\log_3 2}=3\log_3 7$

$\therefore 3^{a^2-b^2}=3^{3\log_3 7}=7^{3\log_3 3}=7^3$

답 ③

037

$\log_{\sqrt{2}} a=\log_{2^{\frac{1}{2}}} a=2\log_2 a=2\log_{2^3} a^3=\log_8 a^6$ ······ ❶

이므로

$\log_8 a^6=\log_8 ab^2$에서 $a^6=ab^2$

$a^5=b^2 \qquad \therefore b=a^{\frac{5}{2}}$ ······ ❷

$\therefore \log_a b=\log_a a^{\frac{5}{2}}=\dfrac{5}{2}$ ······ ❸

답 $\dfrac{5}{2}$

채점 기준	비율
❶ $\log_{\sqrt{2}} a$를 밑이 8인 로그로 바꿀 수 있다.	50%
❷ a와 b 사이의 관계식을 구할 수 있다.	40%
❸ $\log_a b$의 값을 구할 수 있다.	10%

|다른 풀이|

$\log_8 ab^2=\log_{2^3} ab^2=\dfrac{1}{3}\log_2 ab^2$

$=\dfrac{1}{3}\log_{\sqrt{2}}(ab^2)^{\frac{1}{2}}=\log_{\sqrt{2}}(ab^2)^{\frac{1}{6}}$

이므로

$\log_{\sqrt{2}} a=\log_{\sqrt{2}}(ab^2)^{\frac{1}{6}}$에서 $a=(ab^2)^{\frac{1}{6}}$

$a=a^{\frac{1}{6}}b^{\frac{1}{3}}, \ a^{\frac{5}{6}}=b^{\frac{1}{3}}$

$\therefore b=a^{\frac{5}{2}}$

038

$a^2b^3=1$의 양변에 밑이 a인 로그를 취하면

$\log_a a^2b^3=\log_a 1, \ \log_a a^2+\log_a b^3=0$

$2+3\log_a b=0 \qquad \therefore \log_a b=-\dfrac{2}{3}$

$\therefore \log_{a^2} a^4b^3=\log_{a^2} a^4+\log_{a^2} b^3$

$=\log_a a^2+\dfrac{3}{2}\log_a b$

$=2+\dfrac{3}{2}\log_a b$

$=2+\dfrac{3}{2}\times\left(-\dfrac{2}{3}\right)=1$

답 ③

039

$\log_c a : \log_c b=2:3$이므로

$2\log_c b=3\log_c a, \ \log_c b=\dfrac{3}{2}\log_c a$

$\log_c b=\log_c a^{\frac{3}{2}} \qquad \therefore b=a^{\frac{3}{2}}$

$\therefore 10\log_a b+9\log_b a$

$=10\log_a a^{\frac{3}{2}}+9\log_{a^{\frac{3}{2}}} a$

$=10\times\dfrac{3}{2}+9\times\dfrac{2}{3}$

$=15+6=21$

답 21

|다른 풀이|

$\log_c a : \log_c b=2:3$이므로

$\log_c a=2k, \ \log_c b=3k$ (k는 0이 아닌 실수)로 놓으면 밑의 변환에 의하여

$\log_a b=\dfrac{\log_c b}{\log_c a}=\dfrac{3k}{2k}=\dfrac{3}{2}$

$\therefore \log_b a=\dfrac{2}{3}$

$\therefore 10\log_a b+9\log_b a=10\times\dfrac{3}{2}+9\times\dfrac{2}{3}$

$=15+6=21$

040

$\log_2 a+\log_2 b+\log_2 c=0$에서

$\log_2 abc=0 \qquad \therefore abc=1$

따라서 $bc=\dfrac{1}{a}, \ ac=\dfrac{1}{b}, \ ab=\dfrac{1}{c}$이므로

$\log_{\sqrt{a}} bc+\log_{b^2} ac+\log_{\frac{1}{c}} ab$

$=\log_{\sqrt{a}}\dfrac{1}{a}+\log_{b^2}\dfrac{1}{b}+\log_{\frac{1}{c}}\dfrac{1}{c}$

$=\log_{a^{\frac{1}{2}}}\dfrac{1}{a}+\log_{b^2}\dfrac{1}{b}+\log_{\frac{1}{c}}\dfrac{1}{c}$

$=-2-\dfrac{1}{2}+1=-\dfrac{3}{2}$

답 ④

041

$16<27<32$이므로

$\log_2 16<\log_2 27<\log_2 32, \ \log_2 2^4<\log_2 27<\log_2 2^5$

$\therefore 4<\log_2 27<5$

즉, $\log_2 27$의 정수 부분은 4이므로 $a=4$

$\log_2 27$의 소수 부분은 $\log_2 27$에서 정수 부분을 뺀 수와 같으므로

$b=\log_2 27-4=\log_2 27-\log_2 16=\log_2\dfrac{27}{16}$

$\therefore 3^{\frac{a}{4}}+2^b=3^1+2^{\log_2\frac{27}{16}}=3+\dfrac{27}{16}=\dfrac{75}{16}$

답 ④

042

$9<10<27$이므로

$\log_3 9<\log_3 10<\log_3 27$

$\log_3 3^2<\log_3 10<\log_3 3^3$

$\therefore 2<\log_3 10<3$

즉, $\log_3 10$의 정수 부분은 2이므로 $n=2$

$\log_3 10$의 소수 부분은 $\log_3 10$에서 정수 부분을 뺀 수와 같으므로

$$\alpha=\log_3 10-2=\log_3 10-\log_3 9=\log_3 \frac{10}{9}$$

$$\therefore \frac{n-3^\alpha}{n+3^\alpha}=\frac{2-3^{\log_3 \frac{10}{9}}}{2+3^{\log_3 \frac{10}{9}}}=\frac{2-\frac{10}{9}}{2+\frac{10}{9}}=\frac{2}{7}$$

답 ②

043

이차방정식 $x^2-18x+6=0$의 두 근이 α, β이므로 근과 계수의 관계에 의하여

$\alpha+\beta=18$, $\alpha\beta=6$

이므로

$$\begin{aligned}\log_2(\alpha+\beta)-2\log_2\alpha\beta&=\log_2 18-2\log_2 6\\&=\log_2 18-\log_2 6^2\\&=\log_2\frac{18}{36}\\&=\log_2\frac{1}{2}=-1\end{aligned}$$

답 ⑤

044

이차방정식 $x^2-ax+b=0$의 두 근이 2, $\log_2 5$이므로 근과 계수의 관계에 의하여

$$\begin{aligned}a&=2+\log_2 5=\log_2 4+\log_2 5\\&=\log_2(4\times5)=\log_2 20\end{aligned}$$

$$b=2\times\log_2 5=\log_2 5^2=\log_2 25$$

$$\begin{aligned}\therefore \frac{b}{a}&=\frac{\log_2 25}{\log_2 20}=\log_{20} 25\\&=\log_{20}5^2=2\log_{20}5\end{aligned}$$

답 ④

045

이차방정식 $x^2-3x\log_5 4+4\log_5 2=0$의 두 근이 α, β이므로 근과 계수의 관계에 의하여

$\alpha+\beta=3\log_5 4$, $\alpha\beta=4\log_5 2$ ······ ❶

이므로

$$\begin{aligned}5^{(\alpha-1)(\beta-1)}&=5^{\alpha\beta-\alpha-\beta+1}=5^{\alpha\beta-(\alpha+\beta)+1} \quad \cdots\cdots ❷\\&=5^{4\log_5 2-3\log_5 4+1}=5^{4\log_5 2-6\log_5 2+1}\\&=5^{-2\log_5 2+1}=5^{\log_5 2^{-2}}\times5\\&=2^{-2}\times5=\frac{5}{4} \quad \cdots\cdots ❸\end{aligned}$$

답 $\frac{5}{4}$

채점 기준	비율
❶ 이차방정식의 근과 계수의 관계를 이용하여 $\alpha+\beta$, $\alpha\beta$의 값을 구할 수 있다.	30%
❷ $\alpha+\beta$, $\alpha\beta$가 나타나도록 주어진 식을 변형할 수 있다.	30%
❸ 로그의 성질과 지수법칙을 이용하여 $5^{(\alpha-1)(\beta-1)}$의 값을 구할 수 있다.	40%

046

이차방정식 $x^2-3x+1=0$의 두 근이 α, β이므로 근과 계수의 관계에 의하여

$\alpha+\beta=3$, $\alpha\beta=1$

$(\alpha-\beta)^2=(\alpha+\beta)^2-4\alpha\beta$이므로

$a^2=3^2-4\times1=5$

$\therefore a=\alpha-\beta=\sqrt{5}$ ($\because \alpha>\beta$)

$$\begin{aligned}\therefore \log_a\frac{\beta+1}{\alpha}+\log_a\frac{\alpha+1}{\beta}&=\log_{\sqrt{5}}\left(\frac{\beta+1}{\alpha}\times\frac{\alpha+1}{\beta}\right)\\&=\log_{\sqrt{5}}\frac{(\beta+1)(\alpha+1)}{\alpha\beta}\\&=\log_{\sqrt{5}}\frac{\alpha\beta+\alpha+\beta+1}{\alpha\beta}\\&=\log_{\sqrt{5}}\frac{1+3+1}{1}\\&=\log_{\sqrt{5}}5=\log_{5^{\frac{1}{2}}}5\\&=2\log_5 5=2\end{aligned}$$

답 ③

047

(1) $\log 100=\log 10^2=\log_{10}10^2=2$

(2) $\log 0.001=\log\frac{1}{1000}=\log\frac{1}{10^3}$
$=\log_{10}10^{-3}=-3$

(3) $\log\sqrt[4]{1000}=\log 1000^{\frac{1}{4}}=\log(10^3)^{\frac{1}{4}}$
$=\log 10^{\frac{3}{4}}=\log_{10}10^{\frac{3}{4}}$
$=\frac{3}{4}$

(4) $\log\frac{1}{\sqrt[6]{10}}=\log(\sqrt[6]{10})^{-1}=\log(10^{\frac{1}{6}})^{-1}$
$=\log 10^{-\frac{1}{6}}=\log_{10}10^{-\frac{1}{6}}$
$=-\frac{1}{6}$

답 (1) 2 (2) -3 (3) $\frac{3}{4}$ (4) $-\frac{1}{6}$

048

(1) $\log 6=\log(2\times3)=\log 2+\log 3$
$=0.3010+0.4771$
$=0.7781$

(2) $\log 12=\log(2^2\times3)=2\log 2+\log 3$
$=2\times0.3010+0.4771$
$=1.0791$

(3) $\log 25=\log 5^2=2\log 5=2\log\frac{10}{2}$
$=2(\log 10-\log 2)=2(1-0.3010)$
$=2\times0.6990=1.3980$

(4) $\log 30=\log(2\times3\times5)=\log 2+\log 3+\log 5$
$=0.3010+0.4771+0.6990$
$=1.4771$

→ (3)에 의하여 $\log 5=0.6990$

답 (1) 0.7781 (2) 1.0791 (3) 1.3980 (4) 1.4771

049

$\log x^{20}=20\log x=5.712$

즉, $\log x=0.2856$이므로 $x=1.93$

$\therefore 100x=193$

답 193

050

$$\log_{21} 147=\frac{\log 147}{\log 21}=\frac{\log(3\times 7^2)}{\log(3\times 7)}$$
$$=\frac{\log 3+\log 7^2}{\log 3+\log 7}$$
$$=\frac{\log 3+2\log 7}{\log 3+\log 7}$$
$$=\frac{a+2b}{a+b}$$

답 ①

051

$2.5-2.4=\log a-2\log b=\log\frac{a}{b^2}=0.1$이므로

$$\log N=2.1=2+0.1=2\log 10+\log\frac{a}{b^2}$$
$$=\log 10^2+\log\frac{a}{b^2}$$
$$=\log\frac{100a}{b^2}$$
$$\therefore N=\frac{100a}{b^2}$$

답 ④

052

$$\log 7570=\log(7.57\times 10^3)$$
$$=\log 7.57+\log 10^3$$
$$=3+\log 7.57$$

이때 $0\le\log 7.57<1$이므로

$a=\log 7.57=0.8791$

또,

$$\log 0.0757=\log(7.57\times 10^{-2})$$
$$=\log 7.57+\log 10^{-2}$$
$$=-2+\log 7.57$$

이때 $0\le\log 7.57<1$이므로 $b=-2$

$\therefore a+b=0.8791+(-2)=-1.1209$

답 ④

|다른 풀이|

$\log 7570$과 $\log 0.0757$은 진수의 숫자 배열이 같으므로 상용로그의 소수 부분이 같다.

$\therefore a=(\log 0.0757$의 소수 부분$)$

$$\log 0.0757=\log(7.57\times 10^{-2})$$
$$=\log 7.57+\log 10^{-2}$$
$$=-2+\log 7.57$$

이때 $0\le\log 7.57<1$이므로 $\log 0.0757$의 정수 부분은 -2, 소수 부분은 $\log 7.57=0.8791$이다.

$\therefore a=0.8791,\ b=-2$

참고

양수 N에 대하여 $\log N$의 정수 부분을 n, 소수 부분을 α라고 하면

(1) $10^n\le N<10^{n+1}$

(2) $\alpha=\log N-n$ (단, $0\le\alpha<1$)

053

15^{30}에 상용로그를 취하면

$$\log 15^{30}=30\log 15=30\log(3\times 5)$$
$$=30(\log 3+\log 5)$$
$$=30\left(\log 3+\log\frac{10}{2}\right)$$
$$=30(\log 3+\log 10-\log 2) \quad \cdots\cdots ❶$$
$$=30(0.4771+1-0.3010)$$
$$=30\times 1.1761=35.283 \quad \cdots\cdots ❷$$

이때 $\log 15^{30}$의 정수 부분이 35이므로 15^{30}은 36자리의 정수이다. ······ ❸

답 36

채점 기준	비율
❶ $\log 15^{30}$을 $\log 2$, $\log 3$을 이용하여 나타낼 수 있다.	45%
❷ 주어진 조건을 이용하여 $\log 15^{30}$의 값을 구할 수 있다.	25%
❸ 15^{30}의 자릿수를 구할 수 있다.	30%

054

$$\log\frac{1}{x^2}=\log x^{-2}=-2\log x$$
$$=-2\times(-3.12)=6.24$$

$\therefore a=6$

$$\log x^2=2\log x=2\times(-3.12)$$
$$=-6.24=-6-0.24$$
$$=(-6-1)+(1-0.24)$$
$$=-7+0.76$$

→ $0\le b<1$이어야 하므로 소수 부분이 양수가 되도록 한다.

$\therefore b=0.76$

$\therefore a+b=6.76$

답 ⑤

055

$\log x$와 $\log\sqrt{x}$의 소수 부분이 같으므로

$\log x-\log\sqrt{x}=$(정수), $\log x-\log x^{\frac{1}{2}}=$(정수)

$\therefore \frac{1}{2}\log x=$(정수)

$\frac{1}{10}\le x<10$의 각 변에 상용로그를 취하면

$-1\le\log x<1 \qquad \therefore -\frac{1}{2}\le\frac{1}{2}\log x<\frac{1}{2}$

이때 $\frac{1}{2}\log x$는 정수이므로 $\frac{1}{2}\log x=0$

$\log x=0 \qquad \therefore x=1$

따라서 $10^a=1=10^0$이므로 $a=0$

답 ③

056

A^{10}이 소수점 아래 5째 자리에서 처음으로 0이 아닌 숫자가 나타나므로 $\log A^{10}$의 정수 부분은 -5이다. 즉,

$-5\le\log A^{10}<-4$

→ 소수 부분은 양수이므로 $\log A^{10}$의 값은 -5보다 크거나 같고, -4보다 작다.

$-5\le 10\log A<-4$

이때 $\log A^{20}=20\log A$이므로 위 부등식의 각 변에 2를 곱하면

$-10\le 20\log A<-8$

$\therefore -10\le\log A^{20}<-8$

따라서 $\log A^{20}$의 정수 부분이 될 수 있는 수는 -10, -9이므로 A^{20}은 소수점 아래 9째 또는 10째 자리에서 처음으로 0이 아닌 숫자가 나타날 수 있다.

답 ②, ③

057

2^n이 10자리의 정수이면 $\log 2^n$의 정수 부분이 9이다. 즉,

$9 \le \log 2^n < 10$, $9 \le n \log 2 < 10$

$9 \le 0.3010n < 10$

$\frac{9}{0.3010} \le n < \frac{10}{0.3010}$

$\therefore 29.\cdots \le n < 33.\cdots$

따라서 2^n이 10자리의 정수가 되도록 하는 자연수 n은 30, 31, 32, 33의 4개이다.

답 ③

058

(i) $1 \le x < 10$일 때, $f(x)=0$ → x가 1자리의 수이므로 정수 부분이 0

(ii) $10 \le x < 100$일 때, $f(x)=1$ → x가 2자리의 수이므로 정수 부분이 1

(iii) $100 \le x < 1000$일 때, $f(x)=2$

(iv) $1000 \le x \le 1500$일 때, $f(x)=3$

(i)~(iv)에 의하여

$f(1)+f(2)+f(3)+\cdots+f(1500)$

$=0\times 9+1\times 90+2\times 900+3\times 501$

$=90+1800+1503=3393$

→ 1000부터 1500까지의 숫자의 개수는 500이 아닌 501임에 주의한다.

답 ②

059

처음 빛의 밝기를 A, 통과시킨 유리의 장수를 n이라고 하면 n장의 유리를 통과시킨 후의 빛의 밝기는 $A\left(1-\frac{1}{2}\right)^n$이므로

$A\left(1-\frac{1}{2}\right)^n \le \frac{1}{20}A$, $\left(\frac{1}{2}\right)^n \le \frac{1}{20}$

위 부등식의 양변에 상용로그를 취하면

$\log\left(\frac{1}{2}\right)^n \le \log\frac{1}{20}$

$-n\log 2 \le -\log(2\times 10)$

$\therefore n \ge \frac{\log 2+\log 10}{\log 2}=\frac{1.3}{0.3}=4.\cdots$

따라서 적어도 5장의 유리를 통과시켜야 한다.

답 5장

참고

상용로그의 활용 ― 일정하게 증가, 감소할 때

초기 양이 A이고 매번 $a\%$씩 증가하는 경우 n번 후의 양은 $A\left(1+\frac{a}{100}\right)^n$이다.

또, $a\%$씩 감소하는 경우 n번 시행한 후의 양은 $A\left(1-\frac{a}{100}\right)^n$이다.

060

소리의 크기가 20 dB인 소리의 세기를 I_{20}, 소리의 크기가 10 dB인 소리의 세기를 I_{10}이라고 하면

$20=120+10\log I_{20}$ ......㉠

$10=120+10\log I_{10}$ ......㉡

㉠-㉡을 하면

$10=10(\log I_{20}-\log I_{10})$, $\log\frac{I_{20}}{I_{10}}=1$

$\therefore \frac{I_{20}}{I_{10}}=10^1=10$

따라서 크기가 20 dB인 소리의 세기는 크기가 10 dB인 소리의 세기의 10배이다.

답 ③

061

박테리아 수가 두 배가 되는 데에 걸리는 시간은 6시간, 즉 $\frac{6}{24}=\frac{1}{4}$일이므로 하루에 2^4배씩 늘어난다.

따라서 초기 박테리아 수를 A라고 하면 x일 후의 박테리아 수는 $A\times 2^{4x}$이므로

$A\times 2^{4x} \ge 10^6 A$, $2^{4x} \ge 10^6$

위 부등식의 양변에 상용로그를 취하면

$\log 2^{4x} \ge \log 10^6$, $4x\log 2 \ge 6$

$\therefore x \ge \frac{6}{4\log 2}=\frac{6}{1.2}=5$

따라서 처음으로 초기 박테리아 수의 10^6배 이상이 되는 것은 5일 후이다.

답 ⑤

062

1000원이었던 재료의 가격이 매년 $a\%$씩 증가하여 5년 후에 1110원이 되었으므로

$1000\times\left(1+\frac{a}{100}\right)^5=1110$ ...... ❶

$\left(1+\frac{a}{100}\right)^5=1.11$

위 식의 양변에 상용로그를 취하면

$5\log\left(1+\frac{a}{100}\right)=\log 1.11$

상용로그표에서 $\log 1.11=0.045$이므로

$\log\left(1+\frac{a}{100}\right)=\frac{0.045}{5}=0.009$ ...... ❷

이때 상용로그표에서 $\log 1.02=0.009$이므로

$1+\frac{a}{100}=1.02$, $\frac{a}{100}=0.02$

$\therefore a=2$ ...... ❸

답 2

채점 기준	비율
❶ 주어진 조건을 이용하여 거듭제곱을 이용한 식을 세울 수 있다.	30%
❷ 상용로그표를 이용하여 $\log\left(1+\frac{a}{100}\right)$의 값을 구할 수 있다.	35%
❸ 상용로그표를 이용하여 a의 값을 구할 수 있다.	35%

실력을 높이는 연습 문제

본문 034쪽

01

$\log_2 \{\log_3 (\log_5 x)\}=0$에서

$\log_3 (\log_5 x)=2^0=1$, $\log_5 x=3^1=3$

$\therefore x=5^3=125$

또, $\log_5 \{\log_3 (\log_2 y)\}=0$에서

$\log_3 (\log_2 y)=5^0=1$, $\log_2 y=3^1=3$

$\therefore y=2^3=8$

$\therefore x+y=125+8=133$

답 ④

02

$\log_3 (a+b)=2$에서 $a+b=3^2=9$

$\log_{ab} 4=2$에서 $(ab)^2=4=2^2$ $\quad\therefore ab=2$

$\therefore a^2+b^2=(a+b)^2-2ab$

$=9^2-2\times 2=77$

답 ⑤

참고

$\log_2 (a+b)=\log_2 a+\log_2 b$와 같이 생각하지 않도록 주의한다.

03

($\log_{2^2} 2=\frac{1}{2}$로 계산할 수도 있다.)

$\log_4 2=\log_4 4^{\frac{1}{2}}=\frac{1}{2}$이므로 점 $(2, \log_4 2)$의 좌표는 $\left(2, \frac{1}{2}\right)$

따라서 두 점 $\left(2, \frac{1}{2}\right)$, $(4, \log_2 a)$를 지나는 직선의 방정식은

$$y-\frac{1}{2}=\frac{\log_2 a-\frac{1}{2}}{4-2}\times(x-2)$$

이 직선이 원점을 지나므로 $x=0$, $y=0$을 대입하면

$$-\frac{1}{2}=\frac{\log_2 a-\frac{1}{2}}{2}\times(-2),\ \log_2 a-\frac{1}{2}=\frac{1}{2}$$

$\therefore \log_2 a=1$ $\quad\therefore a=2$

답 ②

04

문제 접근하기

식 $x^2+(a-1)x+1$이 인수분해되지 않으므로 진수의 조건인 $x^2+(a-1)x+1>0$을 만족시키는 a의 값의 범위를 구하는 다른 방법을 생각해야 한다. 이때 '모든 실수 x에 대하여'라는 조건이 있으므로 이차함수의 그래프와 이차부등식의 해를 이용한다.

밑의 조건에 의하여 $a>0$, $a\neq 1$

$\therefore 0<a<1$ 또는 $a>1$ .... ㉠

진수의 조건에 의하여 모든 실수 x에 대하여

$x^2+(a-1)x+1>0$이 성립해야 하므로 이차방정식

$x^2+(a-1)x+1=0$의 판별식을 D라고 하면 $D<0$이어야 한다.

$D=(a-1)^2-4\times 1=a^2-2a-3<0$

$(a+1)(a-3)<0$

$\therefore -1<a<3$ .... ㉡

㉠, ㉡의 공통부분을 구하면

$0<a<1$ 또는 $1<a<3$

따라서 정수 a는 2이다.

답 ①

풍쌤 개념 CHECK

이차함수의 그래프와 이차부등식의 해_高 수학

이차함수 $y=ax^2+bx+c$ $(a>0)$의 그래프가 x축과 만나는 두 점의 x좌표를 α, β $(\alpha\leq\beta)$, 이차방정식 $ax^2+bx+c=0$의 판별식을 D라고 하면

	$D>0$	$D=0$	$D<0$
$ax^2+bx+c>0$의 해	$x<\alpha$ 또는 $x>\beta$	$x\neq\alpha$인 모든 실수	모든 실수
$ax^2+bx+c\geq 0$의 해	$x\leq\alpha$ 또는 $x\geq\beta$	모든 실수	모든 실수
$ax^2+bx+c<0$의 해	$\alpha<x<\beta$	해는 없다.	해는 없다.
$ax^2+bx+c\leq 0$의 해	$\alpha\leq x\leq\beta$	$x=\alpha$	해는 없다.

05

로그의 정의에 의하여

$a=\log_2 5$에서 $2^a=5$

$b=\log_2 7$에서 $2^b=7$

$c=\log_2 11$에서 $2^c=11$

$\therefore 2^{a+b+c}=2^a\times 2^b\times 2^c$

$=5\times 7\times 11=385$

답 385

|다른 풀이|

$a+b+c=\log_2 5+\log_2 7+\log_2 11$

$=\log_2 (5\times 7\times 11)$

$=\log_2 385$

따라서 로그의 성질에 의하여

$2^{a+b+c}=2^{\log_2 385}=385$

06

$\log_2\left(1-\frac{1}{2}\right)+\log_2\left(1-\frac{1}{3}\right)+\cdots+\log_2\left(1-\frac{1}{1024}\right)$

$=\log_2\frac{1}{2}+\log_2\frac{2}{3}+\cdots+\log_2\frac{1023}{1024}$

$=\log_2\left(\frac{1}{2}\times\frac{2}{3}\times\cdots\times\frac{1023}{1024}\right)$

$=\log_2\frac{1}{1024}=\log_2 2^{-10}$

$=-10\log_2 2=-10$

답 ①

07

$\log_{15} 3=A$, $\log_{15} 5=B$라고 하면

$A+B=\log_{15} 3+\log_{15} 5$

$=\log_{15}(3\times 5)$

$=\log_{15} 15=1$

$\log_{15} 27=\log_{15} 3^3=3\log_{15} 3=3A$

이므로

$(\log_{15} 3)^3+\log_{15} 27\times\log_{15} 5+(\log_{15} 5)^3$

$=A^3+3AB+B^3$

$=A^3+3AB(A+B)+B^3$ $(\because A+B=1)$

$=A^3+3A^2B+3AB^2+B^3$

$=(A+B)^3=1$

답 ①

08

문제 접근하기

삼각형 ABC의 세 변의 길이 a, b, c 사이의 관계에 따른 삼각형의 분류는 다음과 같음을 이용한다.
(1) $a=b=c$: 정삼각형
(2) $a=b\neq c$: $a=b$인 이등변삼각형
(3) $a^2+b^2=c^2$: $\angle C=90°$, 즉 빗변의 길이가 c인 직각삼각형

$\log_c(a+b)+\log_c(a-b)=2$에서
$\log_c(a+b)(a-b)=\log_c(a^2-b^2)=2$
로그의 정의에 의하여 $c^2=a^2-b^2$
$\therefore a^2=b^2+c^2$
따라서 삼각형 ABC는 빗변의 길이가 a인 직각삼각형이다.

답 ④

09

$\log_{27}a=\log_{3^3}a=\frac{1}{3}\log_3 a$,

$\log_3\sqrt{b}=\log_3 b^{\frac{1}{2}}=\frac{1}{2}\log_3 b$

이므로

$\frac{1}{3}\log_3 a=\frac{1}{2}\log_3 b$, $\frac{\log_3 a}{\log_3 b}=\frac{3}{2}$

밑의 변환에 의하여 $\log_b a=\frac{3}{2}$

$\therefore 20\log_b\sqrt{a}=20\log_b a^{\frac{1}{2}}=10\log_b a=10\times\frac{3}{2}=15$

답 15

10

$\left(\log_3 a^2-6\log_{27}\frac{1}{b}\right)\times\log_{\sqrt{ab}}9$
$=(2\log_3 a-6\log_{3^3}b^{-1})\times\log_{(ab)^{\frac{1}{2}}}3^2$
$=2(\log_3 a+\log_3 b)\times 4\log_{ab}3$
$=8\log_3 ab\times\log_{ab}3$
$=8\times\log_3 ab\times\frac{1}{\log_3 ab}=8$

답 ③

11

$A=(9^{\log_3 2})^{\frac{1}{2}}=(9^{\frac{1}{2}})^{\log_3 2}=3^{\log_3 2}=2$

$B=\frac{\log 16}{\log 5}\times\frac{\log 25}{\log 8}=\frac{4\log 2}{\log 5}\times\frac{2\log 5}{3\log 2}=\frac{8}{3}$

$C=\log_{2^2}2+\log_{3^2}3^{-1}=\frac{1}{2}\log_2 2-\frac{1}{2}\log_3 3=0$

$\therefore C<A<B$

답 ⑤

12

$\log_2 10=\log_2(2\times5)=\log_2 2+\log_2 5$
$=1+\log_2 5$
이므로
$1+\log_2 5=a$ $\therefore \log_2 5=a-1$ ······ ㉠
$\log_2\frac{3}{5}=\log_2 3-\log_2 5$
이므로 $\log_2 3-\log_2 5=b$에 ㉠을 대입하면
$b=\log_2 3-a+1$ $\therefore \log_2 3=a+b-1$

이때 밑의 변환에 의하여
$\log_3 2=\frac{1}{a+b-1}$
$\therefore \log_3 48=\log_3(2^4\times3)=\log_3 2^4+\log_3 3=4\log_3 2+1$
$=\frac{4}{a+b-1}+1=\frac{a+b+3}{a+b-1}$

답 ③

13

$\sqrt[3]{2\sqrt{14}}=\sqrt[3]{2}\times\sqrt[6]{14}=2^{\frac{1}{3}}\times(2\times7)^{\frac{1}{6}}=2^{\frac{1}{2}}\times7^{\frac{1}{6}}$,

$\sqrt[3]{7\sqrt{2}}=\sqrt[3]{7}\times\sqrt[6]{2}=2^{\frac{1}{6}}\times7^{\frac{1}{3}}$

이고 $\log_2 7=a$이므로
$\log_7\sqrt[3]{2\sqrt{14}}-\log_2\sqrt[3]{7\sqrt{2}}$
$=\log_7(2^{\frac{1}{2}}\times7^{\frac{1}{6}})-\log_2(2^{\frac{1}{6}}\times7^{\frac{1}{3}})$
$=\log_7 2^{\frac{1}{2}}+\log_7 7^{\frac{1}{6}}-\log_2 2^{\frac{1}{6}}-\log_2 7^{\frac{1}{3}}$
$=\frac{1}{2}\log_7 2+\frac{1}{6}-\frac{1}{6}-\frac{1}{3}\log_2 7$
$=\frac{1}{2}\times\frac{1}{\log_2 7}-\frac{1}{3}\log_2 7$
$=\frac{1}{2a}-\frac{a}{3}=\frac{3-2a^2}{6a}$

답 ②

14

$2^a=\frac{3}{5}$의 양변에 밑이 2인 로그를 취하면

$a=\log_2\frac{3}{5}$

$3^b=\frac{3}{5}$의 양변에 밑이 3인 로그를 취하면

$b=\log_3\frac{3}{5}$

$10^c=\frac{3}{5}$의 양변에 밑이 10인 로그를 취하면

$c=\log_{10}\frac{3}{5}$

밑의 변환에 의하여

$\frac{1}{a}=\log_{\frac{3}{5}}2$, $\frac{1}{b}=\log_{\frac{3}{5}}3$, $\frac{1}{c}=\log_{\frac{3}{5}}10$

$\therefore \frac{1}{a}+\frac{1}{b}-\frac{1}{c}=\log_{\frac{3}{5}}2+\log_{\frac{3}{5}}3-\log_{\frac{3}{5}}10$
$=\log_{\frac{3}{5}}\frac{2\times3}{10}$
$=\log_{\frac{3}{5}}\frac{3}{5}=1$

답 1

15

$x^5=y^3$의 양변에 밑이 y인 로그를 취하면
$\log_y x^5=\log_y y^3$, $5\log_y x=3\log_y y$

$5\log_y x=3$ $\therefore \log_y x=\frac{3}{5}$

$\therefore \log_{y^2}\frac{x^4}{y^5}=\log_{y^2}x^4-\log_{y^2}y^5$
$=2\log_y x-\frac{5}{2}$
$=2\times\frac{3}{5}-\frac{5}{2}=-\frac{13}{10}$

답 ①

16

$64<100<256$이므로

$\log_4 64<\log_4 100<\log_4 256$, $\log_4 4^3<\log_4 100<\log_4 4^4$

$\therefore 3<\log_4 100<4$

$\log_4 100$의 정수 부분은 3이므로 $n=3$

$\log_4 100$의 소수 부분은 $\log_4 100$에서 정수 부분을 뺀 수와 같으므로

$\alpha=\log_4 100-3=\log_4 100-\log_4 64$

$=\log_4 \frac{100}{64}=\log_4 \frac{25}{16}$

$\therefore 4^n-8^\alpha=4^3-8^{\log_4 \frac{25}{16}}=64-\left(\frac{25}{16}\right)^{\log_4 8}$

$=64-\left(\frac{25}{16}\right)^{\frac{3}{2}}=64-\frac{125}{64}$

따라서 $k=\frac{125}{64}$이므로 $64k=125$

답 ⑤

17

문제 접근하기

(밑)>1이고 0<(진수)<1이므로 정수 부분은 음수이다. 따라서 $\log_2 \frac{1}{3}$의 값이 음수이므로 정수 부분을 조절하여 소수 부분이 양수가 되도록 해야 한다.

$\frac{1}{4}<\frac{1}{3}<\frac{1}{2}$에서 $\log_2 \frac{1}{4}<\log_2 \frac{1}{3}<\log_2 \frac{1}{2}$

$-2<\log_2 \frac{1}{3}<-1$ $\quad\therefore \log_2 \frac{1}{3}=-1.\cdots$

이때 $\log_2 \frac{1}{3}=-1.\cdots=-2+(1-\alpha)$ $(0<\alpha\le 1)$이므로

$\log_2 \frac{1}{3}$의 정수 부분은 -2이다.

로그의 소수 부분은 양수이어야 하므로 정수 부분을 바꾼다.

$\therefore x=-2$

$\log_2 \frac{1}{3}$의 소수 부분은 $\log_2 \frac{1}{3}$에서 정수 부분을 뺀 수와 같으므로

$y=\log_2 \frac{1}{3}-(-2)=\log_2 \frac{1}{3}+\log_2 4=\log_2 \frac{4}{3}$

$$\therefore \frac{2^x+2^y}{2^{-x}+2^{-y}}=\frac{2^{-2}+2^{\log_2 \frac{4}{3}}}{2^2+2^{-\log_2 \frac{4}{3}}}=\frac{\frac{1}{4}+\frac{4}{3}}{4+\frac{3}{4}}=\frac{\frac{19}{12}}{\frac{19}{4}}=\frac{1}{3}$$

답 ⑤

18

이차방정식 $x^2-3x+4=0$의 두 근이 α, β이므로 근과 계수의 관계에 의하여 $\alpha+\beta=3$, $\alpha\beta=4$

$\therefore \log_2(\alpha+1)+\log_2(\beta+1)=\log_2(\alpha+1)(\beta+1)$

$=\log_2(\alpha\beta+\alpha+\beta+1)$

$=\log_2(4+3+1)$

$=\log_2 8=\log_2 2^3=3$

답 ③

19

$\log 231^5=5\log 231=5\log(2.31\times 10^2)$

$=5(\log 2.31+\log 10^2)=5(0.3636+2)$

$=5\times 2.3636=11.818$

답 11.818

20

a^2이 5자리의 수이므로 $\log a^2$의 정수 부분은 4이다.

$4\le \log a^2<5$에서 $4\le 2\log a<5$

$\therefore 2\le \log a<\frac{5}{2}$ .... ㉠

또, ab^4이 10자리의 수이므로 $\log ab^4$의 정수 부분은 9이다.

$9\le \log ab^4<10$에서 $9\le \log a+4\log b<10$ .... ㉡

㉡−㉠을 하면 $9-\frac{5}{2}<4\log b<10-2$, $\frac{13}{2}<4\log b<8$

$\frac{13}{8}<\log b<2$ $\quad\therefore 1.625<\log b<2$

따라서 $\log b$의 정수 부분이 1이므로 b는 2자리의 수이다.

답 ①

풍쌤 개념 CHECK

$a<x<b$이고 $c<y<d$일 때 $x+y$, $x-y$의 범위는

$$\begin{array}{rccccc} & a & < & x & < & b \\ +) & c & < & y & < & d \\ \hline & a+c & < & x+y & < & b+d \end{array} \qquad \begin{array}{rccccc} & a & < & x & < & b \\ -) & c & < & y & < & d \\ \hline & a-d & < & x-y & < & b-c \end{array}$$

21

$\log \frac{100}{x}=\log 100-\log x=2-\log x$

정수 부분이 -1이므로

$-1\le 2-\log x<0$, $-3\le -\log x<-2$

$2<\log x\le 3$ $\quad\therefore 100<x\le 1000$

따라서 구하는 정수는 900개이다.

답 ③

22

문제 접근하기

최고 자리의 숫자는 숫자의 배열과 관련있으므로 상용로그의 소수 부분을 이용할 수 있다.
즉, $\log 5^{20}$의 소수 부분을 구한 후 맨 앞자리 수를 추측해 본다.

$\log 5^{20}=20\log 5=20\log \frac{10}{2}=20(\log 10-\log 2)$

$=20(1-\log 2)=20(1-0.3010)$

$=20\times 0.6990=13.980$

이때 소수 부분은 0.980이고, 0.980은

$\log 9.5=0.9777$과 $\log 9.6=0.9823$ 사이의 수이므로

$\log 9.5<(\log 5^{20}$의 소수 부분$)<\log 9.6$

소수 부분이 같으면 진수의 숫자의 배열이 같다. 즉, 진수 5^{20}의 숫자의 배열이 9로 시작한다.

따라서 5^{20}의 최고 자리의 숫자는 9이다.

답 9

| 다른 풀이 |

$\log 5^{20}=20\log 5=20\log \frac{10}{2}=20(\log 10-\log 2)$

$=20(1-\log 2)=20(1-0.3010)$

$=20\times 0.6990=13.980$

이때 $\log 9=2\log 3=2\times 0.4771=0.9542$이므로

$\log 9<0.980<\log 10$, $13+\log 9<13.980<13+\log 10$

$\log(9\times 10^{13})<\log 5^{20}<\log(10\times 10^{13})$

$\therefore 9\times 10^{13}<5^{20}<10^{14}$

따라서 5^{20}의 최고 자리의 숫자는 9이다.

23

문제 접근하기

$\log x$의 정수 부분은 자릿수와 관련있고, 소수 부분은 진수의 숫자의 배열과 관련있음을 이용한다.

ㄱ. $\log 1111$과 $\log 111.1$에서 진수 1111과 111.1의 숫자의 배열이 일치하므로 소수 부분은 같다. 즉, ≪1111≫=≪111.1≫ (거짓)

ㄴ. $\log x$의 정수 부분이 10이므로 자연수 x는 11자리의 수이다. (참)

ㄷ. $\log x$의 소수 부분과 $\log y$의 소수 부분의 합이 1이므로
$\log x+\log y=\log xy=$(정수)
즉, $xy=10^n$ (n은 정수)의 꼴로 나타낼 수 있다. (참)

따라서 옳은 것은 ㄴ, ㄷ이다.

답 ④

참고

ㄱ에서
$\log 1111=\log(1.111\times10^3)=\log 1.111+3$
$\log 111.1=\log(1.111\times10^2)=\log 1.111+2$
이고, $0<\log 1.111<1$이므로
<1111>=3, <111.1>=2
∴ <1111>+1=<111.1>+2
즉, 주어진 식은 소수 부분이 아닌 정수 부분일 때 성립한다.

24

처음 수조에 들어 있던 물의 양을 A라고 하면 t분 후 수조에 들어 있는 물의 양은

$A\left(\frac{1}{2}\right)^{\frac{t}{5}}$(L)

과 같이 나타낼 수 있다.

수조에 남은 물의 양이 25 L, 5 L일 때까지 걸린 시간을 각각 t_1분, t_2분이라고 하면

$A\left(\frac{1}{2}\right)^{\frac{t_1}{5}}=25$ ……… ㉠

$A\left(\frac{1}{2}\right)^{\frac{t_2}{5}}=5$ ……… ㉡

㉠÷㉡을 하면

$\frac{A\left(\frac{1}{2}\right)^{\frac{t_1}{5}}}{A\left(\frac{1}{2}\right)^{\frac{t_2}{5}}}=\frac{25}{5}$, $\left(\frac{1}{2}\right)^{\frac{t_1}{5}-\frac{t_2}{5}}=5$

$\therefore 2^{\frac{t_2-t_1}{5}}=5$

위 식의 양변에 상용로그를 취하면

$\log 2^{\frac{t_2-t_1}{5}}=\log 5$, $\frac{t_2-t_1}{5}\log 2=\log 5$

$\frac{t_2-t_1}{5}=\frac{\log 5}{\log 2}=\frac{1-\log 2}{\log 2}=\frac{1-0.3}{0.3}=\frac{7}{3}$

$\therefore t_2-t_1=5\times\frac{7}{3}=\frac{35}{3}$

→ $\log 5=\log\frac{10}{2}$
$=\log 10-\log 2$
$=1-\log 2$

따라서 $a=t_2-t_1=\frac{35}{3}$이므로

$3a=3\times\frac{35}{3}=35$

답 35

03 지수함수

기본을 다지는 유형

본문 039쪽

001

$y=a^{-x}=\left(\frac{1}{a}\right)^x$

ㄷ. 함수 $y=a^{-x}$의 그래프는 점 (0, 1)을 지나고, 점근선은 x축이다. (거짓)

ㄹ. $a>1$에서 $0<\frac{1}{a}<1$이므로 x의 값이 커지면 y의 값은 작아진다. (거짓)

따라서 옳은 것은 ㄱ, ㄴ이다.

답 ③

002

$f(k)=2f(5)$에서 $3^k=2\times3^5$

위 식의 양변에 밑이 3인 로그를 취하면

$k=\log_3(2\times3^5)=\log_3 2+\log_3 3^5=5+\log_3 2$

답 ⑤

003

함수 $y=a^x$의 그래프가 점 $\left(\frac{1}{2}, 5\right)$를 지나므로

$5=a^{\frac{1}{2}}$ $\quad\therefore a=5^2=25$

즉, $y=25^x$의 그래프가 점 $\left(-\frac{3}{2}, k\right)$를 지나므로

$k=25^{-\frac{3}{2}}=(5^2)^{-\frac{3}{2}}=5^{-3}=\frac{1}{125}$

답 ⑤

004

주어진 함수는 모두 지수함수이고, 지수함수 $y=a^x$은 $a>1$일 때, x의 값이 커지면 y의 값도 커진다.

$0<a<1$일 때, x의 값이 커지면 y의 값은 작아진다.

따라서 $a<b$일 때 $f(a)>f(b)$를 만족시키려면

$f(x)=a^x$에서 $0<a<1$이어야 한다.

① $f(x)=\left(\frac{1}{2}\right)^{-x}=2^x$에서 $2>1$이므로 $f(a)<f(b)$

② $f(x)=(0.3)^x=\left(\frac{3}{10}\right)^x$에서 $0<\frac{3}{10}<1$이므로 $f(a)>f(b)$

③ $f(x)=2^x$에서 $2>1$이므로 $f(a)<f(b)$

④ $f(x)=\left(\frac{4}{3}\right)^x$에서 $\frac{4}{3}>1$이므로 $f(a)<f(b)$

⑤ $f(x)=(\sqrt{3})^x$에서 $\sqrt{3}>1$이므로 $f(a)<f(b)$

답 ②

005

ㄱ. $f(0)=a^0=1$ (참)

ㄴ. $f(x+y)=a^{x+y}=a^x\times a^y=f(x)f(y)$ (참)

ㄷ. $f(xy)=a^{xy}=(a^x)^y\neq f(x)+f(y)$ (거짓)

따라서 옳은 것은 ㄱ, ㄴ이다.

답 ②

006

ㄱ. $y=\frac{1}{4^x}=4^{-x}$이므로 이 그래프는 함수 $y=4^x$의 그래프를 y축에 대하여 대칭이동한 것과 같다.

ㄴ. $y=2^x=4^{\frac{1}{2}x}$이므로 이 그래프는 함수 $y=4^x$의 그래프와 평행이동 또는 대칭이동에 의해 겹칠 수 없다.

ㄷ. $y=\frac{1}{2}\times 4^x=4^{-\frac{1}{2}}\times 4^x=4^{x-\frac{1}{2}}$이므로 이 그래프는 함수 $y=4^x$의 그래프를 x축의 방향으로 $\frac{1}{2}$만큼 평행이동한 것과 같다.

ㄹ. $-y=\left(\frac{1}{4}\right)^x=4^{-x}$에서 $y=-4^{-x}$이므로 이 그래프는 함수 $y=4^x$의 그래프를 원점에 대하여 대칭이동한 것과 같다.

따라서 $y=4^x$의 그래프를 평행이동 또는 대칭이동하여 겹칠 수 있는 것은 ㄱ, ㄷ, ㄹ이다.

답 ⑤

007

함수 $y=3^x$의 그래프를 x축의 방향으로 m만큼, y축의 방향으로 n만큼 평행이동하면

$y-n=3^{x-m}$

$\therefore y=3^{x-m}+n$ ······ ❶

이때 $y=3^{x-m}+n$의 그래프가 두 점 $(2, -2)$, $(3, 4)$를 지나므로

$-2=3^{2-m}+n$ ······ ㉠

$4=3^{3-m}+n$ ······ ㉡

······ ❷

㉡$-$㉠을 하면

$6=3^{3-m}-3^{2-m}$, $3^{-m}(27-9)=6$

$3^{-m}=\frac{1}{3}=3^{-1}$ $\quad\therefore m=1$

$m=1$을 ㉠에 대입하면

$-2=3^1+n$에서 $n=-5$ ······ ❸

$\therefore m+n=1+(-5)=-4$ ······ ❹

답 -4

채점 기준	비율
❶ m, n을 이용하여 함수 $y=3^x$을 평행이동한 식을 나타낼 수 있다.	30%
❷ 평행이동한 그래프가 지나는 점을 이용하여 두 방정식을 세울 수 있다.	30%
❸ 두 방정식을 연립하여 m, n의 값을 구할 수 있다.	30%
❹ $m+n$의 값을 구할 수 있다.	10%

008

선분 AB의 중점의 x좌표가 0이므로 (y축은 직선 $x=0$과 같다.)

$\frac{a+b}{2}=0$ $\quad\therefore a+b=0$

이때 함수 $y=\frac{1}{3^x}$의 그래프를 x축으로 k만큼 평행이동하면

$y=\frac{1}{3^{x-k}}$, 즉 $f(x)=\frac{1}{3^{x-k}}$

이므로

$f(a)=\frac{1}{3^{a-k}}$, $f(b)=\frac{1}{3^{b-k}}$

$\therefore f(a)f(b)=3^{-a+k}\times 3^{-b+k}$

$=3^{2k-(a+b)}=3^{2k}$ ($\because a+b=0$)

이때 $f(a)f(b)=3$이므로

$3^{2k}=3^1$, $2k=1$ $\quad\therefore k=\frac{1}{2}$

답 ②

009

$f(x)=-2^{4-3x}+k=-2^{-3\left(x-\frac{4}{3}\right)}+k=-\left(\frac{1}{8}\right)^{x-\frac{4}{3}}+k$

이므로 함수 $y=f(x)$의 그래프는 함수 $y=\left(\frac{1}{8}\right)^x$의 그래프를 x축에 대하여 대칭이동한 후 x축의 방향으로 $\frac{4}{3}$만큼, y축의 방향으로 k만큼 평행이동한 것이다.

이때 이 그래프가 제2사분면을 지나지 않아야 하므로 오른쪽 그림과 같아야 한다.

즉, $f(0)\le 0$이어야 하므로 ($x=0$일 때 함숫값 $f(0)$이 0보다 크면 제2사분면을 지난다.)

$-\left(\frac{1}{8}\right)^{-\frac{4}{3}}+k\le 0$, $k\le(2^{-3})^{-\frac{4}{3}}$

$\therefore k\le 16$

따라서 자연수 k의 최댓값은 16이다.

답 ④

010

함수 $y=2^x$의 그래프가 두 점 $(1, a)$, $(b, 32)$를 지나므로

$a=2^1=2$

$32=2^5=2^b$에서 $b=5$

$\therefore a+b=2+5=7$

답 ③

011

주어진 그래프가 세 점 $(0.1, a)$, $(0.2, b)$, $(0.3, c)$를 지나므로

$a=\left(\frac{1}{4}\right)^{0.1}$, $b=\left(\frac{1}{4}\right)^{0.2}$, $c=\left(\frac{1}{4}\right)^{0.3}$

$\therefore \log_4 a^2b^3c^4$

$=\log_4 a^2+\log_4 b^3+\log_4 c^4$

$=\log_4\left(\frac{1}{4}\right)^{0.2}+\log_4\left(\frac{1}{4}\right)^{0.6}+\log_4\left(\frac{1}{4}\right)^{1.2}$

$=0.2\log_4 4^{-1}+0.6\log_4 4^{-1}+1.2\log_4 4^{-1}$

$=-0.2-0.6-1.2=-2$

답 -2

012

직선 $y=x$ 위의 점은 x좌표와 y좌표가 서로 같다. 즉,

$a=3^0=1$

$b=a=1$

$c=3^b=3^1=3$

$d=3^c=3^3=27$

따라서 색칠한 부분의 넓이는

$(d-b)(c-a)=(27-1)(3-1)=26\times 2=52$

답 ②

013

두 점 P, Q의 x좌표를 각각 α, β $(\alpha<\beta)$라고 하면 두 점 P, Q의 y좌표가 모두 10이므로

$3^{-\alpha}=10$, $9^{-\beta}=10$

위 식의 양변에 각각 밑이 3, 9인 로그를 취하면

$-\alpha=\log_3 10$, $-\beta=\log_9 10$

$\therefore$ $\alpha=-\log_3 10$, $\beta=-\log_9 10$

따라서 선분 PQ의 길이는

$$\begin{aligned}\overline{PQ}&=\beta-\alpha\\&=-\log_9 10-(-\log_3 10)\\&=-\frac{1}{2}\log_3 10+\log_3 10\\&=\frac{1}{2}\log_3 10\end{aligned}$$

답 ②

014

함수 $y=2^{x+2}$의 그래프를 x축의 방향으로 4만큼 평행이동하면 함수 $y=2^{x-2}$의 그래프와 겹친다.

$\therefore$ $\overline{AB}=4$

이때 $\overline{AB}=\overline{AC}$이므로 $\overline{AC}=4$

점 A의 좌표를 $(a,\ 2^{a+2})$으로 놓으면 점 C의 좌표는 $(a,\ 2^{a-2})$이므로

$\overline{AC}=2^{a+2}-2^{a-2}=4\times2^a-\frac{1}{4}\times2^a=\frac{15}{4}\times2^a=4$

$\therefore$ $2^a=\frac{16}{15}$

따라서 점 C의 y좌표는

$2^{a-2}=\frac{1}{4}\times2^a=\frac{1}{4}\times\frac{16}{15}=\frac{4}{15}$

답 ②

015

$f(x)=3^x$이라고 하면 $f(x)$와 $g(x)$는 역함수 관계이므로

$g(k)=2$에서 $f(2)=k$

$\therefore$ $k=3^2=9$

답 9

016

$(f\circ g)(x)=x$이므로 함수 $g(x)$는 함수 $f(x)$의 역함수이다.

$g(9)=k$로 놓으면 $f(k)=9$이므로

$\left(\frac{1}{3}\right)^k=9=\left(\frac{1}{3}\right)^{-2}$ $\quad\therefore$ $k=-2$

답 ①

|다른 풀이|

$(f\circ g)(x)=x$에 $x=9$를 대입하면 $f(g(9))=9$

이때 $g(9)=k$로 놓으면

$f(k)=9$, $\left(\frac{1}{3}\right)^k=9=\left(\frac{1}{3}\right)^{-2}$

$\therefore$ $k=-2$

017

$g(m^2)=l$로 놓으면 $f(l)=m^2$ ········· ❶

이때 $f(k)=m$에서 $a^k=m$이므로

$f(l)=a^l=m^2=(a^k)^2=a^{2k}$ $\quad\therefore$ $l=2k$

$\therefore$ $g(m^2)=l=2k$ ········· ❷

답 $2k$

채점 기준	비율
❶ m^2을 함수 $f(x)$를 이용하여 나타낼 수 있다.	50%
❷ 주어진 조건과 지수법칙을 이용하여 $g(m^2)$을 k를 이용하여 나타낼 수 있다.	50%

018

$g(2)=k$로 놓으면 $f(k)=2$이므로

$\frac{2^k+2^{-k}}{2^k-2^{-k}}=2$, $\frac{2^{2k}+1}{2^{2k}-1}=2$ → 분자와 분모에 2^k을 곱한다.

$2^{2k}+1=2(2^{2k}-1)$, $2^{2k}=3$

위 식의 양변에 밑이 2인 로그를 취하면

$2k=\log_2 3$

$\therefore$ $k=\frac{1}{2}\log_2 3=\log_2\sqrt{3}$

답 ①

019

$g(a)=k$로 놓으면 $f(k)=a$이므로

$3\times4^k=a$ ········· ㉠

또, $g\left(\frac{1}{a}\right)=l$로 놓으면 $f(l)=\frac{1}{a}$이므로

$3\times4^l=\frac{1}{a}$ ········· ㉡

㉠, ㉡에서

$3\times4^k=\frac{1}{3\times4^l}$, $9\times4^{k+l}=1$

$\therefore$ $4^{k+l}=\frac{1}{9}$

$\therefore$ $4^{g(a)+g\left(\frac{1}{a}\right)}=4^{k+l}=\frac{1}{9}$

답 ③

020

세 수를 밑이 $\frac{1}{2}$인 거듭제곱의 꼴로 정리하면

$A=\sqrt{\frac{1}{4}}=\left(\frac{1}{2^2}\right)^{\frac{1}{2}}=\left(\frac{1}{2}\right)^1$

$B=\sqrt[3]{\frac{1}{2}}=\left(\frac{1}{2}\right)^{\frac{1}{3}}$

$C=\sqrt[5]{\frac{1}{16}}=\left(\frac{1}{2^4}\right)^{\frac{1}{5}}=\left(\frac{1}{2}\right)^{\frac{4}{5}}$

이때 밑 $\frac{1}{2}$은 0보다 크고 1보다 작으므로

$\frac{1}{3}<\frac{4}{5}<1$에서 $\left(\frac{1}{2}\right)^1<\left(\frac{1}{2}\right)^{\frac{4}{5}}<\left(\frac{1}{2}\right)^{\frac{1}{3}}$

$\therefore$ $A<C<B$

답 ②

021

세 수를 밑이 3인 거듭제곱의 꼴로 정리하면

$A=\sqrt{3^{\sqrt{3}}}=(\sqrt{3})^{\sqrt{3}}=(3^{\frac{1}{2}})^{\sqrt{3}}=3^{\frac{\sqrt{3}}{2}}$

$B=\sqrt[3]{3}=3^{\frac{1}{3}}$

$C=\left(\frac{1}{3}\right)^{\sqrt{3}}=3^{-\sqrt{3}}$

이때 밑 3은 1보다 크므로

$-\sqrt{3}<\frac{1}{3}<\frac{\sqrt{3}}{2}$에서 $3^{-\sqrt{3}}<3^{\frac{1}{3}}<3^{\frac{\sqrt{3}}{2}}$

$\therefore C<B<A$

답 ⑤

022

세 수를 밑이 2인 거듭제곱의 꼴로 정리하면

$A=\frac{1}{2^2}=2^{-2}$

$B=\sqrt[4]{2}=2^{\frac{1}{4}}$

$C=\sqrt[3]{\frac{1}{2}}=2^{-\frac{1}{3}}$

이때 밑 2는 1보다 크므로

$-2<-\frac{1}{3}<\frac{1}{4}$에서 $2^{-2}<2^{-\frac{1}{3}}<2^{\frac{1}{4}}$

$\therefore A<C<B$

답 ②

|다른 풀이|

세 수를 밑이 $\frac{1}{2}$인 거듭제곱의 꼴로 정리하면

$A=\frac{1}{2^2}=\left(\frac{1}{2}\right)^2$

$B=\sqrt[4]{2}=2^{\frac{1}{4}}=\left(\frac{1}{2}\right)^{-\frac{1}{4}}$

$C=\sqrt[3]{\frac{1}{2}}=\left(\frac{1}{2}\right)^{\frac{1}{3}}$

이때 밑 $\frac{1}{2}$은 0보다 크고 1보다 작으므로

$-\frac{1}{4}<\frac{1}{3}<2$에서 $\left(\frac{1}{2}\right)^2<\left(\frac{1}{2}\right)^{\frac{1}{3}}<\left(\frac{1}{2}\right)^{-\frac{1}{4}}$

$\therefore A<C<B$

023

ㄱ. 밑 a가 0보다 크고 1보다 작으므로
　$1<2$에서 $a^2<a$ (거짓)

ㄴ. 밑 a가 0보다 크고 1보다 작으므로
　$a<1$에서 $a<a^a$ (참)

ㄷ. 밑 a가 0보다 크고 1보다 작으므로
　$a^2<a$에서 $a^a<a^{a^2}$ (참)
　→ ㄱ을 통해 알 수 있다.

ㄹ. 밑 a가 0보다 크고 1보다 작으므로
　$a^2<1$에서 $a<a^{a^2}$ (참)

따라서 옳은 것은 ㄴ, ㄷ, ㄹ이다.

답 ④

024

지수 a, a^2, a^a의 대소 관계를 먼저 구해 보자.

밑 a가 0보다 크고 1보다 작으므로

$a<1<2$에서 $a^2<a<a^a$

또, 세 수 $\left(\frac{5}{3}\right)^a$, $\left(\frac{5}{3}\right)^{a^2}$, $\left(\frac{5}{3}\right)^{a^a}$의 밑 $\frac{5}{3}$가 1보다 크므로

$a^2<a<a^a$에서 $\left(\frac{5}{3}\right)^{a^2}<\left(\frac{5}{3}\right)^a<\left(\frac{5}{3}\right)^{a^a}$

답 ③

025

(1) $x=-1$일 때, $y=3^{-1-1}=3^{-2}=\frac{1}{9}$

　$x=1$일 때, $y=3^{1-1}=3^0=1$

　따라서 최댓값은 1, 최솟값은 $\frac{1}{9}$이다.

(2) $x=0$일 때, $y=\left(\frac{1}{2}\right)^{0+1}=\left(\frac{1}{2}\right)^1=\frac{1}{2}$

　$x=3$일 때, $y=\left(\frac{1}{2}\right)^{2\times3+1}=\left(\frac{1}{2}\right)^7=\frac{1}{128}$

　따라서 최댓값은 $\frac{1}{2}$, 최솟값은 $\frac{1}{128}$이다.

(3) $x=0$일 때, $y=-3\times2^0+1=-2$

　$x=1$일 때, $y=-3\times2^{-1}+1=-\frac{3}{2}+1=-\frac{1}{2}$

　따라서 최댓값은 $-\frac{1}{2}$, 최솟값은 -2이다.

답 (1) 최댓값: 1, 최솟값: $\frac{1}{9}$

(2) 최댓값: $\frac{1}{2}$, 최솟값: $\frac{1}{128}$

(3) 최댓값: $-\frac{1}{2}$, 최솟값: -2

참고

$m\le x\le n$에서 지수함수 $y=a^x$ $(a>0,\ a\ne1)$은

(1) $a>1$이면 최댓값은 a^n, 최솟값은 a^m이다.

(2) $0<a<1$이면 최댓값 a^m, 최솟값은 a^n이다.

026

함수 $f(x)$는 밑이 0보다 크고 1보다 작으므로 $x=1$일 때 최댓값을 갖는다.

따라서 구하는 최댓값은

$f(1)=1+\left(\frac{1}{3}\right)^{1-1}=1+1=2$

답 2

027

$y=2^{x-1}\times4^{-x+1}=2^{x-1}\times4^{-(x-1)}=\left(\frac{2}{4}\right)^{x-1}=\left(\frac{1}{2}\right)^{x-1}$

이때 밑이 1보다 작으므로 $x=-1$일 때 최댓값, $x=1$일 때 최솟값을 갖는다.

$\therefore M=\left(\frac{1}{2}\right)^{-1-1}=\left(\frac{1}{2}\right)^{-2}=4,\ m=\left(\frac{1}{2}\right)^{1-1}=\left(\frac{1}{2}\right)^0=1$

$\therefore Mm=4\times1=4$

답 ④

028

$y=\left(\frac{1}{4}\right)^{2-x}=4^{x-2}$

이때 밑이 1보다 크므로 주어진 함수는 $x=-3$일 때 최솟값 a, $x=4$일 때 최댓값 b를 갖는다.

$\therefore a=4^{-3-2}=\left(\frac{1}{4}\right)^5=\frac{1}{1024},\ b=4^{4-2}=4^2=16$

$\therefore ab=\frac{1}{1024}\times16=\frac{1}{64}$

답 ①

참고

치역은 $\left\{y\,\middle|\,\frac{1}{1024}\le y\le16\right\}$이다.

029

$f(x)=2^{a-x}+4=\left(\frac{1}{2}\right)^{x-a}+4$

이때 밑이 0보다 크고 1보다 작으므로 $x=-2$일 때 최솟값 20, $x=-4$일 때 최댓값을 갖는다.

즉, $f(-2)=\left(\frac{1}{2}\right)^{-2-a}+4=20$에서

$\left(\frac{1}{2}\right)^{-2-a}=16$, $2^{2+a}=2^4$

$2+a=4$　　$\therefore a=2$

따라서 $f(x)=\left(\frac{1}{2}\right)^{x-2}+4$이므로 구하는 최댓값은

$f(-4)=\left(\frac{1}{2}\right)^{-4-2}+4=2^6+4=64+4=68$

답 ④

030

지수의 최댓값, 최솟값을 먼저 구해 보자.

(1) $x^2-4x+1=(x-2)^2-3$의 최솟값은 -3이다.

이때 주어진 함수는 밑이 1보다 크므로 최솟값 $2^{-3}=\frac{1}{8}$을 갖는다.

(2) $x^2+2x+2=(x+1)^2+1$의 최솟값은 1이다.

이때 주어진 함수는 밑이 0보다 크고 1보다 작으므로 최댓값 $\frac{1}{2}$을 갖는다.

(3) $-x^2+3$의 최댓값은 3이다.

이때 주어진 함수는 밑이 1보다 크므로 최댓값 $\left(\frac{4}{3}\right)^3=\frac{64}{27}$를 갖는다.

(4) $-x^2+2x-4=-(x-1)^2-3$의 최댓값은 -3이다.

이때 주어진 함수는 밑이 0보다 크고 1보다 작으므로 최솟값 $\left(\frac{2}{5}\right)^{-3}=\frac{125}{8}$를 갖는다.

답 (1) 최솟값: $\frac{1}{8}$　(2) 최댓값: $\frac{1}{2}$　(3) 최댓값: $\frac{64}{27}$　(4) 최솟값: $\frac{125}{8}$

참고

(1) $t=x^2-4x+1$로 놓으면 주어진 함수는 $y=2^t$ $(t\geq-3)$과 같다.

이때 밑이 1보다 크므로 $t=-3$, 즉 $x=2$일 때 최솟값 $\frac{1}{8}$을 갖는다.

031

$(f\circ g)(x)=f(g(x))=\left(\frac{1}{2}\right)^{x^2-6x+1}$

$g(x)=x^2-6x+1=(x-3)^2-8$의 최솟값은 -8이고, 함수 $(f\circ g)(x)$의 밑이 0보다 크고 1보다 작으므로 주어진 합성함수는 $x=3$일 때 최댓값 $f(-8)$을 갖는다.

$\therefore f(-8)=\left(\frac{1}{2}\right)^{-8}=2^8=256$

따라서 $a=3$, $b=256$이므로

$a+b=3+256=259$

답 ⑤

032

(i) $-1\leq x\leq0$일 때, $f(x)=2^{|x|}=2^{-x}$

밑이 0보다 크고 1보다 작으므로

$x=-1$일 때 최댓값 $f(-1)=2^{-(-1)}=2$를 갖고,

$x=0$일 때 최솟값 $f(0)=2^0=1$을 갖는다.

(ii) $0\leq x\leq3$일 때, $f(x)=2^{|x|}=2^x$

밑이 1보다 크므로

$x=0$일 때 최솟값 $f(0)=2^0=1$을 갖고,

$x=3$일 때 최댓값 $f(3)=2^3=8$을 갖는다.

(i), (ii)에 의하여 최댓값은 8, 최솟값은 1이므로 구하는 최댓값과 최솟값의 합은

$8+1=9$

답 ③

|다른 풀이| $f(x)=\begin{cases}2^{-x} & (-1\leq x<0)\\ 2^x & (0\leq x\leq3)\end{cases}$

$-1\leq x\leq3$에서 함수 $f(x)=2^{|x|}$의 그래프는 오른쪽 그림과 같다.

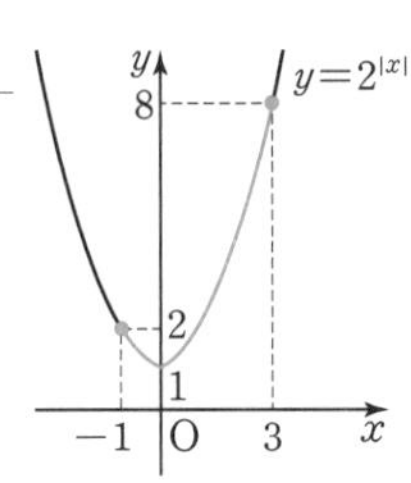

함수 $f(x)$는 $x=3$일 때 최댓값을 가지므로

$f(3)=2^{|3|}=8$

$x=0$일 때 최솟값을 가지므로

$f(0)=2^{|0|}=1$

따라서 구하는 최댓값과 최솟값의 합은

$8+1=9$

033

$f(x)=x^2+2x-3$으로 놓자.

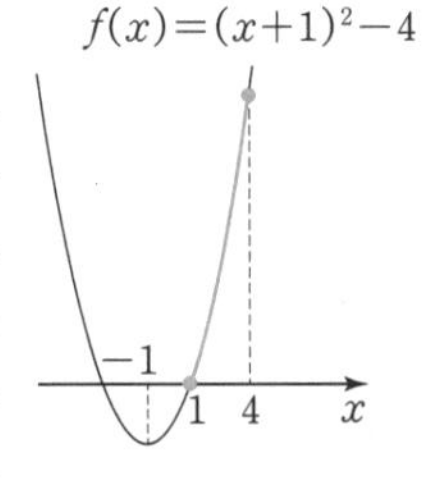

$f(x)=(x+1)^2-4$의 그래프는 오른쪽 그림과 같으므로 $1\leq x\leq4$에서 함수 $f(x)$는 최댓값 $f(4)=21$, 최솟값 $f(1)=0$을 갖는다. ❶

이때 주어진 함수의 밑은 1보다 크므로 함수 $y=2^{x^2+2x-3}$은 $x=4$일 때 최댓값 2^{21}을 갖는다. ❷

따라서 $a=4$, $b=21$이므로

$b-a=21-4=17$ ❸

답 17

채점 기준	비율
❶ 주어진 범위에서 x^2+2x-3의 최댓값과 최솟값을 구할 수 있다.	40%
❷ 주어진 함수가 최댓값을 갖는 경우를 찾을 수 있다.	45%
❸ a, b의 값을 구하여 $b-a$의 값을 구할 수 있다.	15%

034

$g(x)=x^2-4x+2$로 놓자.

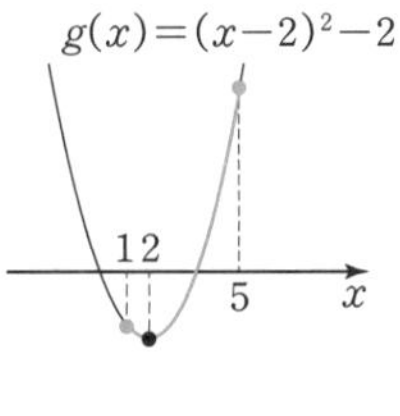

$g(x)=(x-2)^2-2$의 그래프는 오른쪽 그림과 같으므로 $1\leq x\leq5$에서 함수 $g(x)$는 최댓값 $g(5)=7$, 최솟값 $g(2)=-2$를 갖는다.

이때 주어진 함수의 밑은 0보다 크고 1보다 작으므로 함수 $f(x)$는 $x=2$일 때 최댓값 a^{-2}을 갖는다.

$a^{-2}=3=\left(\frac{1}{\sqrt{3}}\right)^{-2}$　　$\therefore a=\frac{1}{\sqrt{3}}$

또, 함수 $f(x)$는 $x=5$일 때 최솟값 a^7을 가지므로

$b=a^7=\left(\frac{1}{\sqrt{3}}\right)^7=\frac{1}{27\sqrt{3}}=\frac{\sqrt{3}}{81}$

답 $\frac{\sqrt{3}}{81}$

035

$y=-9^x+k\times3^{x+2}-20=-(3^x)^2+9k\times3^x-20$

에서 $3^x=t\ (t>0)$로 놓으면

$y=-t^2+9kt-20=-\left(t-\frac{9}{2}k\right)^2+\frac{81}{4}k^2-20$

이때 y의 최댓값이 $\frac{1}{4}$이므로

$\frac{81}{4}k^2-20=\frac{1}{4}$, $\frac{81}{4}k^2=\frac{81}{4}$, $k^2=1$

$\therefore k=1\ (\because k>0)$

답 ①

036

$y=4^x-2^{x+2}+6=(2^x)^2-4\times2^x+6$

에서 $2^x=t\ (t>0)$로 놓으면

$y=t^2-4t+6=(t-2)^2+2$

이때 $-2\le x\le2$에서 $\frac{1}{4}\le t\le4$이므로

$y=(t-2)^2+2$의 그래프는 오른쪽 그림과 같다.

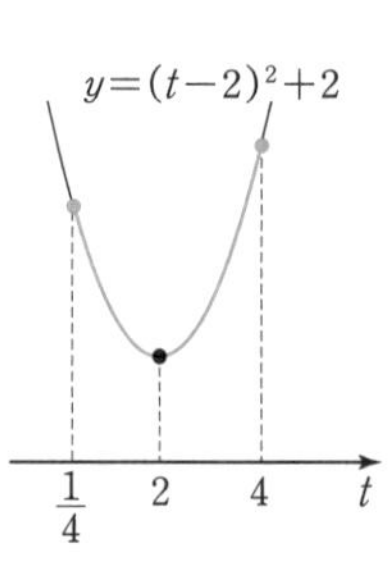

$t=2$, 즉 $x=1$일 때 최솟값 $m=2$를 갖고,

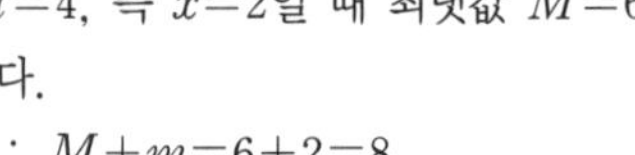

$t=4$, 즉 $x=2$일 때 최댓값 $M=6$을 갖는다.

$\therefore M+m=6+2=8$

답 ②

참고

$2^x=t$로 치환하므로 문제에서 주어진 x의 값의 범위를 t에 대하여 변환하는 것을 잊지 말아야 한다.

037

$y=\left(\frac{1}{4}\right)^x-\left(\frac{1}{2}\right)^{x-2}+5=\left\{\left(\frac{1}{2}\right)^x\right\}^2-4\times\left(\frac{1}{2}\right)^x+5$

에서 $\left(\frac{1}{2}\right)^x=t\ (t>0)$로 놓으면

$y=t^2-4t+5=(t-2)^2+1$

이때 $-2\le x\le3$에서 $\frac{1}{8}\le t\le4$이므로

$y=(t-2)^2+1$의 그래프는 오른쪽 그림과 같다.

$t=2$, 즉 $x=-1$일 때 최솟값 1을 갖고,

$t=4$, 즉 $x=-2$일 때 최댓값 5를 가지므로

$a=-1$, $b=1$, $c=-2$, $d=5$ → 구하는 것은 x의 값이므로 $t=2$에서 $a=2$, $t=4$에서 $c=4$로 착각하지 않도록 주의한다.

$\therefore a+b+c+d=-1+1+(-2)+5=3$

답 ②

038

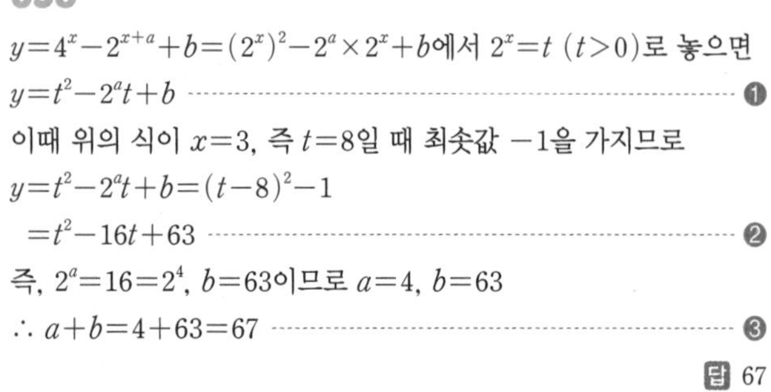

$y=4^x-2^{x+a}+b=(2^x)^2-2^a\times2^x+b$에서 $2^x=t\ (t>0)$로 놓으면

$y=t^2-2^at+b$ ······ ❶

이때 위의 식이 $x=3$, 즉 $t=8$일 때 최솟값 -1을 가지므로

$y=t^2-2^at+b=(t-8)^2-1$

$=t^2-16t+63$ ······ ❷

즉, $2^a=16=2^4$, $b=63$이므로 $a=4$, $b=63$

$\therefore a+b=4+63=67$ ······ ❸

답 67

채점 기준	비율
❶ 치환을 이용하여 주어진 지수함수를 이차함수로 나타낼 수 있다.	30%
❷ $t=8$일 때 최솟값이 -1임을 이용하여 이차함수의 식을 세울 수 있다.	40%
❸ $a+b$의 값을 구할 수 있다.	30%

039

(1) $2^{x-3}=16$에서 $2^{x-3}=2^4$이므로

$x-3=4\qquad\therefore x=7$

(2) $\left(\frac{1}{4}\right)^{x-1}=8$에서 $2^{-2(x-1)}=2^3$이므로

$-2(x-1)=3$, $-2x+2=3\qquad\therefore x=-\frac{1}{2}$

(3) $9^{x+1}=3\sqrt{3}$에서 $3^{2(x+1)}=3^{\frac{3}{2}}$이므로

$2(x+1)=\frac{3}{2}$, $2x+2=\frac{3}{2}\qquad\therefore x=-\frac{1}{4}$

(4) $\left(\frac{1}{3}\right)^{x+2}=27^{x+2}$에서 $3^{-(x+2)}=3^{3(x+2)}$이므로

$-(x+2)=3(x+2)$, $-x-2=3x+6$

$4x=-8\qquad\therefore x=-2$

답 (1) $x=7$ (2) $x=-\frac{1}{2}$ (3) $x=-\frac{1}{4}$ (4) $x=-2$

040

$3^{-x+2}=\frac{1}{9}$에서 $3^{-x+2}=3^{-2}$이므로

$-x+2=-2\qquad\therefore x=4$

답 4

041

$\left(\frac{1}{3}\right)^{1-2x}=3\times\sqrt[4]{27}$에서 $3^{-(1-2x)}=3\times3^{\frac{3}{4}}=3^{\frac{7}{4}}$

$-(1-2x)=\frac{7}{4}$, $-1+2x=\frac{7}{4}$

$2x=\frac{11}{4}\qquad\therefore x=\frac{11}{8}$

따라서 $a=\frac{11}{8}$이므로

$16a=16\times\frac{11}{8}=22$

답 ③

042

$\left(\frac{1}{2}\right)^{2-x^2}=4^{x+a}$에서 $2^{-(2-x^2)}=2^{2(x+a)}$이므로

$-(2-x^2)=2(x+a)$, $x^2-2=2x+2a$

$\therefore x^2-2x-2a-2=0$ ······ ㉠

이때 주어진 방정식의 한 근이 -1이므로 ㉠에 $x=-1$을 대입하면

$(-1)^2-2\times(-1)-2a-2=0$, $2a=1$

$\therefore a=\frac{1}{2}$

$a=\frac{1}{2}$을 ㉠에 대입하면

$x^2-2x-3=0$, $(x+1)(x-3)=0$

$\therefore x=-1$ 또는 $x=3$

따라서 다른 한 근은 3이다.

답 3

043

$\frac{(16^x)^x}{2}=2^{3x}$에서 $(2^{4x})^x=2^{3x}\times2$, $2^{4x^2}=2^{3x+1}$이므로

$4x^2=3x+1$

$4x^2-3x-1=0$

$(4x+1)(x-1)=0$

$\therefore x=-\frac{1}{4}$ 또는 $x=1$

즉, $\alpha=-\frac{1}{4}$, $\beta=1$ 또는 $\alpha=1$, $\beta=-\frac{1}{4}$이므로

$\alpha^2+\beta^2=\left(-\frac{1}{4}\right)^2+1^2=\frac{17}{16}$

답 ①

| 다른 풀이 |

이차방정식 $4x^2-3x-1=0$에서 근과 계수의 관계에 의하여

$\alpha+\beta=\frac{3}{4}$, $\alpha\beta=-\frac{1}{4}$

$\therefore \alpha^2+\beta^2=(\alpha+\beta)^2-2\alpha\beta$

$=\left(\frac{3}{4}\right)^2-2\times\left(-\frac{1}{4}\right)$

$=\frac{17}{16}$

044

$9^x-6\times3^{x+1}+9=0$에서 $(3^x)^2-18\times3^x+9=0$

$3^x=t$ $(t>0)$로 놓으면

$t^2-18t+9=0$

위 이차방정식의 두 근은 3^α, 3^β이므로 이차방정식의 근과 계수의 관계에 의하여

$3^\alpha\times3^\beta=9$, $3^{\alpha+\beta}=3^2$

$\therefore \alpha+\beta=2$

답 ③

045

$a^{2x}-2a^x=3$에서 $(a^x)^2-2a^x-3=0$

$a^x=t$ $(t>0)$로 놓으면

$t^2-2t-3=0$ ……… ❶

$(t+1)(t-3)=0$

$\therefore t=-1$ 또는 $t=3$

$t>0$이므로 $t=3$ $\quad\therefore a^x=3$ ……… ❷

이때 한 근이 $x=2$이므로 위의 식에 대입하면

$a^2=3$ $\quad\therefore a=\sqrt{3}$ $(\because a>0)$ ……… ❸

답 $\sqrt{3}$

채점 기준	비율
❶ 치환을 이용하여 주어진 지수방정식을 이차방정식으로 나타낼 수 있다.	40%
❷ a^x의 값을 구할 수 있다.	30%
❸ 주어진 조건을 이용하여 a의 값을 구할 수 있다.	30%

046

방정식 $4^x-3\times2^{x+1}+2^a=0$의 한 근이 1이므로 방정식에 $x=1$을 대입하면

$4^1-3\times2^2+2^a=0$에서 $2^a=8=2^3$

$\therefore a=3$

$(2^x)^2-6\times2^x+2^3=0$에서 $2^x=t$ $(t>0)$로 놓으면

$t^2-6t+8=0$, $(t-2)(t-4)=0$

$\therefore t=2$ 또는 $t=4$

즉, $2^x=2$ 또는 $2^x=4=2^2$이므로

$x=1$ 또는 $x=2$

따라서 다른 한 근은 2이므로 $b=2$

$\therefore a+b=3+2=5$

답 ①

047

방정식 $a^x+\frac{1}{a^x}=\frac{10}{3}$의 한 근이 1이므로 방정식에 $x=1$을 대입하면

$a+\frac{1}{a}=\frac{10}{3}$

양변에 $3a$를 곱하면

$3a^2-10a+3=0$, $(3a-1)(a-3)=0$

$\therefore a=\frac{1}{3}$ $(\because 0<a<1)$

$\left(\frac{1}{3}\right)^x+\frac{1}{\left(\frac{1}{3}\right)^x}=\frac{10}{3}$에서 $\left(\frac{1}{3}\right)^x=t$ $(t>0)$로 놓으면

$t+\frac{1}{t}=\frac{10}{3}$, $3t^2-10t+3=0$

$(3t-1)(t-3)=0$ $\quad\therefore t=\frac{1}{3}$ 또는 $t=3$

즉, $\left(\frac{1}{3}\right)^x=\frac{1}{3}$ 또는 $\left(\frac{1}{3}\right)^x=3$이므로

$x=1$ 또는 $x=-1$

따라서 구하는 다른 한 근은 -1이다.

답 ④

048

$\frac{4^x+4^{-x}}{4^x-4^{-x}}=3$에서 $4^x+4^{-x}=3(4^x-4^{-x})$

$4^x+4^{-x}=3\times4^x-3\times4^{-x}$

$2\times4^x=4\times4^{-x}$, $4^x-2\times4^{-x}=0$

양변에 4^x을 곱하면

$4^{2x}-2=0$

$4^x=t$ $(t>0)$로 놓으면

$t^2-2=0$, $t^2=2$

$\therefore t=\sqrt{2}$ $(\because t>0)$

따라서 $4^x=\sqrt{2}$이므로 $4^x=2^{\frac{1}{2}}=4^{\frac{1}{4}}$에서

$x=\frac{1}{4}$

답 ④

049

(i) 지수가 같으면 밑도 같아야 하므로

$x^2-1=8$, $x^2=9$

$\therefore x=-3$ 또는 $x=3$

(ⅱ) $x-10=0$, 즉 $x=10$을 대입하면

$99^0=8^0=1$

(ⅰ), (ⅱ)에 의하여 주어진 방정식을 만족시키는 x는 -3, 3, 10이므로 그 합은

$(-3)+3+10=10$

답 ⑤

050

(ⅰ) 지수가 같으면 밑도 같아야 하므로

$x+1=4 \qquad \therefore x=3$

(ⅱ) $x^2-8=0$, 즉 $x=2\sqrt{2}$를 대입하면

$(2\sqrt{2}+1)^0=4^0=1$ → $x=-2\sqrt{2}$는 조건 $x>-1$에 의하여 해가 아니다.

(ⅰ), (ⅱ)에 의하여 주어진 방정식을 만족시키는 x는 3, $2\sqrt{2}$이므로 그 곱은 $3\times2\sqrt{2}=6\sqrt{2}$

답 $6\sqrt{2}$

051

(ⅰ) 밑이 같으므로 $2x-4=8-x$

$3x=12 \qquad \therefore x=4$

(ⅱ) 밑이 1이면 방정식이 성립하므로 $x=1$

(ⅰ), (ⅱ)에 의하여 주어진 방정식을 만족시키는 x는 4, 1이므로 그 합은

$4+1=5$

답 5

052

(ⅰ) 밑이 같으므로 $x^2-2x-5=2x+7$

$x^2-4x-12=0$, $(x+2)(x-6)=0$

$\therefore x=6$ ($\because x>2$)

(ⅱ) 밑이 1이면 방정식이 성립하므로 $x-2=1$에서 $x=3$

(ⅰ), (ⅱ)에 의하여 주어진 방정식을 만족시키는 x는 6, 3이므로 그 합은

$6+3=9$

답 ④

053

(ⅰ) 밑이 같으므로

$2(x+2)=x^2+x-2$, $2x+4=x^2+x-2$

$x^2-x-6=0$, $(x+2)(x-3)=0$

$\therefore x=-2$ 또는 $x=3$

(ⅱ) 밑이 1이면 방정식이 성립하므로 $x+6=1$에서 $x=-5$

(ⅰ), (ⅱ)에 의하여 주어진 방정식을 만족시키는 x는 -2, 3, -5이므로 그 곱은

$(-2)\times3\times(-5)=30$

답 ③

054

$\left(\frac{2}{3}\right)^{2x}\ge\left(\frac{3}{2}\right)^{5-x}$에서 $\left(\frac{2}{3}\right)^{2x}\ge\left(\frac{2}{3}\right)^{x-5}$

이때 밑이 0보다 크고 1보다 작으므로

$2x\le x-5 \qquad \therefore x\le-5$ → 부등호 방향이 반대로 바뀐다.

답 $x\le-5$

055

$\left(\frac{1}{5}\right)^{1-2x}\le5^{x+4}$에서 $5^{2x-1}\le5^{x+4}$

이때 밑이 1보다 크므로

$2x-1\le x+4 \qquad \therefore x\le5$

따라서 주어진 부등식을 만족시키는 자연수 x는 1, 2, 3, 4, 5이므로 그 합은

$1+2+3+4+5=15$

답 ⑤

056

$a^{2x-1}>\sqrt[3]{a^2}\times a^{3x}$에서 $a^{2x-1}>a^{\frac{2}{3}}\times a^{3x}=a^{\frac{2}{3}+3x}$

이때 $0<a<1$이므로 → 밑이 0보다 크고 1보다 작으므로 부등호 방향이 반대로 바뀐다.

$2x-1<\frac{2}{3}+3x \qquad \therefore x>-\frac{5}{3}$

답 ①

057

$\left(\frac{1}{25}\right)^x<\frac{1}{125}$에서 $\left(\frac{1}{5}\right)^{2x}<\left(\frac{1}{5}\right)^3$

이때 밑이 0보다 크고 1보다 작으므로

$2x>3 \qquad \therefore x>\frac{3}{2}$ .... ㉠

$2^{x^2+x}\le4^{x^2+x-6}$에서 $2^{x^2+x}\le2^{2(x^2+x-6)}$

이때 밑이 1보다 크므로

$x^2+x\le2(x^2+x-6)$, $x^2+x\le2x^2+2x-12$

$x^2+x-12\ge0$, $(x-3)(x+4)\ge0$

$\therefore x\le-4$ 또는 $x\ge3$ .... ㉡

㉠, ㉡의 공통부분을 구하면 $x\ge3$

따라서 구하는 정수 x의 최솟값은 3이다.

답 ②

058

$3^{ax(x-2)}<9$에서 $3^{ax^2-2ax}<3^2$

이때 밑이 1보다 크므로 $ax^2-2ax<2$

$\therefore ax^2-2ax-2<0$ .... ㉠

㉠이 모든 실수 x에 대하여 성립하려면

(ⅰ) $a=0$일 때

㉠은 $0\times x^2-2\times0\times x-2=-2<0$이므로 모든 실수 x에 대하여 성립한다.

(ⅱ) $a\ne0$일 때

이차방정식 $ax^2-2ax-2=0$의 판별식 D에 대하여 $a<0$이고

$\frac{D}{4}=(-a)^2-a\times(-2)<0$이어야 하므로

$a^2+2a<0$, $a(a+2)<0 \qquad \therefore -2<a<0$

(ⅰ), (ⅱ)에 의하여 $-2<a\le0$

따라서 구하는 정수 a는 -1, 0의 2개이다.

답 ②

059

$4^x-10\times2^x+16\le0$에서

$(2^x)^2-10\times2^x+16\le0$

$2^x=t$ $(t>0)$로 놓으면

$t^2-10t+16\le0$, $(t-2)(t-8)\le0$

$\therefore 2\le t\le8$

즉, $2^1\le2^x\le2^3$이므로

$1\le x\le3$

따라서 주어진 부등식을 만족시키는 자연수 x의 값은 1, 2, 3이므로 그 합은

$1+2+3=6$

답 6

060

$9^x-90\times3^{x-1}+81<0$에서

$(3^x)^2-30\times3^x+81<0$

$3^x=t$ $(t>0)$로 놓으면

$t^2-30t+81<0$, $(t-3)(t-27)<0$

$\therefore 3<t<27$

즉, $3^1<3^x<3^3$이므로 $1<x<3$

따라서 해가 아닌 것은 ①이다.

답 ①

061

$\left(\frac{1}{4}\right)^x+\left(\frac{1}{2}\right)^{x+1}<\left(\frac{1}{2}\right)^{x-1}+1$에서

$\left\{\left(\frac{1}{2}\right)^x\right\}^2+\frac{1}{2}\times\left(\frac{1}{2}\right)^x<2\times\left(\frac{1}{2}\right)^x+1$

$\left(\frac{1}{2}\right)^x=t$ $(t>0)$로 놓으면

$t^2+\frac{1}{2}t<2t+1$, $t^2-\frac{3}{2}t-1<0$

$2t^2-3t-2<0$, $(2t+1)(t-2)<0$

$\therefore -\frac{1}{2}<t<2$

그런데 $t>0$이므로 $0<t<2$

즉, $0<\left(\frac{1}{2}\right)^x<\left(\frac{1}{2}\right)^{-1}$이므로 $x>-1$

밑이 0보다 크고 1보다 작다.

답 ③

062

$9^{-x}-3\times\left(\frac{1}{3}\right)^{x+1}-6>0$에서

$\left\{\left(\frac{1}{3}\right)^x\right\}^2-\left(\frac{1}{3}\right)^x-6>0$ ❶

$\left(\frac{1}{3}\right)^x=t$ $(t>0)$로 놓으면

$t^2-t-6>0$, $(t+2)(t-3)>0$

$\therefore t<-2$ 또는 $t>3$

그런데 $t>0$이므로 $t>3$

즉, $\left(\frac{1}{3}\right)^x>\left(\frac{1}{3}\right)^{-1}$이므로 $x<-1$ ❷

따라서 구하는 정수 x의 최댓값은 -2이다. ❸

답 -2

채점 기준	비율
❶ a^x의 꼴이 반복되도록 주어진 부등식을 정리할 수 있다.	20%
❷ 주어진 부등식을 치환을 이용하여 풀 수 있다.	60%
❸ 정수 x의 최댓값을 구할 수 있다.	20%

063

$(2^x-10)(2^x-1000)<0$에서 $10<2^x<1000$

이때 $2^3=8$, $2^4=16$이고 $2^9=512$, $2^{10}=1024$이므로

$10<2^4\le2^x\le2^9<1000$, $2^4\le2^x\le2^9$

$\therefore 4\le x\le9$

따라서 주어진 부등식을 만족시키는 자연수 x의 값은 4, 5, 6, 7, 8, 9이므로 그 합은

$4+5+6+7+8+9=39$

답 ②

참고

구하는 x는 자연수이므로 $3<x<10$과 같이 나타낼 수도 있다.

064

(i) $x=1$일 때 부등식이 성립하지 않는다.

(ii) $0<x<1$일 때

$3x-1>2(x+2)$, $3x-1>2x+4$

$\therefore x>5$

그런데 $0<x<1$이므로 이 범위에서 해는 없다.

(iii) $x>1$일 때

$3x-1<2(x+2)$, $3x-1<2x+4$

$\therefore x<5$

그런데 $x>1$이므로 $1<x<5$

(i)~(iii)에 의하여 주어진 부등식의 해는 $1<x<5$

따라서 $\alpha=1$, $\beta=5$이므로 $\alpha+\beta=1+5=6$

답 6

065

(i) $x=1$일 때 부등식이 성립하지 않는다.

(ii) $0<x<1$일 때

$x^2-8<2x+7$에서 $x^2-2x-15<0$

$(x+3)(x-5)<0$ $\therefore -3<x<5$

그런데 $0<x<1$이므로 $0<x<1$

(iii) $x>1$일 때

$x^2-8>2x+7$에서 $x^2-2x-15>0$

$(x+3)(x-5)>0$ $\therefore x<-3$ 또는 $x>5$

그런데 $x>1$이므로 $x>5$

(i)~(iii)에 의하여 주어진 부등식의 해는

$0<x<1$ 또는 $x>5$

따라서 부등식을 만족시키는 x의 값은 ⑤이다.

답 ⑤

066

(i) $x=1$일 때 $1^1=1^4$이므로 부등식이 성립한다.

(ii) $0<x<1$일 때

$x^x\ge x^4$ $\therefore x\le4$ (밑이 0보다 크고 1보다 작으므로 부등호 방향이 매번 바뀐다.)

그런데 $0<x<1$이므로 $0<x<1$

(iii) $x>1$일 때

$x^x\le x^4$ $\therefore x\le4$

그런데 $x>1$이므로 $1<x\le4$

(i)~(iii)에 의하여 주어진 부등식의 해는 $0<x\le4$

답 ④

067

(i) $x-1=1$, 즉 $x=2$일 때

$1^5=1^{14}$이므로 부등식이 성립한다. ······ ❶

(ii) $0<x-1<1$, 즉 $1<x<2$일 때

$3x-1\le 5x+4$, $2x\ge -5$

$\therefore x\ge -\frac{5}{2}$

그런데 $1<x<2$이므로 $1<x<2$ ······ ❷

(iii) $x-1>1$, 즉 $x>2$일 때

$3x-1\ge 5x+4$, $2x\le -5$

$\therefore x\le -\frac{5}{2}$

그런데 $x>2$이므로 이 범위에서 해는 없다. ······ ❸

(i)~(iii)에 의하여 주어진 부등식의 해는

$1<x\le 2$ ······ ❹

답 $1<x\le 2$

채점 기준	비율
❶ 주어진 부등식의 밑이 1인 경우 부등식이 성립함을 알 수 있다.	30%
❷ 주어진 부등식의 밑이 0보다 크고 1보다 작은 경우 x의 값의 범위를 구할 수 있다.	30%
❸ 주어진 부등식의 밑이 1보다 큰 경우 x의 값의 범위를 구할 수 있다.	30%
❹ ❶~❸의 공통부분을 찾아 부등식의 해를 구할 수 있다.	10%

068

(i) $x+2=1$, 즉 $x=-1$일 때 부등식이 성립하지 않는다.

(ii) $0<x+2<1$, 즉 $-2<x<-1$일 때

$2x^2-3x>-x^2+4x-2$

$3x^2-7x+2>0$, $(3x-1)(x-2)>0$

$\therefore x<\frac{1}{3}$ 또는 $x>2$

그런데 $-2<x<-1$이므로 $-2<x<-1$

(iii) $x+2>1$, 즉 $x>-1$일 때

$2x^2-3x<-x^2+4x-2$

$3x^2-7x+2<0$, $(3x-1)(x-2)<0$

$\therefore \frac{1}{3}<x<2$

그런데 $x>-1$이므로 $\frac{1}{3}<x<2$

(i)~(iii)에 의하여 주어진 부등식의 해는

$-2<x<-1$ 또는 $\frac{1}{3}<x<2$

따라서 $a=-2$, $b=-1$, $c=\frac{1}{3}$, $d=2$이므로

$$6(a+b+c+d)=6\left\{-2+(-1)+\frac{1}{3}+2\right\}$$
$$=6\times\left(-\frac{2}{3}\right)=-4$$

답 ①

실력을 높이는 연습 문제

본문 053쪽

01

① $f(3)=a^3$, $f(1)f(2)=a\times a^2=a^3$

② $f(4)=a^4$, $\{f(2)\}^2=(a^2)^2=a^4$

③ $f(6)=a^6$, $\sqrt{f(12)}=\sqrt{a^{12}}=a^6$

④ $f(-4)=a^{-4}=\left(\frac{1}{a}\right)^4$, $\frac{1}{f(8)}=\frac{1}{a^8}=\left(\frac{1}{a}\right)^8$

⑤ $f\left(\frac{1}{10}\right)=a^{\frac{1}{10}}$, $\sqrt[20]{f(2)}=(a^2)^{\frac{1}{20}}=a^{\frac{1}{10}}$

따라서 옳지 않은 것은 ④이다.

답 ④

02

$f(x)=a^{bx-1}$의 그래프와 $g(x)=a^{1-bx}$의 그래프는 직선 $x=1$에 대하여 대칭이므로 $f(1)=g(1)$이 성립한다.

$a^{b-1}=a^{1-b}$에서

$b-1=1-b$, $2b=2$ $\quad\therefore b=1$

$\therefore f(x)=a^{x-1}$, $g(x)=a^{1-x}$

또, $f(2)+g(2)=\frac{17}{4}$이므로

$a+a^{-1}=\frac{17}{4}$, $4a^2+4=17a$

$4a^2-17a+4=0$

$(4a-1)(a-4)=0$

$\therefore a=4$ ($\because a>1$)

$\therefore a+b=4+1=5$

답 ⑤

03

$f(x)=2^x$, $g(x)=\sqrt{x}$로 놓으면

$f(a)=g\left(\frac{1}{2}\right)$에서

$2^a=\sqrt{\frac{1}{2}}=\left(\frac{1}{2}\right)^{\frac{1}{2}}=2^{-\frac{1}{2}}$ $\quad\therefore a=-\frac{1}{2}$

또, $f\left(\frac{1}{2}\right)=g(b)$에서

$2^{\frac{1}{2}}=\sqrt{b}$ $\quad\therefore b=(2^{\frac{1}{2}})^2=2$

$\therefore ab=-\frac{1}{2}\times 2=-1$

답 ②

04

$g\left(\frac{3}{4}\right)=k$로 놓으면 $f(k)=\frac{3}{4}$이므로

$\frac{2^k-2^{-k}}{2}=\frac{3}{4}$, $2^k-2^{-k}=\frac{3}{2}$

$2^k=t$ $(t>0)$로 놓으면

$t-\frac{1}{t}=\frac{3}{2}$, $2t^2-3t-2=0$

$(2t+1)(t-2)=0$

$\therefore t=2$ ($\because t>0$)

즉, $2^k=2$이므로 $k=1$

답 ②

05

(i) $0<a<1$일 때

밑이 0보다 크고 1보다 작으므로 $x=-3$일 때 최댓값, $x=2$일 때 최솟값을 갖는다.

즉, $f(-3)=32f(2)$이므로

$a^{-3}=32a^2$, $a^5=\frac{1}{32}=\left(\frac{1}{2}\right)^5$

$\therefore a=\frac{1}{2}$

(ii) $a>1$일 때

밑이 1보다 크므로 $x=-3$일 때 최솟값, $x=2$일 때 최댓값을 갖는다.

즉, $f(2)=32f(-3)$이므로

$a^2=32a^{-3}$, $a^5=32=2^5$

$\therefore a=2$

(i), (ii)에 의하여 a의 값의 합은

$\frac{1}{2}+2=\frac{5}{2}$

답 ④

06

(i) $x\le 2$일 때

$y=3^{-|x-2|+1}=3^{(x-2)+1}=3^{x-1}$

밑이 1보다 크므로 $x=2$일 때 최댓값을 갖는다. → $x\le 2$의 범위에서 가장 큰 수이다.

$\therefore f(2)=3^{2-1}=3$

(ii) $x\ge 2$일 때

$y=3^{-|x-2|+1}=3^{-(x-2)+1}=3^{-x+3}=\left(\frac{1}{3}\right)^{x-3}$

밑이 0보다 크고 1보다 작으므로 $x=2$일 때 최댓값을 갖는다. → $x\ge 2$의 범위에서 가장 작은 수이다.

$\therefore f(2)=\left(\frac{1}{3}\right)^{2-3}=3$

(i), (ii)에 의하여 구하는 최댓값은 3이다.

답 ③

|다른 풀이|

$y=3^{-|x-2|+1}=3\times\left(\frac{1}{3}\right)^{|x-2|}$

밑이 0보다 크고 1보다 작으므로 $|x-2|$가 최솟값을 가질 때 최댓값을 갖는다.

즉, 함수 $y=3\times\left(\frac{1}{3}\right)^{|x-2|}$은 $x=2$일 때 최댓값 3을 갖는다.

07

$25^x-2\times 5^{x+1}+k>0$에서

$(5^x)^2-10\times 5^x+k>0$

$5^x=t\ (t>0)$로 놓으면

$t^2-10t+k>0$ ……… ㉠

$t>0$에서 부등식 ㉠이 항상 성립하려면 이차함수 $y=t^2-10t+k$의 $t>0$에서의 최솟값이 0보다 커야 한다.

이때 함수 $y=t^2-10t+k=(t-5)^2+k-25$는 $t=5$일 때 최솟값 $k-25$를 가지므로

$k-25>0$ $\therefore k>25$

따라서 자연수 k의 최솟값은 26이다.

답 ④

참고

이차방정식 $t^2-10t+k=0$의 판별식을 이용하는 방법을 생각할 수도 있지만 $t>0$이라는 조건이 있으므로 $t>0$에서의 최솟값을 이용하여 구한다.

08

문제 접근하기

4^{3+x}과 4^{3-x}은 양수이고, 두 식을 곱하면 미지수가 사라지고 상수만 남는다. 이와 같은 경우는 산술평균과 기하평균의 관계를 이용하면 쉽게 최솟값이나 최댓값을 구할 수 있다.

$4^{3+x}>0$, $4^{3-x}>0$이므로 산술평균과 기하평균의 관계에 의하여

$4^{3+x}+4^{3-x}\ge 2\sqrt{4^{3+x}\times 4^{3-x}}$

$=2\sqrt{4^6}$

$=2\times 4^3=128$ (단, 등호는 $x=0$일 때 성립한다.) → $4^{3+x}=4^{3-x}$일 때이다.

따라서 주어진 함수의 최솟값은 128이다.

답 ③

풍쌤 개념 CHECK

산술평균과 기하평균의 관계_高 수학

$a>0$, $b>0$일 때,

$a+b\ge 2\sqrt{ab}$ (단, 등호는 $a=b$일 때 성립한다.)

09

$\frac{4^{x^2-1}}{2^{x-2}}=8$에서 $\frac{2^{2(x^2-1)}}{2^{x-2}}=2^3$

$2^{2x^2-2-(x-2)}=2^3$

$2^{2x^2-x}=2^3$

이므로

$2x^2-x=3$, $2x^2-x-3=0$

$(2x-3)(x+1)=0$

$\therefore x=\frac{3}{2}$ 또는 $x=-1$

이때 $\alpha>\beta$이므로 $\alpha=\frac{3}{2}$, $\beta=-1$이므로

$\therefore 2\alpha+\beta=2\times\frac{3}{2}+(-1)=2$

답 2

10

문제 접근하기

문제에서 '서로 다른 두 실근'이라고 했으므로 판별식 D에 대하여 $D>0$을 만족시키면 된다고 생각하기 쉽지만, $3^x=t$로 치환했을 때 $t>0$이어야 하므로 '서로 다른 두 양근'을 갖는 상수 k의 값의 범위를 구해야 한다.

$9^x-2(k+1)\times 3^x+4=0$에서

$(3^x)^2-2(k+1)\times 3^x+4=0$

$3^x=t\ (t>0)$로 놓으면

$t^2-2(k+1)t+4=0$ ……… ㉠

주어진 방정식이 서로 다른 두 실근을 가지려면 방정식 ㉠이 서로 다른 두 양의 근을 가져야 한다. → $t>0$이므로 두 근은 양수이어야 한다.

이때 서로 다른 두 양의 근을 α, β라고 하면 판별식 D에 대하여

(i) $\frac{D}{4}=(k+1)^2-4>0$에서

$k^2+2k+1-4>0$

$k^2+2k-3>0$

$(k-1)(k+3)>0$

$\therefore k<-3$ 또는 $k>1$

(ii) $\alpha+\beta=2(k+1)>0 \quad \therefore k>-1$

(iii) $\alpha\beta=4>0$이므로 모든 실수 k에 대하여 성립한다.

(i)~(iii)에 의하여 k의 값의 범위는

$k>1$

답 ⑤

풍쌤 개념 CHECK

이차방정식의 실근의 부호_高 수학

이차방정식 $ax^2+bx+c=0$의 서로 다른 두 실근을 α, β, 판별식을 D라고 하면

(1) 두 근이 양수: $D>0$, $\alpha+\beta>0$, $\alpha\beta>0$

(2) 두 근이 음수: $D>0$, $\alpha+\beta<0$, $\alpha\beta>0$

(3) 두 근이 서로 다른 부호: $\alpha\beta<0$

11

$\begin{cases} 2^x+4^y=12 \\ 2^{x+2y}=32 \end{cases}$에서

$\begin{cases} 2^x+2^{2y}=12 \\ 2^x\times 2^{2y}=32 \end{cases}$

$2^x=A$, $2^{2y}=B$ $(A>0,\ B>0)$로 놓으면

$\begin{cases} A+B=12 \\ AB=32 \end{cases}$

합이 12, 곱이 32인 두 수는 4와 8이므로

$A=4$, $B=8$ 또는 $A=8$, $B=4$

$\therefore 2^x=4$, $2^{2y}=8$ 또는 $2^x=8$, $2^{2y}=4$

$\therefore x=2$, $y=\frac{3}{2}$ 또는 $x=3$, $y=1$

이때 α, β는 정수이므로

$x=3$, $y=1$

$\therefore \alpha^2+\beta^2=3^2+1^2=10$

답 10

12

$\begin{cases} 2^x-2^y=1 \\ 2^{x+y+2}-2^{y+1}=3\times 2^x \end{cases}$에서

$\begin{cases} 2^x-2^y=1 \\ 4\times 2^x\times 2^y-2\times 2^y=3\times 2^x \end{cases}$

$2^x=A$, $2^y=B$ $(A>0,\ B>0)$로 놓으면

$\begin{cases} A-B=1 & \cdots\cdots ㉠ \\ 4AB-2B=3A & \cdots\cdots ㉡ \end{cases}$

㉠에서 $B=A-1$이므로 ㉡에 대입하면

$4A(A-1)-2(A-1)=3A$

$4A^2-9A+2=0$, $(4A-1)(A-2)=0$

$\therefore A=\frac{1}{4}$ 또는 $A=2$

즉, $A=\frac{1}{4}$, $B=-\frac{3}{4}$ 또는 $A=2$, $B=1$이고, $A>0$, $B>0$이므로

$A=2$, $B=1$

$\therefore 2^x=2$, $2^y=1$

따라서 $x=1$, $y=0$이므로

$\therefore x+y=1+0=1$

답 ②

13

(i) 밑이 같으므로 $2x+10=x^2-a$

$x^2-2x-10-a=0$

이때 이차방정식의 근과 계수의 관계에 의하여 두 근의 곱은 $-10-a$이다.

(ii) 밑이 1이면 방정식이 성립하므로

$x+2=1$에서 $x=-1$

(i), (ii)에 의하여 모든 근의 곱은

$(-10-a)\times(-1)=5$

$a+10=5$

$\therefore a=-5$

답 ②

참고

$a=-5$에서 이차방정식 $x^2-2x-10-a=0$은 $x^2-2x-5=0$이고

$x=1\pm\sqrt{6}$

이므로 주어진 이차방정식은 실근을 갖고, 두 실근은 조건 $x>-2$를 만족시킨다.

14

문제 접근하기

$A\cap B=B$이면 집합 B의 모든 원소가 집합 A에 모두 속한다. 즉, 두 집합 A, B의 원소를 $\alpha<x<\beta$의 꼴로 나타낸 후 $B\subset A$를 만족시키는 값 a를 구할 수 있다.

이때 부등식에서 등호가 없음에 주의하여 a의 값의 범위를 구할 때 등호를 붙여야 하는지 살펴야 한다.

$(x-1)(x-a)<0$에서

$1<x<a$ $(\because a>1)$ $\cdots\cdots$ ㉠

또, $4^x-3\times 2^{x+2}+32<0$에서

$(2^x)^2-12\times 2^x+32<0$

$2^x=t$ $(t>0)$로 놓으면

$t^2-12t+32<0$

$(t-4)(t-8)<0$

$\therefore 4<t<8$

즉, $2^2<2^x<2^3$에서

$2<x<3$ $\cdots\cdots$ ㉡

이때 $A\cap B=B$에서 $B\subset A$이어야 하므로 집합 B의 모든 원소가 집합 A에 모두 속하려면 다음 그림과 같이 ㉡이 ㉠에 포함되어야 한다.

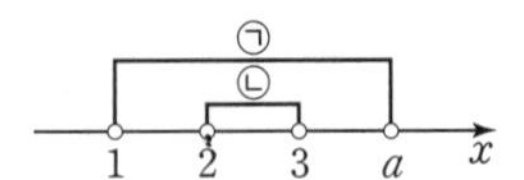

$\therefore a\geq 3$ → $a=3$이어도 $B\subset A$, 즉 $A\cap B=B$가 성립한다.

따라서 정수 a의 최솟값은 3이다.

답 ①

15

$\left(\frac{1}{2}\right)^{x^2+4} \le 2^{k(3-2x)}$에서

$\left(\frac{1}{2}\right)^{x^2+4} \le \left(\frac{1}{2}\right)^{k(2x-3)}$

이때 밑이 0보다 크고 1보다 작으므로

$x^2+4 \ge k(2x-3)$

$\therefore x^2-2kx+3k+4 \ge 0$ ······ ㉠

㉠이 모든 실수 x에 대하여 성립하려면 이차방정식

$x^2-2kx+3k+4=0$의 판별식 D에 대하여

$\frac{D}{4}=k^2-(3k+4) \le 0$이어야 하므로

→ 이차부등식의 값이 0인 경우도 포함되므로 등호도 포함된다.

$k^2-3k-4 \le 0$, $(k+1)(k-4) \le 0$

$\therefore -1 \le k \le 4$

따라서 정수 k의 최댓값은 4, 최솟값은 -1이므로 구하는 값은

$4+(-1)=3$

답 3

풍쌤 개념 CHECK

모든 실수에 대하여 성립하는 이차부등식_高 수학

이차방정식 $ax^2+bx+c=0$의 판별식을 D라고 할 때 다음 부등식이 모든 실수 x에 대하여 성립하는 조건은

(1) $ax^2+bx+c \ge 0$: $a>0$, $D \le 0$

(2) $ax^2+bx+c > 0$: $a>0$, $D < 0$

(3) $ax^2+bx+c \le 0$: $a<0$, $D \le 0$

(4) $ax^2+bx+c < 0$: $a<0$, $D < 0$

16

$a^{2x}-b\times a^x+5<0$에서 $a^x=t\ (t>0)$로 놓으면

$t^2-bt+5<0$ ······ ㉠

또, $-1<x<2$에서 $a^{-1}<a^x<a^2\ (\because a>1)$

$\therefore \frac{1}{a}<t<a^2$ ······ ㉡

이때 ㉠의 해가 ㉡이므로 이차방정식 $t^2-bt+5=0$의 두 근은

$\frac{1}{a}$, a^2이다.

따라서 이차방정식의 근과 계수의 관계에 의하여

$\frac{1}{a}+a^2=b$, $\frac{1}{a}\times a^2=5$

이때 $\frac{1}{a}\times a^2=5$에서 $a=5$

$\therefore b=\frac{1}{a}+a^2=\frac{1}{5}+25=\frac{126}{5}$

$\therefore ab=5\times\frac{126}{5}=126$

답 126

17

(i) $\left(\frac{1}{6}\right)^{x-2}>\left(\frac{1}{36}\right)^{2-x}$에서

$\left(\frac{1}{6}\right)^{x-2}>\left(\frac{1}{6}\right)^{2(2-x)}$

이때 밑이 0보다 크고 1보다 작으므로

$x-2<2(2-x)$, $x-2<4-2x$

$3x<6\qquad \therefore x<2$

(ii) $4^x-9\times2^x+8<0$에서

$(2^x)^2-9\times2^x+8<0$

$2^x=t\ (t>0)$로 놓으면

$t^2-9t+8<0$, $(t-1)(t-8)<0$

$\therefore 1<t<8$

즉, $2^0<2^x<2^3$에서 $0<x<3$

(i), (ii)의 공통부분을 구하면

$0<x<2$

따라서 $\alpha=0$, $\beta=2$이므로

$\alpha+\beta=0+2=2$

답 ②

18

$\frac{1}{x^2}>x^{x^2-3x}$에서 $x^{-2}>x^{x^2-3x}$

(i) $x=1$일 때 부등식이 성립하지 않는다.

(ii) $0<x<1$일 때

$-2<x^2-3x$에서 $x^2-3x+2>0$

$(x-1)(x-2)>0$

$\therefore x<1$ 또는 $x>2$

그런데 $0<x<1$이므로 $0<x<1$

(iii) $x>1$일 때

$-2>x^2-3x$에서 $x^2-3x+2<0$

$(x-1)(x-2)<0$

$\therefore 1<x<2$

그런데 $x>1$이므로 $1<x<2$

(i)~(iii)에 의하여 주어진 부등식의 해는

$0<x<1$ 또는 $1<x<2$

따라서 $a=0$, $b=1$, $c=1$, $d=2$이므로

$a+b+c+d=0+1+1+2=4$

답 4

04 로그함수

기본을 다지는 유형

본문 057쪽

001

(1) $-x+6>0$에서 $x<6$이므로 정의역은 $\{x|x<6\}$

(2) $2x-4>0$에서 $x>2$이므로 정의역은 $\{x|x>2\}$

(3) $|x-2|>0$에서 $x\neq2$이므로 정의역은 $\{x|x\neq2\}$

답 (1) $\{x|x<6\}$ (2) $\{x|x>2\}$ (3) $\{x|x\neq2\}$

002

ㄱ. $y=\log_4 \frac{1}{x}=\log_4 x^{-1}=-\log_4 x$

ㄴ. $y=\frac{1}{2}\log_2 x=\log_{2^2} x=\log_4 x$

ㄷ. $y=\log_{16}\sqrt{x}=\log_{4^2} x^{\frac{1}{2}}=\frac{1}{4}\log_4 x$

ㄹ. $y=\log_{\frac{1}{4}}(-x)=\log_{4^{-1}}(-x)=-\log_4(-x)$

따라서 함수 $y=\log_4 x$와 같은 함수는 ㄴ이다.

답 ②

003

$f(f(x))=1$에서

$\log_3(\log_3 x)=1$, $\log_3 x=3^1=3$

$\therefore x=3^3=27$

답 ③

004

함수 $y=\log_2(x^2+2x+a)$가 실수 전체의 집합에서 정의되려면 모든 실수 x에 대하여 부등식 $x^2+2x+a>0$이 성립해야 한다.

이차방정식 $x^2+2x+a=0$의 판별식을 D라고 하면

$\frac{D}{4}=1^2-a<0 \qquad \therefore a>1$

따라서 구하는 정수 a의 최솟값은 2이다.

답 ⑤

|다른 풀이|

모든 실수 x에 대하여 부등식 $x^2+2x+a>0$이 성립하려면 이차함수 $y=x^2+2x+a$의 최솟값이 0보다 커야 한다.

$y=x^2+2x+a=(x+1)^2+a-1$

에서 $x=-1$일 때 최솟값은 $a-1$이므로

$a-1>0 \qquad \therefore a>1$

005

①, ② $a>0$이면 $-a<0$이므로 $f(-a)$는 정의되지 않는다.

③ $f(a)+f\left(\frac{1}{a}\right)=\log_{10} a+\log_{10}\frac{1}{a}=\log_{10} a-\log_{10} a=0$

④ $f(a)f\left(\frac{1}{a}\right)=\log_{10} a\times\log_{10}\frac{1}{a}=-(\log_{10} a)^2$

⑤ $f(a)-f\left(\frac{1}{a}\right)=\log_{10} a-\log_{10}\frac{1}{a}=2\log_{10} a$

따라서 항상 일정한 값을 갖는 것은 ③이다.

답 ③

006

함수 $y=\log_3 x$의 그래프를 x축의 방향으로 2만큼, y축의 방향으로 4만큼 평행이동하면

$y-4=\log_3(x-2)$

이 그래프를 y축에 대하여 대칭이동하면

$y-4=\log_3(-x-2)$

$\therefore y=\log_3(-x-2)+4$

답 ④

007

곡선 $y=\log_2(x+5)$는 로그함수 $y=\log_2 x$의 그래프를 x축의 방향으로 -5만큼 평행이동한 것이다.

$y=\log_2 x$의 그래프의 점근선의 방정식은 $x=0$이므로

곡선 $y=\log_2(x+5)$의 점근선의 방정식은 $x=-5$

즉, $k=-5$이므로 $k^2=(-5)^2=25$

답 25

008

함수 $y=\frac{1}{2}\log_2 x$의 그래프를 x축의 방향으로 -1만큼, y축의 방향으로 3만큼 평행이동하면

$y-3=\frac{1}{2}\log_2(x+1)$

이 그래프가 점 $(3, a)$를 지나므로

$a-3=\frac{1}{2}\log_2 4$, $a-3=1 \qquad \therefore a=4$

답 ④

참고

$y=\frac{1}{2}\log_2 x=\log_{2^2} x=\log_4 x$로 고쳐서 풀 수도 있다.

009

함수 $y=a+\log_5(x+b)$의 그래프는 $y=\log_5 x$의 그래프를 x축의 방향으로 $-b$만큼, y축의 방향으로 a만큼 평행이동한 것이다.

$y=\log_5 x$의 그래프의 점근선의 방정식은 $x=0$이므로 주어진 그래프의 점근선의 방정식은

$x=-b$

$\therefore b=-2$ ······ ❶

또, $y=a+\log_5(x-2)$의 그래프가 점 $(7, -3)$을 지나므로

$-3=a+\log_5(7-2)$

$-3=a+1$

$\therefore a=-4$ ······ ❷

$\therefore a+b=-4+(-2)=-6$ ······ ❸

답 -6

채점 기준	비율
❶ 로그함수의 그래프의 평행이동을 이용하여 b의 값을 구할 수 있다.	45%
❷ 주어진 로그함수의 그래프가 지나는 점을 이용하여 a의 값을 구할 수 있다.	45%
❸ $a+b$의 값을 구할 수 있다.	10%

010

ㄱ. $y=\log\left(x+\frac{1}{2}\right)$의 그래프는 함수 $y=\log x$의 그래프를 x축의 방향으로 $-\frac{1}{2}$만큼 평행이동한 것이다.

ㄴ. $y=\log\frac{1}{2}x=\log x-\log 2$

$\therefore y+\log 2=\log x$

위 함수의 그래프는 함수 $y=\log x$의 그래프를 y축의 방향으로 $-\log 2$만큼 평행이동한 것이다.

ㄷ. $y=2\log x=\log x^2$의 그래프는 함수 $y=\log x$의 그래프를 평행이동 또는 대칭이동하여 겹칠 수 없다.

ㄹ. $y=\log x$의 그래프를 x축에 대하여 대칭이동하면

$y=-\log x=\log\frac{1}{x}$

또, y축에 대하여 대칭이동하면 $y=\log\left(-\frac{1}{x}\right)$

따라서 $y=\log\left(-\frac{1}{x}\right)$의 그래프는 함수 $y=\log x$의 그래프를 원점에 대하여 대칭이동한 것이다.

따라서 함수 $y=\log x$의 그래프를 평행이동 또는 대칭이동하여 겹칠 수 있는 그래프의 식은 ㄱ, ㄴ, ㄹ이다.

답 ⑤

011

$f(20)=\log_a 20=\log_a(2^2\times 5)$

$=\log_a 2^2+\log_a 5$

$=2\log_a 2+\log_a 5$

이때 주어진 그래프에 의하여

$\log_a 2=p$, $\log_a 5=q$

이므로

$f(20)=2\log_a 2+\log_a 5=2p+q$

답 ②

012

주어진 조건에서 세 점 A, B, C의 좌표를 구하면

$A(1, 0)$, $B(4, 2)$, $C(4, \log_a 4)$

이때 삼각형 ABC의 넓이는

$\triangle ABC=\frac{1}{2}\times(4-1)\times(2-\log_a 4)$ (→ 변 BC를 밑변으로 보고 계산한다.)

$=\frac{3}{2}\times(2-\log_a 4)$

$=3-\frac{3}{2}\log_a 4$

즉, $3-\frac{3}{2}\log_a 4=\frac{9}{2}$이므로

$\frac{3}{2}\log_a 4=-\frac{3}{2}$

$\log_a 4=-1 \qquad \therefore a=\frac{1}{4}$

답 ④

013

주어진 조건에서 세 점 A, B, M의 좌표를 구하면

$A(3, \log_6 3)$, $B(12, \log_6 12)$, $M(a, \log_6 a)$ ······ ❶

이때 점 M이 선분 AB의 중점이므로

$\log_6 a=\frac{\log_6 3+\log_6 12}{2}$ ······ ❷ (→ 선분 AB는 y축 위에 있으므로 y좌표로 식을 세운다.)

$2\log_6 a=\log_6 3+\log_6 12$

$\log_6 a^2=\log_6(3\times 12)=\log_6 36$

$a^2=36 \qquad \therefore a=6\ (\because a>0)$ ······ ❸

답 6

채점 기준	비율
❶ 세 점 A, B, M의 좌표를 나타낼 수 있다.	30%
❷ 선분의 중점의 좌표를 구하는 방법을 이용하여 a에 대한 식을 세울 수 있다.	50%
❸ a의 값을 구할 수 있다.	20%

014

정사각형 ABCD의 넓이가 $\frac{9}{4}$이므로 정사각형의 한 변의 길이는 $\frac{3}{2}$이다.

점 A의 x좌표를 k라고 하면

$\log_3 k-\log_9\frac{1}{k}=\frac{3}{2}$, $\log_3 k-\log_{3^2}k^{-1}=\frac{3}{2}$ (→ 점 A의 y좌표, → 점 B의 y좌표)

$\log_3 k+\frac{1}{2}\log_3 k=\frac{3}{2}$, $\frac{3}{2}\log_3 k=\frac{3}{2}$

$\log_3 k=1 \qquad \therefore k=3$

이때 점 D의 y좌표는 점 A의 y좌표와 같으므로

(점 D의 y좌표)$=\log_3 k=\log_3 3=1$

답 1

015

$y=\log_3 x+1$에서

$\log_3 x=y-1$, $x=3^{y-1}$

x와 y를 서로 바꾸면 역함수는

$y=3^{x-1} \qquad \therefore g(x)=3^{x-1}$

또, $y=f(x-3)=\log_3(x-3)+1$에서

$\log_3(x-3)=y-1$

$x-3=3^{y-1}$

$x=3^{y-1}+3$

x와 y를 서로 바꾸면 역함수는

$y=3^{x-1}+3=g(x)+3$

따라서 함수 $f(x-3)$의 역함수는 $g(x)+3$이다.

답 ③

016

$f(a)=b$에서 $\log_{\sqrt{2}} a=b$

$\therefore a=(\sqrt{2})^b=2^{\frac{b}{2}}$

$g(4b)=k$로 놓으면

$f(k)=\log_{\sqrt{2}} k=4b$

$\therefore k=(\sqrt{2})^{4b}=2^{2b}=(2^{\frac{b}{2}})^4=a^4$

답 ④

017

주어진 그래프가 점 $(-1, 2)$를 지나므로

$a^{-1}=2$　　$\therefore a=\frac{1}{2}$

따라서 함수 $y=f(x)$의 역함수가 $y=\left(\frac{1}{2}\right)^x$이므로

$y=\left(\frac{1}{2}\right)^x$에서 $\log_{\frac{1}{2}} y=x$

x와 y를 서로 바꾸면 역함수는

$y=\log_{\frac{1}{2}} x$　　$\therefore f(x)=\log_{\frac{1}{2}} x$

$\therefore f(8)=\log_{\frac{1}{2}} 8=\log_{2^{-1}} 2^3=-3$

답 ①

참고

지수함수 $y=a^x$ $(a>0,\ a\neq1)$와 로그함수 $y=\log_a x$ $(a>0,\ a\neq1)$는 서로 역함수 관계이다.

018

함수 $y=5^{x+1}$에서

$\log_5 y=x+1,\ x=\log_5 y-1$

x와 y를 서로 바꾸면 역함수는 $y=\log_5 x-1$ ······ ❶

이 그래프를 x축의 방향으로 1만큼, y축의 방향으로 -3만큼 평행이동하면

$y=\log_5(x-1)-4$ ······ ❷

이 그래프가 점 $(k,\ -2)$를 지나므로

$-2=\log_5(k-1)-4,\ 2=\log_5(k-1)$

$k-1=5^2$　　$\therefore k=26$ ······ ❸

답 26

채점 기준	비율
❶ 주어진 지수함수의 역함수인 로그함수를 구할 수 있다.	40%
❷ 로그함수를 평행이동한 함수의 식을 구할 수 있다.	30%
❸ 그래프가 지나는 점을 이용하여 상수 k의 값을 구할 수 있다.	30%

019

함수 $y=2^x+2$의 그래프를 x축의 방향으로 m만큼 평행이동하면

$y=2^{x-m}+2$ ······ ㉠

또, 함수 $y=\log_2 8x$의 그래프를 x축의 방향으로 2만큼 평행이동하면

$y=\log_2 8(x-2)=\log_2 8+\log_2(x-2)$

$=\log_2(x-2)+3$ ······ ㉡

이때 두 그래프가 직선 $y=x$에 대하여 대칭이므로 두 함수는 서로 역함수 관계이다.

즉, ㉠에서

$y-2=2^{x-m},\ \log_2(y-2)=x-m$

$x=\log_2(y-2)+m$

x와 y를 서로 바꾸면 역함수는

$y=\log_2(x-2)+m$

위 식이 ㉡과 같아야 하므로

$m=3$

답 3

020

세 수를 밑이 3인 로그로 정리하면

$A=\log_3\sqrt{5}$

$B=\log_{\frac{1}{3}} 8=-\log_3 8=\log_3\frac{1}{8}$

$C=\log_{\sqrt{3}}\sqrt{10}=\log_{3^{\frac{1}{2}}} 10^{\frac{1}{2}}=\log_3 10$

이때 밑이 1보다 크므로

$\frac{1}{8}<\sqrt{5}<10$에서 $\log_3\frac{1}{8}<\log_3\sqrt{5}<\log_3 10$

$\therefore B<A<C$

답 ③

참고

밑을 $\frac{1}{3}$로 통일해서 풀 수도 있다. 이 경우에는 밑이 0보다 크고 1보다 작으므로 부등호 방향이 바뀜에 주의한다.

021

세 수를 밑이 2인 로그로 정리하면

$A=-3\log_2\frac{1}{5}=\log_2\left(\frac{1}{5}\right)^{-3}=\log_2 125$

$B=6=\log_2 2^6=\log_2 64$

$C=\log_{\frac{1}{4}} 3=\log_{2^{-2}} 3=-\frac{1}{2}\log_2 3=\log_2\frac{\sqrt{3}}{3}$

이때 밑이 1보다 크므로

$\frac{\sqrt{3}}{3}<64<125$에서 $\log_2\frac{\sqrt{3}}{3}<\log_2 64<\log_2 125$

$\therefore C<B<A$

답 ⑤

022

$1<x<5$의 각 변에 밑이 5인 로그를 취하면

$0<\log_5 x<1$

(i) $A-B=\log_5 x-(\log_5 x)^2$

$=(1-\log_5 x)\times\log_5 x>0$

$\therefore A>B$

(ii) $0<\log_5 x<1$에서 $0<B=(\log_5 x)^2<1$

또, $\log_5 x<1$의 양변에 밑이 3인 로그를 취하면

$C=\log_3(\log_5 x)<0$

$\therefore C<B$

(i), (ii)에 의하여 $C<B<A$

답 ⑤

참고

밑을 통일할 수 없거나 진수가 미지수인 경우는 두 수의 차를 이용하여 대소 관계를 구할 수 있다.

023

$1<x<3$의 각 변에 밑이 3인 로그를 취하면

$0<\log_3 x<1$

(i) $A=\frac{1}{2}\log_3 x^2=\log_3 x$이므로

$0<\log_3 x<1$

또, $B=\log_3(\log_3 x)^2=2\log_3(\log_3 x)$이고

$\log_3 x<1$의 양변에 밑이 3인 로그를 취하면

$\log_3(\log_3 x)<0$이므로

$2\log_3(\log_3 x)<0$

$\therefore B<A$

(ii) $C=\log_x 3=\frac{1}{\log_3 x}$이므로 $0<\log_3 x<1$에서

$1<\frac{1}{\log_3 x}$

$\therefore A<C$

(i), (ii)에 의하여 $B<A<C$

답 ②

024

(1) $x=\frac{1}{9}$일 때, $y=\log_3 \frac{1}{9}=\log_3 3^{-2}=-2$

$x=9$일 때, $y=\log_3 9=\log_3 3^2=2$

따라서 최댓값은 2, 최솟값은 -2이다.

(2) $x=2$일 때, $y=\log_{\sqrt{2}} 2=\log_{\sqrt{2}} (\sqrt{2})^2=2$

$x=8$일 때, $y=\log_{\sqrt{2}} 8=\log_{\sqrt{2}} (\sqrt{2})^6=6$

따라서 최댓값은 6, 최솟값은 2이다.

(3) $x=\frac{1}{20}$일 때,

$y=\log\left(2\times\frac{1}{20}\right)=\log\frac{1}{10}=\log 10^{-1}=-1$

$x=5000$일 때,

$y=\log(2\times5000)=\log 10000=\log 10^4=4$

따라서 최댓값은 4, 최솟값은 -1이다.

(4) $x=6$일 때,

$y=\log_{\frac{1}{3}}(2\times6-3)-2=\log_{3^{-1}} 9-2=\log_{3^{-1}} 3^2-2$

$=-2-2=-4$

$x=15$일 때,

$y=\log_{\frac{1}{3}}(2\times15-3)-2=\log_{3^{-1}} 27-2=\log_{3^{-1}} 3^3-2$

$=-3-2=-5$

따라서 최댓값은 -4, 최솟값은 -5이다.

답 (1) **최댓값**: 2, **최솟값**: -2
(2) **최댓값**: 6, **최솟값**: 2
(3) **최댓값**: 4, **최솟값**: -1
(4) **최댓값**: -4, **최솟값**: -5

025

함수 $y=\log_4 2(x-1)$은 밑이 1보다 크므로 $x=2$일 때 최솟값, $x=9$일 때 최댓값을 갖는다.

$m=\log_4 2(2-1)=\log_4 2=\log_{2^2} 2=\frac{1}{2}$

$M=\log_4 2(9-1)=\log_4 16=\log_4 4^2=2$

$\therefore M-m=2-\frac{1}{2}=\frac{3}{2}$

답 $\frac{3}{2}$

|다른 풀이|

$y=\log_4 2(x-1)=\log_4 2+\log_4 (x-1)$

$=\frac{1}{2}+\log_4 (x-1)$

이므로

$m=\frac{1}{2}+\log_4 (2-1)=\frac{1}{2}+0=\frac{1}{2}$

$M=\frac{1}{2}+\log_4 (9-1)=\frac{1}{2}+\log_4 8$

$=\frac{1}{2}+\log_{2^2} 2^3$

$=\frac{1}{2}+\frac{3}{2}=2$

026

함수 $y=\log_{\frac{1}{3}}(x-a)$는 밑이 0보다 크고 1보다 작으므로 $x=10$일 때 최솟값 -1을 갖는다. ($x=9$일 때 최댓값을 갖는다.)

$\log_{\frac{1}{3}}(10-a)=-1$

$10-a=3$

$\therefore a=7$

답 ②

027

함수 $f(x)=2\log_{\frac{1}{2}}(x+k)$는 밑이 0보다 크고 1보다 작으므로 $x=0$일 때 최댓값 -4, $x=12$일 때 최솟값 m을 갖는다.

즉, $f(0)=2\log_{\frac{1}{2}} k=-4$이므로 $\log_{2^{-1}} k=-2$

$\log_2 k=2 \qquad \therefore k=2^2=4$

$\therefore f(x)=2\log_{\frac{1}{2}}(x+4)$

따라서 최솟값 m은

$m=f(12)=2\log_{\frac{1}{2}}(12+4)=2\log_{\frac{1}{2}} 16$

$=2\log_{2^{-1}} 2^4$

$=2\times(-1)\times4=-8$

$\therefore k+m=4+(-8)=-4$

답 ④

028

함수 $y=\log_2(4x-2)+k$는 밑이 1보다 크므로 $x=1$일 때 최솟값, $x=\frac{17}{2}$일 때 최댓값을 갖는다.

최솟값은

$f(1)=\log_2(4-2)+k=\log_2 2+k=k+1$

최댓값은

$f\left(\frac{17}{2}\right)=\log_2\left(4\times\frac{17}{2}-2\right)+k$

$=\log_2 32+k$

$=\log_2 2^5+k=k+5$

이때 최댓값이 최솟값의 2배이므로

$k+5=2(k+1)$, $k+5=2k+2$

$\therefore k=3$

답 ①

029

(1) $x^2-2x+2=(x-1)^2+1$의 최솟값은 1이고, 주어진 함수는 밑이 1보다 크므로 최솟값 $\log_2 1=0$을 갖는다.

(2) $x^2+6x+18=(x+3)^2+9$의 최솟값은 9이고, 주어진 함수는 밑이 0보다 작고 1보다 크므로 최댓값 $\log_{\frac{1}{3}} 9=-2$를 갖는다.

(3) $-x^2+8$의 최댓값은 8이고, 주어진 함수는 밑이 1보다 크므로 최댓값 $\log_4 8=\log_{2^2} 2^3=\frac{3}{2}$을 갖는다.

(4) $-x^2+4x+4=-(x-2)^2+8$의 최댓값은 8이고, 주어진 함수는 밑이 0보다 크고 1보다 작으므로 최솟값 $\log_{\frac{1}{2}} 8=\log_{2^{-1}} 2^3=-3$을 갖는다.

답 (1) **최솟값**: 0 (2) **최댓값**: -2
(3) **최댓값**: $\frac{3}{2}$ (4) **최솟값**: -3

030

$f(x)=-x^2+2x+4$로 놓자.

$f(x)=-(x-1)^2+5$의 그래프는 오른쪽 그림과 같으므로 $-1\le x\le 3$에서 함수 $f(x)$는 최댓값 $f(1)=5$, 최솟값 $f(-1)=f(3)=1$을 갖는다.

$f(x)=-(x-1)^2+5$

-1 1 3 x

이때 주어진 함수의 밑이 0보다 크고 1보다 작으므로 함수 $y=\log_{\frac{1}{5}}(-x^2+2x+4)$는 $x=1$일 때 최솟값 $\log_{\frac{1}{5}}5=-1$을 갖는다.

따라서 $a=1$, $b=-1$이므로

$\therefore a+b=1+(-1)=0$

답 ③

031

$x^2+2x+3=(x+1)^2+2$는 최솟값 2를 갖는다.

이때 $y=\log_a(x^2+2x+3)$이 최댓값을 가지려면 밑이 0보다 크고 1보다 작아야 하므로 $0<a<1$

따라서 $y=\log_a(x^2+2x+3)$이 $x=-1$일 때 최댓값 -2를 가지므로

$\log_a 2=-2$, $a^{-2}=2$

$\therefore a=\frac{\sqrt{2}}{2}$ ($\because 0<a<1$)

답 ③

032

$(f\circ g)(x)=f(g(x))=\log_2(-x^2+2x+15)$

이때 $h(x)=-x^2+2x+15$로 놓자.

$h(x)=-(x-1)^2+16$의 최댓값은 16이고, 함수 $(f\circ g)(x)$의 밑이 1보다 크므로 주어진 합성함수는 $x=1$일 때 최댓값을 갖는다.

$\therefore f(g(1))=\log_2 16=\log_2 2^4=4$

따라서 $a=1$, $b=4$이므로

$\therefore a+b=1+4=5$

답 ⑤

033

$f(x)=x^2-x+\frac{9}{4}$로 놓자.

$f(x)=\left(x-\frac{1}{2}\right)^2+2$의 그래프는 오른쪽 그림과 같으므로 $-1\le x\le 1$에서 함수 $f(x)$는 최댓값 $f(-1)=\frac{17}{4}$, 최솟값 $f\left(\frac{1}{2}\right)=2$를 갖는다. ······ ❶

$f(x)=\left(x-\frac{1}{2}\right)^2+2$

-1 $\frac{1}{2}$ 1 x

이때 $0<a<1$에서 주어진 함수의 밑이 0보다 크고 1보다 작으므로 함수 $y=\log_a\left(x^2-x+\frac{9}{4}\right)$는 $x=\frac{1}{2}$일 때 최댓값 $\log_a 2$를 갖는다.

$\log_a 2=-\frac{1}{2}$, $a^{-\frac{1}{2}}=2$ $\quad\therefore a=\frac{1}{4}$ ······ ❷

또, 함수 $f(x)$는 $x=-1$일 때 최솟값 $\log_a\frac{17}{4}$을 가지므로

$\log_a\frac{17}{4}=\log_{\frac{1}{4}}\frac{17}{4}=\log_{\frac{1}{4}}17-\log_{\frac{1}{4}}4=\log_{\frac{1}{4}}17+1$

$\therefore b=17$ ······ ❸

답 17

채점 기준	비율
❶ 주어진 로그함수의 진수의 최댓값과 최솟값을 구할 수 있다.	30%
❷ 주어진 치역을 이용하여 a의 값을 구할 수 있다.	30%
❸ b의 값을 구할 수 있다.	40%

034

$y=(\log_3 x)^2+a\log_3 x+b$에서

$\log_3 x=t$로 놓으면 주어진 함수는

$y=t^2+at+b=\left(t+\frac{a}{2}\right)^2-\frac{a^2}{4}+b$

이 함수가 $x=\frac{1}{3}$, 즉 $t=-1$일 때 최솟값 3을 가지므로

$-\frac{a}{2}=-1$ $\quad\therefore a=2$

$-\frac{a^2}{4}+b=3$, $-1+b=3$ $\quad\therefore b=4$

$\therefore ab=2\times 4=8$

답 ④

참고

지수함수 $y=a^x$ ($a>0$, $a\ne 1$)의 치역은 양의 실수의 집합이므로 $a^x=t$로 치환하면 $t>0$이다.

이와 달리 로그함수 $y=\log_a x$ ($a>0$, $a\ne 1$)의 치역은 실수 전체의 집합이므로 $\log_a x=t$로 치환했을 때 t는 실수 전체의 값을 가질 수 있다.

단, $x>0$임에 주의한다.

035

$y=(\log_{\frac{1}{2}}x)^2+\log_2 x^6+2=(\log_{\frac{1}{2}}x)^2+6\log_{\frac{1}{2}^{-1}}x+2$

$=(\log_{\frac{1}{2}}x)^2-6\log_{\frac{1}{2}}x+2$

에서 $\log_{\frac{1}{2}}x=t$로 놓으면

$y=t^2-6t+2=(t-3)^2-7$ ······ ❶

따라서 주어진 함수는 $t=3$일 때 최솟값 -7을 가지므로

$b=-7$ ······ ❷

이때 $\log_{\frac{1}{2}}x=3$이므로 $x=\left(\frac{1}{2}\right)^3=\frac{1}{8}$

$\therefore a=\frac{1}{8}$ ······ ❸

$\therefore ab=\frac{1}{8}\times(-7)=-\frac{7}{8}$ ······ ❹

답 $-\frac{7}{8}$

채점 기준	비율
❶ 치환을 이용하여 주어진 로그함수를 이차함수의 식으로 나타낼 수 있다.	30%
❷ 주어진 조건을 이용하여 b의 값을 구할 수 있다.	30%
❸ a의 값을 구할 수 있다.	30%
❹ ab의 값을 구할 수 있다.	10%

036

$y=(\log_3 x)(\log_{\frac{1}{3}}x)+4\log_3 x$

$=(\log_3 x)(-\log_3 x)+4\log_3 x$

$=-(\log_3 x)^2+4\log_3 x$

에서 $\log_3 x=t$로 놓으면

$y=-t^2+4t=-(t-2)^2+4$

이때 $3\le x\le 27$이므로

$\log_3 3\le\log_3 x\le\log_3 27$, $\log_3 3^1\le\log_3 x\le\log_3 3^3$

$\therefore 1\le t\le 3$

함수 $y=-(t-2)^2+4$의 그래프는 오른쪽 그림과 같으므로 $1\le t\le 3$에서 $t=2$일 때 최댓값 4, $t=1$ 또는 $t=3$일 때 최솟값 3을 갖는다.

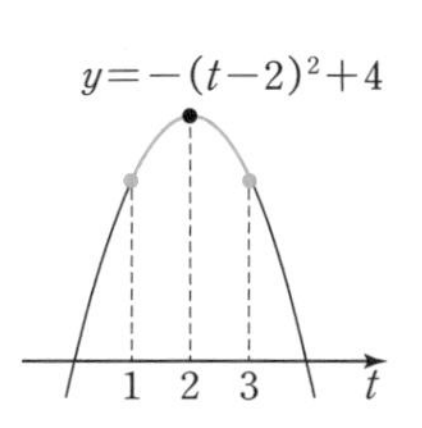

따라서 최댓값과 최솟값의 합은

$4+3=7$

답 ②

037

$y=(\log_2 2x)\left(\log_4\frac{x}{4}\right)=(\log_2 x+\log_2 2)(\log_{2^2} x-\log_4 4)$

$=(\log_2 x+1)\left(\frac{1}{2}\log_2 x-1\right)=\frac{1}{2}(\log_2 x+1)(\log_2 x-2)$

에서 $\log_2 x=t$로 놓으면

$y=\frac{1}{2}(t+1)(t-2)=\frac{1}{2}(t^2-t-2)$

$=\frac{1}{2}\left(t-\frac{1}{2}\right)^2-\frac{9}{8}$

따라서 주어진 함수는 $t=\frac{1}{2}$일 때 최솟값 $-\frac{9}{8}$를 가지므로

$b=-\frac{9}{8}$

이때 $\log_2 x=\frac{1}{2}$에서 $x=2^{\frac{1}{2}}=\sqrt{2}$

$\therefore a=\sqrt{2}$

$\therefore a^6b=(\sqrt{2})^6\times\left(-\frac{9}{8}\right)=8\times\left(-\frac{9}{8}\right)=-9$

답 ④

038

$y=(\log_3 27x)\left(\log_3\frac{3}{x^2}\right)=(\log_3 x+\log_3 27)(\log_3 3-\log_3 x^2)$

$=(\log_3 x+3)(1-2\log_3 x)$

에서 $\log_3 x=t$로 놓으면

$y=(t+3)(1-2t)=-2t^2-5t+3$

$=-2\left(t+\frac{5}{4}\right)^2+\frac{49}{8}$

이때 $\frac{1}{81}\le x\le 9$이므로

$\log_3\frac{1}{81}\le\log_3 x\le\log_3 9$, $\log_3 3^{-4}\le\log_3 x\le\log_3 3^2$

$\therefore -4\le t\le 2$

함수 $y=-2\left(t+\frac{5}{4}\right)^2+\frac{49}{8}$의 그래프는 오른쪽 그림과 같으므로 $-4\le t\le 2$에서 $t=-\frac{5}{4}$일 때 최댓값 $\frac{49}{8}$, $t=2$일 때 최솟값 -15를 갖는다.

따라서 $M=\frac{49}{8}$, $m=-15$이므로

$8M+2m=8\times\frac{49}{8}+2\times(-15)$

$=49-30=19$

답 19

039

(1) 진수의 조건에서 $x+1>0$ $\therefore x>-1$

$\log_2(x+1)=4$에서 밑을 같게 하면

$\log_2(x+1)=\log_2 2^4$, $x+1=2^4$

$\therefore x=2^4-1=15$

(2) 진수의 조건에서 $x-1>0$, $\log_3(x-1)>0$ $\therefore x>2$

$\log_4\{\log_3(x-1)\}=1$에서 밑을 같게 하면

$\log_4\{\log_3(x-1)\}=\log_4 4$

$\log_3(x-1)=4$, $\log_3(x-1)=\log_3 3^4$

$x-1=3^4$ $\therefore x=3^4+1=82$

(3) 진수의 조건에서 $x+2>0$ $\therefore x>-2$

$\log_{\frac{1}{2}}(x+2)=2\log_{\frac{1}{2}}3$에서 밑이 같으므로

$\log_{\frac{1}{2}}(x+2)=\log_{\frac{1}{2}}3^2$, $x+2=3^2$

$\therefore x=3^2-2=7$

(4) 진수의 조건에서 $x>0$, $x-3>0$ $\therefore x>3$

$\log_3 x=1+\log_3(x-3)$에서 밑을 같게 하면

$\log_3 x=\log_3 3+\log_3(x-3)$

$\log_3 x=\log_3 3(x-3)$, $x=3(x-3)$

$x=3x-9$, $2x=9$ $\therefore x=\frac{9}{2}$

답 (1) $x=15$ (2) $x=82$ (3) $x=7$ (4) $x=\frac{9}{2}$

참고

로그방정식을 풀 때는 x의 값을 구한 후, 진수가 양수인 조건을 만족시키는지 확인해야 한다.

040

$\log_2(4+x)+\log_2(4-x)=3$에서

$\log_2(4+x)(4-x)=\log_2 2^3$

$(4+x)(4-x)=8$, $16-x^2=8$

$x^2=8$ $\therefore x=-2\sqrt{2}$ 또는 $x=2\sqrt{2}$ ······ ㉠

이때 진수의 조건에서

$4+x>0$, $4-x>0$ $\therefore -4<x<4$

이때 ㉠은 위의 부등식을 만족시키므로 구하는 방정식의 해이다.

따라서 모든 실수 x의 값의 곱은

$-2\sqrt{2}\times2\sqrt{2}=-8$

답 ②

041

$\log_3(x-1)-\log_9\left(x-\frac{5}{3}\right)=\frac{1}{2}$에서

$\log_3(x-1)-\frac{1}{2}\log_3\left(x-\frac{5}{3}\right)=\frac{1}{2}\log_3 3$

$2\log_3(x-1)=\log_3 3+\log_3\left(x-\frac{5}{3}\right)$

$\log_3(x-1)^2=\log_3 3\left(x-\frac{5}{3}\right)$

$(x-1)^2=3\left(x-\frac{5}{3}\right)$, $x^2-2x+1=3x-5$

$x^2-5x+6=0$, $(x-2)(x-3)=0$

$\therefore x=2$ 또는 $x=3$ → 진수의 조건 $x>\frac{5}{3}$를 만족시킨다.

따라서 모든 근의 합은

$2+3=5$

답 ①

|다른 풀이|

$\log_3(x-1)-\log_9\left(x-\frac{5}{3}\right)=\frac{1}{2}$에서

$\log_{3^2}(x-1)^2-\log_9\left(x-\frac{5}{3}\right)=\frac{1}{2}\log_9 9$

$\log_9(x-1)^2-\log_9\left(x-\frac{5}{3}\right)=\log_9 9^{\frac{1}{2}}$

$\log_9(x-1)^2=\log_9\left(x-\frac{5}{3}\right)+\log_9 3$

$\log_9(x-1)^2=\log_9 3\left(x-\frac{5}{3}\right)$

$(x-1)^2=3\left(x-\frac{5}{3}\right)$

042

$\log_{\sqrt{2}} 8=\log_{2^{\frac{1}{2}}} 2^3=3\times2\times\log_2 2=6$이므로

$\log_x(\log_{\sqrt{2}} 8)=\log_x 6=2$, $x^2=6$

$\therefore x=-\sqrt{6}$ 또는 $x=\sqrt{6}$

그런데 밑의 조건에서 $x>0$, $x\neq1$이므로 $x=\sqrt{6}$

답 ⑤

043

$\log_4 x+\log_4(6-x)-\log_4 k=0$에서

$\log_4 x(6-x)=\log_4 k \qquad \therefore x(6-x)=k$ .... ㉠

이때 진수는 양수이어야 하므로

$x>0$, $6-x>0 \qquad \therefore 0<x<6$ .... ㉡

주어진 방정식이 서로 다른 두 개의 실근을 가지려면 ㉡의 범위에서 ㉠이 서로 다른 두 개의 실근을 가져야 한다.

즉, $0<x<6$에서 곡선 $y=x(6-x)$와 직선 $y=k$의 교점이 2개이어야 하므로 오른쪽 그림에서 $0<k<9$

따라서 자연수 k는 1, 2, 3, ⋯, 8의 8개이다.

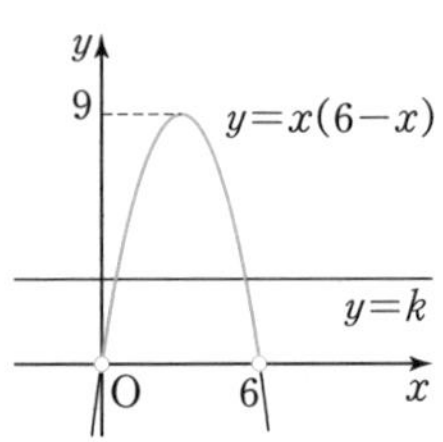

답 ③

044

$(\log_3 x)^2+4\log_9 x-3=0$에서

$(\log_3 x)^2+4\log_{3^2} x-3=0$, $(\log_3 x)^2+2\log_3 x-3=0$

$\log_3 x=t$로 놓으면

$t^2+2t-3=0$, $(t-1)(t+3)=0$

$\therefore t=1$ 또는 $t=-3$

즉, $\log_3 x=1$ 또는 $\log_3 x=-3$이므로

$x=3$ 또는 $x=\frac{1}{27}$

따라서 모든 실근의 곱은

$3\times\frac{1}{27}=\frac{1}{9}$

답 ①

|다른 풀이|

주어진 방정식의 두 근을 α, β라고 하면 방정식 $t^2+2t-3=0$의 두 근은 $\log_3\alpha$, $\log_3\beta$이므로 이차방정식의 근과 계수의 관계에 의하여

$\log_3\alpha+\log_3\beta=-2$, $\log_3\alpha\beta=-2$

$\therefore \alpha\beta=3^{-2}=\frac{1}{9}$

045

$(\log_2 2x)\left(\log_2\frac{x}{2}\right)=8$에서

$(\log_2 2+\log_2 x)(\log_2 x-\log_2 2)=8$

$(\log_2 x+1)(\log_2 x-1)=8$

$\log_2 x=t$로 놓으면

$(t+1)(t-1)=8$, $t^2-1=8$

$t^2=9 \qquad \therefore t=-3$ 또는 $t=3$

즉, $\log_2 x=-3$ 또는 $\log_2 x=3$이므로

$x=\frac{1}{8}$ 또는 $x=8$

답 $x=\frac{1}{8}$ 또는 $x=8$

046

$\log_x 16-\log_2 x=3$에서 밑의 변환에 의하여

$\frac{\log_2 16}{\log_2 x}-\log_2 x=3$, $\frac{4}{\log_2 x}-\log_2 x=3$

$\log_2 x=t$로 놓으면 → $x>0$, $x\neq1$이므로 $t\neq0$

$\frac{4}{t}-t=3$, $4-t^2=3t$

$t^2+3t-4=0$, $(t-1)(t+4)=0$

$\therefore t=1$ 또는 $t=-4$

즉, $\log_2 x=1$ 또는 $\log_2 x=-4$이므로

$x=2$ 또는 $x=\frac{1}{16}$

따라서 $\alpha=\frac{1}{16}$, $\beta=2$ ($\because \alpha<\beta$)이므로

$\frac{1}{\alpha}+\beta=16+2=18$

답 ③

풍쌤 개념 CHECK

로그의 밑의 변환_高 수학 I

$a>0$, $a\neq1$, $b>0$, $c>0$, $c\neq1$일 때

(1) $\log_a b=\frac{\log_c b}{\log_c a}$ (2) $\log_a b=\frac{1}{\log_b a}$ (단, $b\neq1$)

047

$\log_{\frac{1}{3}} x\times\log_3 x+\log_3 x^3+k=0$에 $x=\frac{1}{9}$을 대입하면

$\log_{\frac{1}{3}}\frac{1}{9}\times\log_3\frac{1}{9}+\log_3\left(\frac{1}{9}\right)^3+k=0$

$\log_{\frac{1}{3}}\left(\frac{1}{3}\right)^2\times\log_3 3^{-2}+\log_3 3^{-6}+k=0$

$2\times(-2)+(-6)+k=0 \qquad \therefore k=10$

즉, 주어진 방정식은

$\log_{\frac{1}{3}} x\times\log_3 x+3\log_3 x+10=0$

$-(\log_3 x)^2+3\log_3 x+10=0$

$\therefore (\log_3 x)^2-3\log_3 x-10=0$

$\log_3 x=t$로 놓으면 $t^2-3t-10=0$

$(t+2)(t-5)=0 \qquad \therefore t=-2$ 또는 $t=5$

즉, $\log_3 x=-2$ 또는 $\log_3 x=5$이므로

$x=\frac{1}{9}$ 또는 $x=243$

따라서 구하는 다른 한 근은 243이다.

답 ⑤

048

$\log_3 x - \log_x 9 + 1 = 0$에서 밑의 변환에 의하여

$\log_3 x - \frac{\log_3 9}{\log_3 x} + 1 = 0$

$\log_3 x - \frac{2}{\log_3 x} + 1 = 0$

$\log_3 x = t$로 놓으면 ($x>0, x\neq 1$이므로 $t\neq 0$)

$t - \frac{2}{t} + 1 = 0$, $t^2 + t - 2 = 0$

$(t-1)(t+2) = 0$

$\therefore t=1$ 또는 $t=-2$

즉, $\log_3 x = 1$ 또는 $\log_3 x = -2$이므로

$x=3$ 또는 $x=\frac{1}{9}$

따라서 근이 3, $\frac{1}{9}$이고 이차항의 계수가 9인 방정식은

$$9(x-3)\left(x-\frac{1}{9}\right) = 9\left(x^2 - \frac{28}{9}x + \frac{1}{3}\right)$$
$$= 9x^2 - 28x + 3$$

이므로

$a=-28$, $b=3$

$\therefore a+b = -28+3 = -25$

답 ①

풍쌤 개념 CHECK

이차방정식의 작성_高 수학

(1) 근이 α, β이고 이차항의 계수가 1인 이차방정식은
$(x-\alpha)(x-\beta) = x^2 - (\alpha+\beta)x + \alpha\beta$

(2) 근이 α, β이고 이차항의 계수가 a인 이차방정식은
$a(x-\alpha)(x-\beta) = a\{x^2 - (\alpha+\beta)x + \alpha\beta\}$

|다른 풀이|

이차방정식 $9x^2 + ax + b = 0$의 근이 3, $\frac{1}{9}$이므로 이차방정식의 근과 계수의 관계에 의하여

$3 + \frac{1}{9} = -\frac{a}{9}$, $\frac{28}{9} = -\frac{a}{9}$ $\quad\therefore a=-28$

$3 \times \frac{1}{9} = \frac{b}{9}$, $\frac{1}{3} = \frac{b}{9}$ $\quad\therefore b=3$

049

밑과 진수의 조건에서

$x^2>0$, $x^2\neq 1$, $6-x>0$, $6-x\neq 1$, $x+1>0$

$\therefore 0<x<1$ 또는 $1<x<5$ 또는 $5<x<6$

(i) 진수가 같으면 밑도 같아야 하므로

$x^2 = 6-x$, $x^2+x-6=0$

$(x-2)(x+3)=0$

$\therefore x=2$ 또는 $x=-3$

이때 밑과 진수의 조건에 의하여 $x=-3$은 해가 아니다.

(ii) 진수가 1이 되는 경우는

$x+1=1$에서 $x=0$

이때 밑과 진수의 조건에 의하여 $x=0$은 해가 아니다.

(i), (ii)에 의하여 $x=2$

따라서 방정식의 해는 2뿐이므로 x의 값의 합은 2이다.

답 ②

050

밑과 진수의 조건에서

$12x+4>0$, $12x+4\neq 1$, $4x^2-3x>0$,
($x>-\frac{1}{3}$, $x\neq -\frac{1}{4}$, $x<0$ 또는 $x>\frac{3}{4}$)

$4x^2-3x\neq 1$, $4x-5>0$
($x\neq -\frac{1}{4}, x\neq 1$, $x>\frac{5}{4}$)

$\therefore x>\frac{5}{4}$ ······ ❶

(i) 진수가 같으면 밑도 같아야 하므로

$12x+4 = 4x^2-3x$, $4x^2-15x-4=0$

$(4x+1)(x-4)=0$

$\therefore x=-\frac{1}{4}$ 또는 $x=4$

이때 밑과 진수의 조건에 의하여 $x=-\frac{1}{4}$은 해가 아니다.
······ ❷

(ii) 진수가 1이 되는 경우는

$4x-5=1$에서 $x=\frac{3}{2}$ ······ ❸

(i), (ii)에 의하여 $x=4$ 또는 $x=\frac{3}{2}$

따라서 모든 근의 곱은

$4\times\frac{3}{2}=6$ ······ ❹

답 6

채점 기준	비율
❶ 주어진 로그방정식에서 밑과 진수의 조건을 만족시키는 x의 값의 범위를 찾을 수 있다.	20%
❷ 밑이 같은 경우에 밑과 진수의 조건을 만족시키는 근을 구할 수 있다.	35%
❸ 진수가 1인 경우에 밑과 진수의 조건을 만족시키는 근을 구할 수 있다.	35%
❹ 모든 근의 곱을 구할 수 있다.	10%

051

$x^{\log x} = \frac{x^3}{100}$의 양변에 상용로그를 취하면

$\log x^{\log x} = \log \frac{x^3}{100}$

$\log x \times \log x = \log x^3 - \log 100$

$(\log x)^2 = 3\log x - 2$

$\log x = t$로 놓으면

$t^2 = 3t-2$, $t^2-3t+2=0$

$(t-1)(t-2)=0$

$\therefore t=1$ 또는 $t=2$

즉, $\log x=1$ 또는 $\log x=2$이므로 $x=10$ 또는 $x=100$

$\therefore \alpha\beta = 10\times 100 = 1000$

답 ④

|다른 풀이|

주어진 방정식의 두 근이 α, β이므로 방정식 $t^2-3t+2=0$의 두 근은 $\log\alpha$, $\log\beta$이다.

따라서 이차방정식의 근과 계수의 관계에 의하여

$\log\alpha + \log\beta = 3$, $\log\alpha\beta = 3$

$\therefore \alpha\beta = 10^3 = 1000$

052

$(64x)^{\log_2 x}=x^3$의 양변에 밑이 2인 로그를 취하면

$\log_2 x\times\log_2 64x=\log_2 x^3$

$\log_2 x(\log_2 64+\log_2 x)=\log_2 x^3$

$\log_2 x(6+\log_2 x)=3\log_2 x$

$\log_2 x=t$로 놓으면

$t(6+t)=3t$, $6t+t^2=3t$

$t^2+3t=0$, $t(t+3)=0$

$\therefore t=0$ 또는 $t=-3$

즉, $\log_2 x=0$ 또는 $\log_2 x=-3$이므로

$x=1$ 또는 $x=\frac{1}{8}$

따라서 모든 근의 곱은 $\frac{1}{8}$이다.

답 ②

053

(1) 진수의 조건에서

$x+3>0$ $\therefore x>-3$ ······ ㉠

$\log_3(x+3)\le 3$에서 $\log_3(x+3)\le\log_3 3^3$

$\log_3(x+3)\le\log_3 27$

이때 밑이 1보다 크므로 $x+3\le 27$

$\therefore x\le 24$ ······ ㉡

㉠, ㉡의 공통부분을 구하면 $-3<x\le 24$

(2) 진수의 조건에서

$1-2x>0$ $\therefore x<\frac{1}{2}$ ······ ㉠

$\log_{\frac{1}{2}}(1-2x)>1$에서 $\log_{\frac{1}{2}}(1-2x)>\log_{\frac{1}{2}}\frac{1}{2}$

이때 밑이 0보다 크고 1보다 작으므로

$1-2x<\frac{1}{2}$ $\therefore x>\frac{1}{4}$ ······ ㉡

㉠, ㉡의 공통부분을 구하면 $\frac{1}{4}<x<\frac{1}{2}$

(3) 진수의 조건에서

$3x+1>0$, $x-1>0$ $\therefore x>1$ ······ ㉠

$\log_4(3x+1)>\log_4(x-1)$에서 밑이 1보다 크므로

$3x+1>x-1$ $\therefore x>-1$ ······ ㉡

㉠, ㉡의 공통부분을 구하면 $x>1$

(4) 진수의 조건에서

$4-x>0$, $2x+2>0$ $\therefore -1<x<4$ ······ ㉠

$\log_{\frac{1}{3}}(4-x)\le\log_{\frac{1}{3}}(2x+2)$에서 밑이 0보다 크고 1보다 작으므로

$4-x\ge 2x+2$ $\therefore x\le\frac{2}{3}$ ······ ㉡

㉠, ㉡의 공통부분을 구하면 $-1<x\le\frac{2}{3}$

답 (1) $-3<x\le 24$ (2) $\frac{1}{4}<x<\frac{1}{2}$ (3) $x>1$ (4) $-1<x\le\frac{2}{3}$

054

진수의 조건에서

$x-5>0$, $x+5>0$

$\therefore x>5$ ······ ㉠

$\log_3(x-5)+\log_3(x+5)\le 3$에서

$\log_3(x-5)+\log_3(x+5)\le\log_3 3^3$

$\log_3(x-5)(x+5)\le\log_3 27$

$\log_3(x^2-25)\le\log_3 27$

이때 밑이 1보다 크므로

$x^2-25\le 27$, $x^2\le 52$

$\therefore -2\sqrt{13}\le x\le 2\sqrt{13}$ ······ ㉡

㉠, ㉡의 공통부분을 구하면

$5<x\le 2\sqrt{13}$

따라서 $\alpha=5$, $\beta=2\sqrt{13}$이므로

$\alpha^2+\beta^2=5^2+(2\sqrt{13})^2=25+52=77$

답 77

055

진수의 조건에서

$n^2-9n+18>0$, $(n-3)(n-6)>0$

$\therefore n<3$ 또는 $n>6$ ······ ㉠

$\log_{18}(n^2-9n+18)<1$에서

$\log_{18}(n^2-9n+18)<\log_{18}18$

이때 밑이 1보다 크므로

$n^2-9n+18<18$

$n^2-9n<0$

$n(n-9)<0$

$\therefore 0<n<9$ ······ ㉡

㉠, ㉡의 공통부분을 구하면

$0<n<3$ 또는 $6<n<9$

따라서 구하는 자연수 n은 1, 2, 7, 8이므로 그 합은

$1+2+7+8=18$

답 ⑤

056

진수의 조건에서

$3(x+5)>0$, $x-1>0$

$\therefore x>1$ ······ ㉠

$\log_{\frac{1}{4}}3(x+5)>\log_{\frac{1}{2}}(x-1)$에서

$\log_{(\frac{1}{2})^2}3(x+5)>\log_{\frac{1}{2}}(x-1)$

$\frac{1}{2}\log_{\frac{1}{2}}3(x+5)>\log_{\frac{1}{2}}(x-1)$

$\log_{\frac{1}{2}}3(x+5)>2\log_{\frac{1}{2}}(x-1)$

$\log_{\frac{1}{2}}3(x+5)>\log_{\frac{1}{2}}(x-1)^2$

이때 밑이 0보다 크고 1보다 작으므로

$3(x+5)<(x-1)^2$

$3x+15<x^2-2x+1$

$x^2-5x-14>0$

$(x+2)(x-7)>0$

$\therefore x<-2$ 또는 $x>7$ ······ ㉡

㉠, ㉡의 공통부분을 구하면 $x>7$

따라서 구하는 정수 x의 최솟값은 8이다.

답 ②

057

진수의 조건에서

$|x-2|>0 \qquad \therefore x\neq 2$ ⋯⋯ ㉠

⋯⋯ ❶

$2\log_5|x-2|\leq 2-\log_5 16$에서

$2\log_5|x-2|\leq \log_5 25-\log_5 16$

$2\log_5|x-2|\leq \log_5\frac{25}{16}$

$2\log_5|x-2|\leq \log_5\left(\frac{5}{4}\right)^2$

$\log_5|x-2|\leq \frac{1}{2}\log_5\left(\frac{5}{4}\right)^2$

$\log_5|x-2|\leq \log_5\frac{5}{4}$

이때 밑이 1보다 크므로

$|x-2|\leq\frac{5}{4},\ -\frac{5}{4}\leq x-2\leq\frac{5}{4}$

$\therefore \frac{3}{4}\leq x\leq\frac{13}{4}$ ⋯⋯ ㉡

⋯⋯ ❷

㉠, ㉡의 공통부분을 구하면

$\frac{3}{4}\leq x<2$ 또는 $2<x\leq\frac{13}{4}$ ⋯⋯ ❸

따라서 구하는 정수 x는 1, 3이므로 그 합은

$1+3=4$ ⋯⋯ ❹

답 4

채점 기준	비율
❶ 주어진 로그부등식에서 진수의 조건을 찾을 수 있다.	10%
❷ 주어진 로그부등식을 만족시키는 x의 값의 범위를 구할 수 있다.	40%
❸ ❶, ❷의 공통부분을 구하여 부등식의 해를 구할 수 있다.	30%
❹ 정수 x를 구하고, 그 합을 구할 수 있다.	20%

058

진수의 조건에서 $x>0$ ⋯⋯ ㉠

$(\log_2 x)^2+\log_2\frac{32}{x^6}\leq 0$에서

$(\log_2 x)^2+\log_2 32-\log_2 x^6\leq 0$

$(\log_2 x)^2+\log_2 2^5-6\log_2 x\leq 0$

$(\log_2 x)^2-6\log x+5\leq 0$

$\log_2 x=t$로 놓으면

$t^2-6t+5\leq 0,\ (t-1)(t-5)\leq 0$

$\therefore 1\leq t\leq 5$

즉, $1\leq\log_2 x\leq 5$이므로

$2\leq x\leq 32$ ⋯⋯ ㉡

㉠, ㉡의 공통부분을 구하면

$2\leq x\leq 32$

따라서 $\alpha=2,\ \beta=32$이므로

$\alpha+\beta=2+32=34$

답 ④

059

진수의 조건에서 $x>0$ ⋯⋯ ㉠

$(\log_3 x)^2>\log_{\frac{1}{3}}x^2+3$에서

$(\log_3 x)^2>\log_{3^{-1}}x^2+3$

$(\log_3 x)^2>-2\log_3 x+3$

$\log_3 x=t$로 놓으면

$t^2>-2t+3,\ t^2+2t-3>0$

$(t-1)(t+3)>0$

$\therefore t<-3$ 또는 $t>1$

즉, $\log_3 x<-3$ 또는 $\log_3 x>1$이므로

$x<\frac{1}{27}$ 또는 $x>3$ ⋯⋯ ㉡

㉠, ㉡의 공통부분을 구하면

$0<x<\frac{1}{27}$ 또는 $x>3$

따라서 구하는 정수 x의 최솟값은 4이다.

답 4

060

$f(x)=x^2,\ g(x)=\log_7 x$에서

$(f\circ g)(x)=f(g(x))=(\log_7 x)^2$

$(g\circ f)(x)=g(f(x))=\log_7 x^2=2\log_7 x$

즉, $(f\circ g)(x)\leq(g\circ f)(x)$에서

$(\log_7 x)^2\leq 2\log_7 x$

$\log_7 x=t$로 놓으면 $t^2\leq 2t$

$t^2-2t\leq 0,\ t(t-2)\leq 0$

$\therefore 0\leq t\leq 2$

즉, $0\leq\log_7 x\leq 2$이므로

$1\leq x\leq 49$ → 진수의 조건에서 $x>0$이고, 이를 만족시킨다.

따라서 구하는 자연수 x는 1, 2, 3, ⋯, 49의 49개이다.

답 ②

참고

자연수 a, b에 대하여

(1) $a<x<b$를 만족시키는 자연수 x는 $(b-a-1)$개이다.

(2) $a\leq x<b$ 또는 $a<x\leq b$를 만족시키는 자연수 x는 $(b-a)$개이다.

(3) $a\leq x\leq b$를 만족시키는 자연수 x는 $(b-a+1)$개이다.

061

진수의 조건에서

$\frac{2}{x}>0,\ x>0 \qquad \therefore x>0$ ⋯⋯ ㉠

$\log_2\frac{2}{x}\times\log_2 x\geq -20$에서

$(\log_2 2-\log_2 x)(\log_2 x)\geq -20$

$(1-\log_2 x)(\log_2 x)\geq -20$

$\log_2 x=t$로 놓으면

$(1-t)t\geq -20,\ t^2-t-20\leq 0$

$(t+4)(t-5)\leq 0$

$\therefore -4\leq x\leq 5$

즉, $-4\leq\log_2 x\leq 5$이므로

$\frac{1}{16}\leq x\leq 32$ ⋯⋯ ㉡

㉠, ㉡의 공통부분을 구하면 $\frac{1}{16}\leq x\leq 32$

따라서 구하는 자연수 x의 최댓값은 32이다.

답 ②

062

진수의 조건에서

$\frac{x}{9}>0,\ \frac{x}{27}>0 \qquad \therefore x>0$ ······ ㉠

$\left(\log_{\frac{1}{3}}\frac{x}{9}\right)\left(\log_{\frac{1}{3}}\frac{x}{27}\right)<2$에서

$\left(\log_{\frac{1}{3}}x+\log_{\frac{1}{3}}\frac{1}{9}\right)\left(\log_{\frac{1}{3}}x+\log_{\frac{1}{3}}\frac{1}{27}\right)<2$

$(\log_{\frac{1}{3}}x+2)(\log_{\frac{1}{3}}x+3)<2$

$\log_{\frac{1}{3}}x=t$로 놓으면

$(t+2)(t+3)<2,\ t^2+5t+6<2$

$t^2+5t+4<0,\ (t+1)(t+4)<0$

$\therefore -4<t<-1$

즉, $-4<\log_{\frac{1}{3}}x<-1$이므로

$\log_{\frac{1}{3}}\left(\frac{1}{3}\right)^{-4}<\log_{\frac{1}{3}}x<\log_{\frac{1}{3}}\left(\frac{1}{3}\right)^{-1}$

$\log_{\frac{1}{3}}81<\log_{\frac{1}{3}}x<\log_{\frac{1}{3}}3$

이때 밑이 0보다 크고 1보다 작으므로

$3<x<81$ ······ ㉡

㉠, ㉡의 공통부분을 구하면 $3<x<81$

따라서 $\alpha=3,\ \beta=81$이므로

$\beta-\alpha=81-3=78$

답 ④

063

진수의 조건에서 $x>0,\ \log_2 x>0$

$\therefore x>1$ ······ ㉠

······ ❶

$\log_2(\log_2 x)\le 2$에서 밑 2가 1보다 크므로

$\log_2 x\le 2^2,\ \log_2 x\le 4$

또, 밑 2가 1보다 크므로

$x\le 2^4 \qquad \therefore x\le 16$ ······ ㉡

㉠, ㉡의 공통부분을 구하면

$1<x\le 16$ ······ ❷

따라서 구하는 정수 x는 2, 3, 4, ⋯, 16의 15개이다. ······ ❸

답 15

채점 기준	비율
❶ 로그부등식에서 진수의 조건을 찾을 수 있다.	30%
❷ 주어진 로그부등식을 정리하여 진수의 조건을 만족시키는 해를 구할 수 있다.	50%
❸ 구하는 정수의 개수를 구할 수 있다.	20%

064

진수의 조건에서 $x>0,\ \log_8 x>0$

$\therefore x>1$ ······ ㉠

$\log_{\frac{1}{3}}(\log_8 x)>1$에서 밑 $\frac{1}{3}$이 0보다 크고 1보다 작으므로

$\log_8 x<\frac{1}{3}$

또, 밑 8이 1보다 크므로

$x<8^{\frac{1}{3}} \qquad \therefore x<2$ ······ ㉡

㉠, ㉡의 공통부분을 구하면 $1<x<2$

따라서 $\alpha=1,\ \beta=2$이므로

$\alpha+\beta=1+2=3$

답 ③

065

$x^{\log_{\frac{1}{3}}x}>27x^4$의 양변에 밑이 $\frac{1}{3}$인 로그를 취하면 (밑이 0보다 크고 1보다 작으므로 부등호의 방향이 바뀐다.)

$\log_{\frac{1}{3}}x\times\log_{\frac{1}{3}}x<\log_{\frac{1}{3}}27x^4$

$(\log_{\frac{1}{3}}x)^2<\log_{\frac{1}{3}}\left(\frac{1}{3}\right)^{-3}+\log_{\frac{1}{3}}x^4$

$(\log_{\frac{1}{3}}x)^2<-3+4\log_{\frac{1}{3}}x$

$\log_{\frac{1}{3}}x=t$로 놓으면

$t^2<-3+4t,\ t^2-4t+3<0$

$(t-1)(t-3)<0$

$\therefore 1<t<3$

즉, $1<\log_{\frac{1}{3}}x<3$이므로

$\log_{\frac{1}{3}}\frac{1}{3}<\log_{\frac{1}{3}}x<\log_{\frac{1}{3}}\frac{1}{27}$

이때 밑이 0보다 크고 1보다 작으므로

$\frac{1}{27}<x<\frac{1}{3}$

따라서 $\alpha=\frac{1}{27},\ \beta=\frac{1}{3}$이므로

$\frac{\alpha+\beta}{\alpha\beta}=\frac{1}{\alpha}+\frac{1}{\beta}=27+3=30$

답 ①

|다른 풀이|

$x^{\log_{\frac{1}{3}}x}>27x^4$의 양변에 밑이 3인 로그를 취하면 (밑이 1보다 크므로 부등호의 방향이 그대로)

$\log_{\frac{1}{3}}x\times\log_3 x>\log_3 27x^4$

$-\log_3 x\times\log_3 x>\log_3 3^3+\log_3 x^4$

$-(\log_3 x)^2>3+4\log_3 x$

$\log_3 x=t$로 놓으면

$-t^2>3+4t,\ t^2+4t+3<0$

$(t+1)(t+3)<0$

$\therefore -3<t<-1$

즉, $-3<\log_3 x<-1$이므로

$\frac{1}{27}<x<\frac{1}{3}$

066

$x^{\log_4\frac{1}{x}}>\frac{1}{256}$의 양변에 밑이 4인 로그를 취하면

$\log_4\frac{1}{x}\times\log_4 x>\log_4\frac{1}{256}$

$-\log_4 x\times\log_4 x>\log_4 4^{-4}$

$-(\log_4 x)^2>-4$

$\log_4 x=t$로 놓으면

$-t^2>-4,\ t^2-4<0$

$(t+2)(t-2)<0$

$\therefore -2<t<2$

즉, $-2<\log_4 x<2$이므로 $\frac{1}{16}<x<16$

따라서 부등식을 만족시키는 정수 x의 최댓값은 15이다.

답 ③

실력을 높이는 연습 문제

본문 071쪽

01

$f(4)=2f(8)$에서

$\log_2 4+k\log_4 8=2(\log_2 8+k\log_8 8)$

$\log_2 2^2+k\log_{2^2} 2^3=2(\log_2 2^3+k\log_8 8)$

$2+\frac{3}{2}k=2(3+k),\ 2+\frac{3}{2}k=6+2k$

$\frac{k}{2}=-4 \qquad \therefore k=-8$

답 ①

02

함수 $f(x)=\log_a x+3$과 직선 $x=2$의 교점의 좌표가 $(2,\ 2)$이므로

$f(2)=\log_a 2+3=2,\ \log_a 2=-1$

$\therefore a=\frac{1}{2}$

또, 함수 $g(x)=\log_b (x+6)$과 직선 $x=2$의 교점의 좌표가 $(2,\ 3)$이므로

$g(2)=\log_b (2+6)=3,\ \log_b 8=3$

$\therefore b=2$

$\therefore \log_b a=\log_2 \frac{1}{2}=-1$

답 ①

| 다른 풀이 |

$f(2)=2$에서 $\log_2 a=-1$

$g(2)=3$에서 $\log_b 8=3$

$\log_b 2^3=3,\ 3\log_b 2=3$

$\therefore \log_b 2=1$

$\therefore \log_b a=\frac{\log_2 a}{\log_2 b}=\frac{-1}{1}=-1$

풍쌤 개념 CHECK

로그의 밑의 변환_高 수학 I

$a>0,\ a\neq1,\ b>0,\ c>0,\ c\neq1$일 때

(1) $\log_a b=\frac{\log_c b}{\log_c a}$ (2) $\log_a b=\frac{1}{\log_b a}$ (단, $b\neq1$)

03

$f(x)=\log_{\frac{1}{3}}\left(1-\frac{1}{x}\right)=\log_{\frac{1}{3}}\frac{x-1}{x}$

이므로

$f(2)+f(3)+f(4)+\cdots+f(27)$

$=\log_{\frac{1}{3}}\frac{1}{2}+\log_{\frac{1}{3}}\frac{2}{3}+\log_{\frac{1}{3}}\frac{3}{4}+\cdots+\log_{\frac{1}{3}}\frac{26}{27}$

$=\log_{\frac{1}{3}}\left(\frac{1}{2}\times\frac{2}{3}\times\frac{3}{4}\times\cdots\times\frac{26}{27}\right)$

$=\log_{\frac{1}{3}}\frac{1}{27}=\log_{\frac{1}{3}}\left(\frac{1}{3}\right)^3=3$

답 ④

04

함수 $y=\log_a (x+a)$의 그래프는 함수 $y=\log_a x$의 그래프를 x축의 방향으로 $-a$만큼 평행이동한 것이다.

이때 제4사분면만을 지나지 않는 그래프는 오른쪽 그림과 같으므로 $a>1$이어야 하고, 그래프가 x축과 만나는 점의 x좌표의 값이 음수이어야 한다.

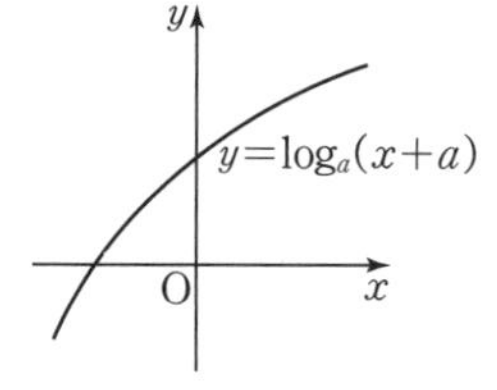

즉, $0=\log_a (x+a)$에서 $x+a=1$이므로 $x=1-a$

즉, $1-a<0$이어야 하므로 $a>1$

답 ①

05

$(f^{-1}\circ g)(25)=f^{-1}(g(25))$

$=f^{-1}(\log_5 25)=f^{-1}(2)$

이때 $f^{-1}(2)=k$로 놓으면

$f(k)=2,\ \log_{\frac{1}{2}} k=2$

$\therefore k=\left(\frac{1}{2}\right)^2=\frac{1}{4}$

$\therefore (f^{-1}\circ g)(25)=\frac{1}{4}$

답 ③

| 다른 풀이 |

$f(x)=\log_{\frac{1}{2}} x$에서

$y=\log_{\frac{1}{2}} x,\ \left(\frac{1}{2}\right)^y=x$

$\therefore f^{-1}(x)=\left(\frac{1}{2}\right)^x$

$\therefore (f^{-1}\circ g)(25)=f^{-1}(2)=\left(\frac{1}{2}\right)^2=\frac{1}{4}$

06

문제 접근하기

주어진 세 수의 밑을 쉽게 통일할 수 없으므로 진수를 비교하는 방법이 아니라 주어진 조건인 $0<a<1<b$를 이용하여 세 수를 표현하여 비교하는 방법을 쓴다.
이때 a와 b 사이에 1이 있으므로 양수와 음수로 표현하고 이를 이용한다.

$a<1<b$의 각 변에 밑이 a인 로그를 취하면 밑이 0보다 크고 1보다 작으므로 (부등호 방향이 반대로)

$\log_a b<\log_a 1<\log_a a$

$\therefore \log_a b<0$ ······ ㉠

또, $a<1<b$의 각 변에 밑이 b인 로그를 취하면 밑이 1보다 크므로 (부등호 방향이 그대로)

$\log_b a<\log_b 1<\log_b b,\ \log_b a<0$

$-\log_b a>0 \qquad \therefore \log_b \frac{1}{a}>0$ ······ ㉡

또,

$\log_a \frac{b}{a}=\log_a b-\log_a a=\log_a b-1$

이므로

$\log_a \frac{b}{a}<\log_a b$ ······ ㉢

따라서 ㉠, ㉡, ㉢에 의하여

$\log_a \frac{b}{a}<\log_a b<\log_b \frac{1}{a}$

답 ④

07

함수 $y=\log_4(x+a)$의 밑이 1보다 크므로 $x=8$일 때 최댓값 2를 갖는다.

$\log_4(8+a)=2$, $8+a=4^2=16$

$\therefore a=8$

답 8

08

$|x-4|+4$의 최솟값은 4이고, 밑이 1보다 크므로 주어진 함수는 최솟값을 갖는다.

따라서 최솟값은

$3+\log_2 4=3+\log_2 2^2=3+2=5$

답 ③

09

$y=\log_{15}(25-x)+\log_{15}(x+5)$

$=\log_{15}(25-x)(x+5)$

$=\log_{15}(-x^2+20x+125)$

$=\log_{15}\{-(x-10)^2+225\}$

$-(x-10)^2+225$의 최댓값은 225이고, 밑이 1보다 크므로 주어진 함수는 최댓값 $\log_{15}225=\log_{15}15^2=2$를 갖는다.

따라서 주어진 함수의 치역은 $\{y|y\le 2\}$이므로

$a=2$

답 ②

10

$y=(\log_2 4x)(\log_2 16x)$

$=(\log_2 x+\log_2 2^2)(\log_2 x+\log_2 2^4)$

$=(\log_2 x+2)(\log_2 x+4)$

에서 $\log_2 x=t$로 놓으면

$y=(t+2)(t+4)=t^2+6t+8$

$=(t+3)^2-1$

이때 $1\le x\le 2$이므로

$\log_2 1\le \log_2 x\le \log_2 2$

$\therefore 0\le t\le 1$

함수 $y=(t+3)^2-1$의 그래프는 오른쪽 그림과 같으므로 $0\le t\le 1$에서 $t=1$일 때 최댓값 15, $t=0$일 때 최솟값 8을 갖는다.

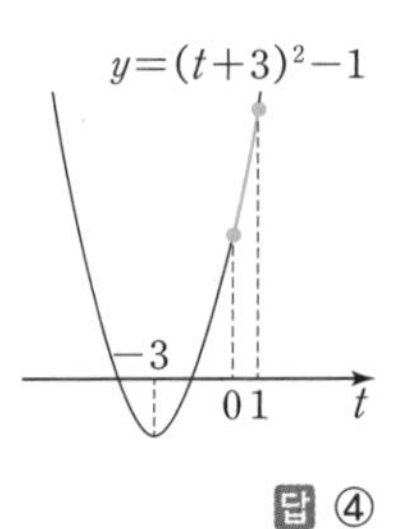

따라서 $M=15$, $m=8$이므로

$M+m=15+8=23$

답 ④

11

문제 접근하기

지수에 로그가 있는 문제는 양변에 로그를 취하여 지수를 아래로 내려 식을 정리하여 해결할 수 있다. 즉,

$\log_2 y=\log_{\frac{1}{2}}2x\times\log_2 32x$

로 정리할 수 있다.

만약 양변에 밑이 $\frac{1}{2}$인 로그를 취하여 푼다면 최댓값과 최솟값이 바뀔 수도 있으므로 주의해야 한다.

$y=(32x)^{\log_{\frac{1}{2}}2x}$의 양변에 밑이 2인 로그를 취하면

$\log_2 y=\log_2(32x)^{\log_{\frac{1}{2}}2x}$

$=\log_{\frac{1}{2}}2x\times\log_2 32x$

$=(\log_{\frac{1}{2}}2+\log_{\frac{1}{2}}x)(\log_2 32+\log_2 x)$

$=(\log_{2^{-1}}2+\log_{2^{-1}}x)(\log_2 2^5+\log_2 x)$

$=(-\log_2 x-1)(\log_2 x+5)$

$\log_2 x=t$로 놓으면

$\log_2 y=(-t-1)(t+5)=-t^2-6t-5=-(t+3)^2+4$

이므로 $t=-3$일 때 $\log_2 y$는 최댓값 4를 갖는다.

즉, $\log_2 y=4$에서 $y=2^4=16$

따라서 주어진 함수의 최댓값은 16이다.

답 ③

|다른 풀이|

$y=(32x)^{\log_{\frac{1}{2}}2x}$의 양변에 밑이 $\frac{1}{2}$인 로그를 취하면

$\log_{\frac{1}{2}}y=\log_{\frac{1}{2}}(32x)^{\log_{\frac{1}{2}}2x}=\log_{\frac{1}{2}}2x\times\log_{\frac{1}{2}}32x$

$=(\log_{\frac{1}{2}}2+\log_{\frac{1}{2}}x)(\log_{\frac{1}{2}}32+\log_{\frac{1}{2}}x)$

$=\left\{\log_{\frac{1}{2}}\left(\frac{1}{2}\right)^{-1}+\log_{\frac{1}{2}}x\right\}\left\{\log_{\frac{1}{2}}\left(\frac{1}{2}\right)^{-5}+\log_{\frac{1}{2}}x\right\}$

$=(\log_{\frac{1}{2}}x-1)(\log_{\frac{1}{2}}x-5)$

$\log_{\frac{1}{2}}x=t$로 놓으면

$\log_{\frac{1}{2}}y=(t-1)(t-5)=t^2-6t+5=(t-3)^2-4$

이므로 $t=3$일 때 최솟값 -4를 갖는다.

이때 $\log_{\frac{1}{2}}y$의 밑이 0보다 작고 1보다 크므로 y는 $t=3$일 때 최댓값을 갖는다.

즉, $\log_{\frac{1}{2}}y=-4$에서 $y=\left(\frac{1}{2}\right)^{-4}=16$

따라서 주어진 함수의 최댓값은 16이다.

참고

$\log_{\frac{1}{2}}y$의 최솟값이 -4인 것은 $\log_{\frac{1}{2}}y\ge -4$와 같이 나타낼 수 있다.

이때 밑이 0보다 크고 1보다 작으므로

$y\le\left(\frac{1}{2}\right)^{-4}=16$

즉, y의 최댓값은 16이다.

12

$\log_2 x=1+\log_4(2x-3)$에서

$\log_{2^2}x^2=\log_4 4+\log_4(2x-3)$

$\log_4 x^2=\log_4 4(2x-3)$

$x^2=4(2x-3)$, $x^2-8x+12=0$

$(x-2)(x-6)=0$

$\therefore x=2$ 또는 $x=6$

따라서 구하는 x의 값의 곱은 $2\times 6=12$

답 12

13

$\log_5 x-\log_{25}x=\log_5 x\times\log_{25}x$에서

$\log_5 x-\log_{5^2}x=\log_5 x\times\log_{5^2}x$

$\log_5 x-\frac{1}{2}\log_5 x=\frac{1}{2}\log_5 x\times\log_5 x$

$\log_5 x=(\log_5 x)^2$

$\log_5 x=t$로 놓으면

$t=t^2$, $t(t-1)=0$ $\quad \therefore t=0$ 또는 $t=1$

즉, $\log_5 x=0$ 또는 $\log_5 x=1$이므로 $x=1$ 또는 $x=5$

$\therefore \alpha^2+\beta^2=1^2+5^2=26$

답 ⑤

14

$(\log_{\frac{1}{4}} x)^2-k\log_{\frac{1}{4}} x-4=0$에서 $\log_{\frac{1}{4}} x=t$로 놓으면

$t^2-kt-4=0$

이때 주어진 방정식의 두 근을 α, β라고 하면 위 이차방정식의 근은 $\log_{\frac{1}{4}}\alpha$, $\log_{\frac{1}{4}}\beta$이므로 이차방정식의 근과 계수의 관계에 의하여

$\log_{\frac{1}{4}}\alpha+\log_{\frac{1}{4}}\beta=k$, $\log_{\frac{1}{4}}\alpha\beta=k$

$\log_{\frac{1}{4}} 16=k$, $\log_{\frac{1}{4}}\left(\frac{1}{4}\right)^{-2}=k$

$\therefore k=-2$

답 ①

15

$a(\log_3 x)^2+b\log_3 x+c=0$에서 $\log_3 x=t$로 놓으면

$at^2+bt+c=0$ .... ㉠

다영이는 a, c를 바르게 보았으므로 이차방정식의 근과 계수의 관계에 의하여 두 근의 곱을 구할 수 있다.

다영이가 구한 ㉠의 두 근은 $\log_3 9=2$, $\log_3 \frac{1}{81}=-4$이므로

(두 근의 곱)$=2\times(-4)=-8=\frac{c}{a}$

$\therefore c=-8a$ .... ㉡

현수는 a, b를 바르게 보았으므로 이차방정식의 근과 계수의 관계에 의하여 두 근의 합을 구할 수 있다.

현수가 구한 ㉠의 두 근은 $\log_3 \frac{1}{3}=-1$, $\log_3 27=3$이므로

(두 근의 합)$=-1+3=2=-\frac{b}{a}$

$\therefore b=-2a$ .... ㉢

㉡, ㉢을 ㉠에 대입하면 주어진 방정식은

$at^2-2at-8a=0$

$t^2-2t-8=0$, $(t+2)(t-4)=0$

$\therefore t=-2$ 또는 $t=4$

즉, $\log_3 x=-2$ 또는 $\log_3 x=4$이므로

$x=\frac{1}{9}$ 또는 $x=81$

$\therefore \alpha\beta=\frac{1}{9}\times 81=9$

답 9

16

$\log_3(x+y)=2$에서

$x+y=3^2=9$

$\log_2 x+\log_2 y=0$에서

$\log_2 xy=0$ $\quad \therefore xy=1$

$\therefore (x-y)^2=(x+y)^2-4xy=9^2-4\times 1$

$=81-4=77$

답 ③

풍쌤 개념 CHECK

곱셈 공식의 변형_中 수학 2

(1) $a^2+b^2=(a\pm b)^2\mp 2ab$ (복부호동순)

(2) $(a\pm b)^2=(a\mp b)^2\pm 4ab$ (복부호동순)

17

문제 접근하기

$x>0$에서 $4x\neq 5x$이고 $\log 4\neq \log 5$이므로 밑이나 지수를 비교하는 방법으로는 구할 수 없다. 이와 같은 문제는 양변에 로그를 취하여 지수를 아래로 내려 식을 정리하여 해결할 수 있다. 즉,

$\log 4\times\log 4x=\log 5\times\log 5x$

로 정리할 수 있다.

$(4x)^{\log 4}=(5x)^{\log 5}$의 양변에 상용로그를 취하면

$\log 4\times\log 4x=\log 5\times\log 5x$

$\log 4(\log 4+\log x)=\log 5(\log 5+\log x)$

$(\log 4)^2+\log 4\times\log x=(\log 5)^2+\log 5\times\log x$

$\log 4\times\log x-\log 5\times\log x=(\log 5)^2-(\log 4)^2$

$(\log 4-\log 5)\log x=(\log 5)^2-(\log 4)^2$

$\therefore \log x=\frac{(\log 5)^2-(\log 4)^2}{\log 4-\log 5}$

$=\frac{(\log 5+\log 4)(\log 5-\log 4)}{-(\log 5-\log 4)}$

$=-(\log 5+\log 4)$

$=-\log 20$

$=\log\frac{1}{20}$

$\therefore x=\frac{1}{20}$

답 ⑤

18

(i) $\log_2(x+1)\le k$의 진수의 조건에서

$x+1>0$ $\quad \therefore x>-1$ .... ㉠

$\log_2(x+1)\le k$, $\log_2(x+1)\le\log_2 2^k$

이때 밑이 1보다 크므로

$x+1\le 2^k$ $\quad \therefore x\le 2^k-1$ .... ㉡

㉠, ㉡의 공통부분을 구하면

$-1<x\le 2^k-1$

(ii) $\log_2(x-2)-\log_{\frac{1}{2}}(x+1)\ge 2$의 진수의 조건에서

$x-2>0$, $x+1>0$

$\therefore x>2$ .... ㉢

$\log_2(x-2)-\log_{\frac{1}{2}}(x+1)\ge 2$

$\log_2(x-2)+\log_2(x+1)\ge\log_2 2^2$

$\log_2(x-2)(x+1)\ge\log_2 4$

이때 밑이 1보다 크므로

$(x-2)(x+1)\ge 4$

$x^2-x-2\ge 4$, $x^2-x-6\ge 0$

$(x+2)(x-3)\ge 0$

$\therefore x\le -2$ 또는 $x\ge 3$ .... ㉣

㉢, ㉣의 공통부분을 구하면 $x\ge 3$

(i), (ii)에 의하여 구한 해를 수직선에 나타내면 다음 그림과 같다.

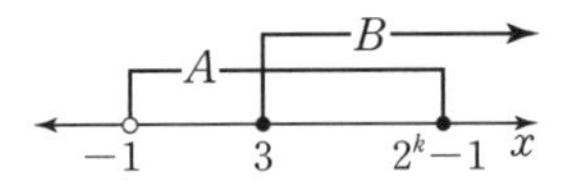

이때 $n(A\cap B)=5$이므로 $A\cap B=\{3, 4, 5, 6, 7\}$이어야 한다.
즉, $7\le 2^k-1<8$ $\quad\therefore 8\le 2^k<9$
따라서 구하는 자연수 k의 값은 3이다.

답 ①

19

진수의 조건에서 $x>0$ ········ ㉠
$(\log_3 x)^2\le\log_3\frac{9}{x^3}+16$에서
$(\log_3 x)^2\le \log_3 9-\log_3 x^3+16$
$(\log_3 x)^2\le 2-3\log_3 x+16$
$(\log_3 x)^2+3\log_3 x-18\le 0$
$\log_3 x=t$로 놓으면
$t^2+3t-18\le 0$, $(t+6)(t-3)\le 0$
$\therefore -6\le t\le 3$
즉, $-6\le\log_3 x\le 3$이므로
$3^{-6}\le x\le 3^3$ ········ ㉡
㉠, ㉡의 공통부분을 구하면
$3^{-6}\le x\le 3^3$
따라서 $\alpha=3^{-6}$, $\beta=3^3$이므로
$\frac{\beta}{\alpha}=\frac{3^3}{3^{-6}}=3^9$

답 ③

20

진수의 조건에서
$x>0$, $\log_2 x-2>0$
$\therefore x>4$ ········ ㉠
($\log_2 x>\log_2 4$ 밑이 1보다 크므로 $x>4$)
$\log_4(\log_2 x-2)\le\frac{1}{2}$에서 밑 4가 1보다 크므로
$\log_2 x-2\le 4^{\frac{1}{2}}$, $\log_2 x-2\le 2$
$\log_2 x\le 4$
또, 밑 2가 1보다 크므로
$x\le 2^4$ $\quad\therefore x\le 16$ ········ ㉡
㉠, ㉡의 공통부분을 구하면
$4<x\le 16$
따라서 구하는 정수 x는 5, 6, 7, ⋯, 16의 12개이다.

답 ④

21

(i) $32^{2-x}\le\left(\frac{1}{4}\right)^{x^2-4}$에서 $2^{5(2-x)}\le 2^{-2(x^2-4)}$
이때 밑이 1보다 크므로
$5(2-x)\le -2(x^2-4)$, $10-5x\le -2x^2+8$
$2x^2-5x+2\le 0$
$(2x-1)(x-2)\le 0$
$\therefore \frac{1}{2}\le x\le 2$

(ii) $(\log_2 x)^2<\log_2 x^3$의 진수의 조건에서
$x>0$ ········ ㉠
$(\log_2 x)^2<\log_2 x^3$에서 $(\log_2 x)^2<3\log_2 x$
$\log_2 x=t$로 놓으면
$t^2<3t$, $t^2-3t<0$, $t(t-3)<0$
$\therefore 0<t<3$
즉, $0<\log_2 x<3$이므로
$1<x<8$ ········ ㉡
㉠, ㉡의 공통부분을 구하면
$1<x<8$

(i), (ii)의 공통부분을 구하면
$1<x\le 2$
따라서 구하는 자연수는 2이다.

답 2

22

$4^{\log x}=x^{\log 4}$이므로
$4^{\log x}\times x^{\log 4}-\frac{9}{2}(4^{\log x}+x^{\log 4})+8<0$에서
$4^{\log x}\times 4^{\log x}-\frac{9}{2}(4^{\log x}+4^{\log x})+8<0$
$(4^{\log x})^2-9\times 4^{\log x}+8<0$
$4^{\log x}=t\ (t>0)$로 놓으면
$t^2-9t+8<0$, $(t-1)(t-8)<0$
$\therefore 1<t<8$
즉, $1<4^{\log x}<8$이므로
$4^0<4^{\log x}<4^{\frac{3}{2}}$, $0<\log x<\frac{3}{2}$
$\therefore 1<x<10\sqrt{10}$
따라서 $\alpha=1$, $\beta=10\sqrt{10}$이므로
$\alpha^2+\beta^2=1^2+(10\sqrt{10})^2=1+1000=1001$

답 ②

23

문제 접근하기
x에 대한 이차방정식이므로 판별식 D에 대하여 $D\ge 0$임을 이용한다. 이때 로그의 진수 a^2이 미지수이므로 진수의 조건에 의하여 $a^2>0$임에 주의한다.

진수의 조건에서 $a^2>0$
$\therefore a\ne 0$ ········ ㉠
$x^2-(2-\log_2 a^2)x+4=0$이 실근을 가져야 하므로 판별식을 D라고 하면
$D=(2-\log_2 a^2)^2-4\times 4\ge 0$
$(2-2\log_2 a)^2-16\ge 0$, $4(1-\log_2 a)^2-16\ge 0$
$(1-\log_2 a)^2-4\ge 0$, $(\log_2 a)^2-2\log_2 a-3\ge 0$
$\log_2 a=t$로 놓으면
$t^2-2t-3\ge 0$, $(t+1)(t-3)\ge 0$
$\therefore t\le -1$ 또는 $t\ge 3$
즉, $\log_2 a\le -1$ 또는 $\log_2 a\ge 3$이므로
$\therefore a\le\frac{1}{2}$ 또는 $a\ge 8$ ········ ㉡
㉠, ㉡의 공통부분을 구하면
$a<0$ 또는 $0<a\le\frac{1}{2}$ 또는 $a\ge 8$

답 ⑤

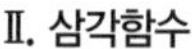

05 삼각함수

기본을 다지는 유형

본문 078쪽

001

(1) $350°=360°\times0+350°$에서 주어진 각의 동경이 $350°$의 동경과 일치하므로 일반각은 $360°n+350°$ (단, n은 정수이다.)

(2) $600°=360°\times1+240°$에서 주어진 각의 동경이 $240°$의 동경과 일치하므로 일반각은 $360°n+240°$ (단, n은 정수이다.)

(3) $-240°=360°\times(-1)+120°$에서 주어진 각의 동경이 $120°$의 동경과 일치하므로 일반각은 $360°n+120°$ (단, n은 정수이다.)

(4) $-540°=360°\times(-2)+180°$에서 주어진 각의 동경이 $180°$의 동경과 일치하므로 일반각은 $360°n+180°$ (단, n은 정수이다.)

답 (1) $360°n+350°$ (단, n은 정수이다.)
(2) $360°n+240°$ (단, n은 정수이다.)
(3) $360°n+120°$ (단, n은 정수이다.)
(4) $360°n+180°$ (단, n은 정수이다.)

002

동경 OP가 나타내는 각이 $30°$이므로 일반각은
$360°n+30°$ (단, n은 정수이다.)
$n=1$일 때 $390°$
$n=2$일 때 $750°$
$n=-1$일 때 $-330°$
$n=-2$일 때 $-690°$
이므로 주어진 동경 OP가 나타내는 각이 아닌 것은 ③ $1100°$이다.

답 ③

| 다른 풀이 |
① $390°=360°\times1+30°$
② $750°=360°\times2+30°$
③ $1100°=360°\times3+20°$
④ $-330°=360°\times(-1)+30°$
⑤ $-690°=360°\times(-2)+30°$

003

$\theta=1560°$에서 $\frac{\theta}{3}=\frac{1560°}{3}=520°$
이때 $520°=360°\times1+160°$이므로 $520°$는 제2사분면의 각이다.

답 ②

참고
정수 n에 대하여
(1) θ가 제1사분면의 각 ➡ $360°n<\theta<360°n+90°$
(2) θ가 제2사분면의 각 ➡ $360°n+90°<\theta<360°n+180°$
(3) θ가 제3사분면의 각 ➡ $360°n+180°<\theta<360°n+270°$
(4) θ가 제4사분면의 각 ➡ $360°n+270°<\theta<360°n+360°$
이때 동경이 좌표축 위에 있으면 어떤 사분면에도 속하지 않는다.

004

① $200°=360°\times0+200°$이므로 제3사분면의 각이다.
② $610°=360°\times1+250°$이므로 제3사분면의 각이다.
③ $1380°=360°\times3+300°$이므로 제4사분면의 각이다.
④ $-160°=360°\times(-1)+200°$이므로 제3사분면의 각이다.
⑤ $-510°=360°\times(-2)+210°$이므로 제3사분면의 각이다.
따라서 동경이 같은 사분면에 있는 각이 아닌 것은 ③이다.

답 ③

005

ㄱ. $120°=360°\times0+120°$이므로 제2사분면의 각이다.
ㄴ. $180°$의 동경은 x축 위에 있으므로 그 어떤 사분면의 각도 아니다.
ㄷ. $815°=360°\times2+95°$이므로 제2사분면의 각이다.
ㄹ. $-230°=360°\times(-1)+130°$이므로 제2사분면의 각이다.
ㅁ. $-470°=360°\times(-2)+250°$이므로 제3사분면의 각이다.
ㅂ. $-780°=360°\times(-3)+300°$이므로 제4사분면의 각이다.
따라서 제2사분면의 각은 ㄱ, ㄷ, ㄹ이다.

답 ②

006

θ가 제2사분면의 각이므로
$360°n+90°<\theta<360°n+180°$
$\therefore 180°n+45°<\frac{\theta}{2}<180°n+90°$ (단, n은 정수이다.) ······ ❶
(i) $n=2k$ (k는 정수)일 때
$180°\times2k+45°<\frac{\theta}{2}<180°\times2k+90°$
$\therefore 360°k+45°<\frac{\theta}{2}<360°k+90°$
따라서 $\frac{\theta}{2}$는 제1사분면의 각이다. ······ ❷
(ii) $n=2k+1$ (k는 정수)일 때
$180°\times(2k+1)+45°<\frac{\theta}{2}<180°\times(2k+1)+90°$
$\therefore 360°k+225°<\frac{\theta}{2}<360°k+270°$
따라서 $\frac{\theta}{2}$는 제3사분면의 각이다. ······ ❸
(i), (ii)에 의하여 각 $\frac{\theta}{2}$의 동경이 존재할 수 있는 사분면은 제1, 3사분면이다.

답 제1, 3사분면

채점 기준	비율
❶ θ가 제2사분면의 각임을 이용하여 각 $\frac{\theta}{2}$의 동경이 존재할 수 있는 범위를 구할 수 있다.	30%
❷ n이 2의 배수일 때 각 $\frac{\theta}{2}$의 동경이 존재할 수 있는 사분면을 구할 수 있다.	35%
❸ n이 2의 배수가 아닐 때 각 $\frac{\theta}{2}$의 동경이 존재할 수 있는 사분면을 구할 수 있다.	35%

007

3θ가 제4사분면의 각이므로
$360°n+270°<3\theta<360°n+360°$
$\therefore 120°n+90°<\theta<120°n+120°$ (단, n은 정수이다.)
(i) $n=3k$ (k는 정수)일 때
$120°\times3k+90°<\theta<120°\times3k+120°$

$\therefore 360°k+90° < \theta < 360°k+120°$

따라서 θ는 제2사분면의 각이다.

(ii) $n=3k+1$ (k는 정수)일 때

$120° \times (3k+1)+90° < \theta < 120° \times (3k+1)+120°$

$\therefore 360°k+210° < \theta < 360°k+240°$

따라서 θ는 제3사분면의 각이다.

(iii) $n=3k+2$ (k는 정수)일 때

$120° \times (3k+2)+90° < \theta < 120° \times (3k+2)+120°$

$\therefore 360°k+330° < \theta < 360°k+360°$

따라서 θ는 제4사분면의 각이다.

(i)~(iii)에 의하여 각 θ의 동경이 존재할 수 없는 사분면은 제1사분면이다.

답 ①

008

각 θ를 나타내는 동경과 각 11θ를 나타내는 동경이 x축에 대하여 대칭이므로

$\theta+11\theta=360°n$ (단, n은 정수이다.)

$12\theta=360°n$, $\theta=30°n$

$\therefore \theta=\cdots, 30°, 60°, 90°, \cdots$

이때 $0° < \theta \le 90°$를 만족시키는 각 θ의 크기는 $30°, 60°, 90°$이므로 그 합은

$30°+60°+90°=180°$

답 ④

009

각 θ를 나타내는 동경과 각 3θ를 나타내는 동경이 y축에 대하여 대칭이므로

$3\theta+\theta=360°n+180°$ (단, n은 정수이다.)

$4\theta=360°n+180°$, $\theta=90°n+45°$

$\therefore \theta=\cdots, 135°, 225°, 315°, \cdots$

이때 $90° < \theta < 270°$를 만족시키는 각 θ의 크기는 $135°, 225°$이므로 그 합은

$135°+225°=360°$

답 ③

010

각 α를 나타내는 동경과 각 β를 나타내는 동경이 직선 $y=x$에 대하여 대칭이므로

$\alpha+\beta=360°n+90°$ (n은 정수이다.)

의 꼴이어야 한다.

① $150°=360° \times 0+150°$

② $180°=360° \times 0+180°$

③ $360°=360° \times 1$

④ $420°=360° \times 1+60°$

⑤ $810°=360° \times 2+90°$

따라서 $\alpha+\beta$의 크기가 될 수 있는 것은 ⑤이다.

답 ⑤

011

각 θ를 나타내는 동경과 각 5θ를 나타내는 동경이 원점에 대하여 대칭이므로

$5\theta-\theta=360°n+180°$ (단, n은 정수이다.)

$4\theta=360°n+180°$, $\theta=90°n+45°$

$\therefore \theta=45°, 135°, 225°, \cdots$ ······ ㉠

······ ❶

또, 각 θ를 나타내는 동경과 각 9θ를 나타내는 동경이 직선 $y=x$에 대하여 대칭이므로

$\theta+9\theta=360°n+90°$ (단, n은 정수이다.)

$10\theta=360°n+90°$, $\theta=36°n+9°$

$\therefore \theta=9°, 45°, 81°, \cdots$ ······ ㉡

······ ❷

㉠, ㉡에서 구하는 각 θ의 크기의 최솟값은 $45°$이다. ······ ❸

답 $45°$

채점 기준	비율
❶ 각 θ를 나타내는 동경과 각 5θ를 나타내는 동경이 원점에 대하여 대칭이 되도록 하는 각 θ의 크기를 구할 수 있다.	40%
❷ 각 θ를 나타내는 동경과 각 9θ를 나타내는 동경이 직선 $y=x$에 대하여 대칭이 되도록 하는 각 θ의 크기를 구할 수 있다.	40%
❸ ❶, ❷를 만족시키는 각 θ의 크기의 최솟값을 구할 수 있다.	20%

012

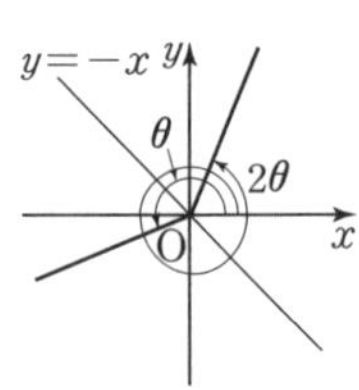

각 θ를 나타내는 동경과 각 2θ를 나타내는 동경이 직선 $y=-x$에 대하여 대칭인 경우는 오른쪽 그림과 같다. 즉,

$\theta+2\theta=360°n+270°$ (n은 정수이다.)

이어야 하므로

$3\theta=360°n+270°$, $\theta=120°n+90°$

$\therefore \theta=\cdots, 90°, 210°, 330°, \cdots,$

이때 $180° < \theta < 360°$를 만족시키는 각 θ의 크기는 $210°, 330°$이므로 그 합은

$210°+330°=540°$

답 ②

013

(1) $45°=45 \times \dfrac{\pi}{180}=\dfrac{\pi}{4}$

(2) $210°=210 \times \dfrac{\pi}{180}=\dfrac{7}{6}\pi$

(3) $-300°=-300 \times \dfrac{\pi}{180}=-\dfrac{5}{3}\pi$

(4) $\dfrac{2}{3}\pi=\dfrac{2}{3}\pi \times \dfrac{180°}{\pi}=120°$

(5) $-\dfrac{5}{6}\pi=-\dfrac{5}{6}\pi \times \dfrac{180°}{\pi}=-150°$

(6) $2=2 \times \dfrac{180°}{\pi}=\dfrac{360°}{\pi}$

→ 단위 라디안이 생략된 것이므로 2라디안$=2 \times \dfrac{180°}{\pi}$

답 (1) $\dfrac{\pi}{4}$ (2) $\dfrac{7}{6}\pi$ (3) $-\dfrac{5}{3}\pi$ (4) $120°$ (5) $-150°$ (6) $\dfrac{360°}{\pi}$

014

(1) $\dfrac{\pi}{3}$의 동경이 나타내는 일반각은 $2n\pi+\dfrac{\pi}{3}$

(2) $\frac{12}{5}\pi=2\pi+\frac{2}{5}\pi$이므로 $\frac{12}{5}\pi$의 동경이 나타내는 일반각은

$2n\pi+\frac{2}{5}\pi$

(3) $-3\pi=2\pi\times(-2)+\pi$이므로 -3π의 동경이 나타내는 일반각은 $2n\pi+\pi$

(4) $-\frac{19}{6}\pi=2\pi\times(-2)+\frac{5}{6}\pi$이므로 $-\frac{19}{6}\pi$의 동경이 나타내는 일반각은 $2n\pi+\frac{5}{6}\pi$

답 (1) $2n\pi+\frac{\pi}{3}$ (2) $2n\pi+\frac{2}{5}\pi$ (3) $2n\pi+\pi$ (4) $2n\pi+\frac{5}{6}\pi$

015

$135°+\frac{\pi}{3}-240°$

$=135\times\frac{\pi}{180}+\frac{\pi}{3}-240\times\frac{\pi}{180}$

$=\frac{3}{4}\pi+\frac{\pi}{3}-\frac{4}{3}\pi=-\frac{\pi}{4}$

$\therefore a=-\frac{1}{4}$

답 ①

|다른 풀이|

$135°+\frac{\pi}{3}-240°=135°+\frac{\pi}{3}\times\frac{180°}{\pi}-240°$

$=135°+60°-240°$

$=-45°=-45\times\frac{\pi}{180}=-\frac{\pi}{4}$

016

반지름의 길이가 r, 중심이 O인 원에서 호의 길이가 r인 부채꼴 OAB의 중심각의 크기를 $\alpha°$라고 하면 호 AB의 길이는 중심각의 크기에 정비례한다. 즉,

r : (가) $2\pi r=\alpha°$: $360°$, $2\pi r\alpha°=360°r$

$\therefore \alpha°=\frac{360°r}{2\pi r}=$ (나) $\frac{180°}{\pi}$

따라서 중심각의 크기 $\alpha°$는 원의 반지름의 길이 r에 관계없이 항상 일정하다.

이 일정한 각의 크기 (나) $\frac{180°}{\pi}$를 1라디안이라 하고, 이것을 단위로 하여 각의 크기를 나타내는 방법을 호도법이라고 한다.

$\therefore$ (가) : $2\pi r$, (나) : $\frac{180°}{\pi}$

답 ⑤

017

부채꼴의 반지름의 길이를 r, 중심각의 크기를 θ, 호의 길이를 l이라고 하면

$r=4$, $\theta=\frac{\pi}{4}$이므로 $l=r\theta=4\times\frac{\pi}{4}=\pi$

답 ④

018

부채꼴의 반지름의 길이를 r, 호의 길이를 l, 넓이를 S라고 하면 $r=6$이므로

$S=\frac{1}{2}rl=\frac{1}{2}\times6\times l=3l$ ❶

이때 $S=2^2\times\pi=4\pi$이므로 (반지름의 길이가 2인 원의 넓이)

$3l=4\pi$

$\therefore l=\frac{4}{3}\pi$ ❷

따라서 부채꼴의 둘레의 길이는

$2r+l=2\times6+\frac{4}{3}\pi=12+\frac{4}{3}\pi$

즉, $a=12$, $b=\frac{4}{3}$이므로

$a+3b=12+3\times\frac{4}{3}=12+4=16$ ❸

답 16

채점 기준	비율
❶ 부채꼴의 반지름의 길이와 호의 길이를 이용하여 부채꼴의 넓이를 나타낼 수 있다.	30%
❷ 주어진 조건을 이용하여 부채꼴의 호의 길이를 구할 수 있다.	40%
❸ 부채꼴의 둘레의 길이를 구하고, $a+3b$의 값을 구할 수 있다.	30%

019

부채꼴의 반지름의 길이를 r, 중심각의 크기를 θ, 호의 길이를 l이라고 하면

$\theta=\frac{\pi}{2}$이므로 부채꼴의 둘레의 길이는

$2r+l=2r+r\theta=2r+r\times\frac{\pi}{2}=\left(2+\frac{\pi}{2}\right)r$

$\left(2+\frac{\pi}{2}\right)r=4+\pi \qquad \therefore r=2$

따라서 부채꼴의 넓이는

$\frac{1}{2}r^2\theta=\frac{1}{2}\times2^2\times\frac{\pi}{2}=\pi$

답 ①

|다른 풀이|

중심각의 크기가 $\frac{\pi}{2}$인 부채꼴은 사분원과 같으므로 반지름의 길이가 2인 사분원의 넓이는

$\frac{1}{4}\times\pi\times2^2=\pi$

020

부채꼴의 반지름의 길이를 r, 호의 길이를 l, 넓이를 S라고 하면 부채꼴의 둘레의 길이가 20이므로

$20=2r+l \qquad \therefore l=20-2r$

$S=\frac{1}{2}rl=\frac{1}{2}r(20-2r)=-r^2+10r$

$=-(r-5)^2+25$

이때 $r>0$, $l>0$이므로

$r>0$, $20-2r>0 \qquad \therefore 0<r<10$

따라서 부채꼴의 넓이 S는 $r=5$일 때 최댓값 25를 갖는다.

답 ④

021

부채꼴의 반지름의 길이를 r, 중심각의 크기를 θ, 호의 길이를 l, 넓이를 S라고 하면

부채꼴의 둘레의 길이가 12이므로

$12=2r+l \qquad \therefore l=12-2r$

$S=\frac{1}{2}rl=\frac{1}{2}r(12-2r)$

$\quad=-r^2+6r=-(r-3)^2+9$

이때 $r>0$, $l>0$이므로

$r>0$, $12-2r>0 \qquad \therefore 0<r<6$

따라서 부채꼴의 넓이 S는 $r=3$일 때 최댓값 9를 갖는다.

$r=3$에서 $l=12-2\times3=6$이므로

$l=r\theta$에서 $6=3\theta$

$\therefore \theta=2$

답 ②

022

주어진 조건을 이용하여 원뿔을 만들면 오른쪽 그림과 같다.

옆면인 부채꼴의 호의 길이는

$\frac{4}{3}\pi\times9=12\pi$

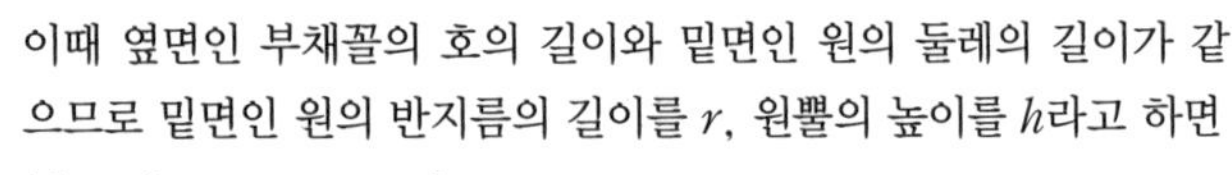

이때 옆면인 부채꼴의 호의 길이와 밑면인 원의 둘레의 길이가 같으므로 밑면인 원의 반지름의 길이를 r, 원뿔의 높이를 h라고 하면

$12\pi=2\pi r \qquad \therefore r=6$

$\therefore h=\sqrt{9^2-6^2}=3\sqrt{5}$

답 ①

023

점 P(5, 12)에 대하여

$x=5$, $y=12$

또, $\overline{\text{OP}}=r$로 놓으면

$r=\sqrt{5^2+12^2}=13$

(1) $\sin\theta=\frac{y}{r}=\frac{12}{13}$

(2) $\cos\theta=\frac{x}{r}=\frac{5}{13}$

(3) $\tan\theta=\frac{y}{x}=\frac{12}{5}$

답 (1) $\frac{12}{13}$ (2) $\frac{5}{13}$ (3) $\frac{12}{5}$

024

$\overline{\text{OP}}=\sqrt{(-3)^2+(-6)^2}=3\sqrt{5}$이므로

$\sin\theta=\frac{-6}{3\sqrt{5}}=-\frac{2\sqrt{5}}{5}$

$\cos\theta=\frac{-3}{3\sqrt{5}}=-\frac{\sqrt{5}}{5}$

$\tan\theta=\frac{-6}{-3}=2$

$\therefore 5\cos\theta-25\sin\theta-\tan\theta$

$=5\times\left(-\frac{\sqrt{5}}{5}\right)-25\times\left(-\frac{2\sqrt{5}}{5}\right)-2$

$=-\sqrt{5}+10\sqrt{5}-2=9\sqrt{5}-2$

답 ④

025

점 P$(-3, a)$에서 $\tan\theta=\frac{a}{-3}=-\frac{\sqrt{13}}{6}$이므로

$6a=3\sqrt{13} \qquad \therefore a=\frac{\sqrt{13}}{2}$

$\therefore r=\overline{\text{OP}}=\sqrt{(-3)^2+\left(\frac{\sqrt{13}}{2}\right)^2}=\frac{7}{2}$

$\therefore a^2+r^2=\left(\frac{\sqrt{13}}{2}\right)^2+\left(\frac{7}{2}\right)^2$

$\qquad=\frac{13}{4}+\frac{49}{4}=\frac{31}{2}$

답 $\frac{31}{2}$

026

점 D의 좌표를 (x_1, y_1)이라고 하면

$\sin\theta=\frac{y_1}{\overline{\text{OD}}}=\frac{y_1}{2}$에서 $y_1=2\sin\theta$

$\cos\theta=\frac{x_1}{\overline{\text{OD}}}=\frac{x_1}{2}$에서 $x_1=2\cos\theta$

$\therefore$ D$(2\cos\theta, 2\sin\theta)$

이때 점 C는 점 D와 x축에 대하여 대칭이므로 점 C의 좌표는

$(2\cos\theta, -2\sin\theta)$

따라서 점 C의 y좌표는 $-2\sin\theta$이다.

답 ③

027

직선 $4x+3y=0$ 위의 점 P$(-3, 4)$를 잡으면

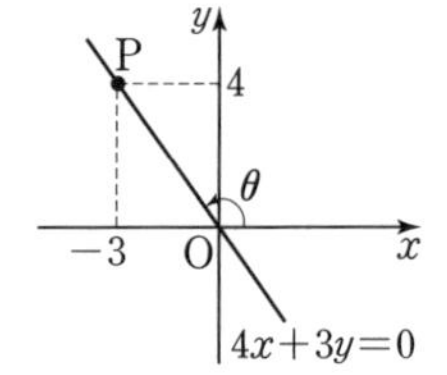

$\overline{\text{OP}}=\sqrt{(-3)^2+4^2}=5$ ❶

이므로

$\sin\theta=\frac{4}{5}$, $\cos\theta=-\frac{3}{5}$, $\tan\theta=-\frac{4}{3}$ ❷

$\therefore 25\sin\theta\cos\theta\tan\theta=25\times\frac{4}{5}\times\left(-\frac{3}{5}\right)\times\left(-\frac{4}{3}\right)$

$=16$ ❸

답 16

채점 기준	비율
❶ 주어진 직선 위의 임의의 점 P를 잡고, $\overline{\text{OP}}$의 길이를 구할 수 있다.	30%
❷ $\sin\theta$, $\cos\theta$, $\tan\theta$의 값을 구할 수 있다.	50%
❸ $25\sin\theta\cos\theta\tan\theta$의 값을 구할 수 있다.	20%

|다른 풀이|

$4x+3y=0$, $y=-\frac{4}{3}x$이므로

$\tan\theta=-\frac{4}{3}$

이때 직선 $4x+3y=0$ 위의 점 P$(-3, 4)$를 잡으면

$\overline{\text{OP}}=\sqrt{(-3)^2+4^2}=5$

이므로

$\sin\theta=\frac{4}{5}$, $\cos\theta=-\frac{3}{5}$

028

$\sin\theta\tan\theta>0$에서 $\sin\theta$와 $\tan\theta$의 부호가 서로 같으므로 각 θ는 제1사분면 또는 제4사분면의 각이다.

따라서 항상 옳은 것은 ③이다.

답 ③

029

(i) $\sin\theta\cos\theta>0$에서 $\sin\theta$와 $\cos\theta$의 부호가 서로 같으므로 θ는 제1사분면 또는 제3사분면의 각이다.

(ii) $\sin\theta\tan\theta<0$에서 $\sin\theta$와 $\tan\theta$의 부호가 서로 다르므로 θ는 제2사분면 또는 제3사분면의 각이다.

(i), (ii)에 의하여 θ는 제3사분면의 각이다.

답 ③

030

(i) $\sin\theta\tan\theta>0$에서 $\sin\theta$와 $\tan\theta$의 부호가 서로 같으므로 θ는 제1사분면 또는 제4사분면의 각이다.

(ii) $\cos\theta\tan\theta>0$에서 $\cos\theta$와 $\tan\theta$의 부호가 서로 같으므로 θ는 제1사분면 또는 제2사분면의 각이다.

(i), (ii)에 의하여 θ는 제1사분면의 각이다.

따라서 주어진 조건을 만족시키는 각 θ의 크기가 될 수 있는 것은 ①이다.

답 ①

031

$\sin\theta\cos\theta>0$에서 $\sin\theta$와 $\cos\theta$의 부호가 서로 같으므로 각 θ는 제1사분면 또는 제3사분면의 각이다.

ㄱ. θ가 제3사분면의 각이면
$-\sin\theta=|\sin\theta|$ (거짓)

ㄴ. θ가 제3사분면의 각이면
$\sqrt{\cos^2\theta}=|\cos\theta|=-\cos\theta$ (거짓)

ㄷ. 제1사분면 또는 제3사분면에서 $\tan\theta>0$이므로
$|\tan\theta|+\tan\theta=\tan\theta+\tan\theta$
$=2\tan\theta$ (참)

따라서 항상 옳은 것은 ㄷ이다.

답 ③

032

$\dfrac{\sqrt{\sin\theta}}{\sqrt{\tan\theta}}=-\sqrt{\dfrac{\sin\theta}{\tan\theta}}$에서

$\sin\theta>0$, $\tan\theta<0$

즉, θ는 제2사분면의 각이므로 ❶

$\sin\theta>0$, $\cos\theta<0$, $\sin\theta-\cos\theta>0$

$\therefore \sqrt{(\sin\theta-\cos\theta)^2}-|\cos\theta|+|\sin\theta|$

$=(\sin\theta-\cos\theta)-(-\cos\theta)+\sin\theta$ ❷

$=\sin\theta-\cos\theta+\cos\theta+\sin\theta$

$=2\sin\theta$ ❸

답 $2\sin\theta$

채점 기준	비율
❶ 주어진 조건에서 θ가 제몇 사분면의 각인지 알 수 있다.	30%
❷ 주어진 식을 바르게 정리할 수 있다.	50%
❸ 주어진 식을 간단히 한 결과를 얻을 수 있다.	20%

참고

$b\neq0$일 때, $\dfrac{\sqrt{a}}{\sqrt{b}}=-\sqrt{\dfrac{a}{b}}$이면 $a>0$, $b<0$이다.

033

$$\sin\theta+\frac{\cos^2\theta}{1+\sin\theta}=\sin\theta+\frac{1-\sin^2\theta}{1+\sin\theta}$$
$$=\sin\theta+\frac{(1+\sin\theta)(1-\sin\theta)}{1+\sin\theta}$$
$$=\sin\theta+(1-\sin\theta)=1$$

답 ③

034

$$\frac{\cos\theta}{1-\tan\theta}+\frac{\sin\theta}{1-\frac{1}{\tan\theta}}$$
$$=\frac{\cos\theta}{1-\frac{\sin\theta}{\cos\theta}}+\frac{\sin\theta}{1-\frac{\cos\theta}{\sin\theta}}$$
$$=\frac{\cos\theta}{\frac{\cos\theta-\sin\theta}{\cos\theta}}+\frac{\sin\theta}{\frac{\sin\theta-\cos\theta}{\sin\theta}}$$
$$=\frac{\cos^2\theta}{\cos\theta-\sin\theta}+\frac{\sin^2\theta}{\sin\theta-\cos\theta}$$
$$=\frac{\cos^2\theta}{\cos\theta-\sin\theta}-\frac{\sin^2\theta}{\cos\theta-\sin\theta}=\frac{\cos^2\theta-\sin^2\theta}{\cos\theta-\sin\theta}$$
$$=\frac{(\cos\theta+\sin\theta)(\cos\theta-\sin\theta)}{\cos\theta-\sin\theta}$$
$$=\sin\theta+\cos\theta$$

답 ⑤

035

θ가 제3사분면의 각이므로 $\cos\theta<0$

$\sin^2\theta+\cos^2\theta=1$에서

$\cos^2\theta=1-\sin^2\theta=1-\left(-\dfrac{12}{13}\right)^2=\dfrac{25}{169}$

$\therefore \cos\theta=-\dfrac{5}{13}$ ($\because \cos\theta<0$)

$\therefore \tan\theta=\dfrac{\sin\theta}{\cos\theta}=\dfrac{-\frac{12}{13}}{-\frac{5}{13}}=\dfrac{12}{5}$

답 $-\dfrac{5}{13}$, $\dfrac{12}{5}$

036

$\dfrac{\pi}{2}<\theta<\pi$에서 θ는 제2사분면의 각이므로 $\cos\theta<0$

$\sin^2\theta+\cos^2\theta=1$에서

$\cos^2\theta=1-\sin^2\theta=1-\left(\dfrac{\sqrt{21}}{7}\right)^2=\dfrac{28}{49}$

$\therefore \cos\theta=-\dfrac{2\sqrt{7}}{7}$ ($\because \cos\theta<0$)

$\therefore \tan\theta=\dfrac{\sin\theta}{\cos\theta}=\dfrac{\frac{\sqrt{21}}{7}}{-\frac{2\sqrt{7}}{7}}=-\dfrac{\sqrt{21}}{2\sqrt{7}}=-\dfrac{\sqrt{3}}{2}$

답 ①

037

θ가 제4사분면의 각이므로 $\cos\theta>0$

$\dfrac{1+\sin\theta}{1-\sin\theta}=\dfrac{1}{4}$에서 $1-\sin\theta=4(1+\sin\theta)$

$1-\sin\theta=4+4\sin\theta$, $5\sin\theta=-3$

$\therefore \sin\theta=-\frac{3}{5}$

$\sin^2\theta+\cos^2\theta=1$에서

$\cos^2\theta=1-\sin^2\theta=1-\left(-\frac{3}{5}\right)^2=\frac{16}{25}$

$\therefore \cos\theta=\frac{4}{5}$ ($\because \cos\theta>0$)

답 $\frac{4}{5}$

038

θ가 제2사분면의 각이므로 $\sin\theta>0$, $\cos\theta<0$

$\sin^2\theta+\cos^2\theta=1$의 양변을 $\cos^2\theta$로 나누면

$\frac{\sin^2\theta}{\cos^2\theta}+\frac{\cos^2\theta}{\cos^2\theta}=\frac{1}{\cos^2\theta}$, $\tan^2\theta+1=\frac{1}{\cos^2\theta}$

위의 식에 $\tan\theta=-\frac{1}{3}$을 대입하면

$\left(-\frac{1}{3}\right)^2+1=\frac{1}{\cos^2\theta}$, $\cos^2\theta=\frac{9}{10}$

$\therefore \cos\theta=-\frac{3\sqrt{10}}{10}$ ($\because \cos\theta<0$)

또, $\sin^2\theta+\cos^2\theta=1$에서

$\sin^2\theta=1-\cos^2\theta=1-\left(-\frac{3\sqrt{10}}{10}\right)^2=\frac{1}{10}$

$\therefore \sin\theta=\frac{\sqrt{10}}{10}$ ($\because \sin\theta>0$)

$\therefore 10(\sin\theta-\cos\theta)=10\times\left\{\frac{\sqrt{10}}{10}-\left(-\frac{3\sqrt{10}}{10}\right)\right\}$

$=10\times\frac{4\sqrt{10}}{10}=4\sqrt{10}$

답 ④

|다른 풀이|

θ가 제2사분면의 각이고 $\tan\theta=-\frac{1}{3}$이므로 직선 $y=-\frac{1}{3}x$ 위의 점 $P(-3, 1)$을 잡으면

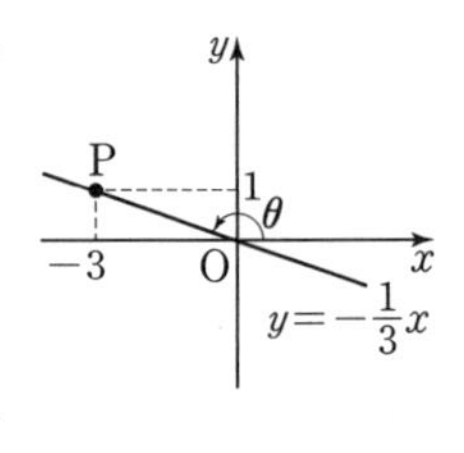

$\overline{OP}=\sqrt{(-3)^2+1^2}=\sqrt{10}$

이고, 각 θ가 나타내는 동경은 오른쪽 그림과 같이 반직선 OP와 같다.

$\therefore \sin\theta=\frac{\sqrt{10}}{10}$, $\cos\theta=-\frac{3\sqrt{10}}{10}$

039

θ가 제3사분면의 각이므로 $\sin\theta<0$, $\cos\theta<0$

$\sin^2\theta+\cos^2\theta=1$의 양변을 $\cos^2\theta$로 나누면

$\frac{\sin^2\theta}{\cos^2\theta}+\frac{\cos^2\theta}{\cos^2\theta}=\frac{1}{\cos^2\theta}$, $\tan^2\theta+1=\frac{1}{\cos^2\theta}$

위의 식에 $\tan\theta=\frac{\sqrt{2}}{2}$를 대입하면

$\left(\frac{\sqrt{2}}{2}\right)^2+1=\frac{1}{\cos^2\theta}$, $\cos^2\theta=\frac{2}{3}$

$\therefore \cos\theta=-\frac{\sqrt{6}}{3}$ ($\because \cos\theta<0$) ······ ❶

또, $\sin^2\theta+\cos^2\theta=1$에서

$\sin^2\theta=1-\cos^2\theta=1-\left(-\frac{\sqrt{6}}{3}\right)^2=\frac{1}{3}$

$\therefore \sin\theta=-\frac{\sqrt{3}}{3}$ ($\because \sin\theta<0$) ······ ❷

$\therefore \frac{\sin^2\theta-\cos^2\theta}{1+2\cos\theta\sin\theta}=\frac{\sin^2\theta-\cos^2\theta}{\sin^2\theta+\cos^2\theta+2\cos\theta\sin\theta}$

$=\frac{(\sin\theta+\cos\theta)(\sin\theta-\cos\theta)}{(\sin\theta+\cos\theta)^2}$

$=\frac{\sin\theta-\cos\theta}{\sin\theta+\cos\theta}$ ······ ❸

$=\frac{-\frac{\sqrt{3}}{3}-\left(-\frac{\sqrt{6}}{3}\right)}{-\frac{\sqrt{3}}{3}+\left(-\frac{\sqrt{6}}{3}\right)}=\frac{\sqrt{3}-\sqrt{6}}{\sqrt{3}+\sqrt{6}}$

$=\frac{(\sqrt{3}-\sqrt{6})(\sqrt{3}-\sqrt{6})}{(\sqrt{3}+\sqrt{6})(\sqrt{3}-\sqrt{6})}$

$=\frac{(\sqrt{3}-\sqrt{6})^2}{(\sqrt{3})^2-(\sqrt{6})^2}$

$=\frac{9-2\sqrt{18}}{3-6}=\frac{9-6\sqrt{2}}{-3}$

$=2\sqrt{2}-3$ ······ ❹

답 $2\sqrt{2}-3$

채점 기준	비율
❶ 삼각함수 사이의 관계를 이용하여 $\cos\theta$의 값을 구할 수 있다.	30%
❷ 삼각함수 사이의 관계를 이용하여 $\sin\theta$의 값을 구할 수 있다.	30%
❸ 주어진 식을 간단히 할 수 있다.	20%
❹ 주어진 식의 값을 구할 수 있다.	20%

040

(1) $\sin\theta+\cos\theta=\frac{1}{3}$의 양변을 제곱하면

$(\sin\theta+\cos\theta)^2=\sin^2\theta+2\sin\theta\cos\theta+\cos^2\theta=\frac{1}{9}$

$1+2\sin\theta\cos\theta=\frac{1}{9}$, $2\sin\theta\cos\theta=-\frac{8}{9}$

$\therefore \sin\theta\cos\theta=-\frac{4}{9}$

(2) $(\sin\theta-\cos\theta)^2=\sin^2\theta-2\sin\theta\cos\theta+\cos^2\theta$

$=1-2\sin\theta\cos\theta$

$=1-2\times\left(-\frac{4}{9}\right)=1+\frac{8}{9}$ ($\because$ (1))

$=\frac{17}{9}$

$\therefore \sin\theta-\cos\theta=\pm\frac{\sqrt{17}}{3}$

답 (1) $-\frac{4}{9}$ (2) $\pm\frac{\sqrt{17}}{3}$

참고

각 θ가 제몇 사분면의 각인지 알 수 없으므로 $\sin\theta-\cos\theta$의 부호를 알 수 없다.

041

$\sin\theta-\cos\theta=\frac{1}{2}$의 양변을 제곱하면

$(\sin\theta-\cos\theta)^2=\sin^2\theta-2\sin\theta\cos\theta+\cos^2\theta=\frac{1}{4}$

$1-2\sin\theta\cos\theta=\frac{1}{4}$, $2\sin\theta\cos\theta=\frac{3}{4}$

$\therefore \sin\theta\cos\theta=\frac{3}{8}$

$(\sin\theta+\cos\theta)^2=\sin^2\theta+2\sin\theta\cos\theta+\cos^2\theta$

$=1+2\sin\theta\cos\theta$

$=1+2\times\frac{3}{8}=\frac{7}{4}$

$\therefore \sin\theta+\cos\theta=\pm\frac{\sqrt{7}}{2}$

$\therefore \sin^2\theta-\cos^2\theta=(\sin\theta+\cos\theta)(\sin\theta-\cos\theta)$

$=\pm\frac{\sqrt{7}}{2}\times\frac{1}{2}=\pm\frac{\sqrt{7}}{4}$

답 ①

042

$\sin\theta+\cos\theta=\frac{2}{3}$의 양변을 제곱하면

$(\sin\theta+\cos\theta)^2=\sin^2\theta+2\sin\theta\cos\theta+\cos^2\theta=\frac{4}{9}$

$1+2\sin\theta\cos\theta=\frac{4}{9}$, $2\sin\theta\cos\theta=-\frac{5}{9}$

$\therefore \sin\theta\cos\theta=-\frac{5}{18}$

$\therefore \sin^3\theta+\cos^3\theta$

$=(\sin\theta+\cos\theta)(\sin^2\theta-\sin\theta\cos\theta+\cos^2\theta)$

$=(\sin\theta+\cos\theta)(1-\sin\theta\cos\theta)$

$=\frac{2}{3}\times\left\{1-\left(-\frac{5}{18}\right)\right\}$

$=\frac{2}{3}\times\frac{23}{18}=\frac{23}{27}$

답 ⑤

|다른 풀이|

$\sin^3\theta+\cos^3\theta$

$=(\sin\theta+\cos\theta)^3-3\sin\theta\cos\theta(\sin\theta+\cos\theta)$

$=\left(\frac{2}{3}\right)^3-3\times\left(-\frac{5}{18}\right)\times\frac{2}{3}$

$=\frac{8}{27}+\frac{5}{9}=\frac{23}{27}$

풍쌤 개념 CHECK

곱셈 공식_高 수학

(1) $a^3+b^3=(a+b)^3-3ab(a+b)$

$=(a+b)(a^2-ab+b^2)$

(2) $a^3-b^3=(a-b)^3+3ab(a-b)$

$=(a-b)(a^2+ab+b^2)$

043

$(\sin\theta+\cos\theta)^2=\sin^2\theta+2\sin\theta\cos\theta+\cos^2\theta$

$=1+2\sin\theta\cos\theta$

$=1+2\times\frac{3}{5}=\frac{11}{5}$

이때 $0<\theta<\frac{\pi}{2}$에서 $\sin\theta>0$, $\cos\theta>0$이므로

$\sin\theta+\cos\theta>0$ → θ는 제1사분면의 각

$\therefore \sin\theta+\cos\theta=\sqrt{\frac{11}{5}}=\frac{\sqrt{55}}{5}$

답 ④

044

$(\sin\theta-\cos\theta)^2=\sin^2\theta-2\sin\theta\cos\theta+\cos^2\theta$

$=1-2\sin\theta\cos\theta$

$=1-2\times\left(-\frac{1}{5}\right)=\frac{7}{5}$ ❶

이때 θ가 제2사분면의 각이므로 $\sin\theta>0$, $\cos\theta<0$

즉, $\sin\theta-\cos\theta>0$이므로

$\sin\theta-\cos\theta=\sqrt{\frac{7}{5}}=\frac{\sqrt{35}}{5}$ ❷

$\therefore \frac{1}{\cos\theta}-\frac{1}{\sin\theta}=\frac{\sin\theta-\cos\theta}{\sin\theta\cos\theta}$

$=\frac{\frac{\sqrt{35}}{5}}{-\frac{1}{5}}=\frac{\sqrt{35}}{5}\times(-5)$

$=-\sqrt{35}$ ❸

답 $-\sqrt{35}$

채점 기준	비율
❶ $(\sin\theta-\cos\theta)^2$의 값을 구할 수 있다.	30%
❷ θ가 제2사분면의 각임을 이용하여 $\sin\theta-\cos\theta$의 값을 구할 수 있다.	50%
❸ 주어진 식을 정리하여 값을 구할 수 있다.	20%

045

$\sin\theta+\cos\theta=-\frac{\sqrt{2}}{2}$의 양변을 제곱하면

$(\sin\theta+\cos\theta)^2=\sin^2\theta+2\sin\theta\cos\theta+\cos^2\theta=\frac{1}{2}$

$1+2\sin\theta\cos\theta=\frac{1}{2}$, $2\sin\theta\cos\theta=-\frac{1}{2}$

$\therefore \sin\theta\cos\theta=-\frac{1}{4}$

이때

$(\sin\theta-\cos\theta)^2=\sin^2\theta-2\sin\theta\cos\theta+\cos^2\theta$

$=1-2\sin\theta\cos\theta$

$=1-2\times\left(-\frac{1}{4}\right)=\frac{3}{2}$

이고, θ는 제4사분면의 각이므로 $\sin\theta<0$, $\cos\theta>0$

즉, $\sin\theta-\cos\theta<0$이므로

$\sin\theta-\cos\theta=-\sqrt{\frac{3}{2}}=-\frac{\sqrt{6}}{2}$

답 ①

046

$\tan\theta+\frac{1}{\tan\theta}=-3$에서 $\tan\theta=\frac{\sin\theta}{\cos\theta}$이므로

$\frac{\sin\theta}{\cos\theta}+\frac{\cos\theta}{\sin\theta}=-3$, $\frac{\sin^2\theta+\cos^2\theta}{\sin\theta\cos\theta}=-3$

$\therefore \frac{1}{\sin\theta\cos\theta}=-3$

$\therefore \frac{1}{\sin^2\theta}+\frac{1}{\cos^2\theta}=\frac{\sin^2\theta+\cos^2\theta}{\sin^2\theta\cos^2\theta}=\frac{1}{\sin^2\theta\cos^2\theta}$

$=\left(\frac{1}{\sin\theta\cos\theta}\right)^2=(-3)^2=9$

답 ②

실력을 높이는 연습 문제

본문 088쪽

01

$-100° = 360° \times (-1) + 260°$이므로 주어진 각의 동경은 $260°$의 동경과 일치한다.
따라서 일반각은
$360°n + 260°$ (단, n은 정수이다.)

답 ④

02

θ가 제3사분면의 각이므로
$360°n + 180° < \theta < 360°n + 270°$ (단, n은 정수이다.)
$\therefore 120°n + 60° < \frac{\theta}{3} < 120°n + 90°$

(i) $n = 3k$ (k는 정수)일 때
$120° \times 3k + 60° < \frac{\theta}{3} < 120° \times 3k + 90°$
$\therefore 360°k + 60° < \frac{\theta}{3} < 360°k + 90°$

(ii) $n = 3k+1$ (k는 정수)일 때
$120° \times (3k+1) + 60° < \frac{\theta}{3} < 120° \times (3k+1) + 90°$
$\therefore 360°k + 180° < \frac{\theta}{3} < 360°k + 210°$

(iii) $n = 3k+2$ (k는 정수)일 때
$120° \times (3k+2) + 60° < \frac{\theta}{3} < 120° \times (3k+2) + 90°$
$\therefore 360°k + 300° < \frac{\theta}{3} < 360°k + 330°$

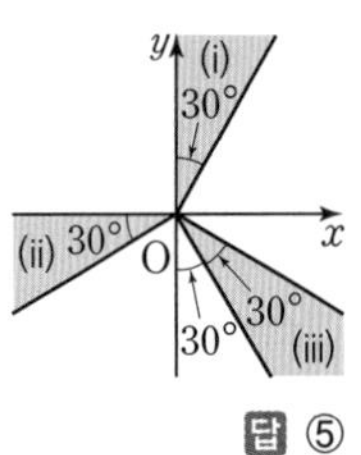

(i)~(iii)에 의하여 각 $\frac{\theta}{3}$를 나타내는 동경이 속하는 영역은 오른쪽 그림의 색칠한 부분(경계선 제외)과 같다.

답 ⑤

03

각 2θ를 나타내는 동경과 각 6θ를 나타내는 동경이 x축에 대하여 대칭이므로
$2\theta + 6\theta = 2\pi n$ (단, n은 정수이다.)
$8\theta = 2\pi n \quad \therefore \theta = \frac{\pi}{4}n$
이때 $0 < \theta < 2\pi$이므로 $0 < \frac{\pi}{4}n < 2\pi \quad \therefore 0 < n < 8$
따라서 조건을 만족시키는 정수 n은 1, 2, …, 7이므로 θ는
$\frac{\pi}{4}, \frac{\pi}{2}, \cdots, \frac{7}{4}\pi$의 7개이다.

답 ③

04

문제 접근하기

각 α를 나타내는 동경과 각 β를 나타내는 동경이 일직선 위에 있는 경우는
(i) 동경이 일치하는 경우
(ii) 동경이 원점에 대하여 대칭인 경우
이므로 두 가지로 나누어 푼다.

(i) 각 3θ를 나타내는 동경과 각 5θ를 나타내는 동경이 일치하는 경우
$5\theta - 3\theta = 2\pi n$ (단, n은 정수이다.)
$2\theta = 2\pi n \quad \therefore \theta = \pi n$
이때 $0 < \theta < 2\pi$이므로
$0 < \pi n < 2\pi \quad \therefore 0 < n < 2$
따라서 조건을 만족시키는 정수 n은 1이므로
$\theta = \pi$

(ii) 각 3θ를 나타내는 동경과 각 5θ를 나타내는 동경이 일직선 위에 있고 방향이 반대인 경우, 즉 원점에 대하여 대칭인 경우
$5\theta - 3\theta = 2\pi n + \pi$
$2\theta = (2n+1)\pi \quad \therefore \theta = \frac{2n+1}{2}\pi$
이때 $0 < \theta < 2\pi$이므로
$0 < \frac{2n+1}{2}\pi < 2\pi \quad \therefore -\frac{1}{2} < n < \frac{3}{2}$
따라서 조건을 만족시키는 정수 n은 0, 1이므로
$\theta = \frac{\pi}{2}$ 또는 $\theta = \frac{3}{2}\pi$

(i), (ii)에 의하여 구하는 각 θ의 크기는 $\pi, \frac{\pi}{2}, \frac{3}{2}\pi$이므로 그 합은
$\pi + \frac{\pi}{2} + \frac{3}{2}\pi = 3\pi$

답 3π

05

① $30° = 30 \times \frac{\pi}{180} = \frac{\pi}{6}$
② $150° = 150 \times \frac{\pi}{180} = \frac{5}{6}\pi$
③ $\frac{2}{5}\pi = \frac{2}{5}\pi \times \frac{180°}{\pi} = 72°$
④ $\frac{7}{4}\pi = \frac{7}{4}\pi \times \frac{180°}{\pi} = 315°$
⑤ $\frac{13}{6}\pi = \frac{13}{6}\pi \times \frac{180°}{\pi} = 390°$
따라서 옳지 않은 것은 ④이다.

답 ④

06

부채꼴의 반지름의 길이를 r, 중심각의 크기를 θ, 호의 길이를 l이라고 하면
$\theta = \frac{3}{5}$이므로 부채꼴의 둘레의 길이는
$2r + l = 2r + r\theta = 2r + r \times \frac{3}{5} = \frac{13}{5}r$
즉, $\frac{13}{5}r = 26$이므로 $r = 10$
따라서 부채꼴의 넓이는
$\frac{1}{2}r^2\theta = \frac{1}{2} \times 10^2 \times \frac{3}{5} = 30$

답 ②

07

부채꼴의 반지름의 길이를 r, 호의 길이를 l, 넓이를 S라고 하면
$S = \frac{1}{2}rl$
이때 $r > 0$, $l > 0$이므로 산술평균과 기하평균의 관계에 의하여

$2r+l \ge 2\sqrt{2rl}=2\sqrt{2\times 2S}=4\sqrt{S}$

(단, 등호는 $2r=l$일 때 성립한다.)

따라서 $2r=l$일 때 둘레의 길이가 최소가 되므로 $l=r\theta$에서

$2r=r\theta \qquad \therefore \theta=2$

답 2

풍쌤 개념 CHECK

산술평균과 기하평균의 관계_高 수학

두 양수 a, b에 대하여

$a+b \ge 2\sqrt{ab}$ (단, 등호는 $a=b$일 때 성립한다.)

08

문제 접근하기

잘라낸 부분은 원뿔이므로 두 원뿔의 밑면인 원의 반지름의 길이의 비는 $1:2$이다. 즉, 모선의 길이의 비도 $1:2$이므로 반지름의 길이의 비가 $1:2$인 두 개의 부채꼴을 생각할 수 있다.

잘라낸 부분은 밑면의 반지름의 길이가 3인 원뿔이므로 잘라낸 원뿔의 높이를 h라고 하면

$h:3=(h+4):6$, $3(h+4)=6h$

$3h+12=6h$

$3h=12$

$\therefore h=4$

밑면인 원의 반지름의 길이가 3인 원뿔의 모선의 길이를 l_1, 밑면인 원의 반지름의 길이가 6인 원뿔의 모선의 길이를 l_2라고 하면

$l_1=\sqrt{3^2+4^2}=5$, $l_2=2l_1=10$

따라서 두 원뿔의 옆면인 부채꼴을 나타내면 다음 그림과 같다.

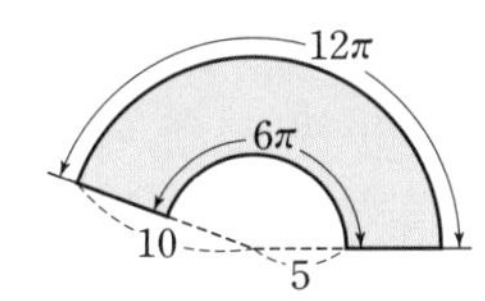

즉, 구하는 원뿔대의 옆면의 넓이는 큰 부채꼴의 넓이에서 작은 부채꼴의 넓이를 뺀 것과 같다.

이때 부채꼴의 호의 길이는 밑면인 원의 둘레의 길이와 같으므로

(큰 원뿔의 옆면인 부채꼴의 호의 길이)$=2\pi\times 6=12\pi$

(작은 원뿔의 옆면인 부채꼴의 호의 길이)$=2\pi\times 3=6\pi$

$\therefore$ (구하는 옆면의 넓이)$=\frac{1}{2}\times 10\times 12\pi-\frac{1}{2}\times 5\times 6\pi$

$=60\pi-15\pi=45\pi$

답 ④

09

부채꼴의 반지름의 길이를 r, 호 AB의 길이를 l이라고 하자.

점 P는 선분 OA를 $3:1$로 내분하는 점이므로

$\overline{OP}=\frac{3}{4}r$

점 Q는 선분 OB를 $1:2$로 내분하는 점이므로

$\overline{OQ}=\frac{1}{3}r$

삼각형 OPQ의 넓이가 $4\sqrt{3}$이므로

$\triangle OPQ=\frac{1}{2}\times\overline{OP}\times\overline{OQ}\times\sin\frac{\pi}{3}$

$=\frac{1}{2}\times\frac{3}{4}r\times\frac{1}{3}r\times\sin\frac{\pi}{3}$ ($\sin\frac{\pi}{3}=\sin 60^\circ=\frac{\sqrt{3}}{2}$)

$=\frac{\sqrt{3}}{16}r^2=4\sqrt{3}$

$r^2=4\sqrt{3}\times\frac{16}{\sqrt{3}}=64 \qquad \therefore r=8$

따라서 호 AB의 길이는 $l=r\times\frac{\pi}{3}=8\times\frac{\pi}{3}=\frac{8}{3}\pi$

답 ④

풍쌤 개념 CHECK

삼각형의 넓이_中 수학 3

삼각형 ABC에서 두 변 AB, BC의 길이와 그 끼인각 B의 크기를 알 때 삼각형 ABC의 넓이 S는

$S=\frac{1}{2}\times\overline{AB}\times\overline{BC}\times\sin B$ (단, $0^\circ \le B \le 90^\circ$)

10

$3x-4y=0$에서 $y=\frac{3}{4}x$이므로 $x^2+y^2=25$에 대입하면

$x^2+\left(\frac{3}{4}x\right)^2=25$, $\frac{25}{16}x^2=25$

$x^2=16 \qquad \therefore x=\pm 4$

$x=\pm 4$를 $y=\frac{3}{4}x$에 대입하면

$y=\pm 3$

이때 점 P는 제3사분면의 점이므로 점 P의 좌표는 $(-4, -3)$이고,

$\overline{OP}=\sqrt{(-4)^2+(-3)^2}=5$이므로

$\sin\theta=-\frac{3}{5}$, $\cos\theta=-\frac{4}{5}$

$\therefore 5(\sin\theta+\cos\theta)=5\left\{-\frac{3}{5}+\left(-\frac{4}{5}\right)\right\}=5\times\left(-\frac{7}{5}\right)=-7$

답 ①

11

$\sin\theta<0$, $\tan\theta>0$을 만족시키는 θ는 제3사분면의 각이므로

$2n\pi+\pi<\theta<2n\pi+\frac{3}{2}\pi$ (단, n은 정수이다.)

$\therefore n\pi+\frac{\pi}{2}<\frac{\theta}{2}<n\pi+\frac{3}{4}\pi$

(i) $n=2k$ (k는 정수)일 때

$2k\pi+\frac{\pi}{2}<\frac{\theta}{2}<2k\pi+\frac{3}{4}\pi$

따라서 $\frac{\theta}{2}$는 제2사분면의 각이다.

(ii) $n=2k+1$ (k는 정수)일 때

$(2k+1)\pi+\frac{\pi}{2}<\frac{\theta}{2}<(2k+1)\pi+\frac{3}{4}\pi$

$2k\pi+\frac{3}{2}\pi<\frac{\theta}{2}<2k\pi+\frac{7}{4}\pi$

따라서 $\frac{\theta}{2}$는 제4사분면의 각이다.

(i), (ii)에 의하여 각 $\frac{\theta}{2}$의 동경이 존재하는 사분면은 제2, 4사분면이다.

답 **제2, 4사분면**

12

$\sqrt{\tan\theta}\sqrt{\cos\theta}=-\sqrt{\tan\theta\cos\theta}$에서

$\tan\theta<0$, $\cos\theta<0$

즉, θ는 제 2사분면의 각이므로 $\frac{\pi}{2}<\theta<\pi$

따라서 $\alpha=\frac{\pi}{2}$, $\beta=\pi$이므로

$\alpha+\beta=\frac{\pi}{2}+\pi=\frac{3}{2}\pi$

답 ②

참고

$\sqrt{a}\sqrt{b}=-\sqrt{a}\sqrt{b}$이면 $a<0$, $b<0$이다.

13

$\left(1+\frac{1}{\sin\theta}\right)\times\frac{\tan\theta}{1+\cos\theta}\times\left(1-\frac{1}{\sin\theta}\right)\times\frac{\tan\theta}{1-\cos\theta}$

$=\left(1+\frac{1}{\sin\theta}\right)\left(1-\frac{1}{\sin\theta}\right)\times\frac{\tan\theta}{1+\cos\theta}\times\frac{\tan\theta}{1-\cos\theta}$

$=\left(1-\frac{1}{\sin^2\theta}\right)\times\frac{\tan^2\theta}{(1+\cos\theta)(1-\cos\theta)}$

$=\frac{\sin^2\theta-1}{\sin^2\theta}\times\frac{\tan^2\theta}{1-\cos^2\theta}$

→ $\sin^2\theta-1=\sin^2\theta-(\sin^2\theta+\cos^2\theta)$
$=-\cos^2\theta$

$=\frac{-\cos^2\theta}{\sin^2\theta}\times\frac{\tan^2\theta}{\sin^2\theta}$

$=\frac{-\cos^2\theta}{\sin^2\theta}\times\frac{\sin^2\theta}{\cos^2\theta}\times\frac{1}{\sin^2\theta}$

$=-\frac{1}{\sin^2\theta}$

답 ①

14

θ가 제4사분면의 각이므로

$\sin\theta<0$, $\cos\theta>0$

$\sin^2\theta+\cos^2\theta=1$의 양변을 $\cos^2\theta$로 나누면

$\frac{\sin^2\theta}{\cos^2\theta}+\frac{\cos^2\theta}{\cos^2\theta}=\frac{1}{\cos^2\theta}$

$\tan^2\theta+1=\frac{1}{\cos^2\theta}$

위의 식에 $\tan\theta=-\frac{3}{4}$을 대입하면

$\left(-\frac{3}{4}\right)^2+1=\frac{1}{\cos^2\theta}$, $\cos^2\theta=\frac{16}{25}$

$\therefore \cos\theta=\frac{4}{5}$ ($\because \cos\theta>0$)

또, $\sin^2\theta+\cos^2\theta=1$에서

$\sin^2\theta=1-\cos^2\theta=1-\left(\frac{4}{5}\right)^2=\frac{9}{25}$

$\therefore \sin\theta=-\frac{3}{5}$ ($\because \sin\theta<0$)

$\therefore 5(\sin\theta+\cos\theta)=5\left(-\frac{3}{5}+\frac{4}{5}\right)=5\times\frac{1}{5}=1$

답 ④

15

문제 접근하기

식에 n제곱이 있기 때문에 n의 값이 커질수록 식이 복잡해진다고 생각하기 쉽지만, $\sin^2\theta+\cos^2\theta=1$을 이용하여 간단히 나타낼 수 있다.

$f(n)=\sin^n\theta+\cos^n\theta$에서

$f(4)=\sin^4\theta+\cos^4\theta$

$=(\sin^2\theta+\cos^2\theta)^2-2\sin^2\theta\cos^2\theta$

$=1-2\sin^2\theta\cos^2\theta$

$\therefore \sin^2\theta\cos^2\theta=\frac{1}{2}\{1-f(4)\}$

$f(8)=\sin^8\theta+\cos^8\theta$

$=(\sin^4\theta+\cos^4\theta)^2-2\sin^4\theta\cos^4\theta$

$=(\sin^4\theta+\cos^4\theta)^2-2(\sin^2\theta\cos^2\theta)^2$

$=\{f(4)\}^2-2\times\left[\frac{1}{2}\{1-f(4)\}\right]^2$

$=\{f(4)\}^2-\frac{1}{2}[\{f(4)\}^2-2f(4)+1]$

$=\frac{1}{2}\{f(4)\}^2+f(4)-\frac{1}{2}$

$\therefore 2f(8)+1=2\left[\frac{1}{2}\{f(4)\}^2+f(4)-\frac{1}{2}\right]+1$

$=\{f(4)\}^2+2f(4)$

답 ③

16

$\sin\theta+\cos\theta=\frac{\sqrt{3}}{3}$의 양변을 제곱하면

$(\sin\theta+\cos\theta)^2=\sin^2\theta+2\sin\theta\cos\theta+\cos^2\theta=\frac{1}{3}$

$1+2\sin\theta\cos\theta=\frac{1}{3}$

$2\sin\theta\cos\theta=-\frac{2}{3}$

$\therefore \sin\theta\cos\theta=-\frac{1}{3}$

또,

$(\sin\theta-\cos\theta)^2=\sin^2\theta-2\sin\theta\cos\theta+\cos^2\theta$

$=1-2\sin\theta\cos\theta$

$=1-2\times\left(-\frac{1}{3}\right)=\frac{5}{3}$

이고, θ는 제2사분면의 각이므로 $\sin\theta>0$, $\cos\theta<0$

즉, $\sin\theta-\cos\theta>0$이므로

$\sin\theta-\cos\theta=\sqrt{\frac{5}{3}}=\frac{\sqrt{15}}{3}$

$\therefore \tan^2\theta-\frac{1}{\tan^2\theta}=\frac{\sin^2\theta}{\cos^2\theta}-\frac{\cos^2\theta}{\sin^2\theta}$

$=\frac{\sin^4\theta-\cos^4\theta}{\sin^2\theta\cos^2\theta}$

$=\frac{(\sin^2\theta+\cos^2\theta)(\sin^2\theta-\cos^2\theta)}{\sin^2\theta\cos^2\theta}$

$=\frac{\sin^2\theta-\cos^2\theta}{\sin^2\theta\cos^2\theta}$

$=\frac{(\sin\theta+\cos\theta)(\sin\theta-\cos\theta)}{(\sin\theta\cos\theta)^2}$

$=\frac{\frac{\sqrt{3}}{3}\times\frac{\sqrt{15}}{3}}{\left(-\frac{1}{3}\right)^2}=\frac{3\sqrt{5}}{9}\times 9$

$=3\sqrt{5}$

답 ③

17

이차방정식의 근과 계수의 관계에 의하여

$(\sin\theta+\cos\theta)+(\sin\theta-\cos\theta)=\sqrt{3}$ ········· ㉠

$(\sin\theta+\cos\theta)(\sin\theta-\cos\theta)=a$ ········· ㉡

㉠에서 $2\sin\theta=\sqrt{3}$ $\quad\therefore \sin\theta=\frac{\sqrt{3}}{2}$

㉡에서 $\sin^2\theta-\cos^2\theta=a$이므로

$$\begin{aligned}\sin^2\theta-\cos^2\theta&=\sin^2\theta-(1-\sin^2\theta)\\&=2\sin^2\theta-1\\&=2\times\left(\frac{\sqrt{3}}{2}\right)^2-1=\frac{1}{2}\end{aligned}$$

$\therefore a=\frac{1}{2}$

답 ⑤

풍쌤 개념 CHECK

이차방정식의 근과 계수의 관계_高 수학

이차방정식 $ax^2+bx+c=0$의 두 근을 α, β라고 하면

(1) $\alpha+\beta=-\frac{b}{a}$ (2) $\alpha\beta=\frac{c}{a}$

06 삼각함수의 그래프

기본을 다지는 유형

본문 092쪽

001

모든 실수 x에 대하여 $f(x)=f(x+1)$이므로 함수 $f(x)$의 주기는 1이어야 한다.

보기의 함수의 주기를 구하면

① $\frac{2\pi}{1}=2\pi$ ② $\frac{2\pi}{\pi}=2$ ③ $\frac{2\pi}{\pi}=2$

④ $\frac{2\pi}{2\pi}=1$ ⑤ $\frac{\pi}{\frac{\pi}{3}}=3$

따라서 주어진 조건을 만족시키는 함수는 ④이다.

답 ④

002

함수 $y=\tan 2x$의 주기는 $\frac{\pi}{2}$이므로 주기가 $\frac{\pi}{2}$인 함수를 찾는다.

① $\frac{2\pi}{\frac{1}{4}}=8\pi$ ② $\frac{2\pi}{2\pi}=1$ ③ $\frac{2\pi}{4}=\frac{\pi}{2}$

④ $\frac{2\pi}{2}=\pi$ ⑤ $\frac{\pi}{\frac{\pi}{2}}=2$

따라서 구하는 함수는 ③이다.

답 ③

003

$f(x+p)=f(x)$를 만족시키는 최소의 양수 p는 주기이므로 주기가 π인 함수를 찾는다.

① $\frac{2\pi}{\pi}=2$ ② $\frac{2\pi}{\sqrt{2}}=\sqrt{2}\pi$ ③ $\frac{2\pi}{2}=\pi$

④ $\frac{\pi}{2}$ ⑤ $\frac{\pi}{\frac{1}{2}}=2\pi$

따라서 구하는 함수는 ③이다.

답 ③

004

주어진 함수의 주기를 구하면 다음과 같다.

① $\frac{\pi}{2}$ ② $\frac{\pi}{1}=\pi$ ③ $\frac{2\pi}{\frac{\pi}{2}}=4$

④ $\frac{\pi}{1}=\pi$ ⑤ $\frac{\pi}{\frac{1}{2}}=2\pi$

이때 $4<2\pi$이므로 주기가 가장 큰 것은 ⑤이다.
(2π → 6.28…)

답 ⑤

005

함수 $y=3\sin\left(x-\frac{\pi}{6}\right)$의 그래프는 $y=\sin x$의 그래프를 y축의 방향으로 3배한 후, x축의 방향으로 $\frac{\pi}{6}$만큼 평행이동한 것이다.

따라서 치역은 $\{y|-3\le y\le 3\}$이고, 주기는 2π이므로

$a=-3,\ b=3,\ c=2\pi$

$\therefore a+b+c=-3+3+2\pi=2\pi$

답 2π

006

함수 $f(x)=2\sin\left(2x-\frac{\pi}{2}\right)+2=2\sin 2\left(x-\frac{\pi}{4}\right)+2$의 그래프는 $y=\sin x$의 그래프를 x축의 방향으로 $\frac{1}{2}$배한 후 x축의 방향으로 $\frac{\pi}{4}$만큼 평행이동하고, y축의 방향으로 2배한 후 y축의 방향으로 2만큼 평행이동한 것과 같다.

따라서 그래프는 다음 그림과 같다.

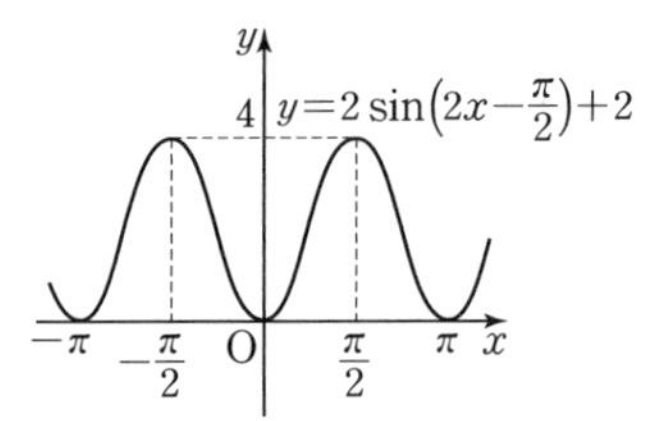

ㄱ. 함수 $f(x)$의 최댓값은 4, 최솟값은 0이므로
$0\le f(x)\le 4$ (참)

ㄴ. 함수 $f(x)=2\sin 2\left(x-\frac{\pi}{4}\right)+2$의 주기는
$\frac{2\pi}{2}=\pi$
이므로 주기는 π이다.
즉, 임의의 실수 x에 대하여 $f(x+\pi)=f(x)$이다. (참)

ㄷ. 함수 $y=f(x)$의 그래프는 원점을 지난다. (참)

따라서 ㄱ, ㄴ, ㄷ 모두 옳다.

답 ⑤

|다른 풀이|

ㄱ. $f(x)=2\sin\left(2x-\frac{\pi}{2}\right)+2$에서
$-1\le\sin\left(2x-\frac{\pi}{2}\right)\le 1$이므로
$-2\le 2\sin\left(2x-\frac{\pi}{2}\right)\le 2$ → x축의 방향으로 평행이동하거나 늘리는 것은 최댓값 • 최솟값과 관계없다.
$0\le 2\sin\left(2x-\frac{\pi}{2}\right)+2\le 4$

ㄷ. $f(0)=2\sin\left(-\frac{\pi}{2}\right)+2=2\times(-1)+2=0$
이므로 함수 $y=f(x)$의 그래프는 원점을 지난다.

007

함수 $y=\frac{1}{2}\cos 4x+\frac{5}{2}$의 그래프는 $y=\cos x$의 그래프를 x축의 방향으로 $\frac{1}{4}$배하고 y축의 방향으로 $\frac{1}{2}$배한 후, y축의 방향으로 $\frac{5}{2}$만큼 평행이동한 것이다.

따라서 치역은 $\{y|2\le y\le 3\}$이고, 주기는 $\frac{2\pi}{4}=\frac{\pi}{2}$이므로

(3 → $1\times\frac{1}{2}+\frac{5}{2}$, 2 → $(-1)\times\frac{1}{2}+\frac{5}{2}$)

$a=2,\ b=3,\ c=\frac{1}{2}$

$\therefore a+b+c=2+3+\frac{1}{2}=\frac{11}{2}$

답 $\frac{11}{2}$

008

함수 $y=-2\tan\left(x+\frac{\pi}{3}\right)+\pi$의 그래프는 $y=\tan x$의 그래프를 x축에 대하여 대칭이동하고 y축의 방향으로 2배한 후, x축의 방향으로 $-\frac{\pi}{3}$만큼, y축으로 π만큼 평행이동한 것이다.

따라서 정의역은 $x+\frac{\pi}{3}\ne n\pi+\frac{\pi}{2}$ (n은 정수)인 실수 전체의 집합, 즉 $x\ne n\pi+\frac{\pi}{6}$인 실수 전체의 집합이고, 주기는 π이므로

$a=\frac{\pi}{6},\ b=\pi$

$\therefore a+b=\frac{\pi}{6}+\pi=\frac{7}{6}\pi$

답 $\frac{7}{6}\pi$

009

$y=3\tan\left(x-\frac{3}{4}\pi\right)$의 그래프의 점근선의 방정식은

$x-\frac{3}{4}\pi=n\pi+\frac{\pi}{2}\qquad\therefore x=n\pi+\frac{5}{4}\pi$ (n은 정수)

따라서 ① $x=-\frac{5}{4}\pi$는 주어진 함수의 점근선이 아니다.

답 ①

참고

정수 n에 대하여 $x=n\pi+\frac{5}{4}\pi$는 $x=n\pi+\frac{\pi}{4}$와 같이 나타낼 수도 있다.

010

함수 $f(x)=\sin x$의 그래프의 대칭성에 의하여

$\frac{a+b}{2}=\frac{\pi}{2}\qquad\therefore a+b=\pi$

$\frac{c+d}{2}=\frac{3}{2}\pi\qquad\therefore c+d=3\pi$

$\therefore a+b+c+d=\pi+3\pi=4\pi$

답 ①

참고

함수 $y=\sin x$의 그래프는 직선 $x=n\pi+\frac{\pi}{2}$ (n은 정수)에 대하여 대칭이다.

즉, $f(x)=\sin x$ $(0\le x\le\pi)$에서 $f(a)=f(b)$이면

$\frac{a+b}{2}=\frac{\pi}{2}\qquad\therefore a+b=\pi$

011

오른쪽 그림에서 ㉠, ㉡의 넓이가 같다.
즉, 구하는 부분의 넓이는 직사각형의 넓이와 같으므로

$\pi\times\{4-(-4)\}=8\pi$

답 8π

012

오른쪽 그림에서 ㉠, ㉡의 넓이가 같다.
즉, 구하는 부분의 넓이는 직사각형의 넓이와 같으므로

$3\times\left(\frac{3}{2}\pi-\frac{\pi}{2}\right)=3\pi$

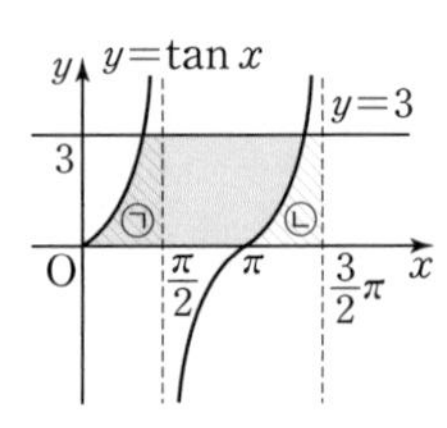

답 3π

013

$y=\tan x+a$의 그래프는 $y=\tan x$의 그래프를 y축의 방향으로 a만큼 평행이동한 것이므로 오른쪽 그림에서 ㉠, ㉡의 넓이가 같다.

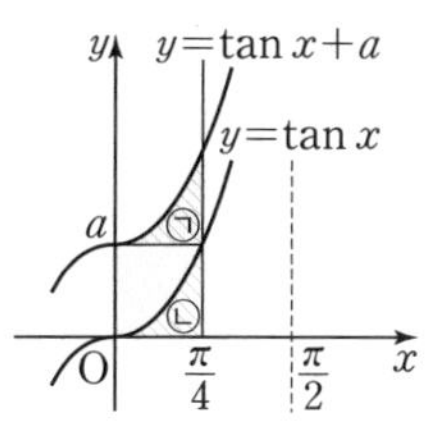

따라서 구하는 부분의 넓이는 직사각형의 넓이와 같으므로

$a\times\frac{\pi}{4}=\pi$

$\therefore a=4$

답 4

014

(1) $y=\sin 2x$에서 최댓값은 1, 최솟값은 -1이다.

(2) $y=-2\cos(x+\pi)+1$에서 최댓값은 $|-2|+1=3$, 최솟값은 $-|-2|+1=-1$이다.

(3) $y=4\tan\frac{\pi}{4}x-\frac{\pi}{4}$에서 최댓값과 최솟값은 없다.

답 (1) 최댓값: 1, 최솟값: -1
(2) 최댓값: 3, 최솟값: -1
(3) 최댓값: 없다., 최솟값: 없다.

015

함수 $f(x)=4\cos x+3$에서 최댓값은

$|4|+3=7$

답 ②

| 다른 풀이 |

$-1\le\cos x\le 1$, $-4\le 4\cos x\le 4$

$\therefore -1\le 4\cos x+3\le 7$

따라서 함수 $f(x)$의 최댓값은 7이다.

016

함수 $f(x)$의 최솟값이 -1이고 $a>0$이므로

$-a+3=-1 \qquad \therefore a=4$

또, 주기가 4π이고 $b>0$이므로

$\frac{2\pi}{b}=4\pi \qquad \therefore b=\frac{1}{2}$

$\therefore a+b=4+\frac{1}{2}=\frac{9}{2}$

답 ①

017

함수 $f(x)$의 최댓값이 4이고 $a<0$이므로

$-a+c=4$ ········· ㉠

함수 $f(x)$의 최솟값이 -3이고 $a<0$이므로

$a+c=-3$ ········· ㉡

㉠, ㉡을 연립하여 풀면

$a=-\frac{7}{2}$, $c=\frac{1}{2}$ ········· ❶

또, 주기가 $\frac{\pi}{2}$이고 $b>0$이므로

$\frac{2\pi}{b}=\frac{\pi}{2} \qquad \therefore b=4$ ········· ❷

$\therefore abc=-\frac{7}{2}\times 4\times\frac{1}{2}=-7$ ········· ❸

답 -7

채점 기준	비율
❶ 함수 $f(x)$의 최댓값, 최솟값을 이용하여 a, c의 값을 구할 수 있다.	60%
❷ 함수 $f(x)$의 주기를 이용하여 b의 값을 구할 수 있다.	30%
❸ abc의 값을 구할 수 있다.	10%

018

함수 $f(x)=a\sin b\left(x+\frac{\pi}{4}\right)+c$의 그래프에서

최댓값이 4이므로

$|a|+c=4$ ········· ㉠

최솟값이 -2이므로

$-|a|+c=-2$ ········· ㉡

㉠, ㉡을 연립하여 풀면

$|a|=3$, $c=1$

또, 주기가 π이므로

$\frac{2\pi}{|b|}=\pi \qquad \therefore |b|=2$

$\therefore a^2+b^2+c^2=|a|^2+|b|^2+c^2$
$=3^2+2^2+1^2=14$

답 14

019

함수 $y=a\cos(bx+c)$의 그래프에서 최댓값이 2, 최솟값이 -2이고 $a>0$이므로 $a=2$

또, 주기가 2π이고 $b>0$이므로

$\frac{2\pi}{b}=2\pi \qquad \therefore b=1$

따라서 주어진 함수의 식은

$f(x)=2\cos(x+c)$

이때 주어진 그래프는 $y=2\cos x$의 그래프를 x축의 방향으로 $\frac{\pi}{2}$만큼 평행이동한 것이므로

$f(x)=2\cos\left(x-\frac{\pi}{2}\right)$

$\therefore c=-\frac{\pi}{2}$ ($\because -\pi<c<0$)

$\therefore abc=2\times 1\times\left(-\frac{\pi}{2}\right)=-\pi$

답 ③

020

함수 $y=\tan a(x-b)$의 그래프에서 주기는

$\pi-(-\pi)=2\pi$

이고 $a>0$이므로

$\frac{\pi}{a}=2\pi \qquad \therefore a=\frac{1}{2}$

따라서 주어진 함수의 식은

$y=\tan\frac{1}{2}(x-b)$

이때 주어진 그래프는 $y=\tan\frac{1}{2}x$의 그래프를 x축의 방향으로 π만큼 평행이동한 것이므로

$y=\tan\frac{1}{2}(x-\pi)$

$\therefore b=\pi$ ($\because 0<b<2\pi$)

$\therefore ab=\frac{1}{2}\times\pi=\frac{\pi}{2}$

답 ②

021

(1) $\sin\frac{13}{6}\pi=\sin\left(2\pi+\frac{\pi}{6}\right)=\sin\frac{\pi}{6}=\frac{1}{2}$

(2) $\cos\left(-\frac{5}{4}\pi\right)=\cos\frac{5}{4}\pi=\cos\left(\pi+\frac{\pi}{4}\right)$

$=-\cos\frac{\pi}{4}=-\frac{\sqrt{2}}{2}$

(3) $\tan\frac{2}{3}\pi=\tan\left(\pi-\frac{\pi}{3}\right)=-\tan\frac{\pi}{3}=-\sqrt{3}$

(4) $\sin\left(\frac{\pi}{2}+\frac{\pi}{3}\right)=\cos\frac{\pi}{3}=\frac{1}{2}$

답 (1) $\frac{1}{2}$ (2) $-\frac{\sqrt{2}}{2}$ (3) $-\sqrt{3}$ (4) $\frac{1}{2}$

|다른 풀이|

(4) $\sin\left(\frac{\pi}{2}+\frac{\pi}{3}\right)=\sin\frac{5}{6}\pi=\sin\left(\pi-\frac{\pi}{6}\right)$

$=\sin\frac{\pi}{6}=\frac{1}{2}$

022

$\sin\left(-\frac{\pi}{3}\right)+\cos\frac{19}{6}\pi-\tan\frac{5}{6}\pi$

$=-\sin\frac{\pi}{3}+\cos\left(2\pi+\frac{7}{6}\pi\right)-\tan\left(\pi-\frac{\pi}{6}\right)$

$=-\sin\frac{\pi}{3}+\cos\left(\pi+\frac{\pi}{6}\right)+\tan\frac{\pi}{6}$

$=-\sin\frac{\pi}{3}-\cos\frac{\pi}{6}+\tan\frac{\pi}{6}$

$=-\frac{\sqrt{3}}{2}-\frac{\sqrt{3}}{2}+\frac{\sqrt{3}}{3}$

$=-\frac{2\sqrt{3}}{3}$

답 ①

참고

$\cos\frac{19}{6}\pi=\cos\left(4\pi-\frac{5}{6}\pi\right)=\cos\frac{5}{6}\pi=\cos\left(\pi-\frac{\pi}{6}\right)=-\cos\frac{\pi}{6}$

와 같이 계산할 수도 있다.

023

① $\sin\frac{8}{3}\pi=\sin\left(2\pi+\frac{2}{3}\pi\right)=\sin\frac{2}{3}\pi$

$=\sin\left(\pi-\frac{\pi}{3}\right)=\sin\frac{\pi}{3}=\frac{\sqrt{3}}{2}$

② $\sin(-135°)=-\sin 135°=-\sin(90°+45°)$

$=-\cos 45°=-\frac{\sqrt{2}}{2}$

③ $\cos\frac{3}{4}\pi=\cos\left(\pi-\frac{\pi}{4}\right)=-\cos\frac{\pi}{4}=-\frac{\sqrt{2}}{2}$

④ $\cos 390°=\cos(360°+30°)=\cos 30°=\frac{\sqrt{3}}{2}$

⑤ $\tan 660°=\tan(720°-60°)=\tan(-60°)$

$=-\tan 60°=-\sqrt{3}$

따라서 옳지 않은 것은 ③이다.

답 ③

024

① $\sin\left(\frac{\pi}{2}-\frac{\pi}{3}\right)=\cos\frac{\pi}{3}=\frac{1}{2}$

② $\cos\left(\frac{3}{2}\pi+\frac{\pi}{6}\right)=\cos\left(\pi+\frac{\pi}{2}+\frac{\pi}{6}\right)$

$=-\cos\left(\frac{\pi}{2}+\frac{\pi}{6}\right)$

$=\sin\frac{\pi}{6}=\frac{1}{2}$

③ $\cos\left(-\frac{\pi}{3}\right)=\cos\frac{\pi}{3}=\frac{1}{2}$

④ $-\sin\left(-\frac{\pi}{6}\right)=\sin\frac{\pi}{6}=\frac{1}{2}$

⑤ $\sin\left(\pi+\frac{\pi}{6}\right)=-\sin\frac{\pi}{6}=-\frac{1}{2}$

따라서 값이 나머지 넷과 다른 하나는 ⑤이다.

답 ⑤

참고

(1) $\sin\left(\frac{3}{2}\pi\pm\theta\right)=-\cos\theta$

(2) $\cos\left(\frac{3}{2}\pi\pm\theta\right)=\pm\sin\theta$ (복부호동순)

025

$\sin\left(\frac{\pi}{2}+\theta\right)\tan(\pi-\theta)=\cos\theta\times(-\tan\theta)$

$=\cos\theta\times\left(-\frac{\sin\theta}{\cos\theta}\right)$

$=-\sin\theta=\frac{3}{5}$

즉, $\sin\theta=-\frac{3}{5}$이므로

$30(1-\sin\theta)=30\times\left\{1-\left(-\frac{3}{5}\right)\right\}=30\times\frac{8}{5}=48$

답 48

026

$\sin(-\theta)\cos\left(\frac{\pi}{2}+\theta\right)+\cos(-\theta)\tan(\pi+\theta)$

$=-\sin\theta\times(-\sin\theta)+\cos\theta\tan\theta$

$=\sin^2\theta+\cos\theta\times\frac{\sin\theta}{\cos\theta}$

$=\sin^2\theta+\sin\theta$

이때 삼각함수 사이의 관계에 의하여

$\sin^2\theta=1-\cos^2\theta=1-\left(\frac{3}{5}\right)^2=\frac{16}{25}$

$\therefore \sin\theta=\frac{4}{5}$ → θ는 제1사분면의 각이므로 $\sin\theta>0$

$\therefore$ (주어진 식)$=\sqrt{\frac{16}{25}+\frac{4}{5}}=\sqrt{\frac{36}{25}}=\frac{6}{5}$

답 ⑤

027

$$\frac{\sin(-\theta)}{\cos^2(2\pi-\theta)\cos\left(\frac{3}{2}\pi-\theta\right)}+\frac{\sin(-\theta)\tan(\pi-\theta)}{\sin\left(\frac{3}{2}\pi+\theta\right)}$$

$=\frac{-\sin\theta}{\cos^2\theta\times(-\sin\theta)}+\frac{-\sin\theta\times(-\tan\theta)}{-\cos\theta}$ ❶

$=\frac{1}{\cos^2\theta}-\frac{\sin\theta}{\cos\theta}\times\tan\theta$

$=\frac{1}{\cos^2\theta}-\frac{\sin^2\theta}{\cos^2\theta}$ ❷

$=\frac{1-\sin^2\theta}{\cos^2\theta}$

$=\frac{\cos^2\theta}{\cos^2\theta}=1$ ❸

답 1

채점 기준	비율
❶ 삼각함수의 성질을 이용하여 주어진 식을 간단히 나타낼 수 있다.	50%
❷ $\tan\theta=\frac{\sin\theta}{\cos\theta}$를 이용하여 주어진 식을 간단히 나타낼 수 있다.	25%
❸ $\sin^2\theta+\cos^2\theta=1$을 이용하여 주어진 식의 값을 구할 수 있다.	25%

028

$\sin 10°=\sin(90°-80°)=\cos 80°$

$\sin 30°=\sin(90°-60°)=\cos 60°$

이므로

$\sin^2 10°+\sin^2 30°+\sin^2 60°+\sin^2 80°$

$=\cos^2 80°+\cos^2 60°+\sin^2 60°+\sin^2 80°$

$=(\sin^2 80°+\cos^2 80°)+(\sin^2 60°+\cos^2 60°)$

$=1+1=2$

답 2

참고

$\sin^2 x+\sin^2\left(\frac{\pi}{2}-x\right)=\sin^2 x+\cos^2 x=1$은 여러 문제에 이용되므로 기억해 둔다.

029

$y=\cos(x-\pi)-3\sin\left(\frac{\pi}{2}-x\right)-1$

$=\cos(\pi-x)-3\sin\left(\frac{\pi}{2}-x\right)-1$

$=-\cos x-3\cos x-1=-4\cos x-1$

이때 $-1\le\cos x\le 1$이므로

$-4\le-4\cos x\le 4$

$\therefore -5\le-4\cos x-1\le 3$

따라서 $M=3$, $m=-5$이므로

$\therefore M-m=3-(-5)=8$

답 ②

030

$y=\cos\left(\frac{3}{2}\pi+2x\right)-\sin(\pi+2x)+2$

$=\sin 2x-(-\sin 2x)+2=2\sin 2x+2$

이때 $-1\le\sin 2x\le 1$이므로

$-2\le 2\sin 2x\le 2$

$\therefore 0\le 2\sin 2x+2\le 4$

따라서 $M=4$, $m=0$이므로

$\therefore Mm=4\times 0=0$

답 ③

031

$y=a\sin x+\cos\left(\frac{5}{2}\pi-x\right)+b$ ($\rightarrow 2\pi+\frac{\pi}{2}-x$)

$=a\sin x+\cos\left(\frac{\pi}{2}-x\right)+b$

$=a\sin x+\sin x+b$

$=(a+1)\sin x+b$ ❶

이때 $-1\le\sin x\le 1$이므로

$-(a+1)\le(a+1)\sin x\le a+1$

$\therefore -(a+1)+b\le(a+1)\sin x+b\le a+1+b$

즉,

$a+1+b=6$, $-(a+1)+b=-2$ ❷

이므로 두 식을 연립하여 풀면

$a=3$, $b=2$

$\therefore 2a+b=2\times 3+2=8$ ❸

답 8

채점 기준	비율
❶ 주어진 식을 $\sin x$를 포함한 식으로 정리할 수 있다.	40%
❷ 주어진 함수의 최댓값과 최솟값을 a, b에 대한 식으로 나타낼 수 있다.	40%
❸ $2a+b$의 값을 구할 수 있다.	20%

032

$y=-2|\cos x|+1$에서 $\cos x=t$ $(-1\le t\le 1)$로 놓으면

$y=-2|t|+1$ ㉠

이때 ㉠의 그래프는 점 $(0, 1)$에서 꺾이는 ∧자 모양의 그래프이므로 $-1\le t\le 1$에서 오른쪽 그림과 같다.

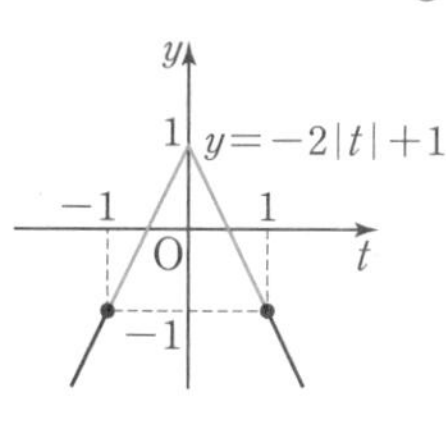

따라서 $t=0$일 때 최댓값 1, $t=1$ 또는 $t=-1$일 때 최솟값 -1을 가지므로 그 합은

$1+(-1)=0$

답 ③

|다른 풀이|

$0\le|\cos x|\le 1$이므로

$-2\le-2|\cos x|\le 0$

$\therefore -1\le-2|\cos x|+1\le 1$

따라서 최댓값은 1, 최솟값은 -1이다.

033

$-1\le\sin 3x\le 1$에서 $-3\le\sin 3x-2\le-1$

$1\le|\sin 3x-2|\le 3$

$a\le a|\sin 3x-2|\le 3a$

$a+b\le a|\sin 3x-2|+b\le 3a+b$

따라서 주어진 함수의 최댓값은 $3a+b$, 최솟값은 $a+b$이므로
$3a+b=4$, $a+b=2$
두 식을 연립하여 풀면
$a=1$, $b=1$
$\therefore ab=1$

답 ①

034

$y=-\sin^2 x+2\cos x$
$=-(1-\cos^2 x)+2\cos x$
$=\cos^2 x+2\cos x-1$

$0\le x\le\frac{\pi}{2}$일 때 $0\le\cos x\le 1$이므로
$\cos x=t\ (0\le t\le 1)$로 놓으면
$y=t^2+2t-1=(t+1)^2-2$
함수 $y=(t+1)^2-2$의 그래프는 오른쪽 그림과 같으므로 $0\le t\le 1$에서 $t=1$일 때 최댓값 2, $t=0$일 때 최솟값 -1을 갖는다.

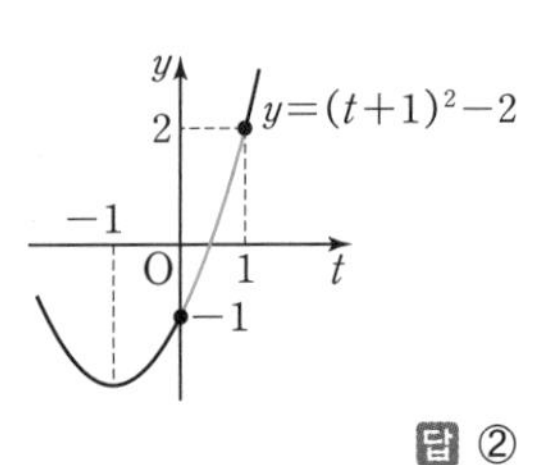

답 ②

035

$y=\tan^2 x-2\tan(\pi+x)+2$
$=\tan^2 x-2\tan x+2$

$0\le x\le\frac{\pi}{4}$일 때 $0\le\tan x\le 1$이므로
$\tan x=t\ (0\le t\le 1)$로 놓으면
$y=t^2-2t+2=(t-1)^2+1$
함수 $y=(t-1)^2+1$의 그래프는 오른쪽 그림과 같으므로 $0\le t\le 1$에서 $t=0$일 때 최댓값 2, $t=1$일 때 최솟값 1을 갖는다.
따라서 $M=2$, $m=1$이므로
$M-m=2-1=1$

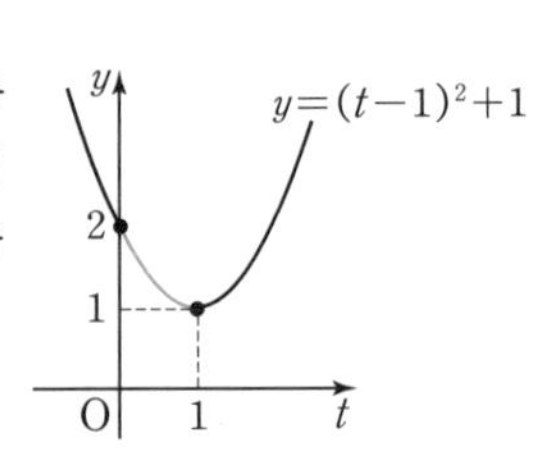

답 ④

036

$0<x\le\frac{\pi}{2}$일 때 $0<\sin x\le 1$이므로
$\sin x=t\ (0<t\le 1)$로 놓으면
$y=\frac{t+1}{t}=1+\frac{1}{t}$
함수 $y=1+\frac{1}{t}$의 그래프는 오른쪽 그림과 같으므로 $0<t\le 1$에서 $t=1$일 때 최솟값 2를 갖고 최댓값은 없다.

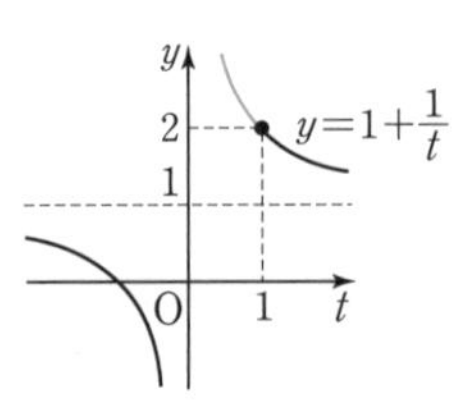

답 최댓값: 없다., 최솟값: 2

037

$\frac{\pi}{2}\le x\le\pi$일 때 $-1\le\cos x\le 0$이므로
$\cos x=t\ (-1\le t\le 0)$로 놓으면

$y=\frac{2t+2}{t-1}=\frac{2(t-1)+4}{t-1}=2+\frac{4}{t-1}$
함수 $y=2+\frac{4}{t-1}$의 그래프는 오른쪽 그림과 같으므로 $-1\le t\le 0$에서 $t=-1$일 때 최댓값 0, $t=0$일 때 최솟값 -2를 갖는다.
따라서 $M=0$, $m=-2$이므로
$M+m=0+(-2)=-2$

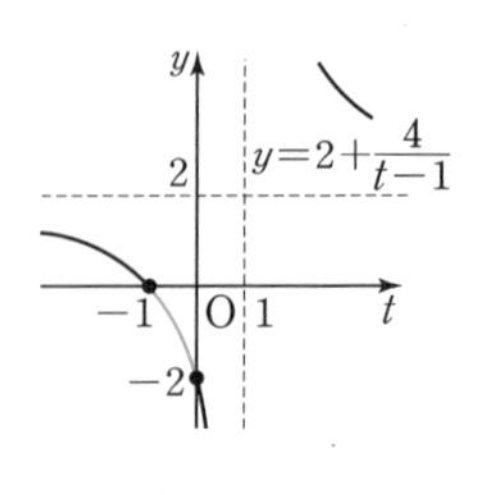

답 ②

038

(1) $0\le x<2\pi$에서 함수 $y=\sin x$의 그래프와 직선 $y=-\frac{1}{2}$의 교점의 x좌표는 $\pi+\frac{\pi}{6}=\frac{7}{6}\pi$ 또는 $2\pi-\frac{\pi}{6}=\frac{11}{6}\pi$이다.

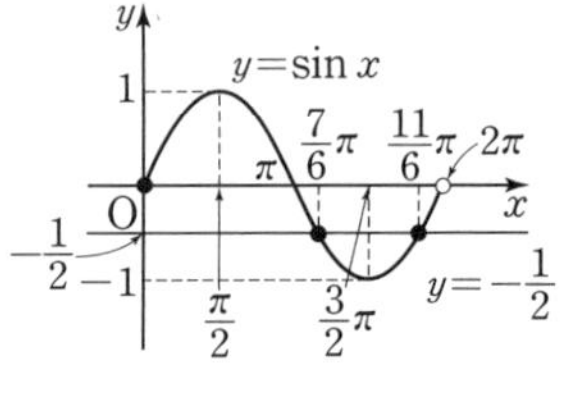

따라서 주어진 방정식의 해는 두 그래프의 교점의 x좌표와 같으므로
$x=\frac{7}{6}\pi$ 또는 $x=\frac{11}{6}\pi$

(2) $0\le x<2\pi$에서 함수 $y=\cos x$의 그래프와 직선 $y=\frac{1}{2}$의 교점의 x좌표는 $\frac{\pi}{3}$ 또는 $2\pi-\frac{\pi}{3}=\frac{5}{3}\pi$이다.
따라서 주어진 방정식의 해는 두 그래프의 교점의 x좌표와 같으므로
$x=\frac{\pi}{3}$ 또는 $x=\frac{5}{3}\pi$

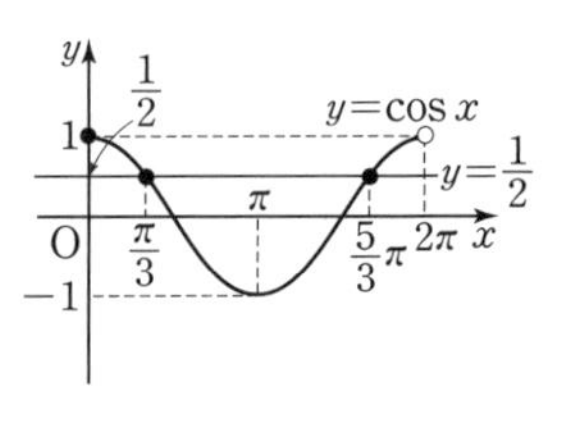

(3) $0\le x<2\pi$에서 함수 $y=\tan x$의 그래프와 직선 $y=1$의 교점의 x좌표는 $\frac{\pi}{4}$ 또는 $\pi+\frac{\pi}{4}=\frac{5}{4}\pi$이다.
따라서 주어진 방정식의 해는 두 그래프의 교점의 x좌표와 같으므로
$x=\frac{\pi}{4}$ 또는 $x=\frac{5}{4}\pi$

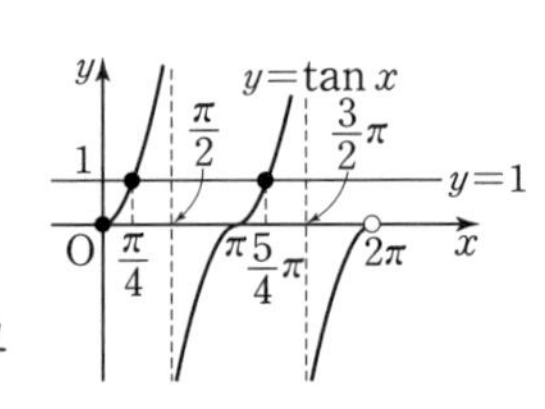

답 (1) $x=\frac{7}{6}\pi$ 또는 $x=\frac{11}{6}\pi$
(2) $x=\frac{\pi}{3}$ 또는 $x=\frac{5}{3}\pi$
(3) $x=\frac{\pi}{4}$ 또는 $x=\frac{5}{4}\pi$

039

$\sin(\pi+x)+\cos\left(\frac{\pi}{2}+x\right)=-\sin x-\sin x$
$=-2\sin x=\sqrt{3}$

$\therefore \sin x=-\frac{\sqrt{3}}{2}$ ❶

$0\le x<2\pi$에서 $\sin x=-\frac{\sqrt{3}}{2}$의 해는
$x=\pi+\frac{\pi}{3}$ 또는 $x=2\pi-\frac{\pi}{3}$
$\therefore x=\frac{4}{3}\pi$ 또는 $x=\frac{5}{3}\pi$ ❷

따라서 $\alpha=\frac{4}{3}\pi$, $\beta=\frac{5}{3}\pi$이므로

$\beta-\alpha=\frac{5}{3}\pi-\frac{4}{3}\pi=\frac{\pi}{3}$ ❸

답 $\frac{\pi}{3}$

채점 기준	비율
❶ 주어진 식을 간단히 할 수 있다.	40%
❷ 방정식의 해를 구할 수 있다.	50%
❸ $\beta-\alpha$의 값을 구할 수 있다.	10%

040

$\frac{1}{2}x=t$로 놓으면 $\cos t=-\frac{\sqrt{2}}{2}$

이때 $0\le x<2\pi$에서 $0\le\frac{1}{2}x<\pi$이므로

$0\le t<\pi$

$0\le t<\pi$에서 방정식 $\cos t=-\frac{\sqrt{2}}{2}$의 해는

$t=\frac{3}{4}\pi$ $\left(\pi-\frac{\pi}{4}\right)$ $\therefore x=\frac{3}{2}\pi$

답 $x=\frac{3}{2}\pi$

041

$3x=t$로 놓으면 $3\tan t=\sqrt{3}$

$\therefore \tan t=\frac{\sqrt{3}}{3}$

이때 $0\le x<2\pi$에서 $0\le 3x<6\pi$이므로

$0\le t<6\pi$

$0\le t<6\pi$에서 방정식 $\tan t=\frac{\sqrt{3}}{3}$의 해는

$t=\frac{\pi}{6}$ 또는 $t=\frac{7}{6}\pi$ $\left(\pi+\frac{\pi}{6}\right)$ 또는 $t=\frac{13}{6}\pi$ $\left(2\pi+\frac{\pi}{6}\right)$ 또는 $t=\frac{19}{6}\pi$ $\left(3\pi+\frac{\pi}{6}\right)$ 또는 $t=\frac{25}{6}\pi$ $\left(4\pi+\frac{\pi}{6}\right)$

또는 $t=\frac{31}{6}\pi$ $\left(5\pi+\frac{\pi}{6}\right)$

$\therefore x=\frac{\pi}{18}$ 또는 $x=\frac{7}{18}\pi$ 또는 $x=\frac{13}{18}\pi$ 또는 $x=\frac{19}{18}\pi$ 또는

$x=\frac{25}{18}\pi$ 또는 $x=\frac{31}{18}\pi$

따라서 방정식의 해가 아닌 것은 ③이다.

답 ③

042

$2\sin\left(x+\frac{\pi}{2}\right)=\sqrt{2}$에서 $x+\frac{\pi}{2}=t$로 놓으면

$2\sin t=\sqrt{2}$ $\therefore \sin t=\frac{\sqrt{2}}{2}$

이때 $0\le x<2\pi$에서 $\frac{\pi}{2}\le x+\frac{\pi}{2}<\frac{5}{2}\pi$이므로

$\frac{\pi}{2}\le t<\frac{5}{2}\pi$

$\frac{\pi}{2}\le t<\frac{5}{2}\pi$에서 $\sin t=\frac{\sqrt{2}}{2}$의 해는

$t=\frac{3}{4}\pi$ $\left(\pi-\frac{\pi}{4}\right)$ 또는 $t=\frac{9}{4}\pi$ $\left(2\pi+\frac{\pi}{4}\right)$

(i) $t=\frac{3}{4}\pi$일 때, $x+\frac{\pi}{2}=\frac{3}{4}\pi$ $\therefore x=\frac{\pi}{4}$

(ii) $t=\frac{9}{4}\pi$일 때, $x+\frac{\pi}{2}=\frac{9}{4}\pi$ $\therefore x=\frac{7}{4}\pi$

(i), (ii)에 의하여 주어진 방정식의 모든 근의 합은

$\frac{\pi}{4}+\frac{7}{4}\pi=2\pi$

답 ④

|다른 풀이|

$\sin\left(x+\frac{\pi}{2}\right)=\cos x$이므로 $\cos x=\frac{\sqrt{2}}{2}$

$0\le x<2\pi$에서 $\cos x=\frac{\sqrt{2}}{2}$의 해는

$x=\frac{\pi}{4}$ 또는 $x=\frac{7}{4}\pi$ $\left(2\pi-\frac{\pi}{4}\right)$

043

$\cos^2 x=\sin^2 x-\sin x$에서

$1-\sin^2 x=\sin^2 x-\sin x$

$2\sin^2 x-\sin x-1=0$

$(2\sin x+1)(\sin x-1)=0$

$\therefore \sin x=-\frac{1}{2}$ 또는 $\sin x=1$

$0\le x<2\pi$에서 $\sin x=-\frac{1}{2}$의 해는

$x=\frac{7}{6}\pi$ 또는 $x=\frac{11}{6}\pi$

$\sin x=1$의 해는 $x=\frac{\pi}{2}$

따라서 주어진 방정식의 모든 근의 합은

$\frac{7}{6}\pi+\frac{11}{6}\pi+\frac{\pi}{2}=\frac{7}{2}\pi$

답 ④

참고

$\cos^2 x=\sin^2 x-\sin x$에서 $\sin x$가 있으므로 $\sin^2 x$가 아닌 $\cos^2 x$를 $1-\sin^2 x$의 꼴로 정리하여 푼다.

044

$\tan^2\theta+\sqrt{3}=(\sqrt{3}+1)\tan\theta$에서

$\tan^2\theta-(\sqrt{3}+1)\tan\theta+\sqrt{3}=0$

$(\tan\theta-\sqrt{3})(\tan\theta-1)=0$

$\therefore \tan\theta=\sqrt{3}$ 또는 $\tan\theta=1$

$0\le\theta<\pi$에서 $\tan\theta=\sqrt{3}$의 해는 $\theta=\frac{\pi}{3}$

$\tan\theta=1$의 해는 $\theta=\frac{\pi}{4}$

따라서 $\alpha=\frac{\pi}{4}$, $\beta=\frac{\pi}{3}$이므로

$\therefore \beta-\alpha=\frac{\pi}{3}-\frac{\pi}{4}=\frac{\pi}{12}$

답 $\frac{\pi}{12}$

045

$3\sin^2 x-4\cos x-4=0$에서

$3(1-\cos^2 x)-4\cos x-4=0$

$3\cos^2 x+4\cos x+1=0$

$(\cos x+1)(3\cos x+1)=0$

$\therefore \cos x=-1$ 또는 $\cos x=-\frac{1}{3}$ ❶

$0\le x<2\pi$에서 $\cos x=-1$의 해는 $x=\pi$ ❷

또, $\cos x=-\frac{1}{3}$의 해를 $x=\alpha$ 또는 $x=\beta$라고 하면 코사인함수의 그래프의 대칭성에 의하여

$\beta=2\pi-\alpha$

$\therefore\ \alpha+\beta=2\pi$ ······ ❸

따라서 주어진 방정식의 모든 근의 합은

$\pi+2\pi=3\pi$

$\therefore\ k=3$ ······ ❹

답 3

채점 기준	비율
❶ 주어진 방정식을 인수분해하여 $\cos x$의 값을 구할 수 있다.	25%
❷ $\cos x=-1$의 해를 구할 수 있다.	30%
❸ $\cos x=-\frac{1}{3}$의 근의 합을 구할 수 있다.	40%
❹ k의 값을 구할 수 있다.	5%

046

$2\cos\theta+\tan\theta=\frac{2}{\cos\theta}$에서

$2\cos\theta+\frac{\sin\theta}{\cos\theta}=\frac{2}{\cos\theta}$

이므로 양변에 $\cos\theta$를 곱하면

$2\cos^2\theta+\sin\theta=2$, $2(1-\sin^2\theta)+\sin\theta-2=0$

$2\sin^2\theta-\sin\theta=0$, $\sin\theta(2\sin\theta-1)=0$

$\therefore\ \sin\theta=0$ 또는 $\sin\theta=\frac{1}{2}$

$0\le\theta<2\pi$에서

$\sin\theta=0$의 해는 $\sin\theta=0$ 또는 $\sin\theta=\pi$

$\sin\theta=\frac{1}{2}$의 해는 $\theta=\frac{\pi}{6}$ 또는 $\theta=\frac{5}{6}\pi$

따라서 주어진 방정식의 해는

$\theta=0$ 또는 $\theta=\frac{\pi}{6}$ 또는 $\theta=\frac{5}{6}\pi$ 또는 $\theta=\pi$

답 $\theta=0$ 또는 $\theta=\frac{\pi}{6}$ 또는 $\theta=\frac{5}{6}\pi$ 또는 $\theta=\pi$

047

(1) $0\le x<2\pi$에서 함수 $y=\sin x$의 그래프와 직선 $y=\frac{\sqrt{2}}{2}$의 교점의 x좌표는 $\frac{\pi}{4}$ 또는 $\pi-\frac{\pi}{4}=\frac{3}{4}\pi$이다.

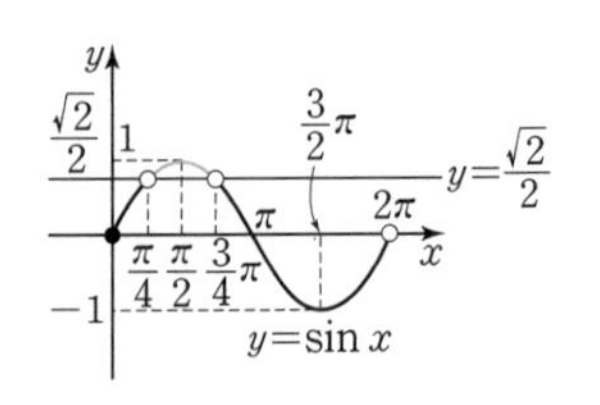

따라서 $0\le x<2\pi$에서 부등식 $\sin x>\frac{\sqrt{2}}{2}$의 해는 $y=\sin x$의 그래프가 직선 $y=\frac{\sqrt{2}}{2}$보다 위쪽에 있는 x의 값의 범위이므로

$\frac{\pi}{4}<x<\frac{3}{4}\pi$

(2) $0\le x<2\pi$에서 함수 $y=\cos x$의 그래프와 직선 $y=-\frac{1}{2}$의 교점의 x좌표는 $\pi-\frac{\pi}{3}=\frac{2}{3}\pi$ 또는 $\pi+\frac{\pi}{3}=\frac{4}{3}\pi$이다.

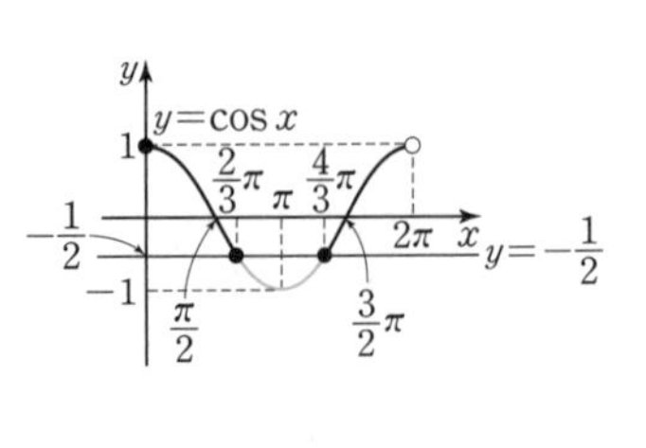

따라서 $0\le x<2\pi$에서 $\cos x\le-\frac{1}{2}$의 해는 $y=\cos x$의 그래프가 직선 $y=-\frac{1}{2}$보다 아래쪽에 있는 x의 값의 범위이므로

$\frac{2}{3}\pi\le x\le\frac{4}{3}\pi$

(3) $0\le x<2\pi$에서 함수 $y=\tan x$의 그래프와 직선 $y=\frac{\sqrt{3}}{3}$의 교점의 x좌표는 $\frac{\pi}{6}$ 또는 $\pi+\frac{\pi}{6}=\frac{7}{6}\pi$이다.

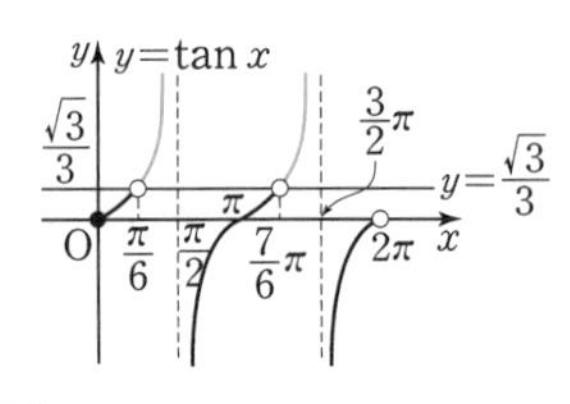

따라서 $0\le x<2\pi$에서 $\tan x>\frac{\sqrt{3}}{3}$의 해는 $y=\tan x$의 그래프가 직선 $y=\frac{\sqrt{3}}{3}$보다 위쪽에 있는 x의 값의 범위이므로

$\frac{\pi}{6}<x<\frac{\pi}{2}$ 또는 $\frac{7}{6}\pi<x<\frac{3}{2}\pi$

답 (1) $\frac{\pi}{4}<x<\frac{3}{4}\pi$ (2) $\frac{2}{3}\pi\le x\le\frac{4}{3}\pi$ (3) $\frac{\pi}{6}<x<\frac{\pi}{2}$ 또는 $\frac{7}{6}\pi<x<\frac{3}{2}\pi$

048

$2\sin x+1<0$에서 $\sin x<-\frac{1}{2}$

$0\le x<2\pi$에서 $\sin x<-\frac{1}{2}$의 해는

$\frac{7}{6}\pi<x<\frac{11}{6}\pi$

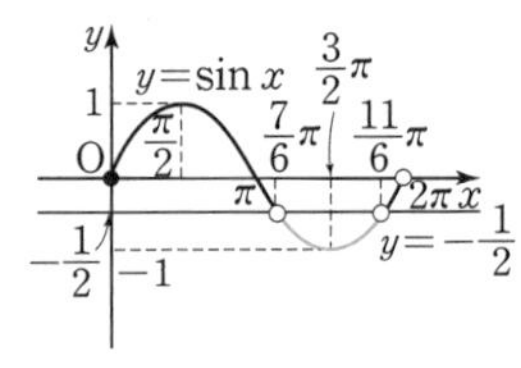

$\therefore\ \alpha=\frac{7}{6}\pi$, $\beta=\frac{11}{6}\pi$

따라서 $\beta-\alpha=\frac{11}{6}\pi-\frac{7}{6}\pi=\frac{2}{3}\pi$이므로

$\cos(\beta-\alpha)=\cos\frac{2}{3}\pi=\cos\left(\pi-\frac{\pi}{3}\right)$

$=-\cos\frac{\pi}{3}=-\frac{1}{2}$

답 $-\frac{1}{2}$

049

$0\le x<\pi$에서 함수 $y=\cos x$의 그래프와 직선 $y=-\frac{\sqrt{3}}{2}$의 교점의 x좌표는 $\pi-\frac{\pi}{6}=\frac{5}{6}\pi$이다.

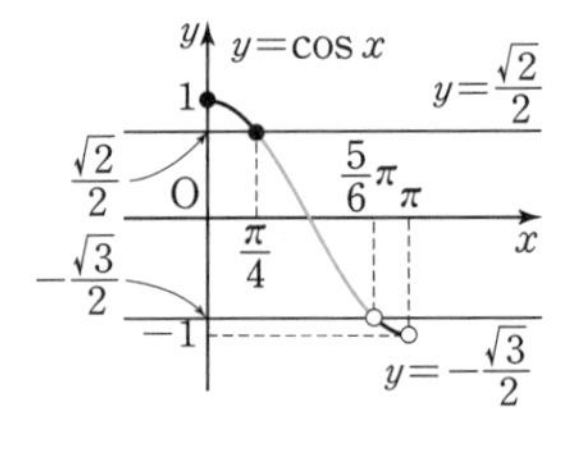

또, $0\le x<\pi$에서 함수 $y=\cos x$의 그래프와 직선 $y=\frac{\sqrt{2}}{2}$의 교점의 x좌표는 $\frac{\pi}{4}$이다.

따라서 $-\frac{\sqrt{3}}{2}<\cos x\le\frac{\sqrt{2}}{2}$의 해는

$\frac{\pi}{4}\le x<\frac{5}{6}\pi$

답 ④

050

$\theta+\frac{\pi}{4}=t$로 놓으면 $\sin t>\frac{\sqrt{3}}{2}$

$0\le\theta\le\pi$에서 $\frac{\pi}{4}\le\theta+\frac{\pi}{4}<\frac{5}{4}\pi$이므로

$\frac{\pi}{4} \le t < \frac{5}{4}\pi$

$\frac{\pi}{4} \le t < \frac{5}{4}\pi$에서 부등식

$\sin t > \frac{\sqrt{3}}{2}$의 해는 $\frac{\pi}{3} < t < \frac{2}{3}\pi$

이므로

$\frac{\pi}{3} < \theta + \frac{\pi}{4} < \frac{2}{3}\pi$

$\therefore \frac{\pi}{12} < \theta < \frac{5}{12}\pi$

따라서 $\alpha = \frac{\pi}{12}$, $\beta = \frac{5}{12}\pi$이므로

$\beta - \alpha = \frac{5}{12}\pi - \frac{\pi}{12} = \frac{\pi}{3}$

답 ③

051

$2x + \frac{\pi}{3} = t$로 놓으면

$2\cos t > 1 \qquad \therefore \cos t > \frac{1}{2}$

$0 \le x \le \pi$에서 $0 \le 2x \le 2\pi$, $\frac{\pi}{3} \le 2x + \frac{\pi}{3} \le \frac{7}{3}\pi$이므로

$\frac{\pi}{3} \le t \le \frac{7}{3}\pi$

$\frac{\pi}{3} \le t \le \frac{7}{3}\pi$에서 부등식

$\cos t > \frac{1}{2}$의 해는 $\frac{5}{3}\pi < t < \frac{7}{3}\pi$

이므로

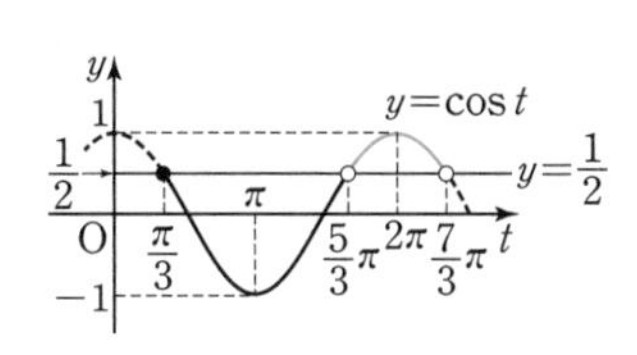

$\frac{5}{3}\pi < 2x + \frac{\pi}{3} < \frac{7}{3}\pi$

$\frac{4}{3}\pi < 2x < 2\pi$

$\therefore \frac{2}{3}\pi < x < \pi$

답 $\frac{2}{3}\pi < x < \pi$

052

$2\sin^2 x + \sqrt{3}(\cos x + 1) < 2(\cos x + 1)$에서

$2(1 - \cos^2 x) + \sqrt{3}\cos x + \sqrt{3} < 2\cos x + 2$

$2\cos^2 x + (2 - \sqrt{3})\cos x - \sqrt{3} > 0$

$(2\cos x - \sqrt{3})(\cos x + 1) > 0$

이때 $\cos x + 1 \ge 0$이므로

$2\cos x - \sqrt{3} > 0$

$\therefore \cos x > \frac{\sqrt{3}}{2}$

$0 \le x < 2\pi$에서 부등식 $\cos x > \frac{\sqrt{3}}{2}$

의 해는

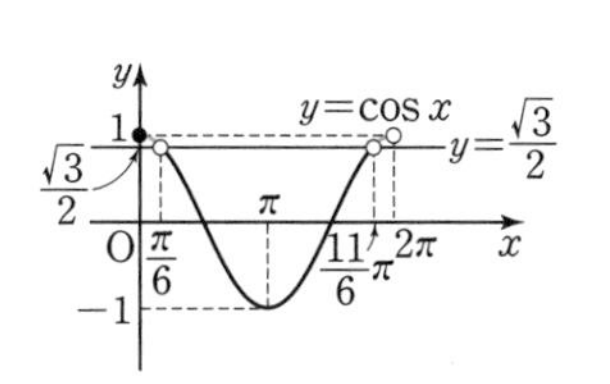

$0 \le x < \frac{\pi}{6}$ 또는 $\frac{11}{6}\pi < x < 2\pi$

답 $0 \le x < \frac{\pi}{6}$ 또는 $\frac{11}{6}\pi < x < 2\pi$

참고

주어진 조건에서 $0 \le x < 2\pi$이므로 $x = 0$은 포함되고, $x = 2\pi$는 포함되지 않는다.

이와 같이 부등식을 풀 때는 등호에 주의한다.

053

$2\cos x < 3\tan x$에서

$2\cos x < 3 \times \frac{\sin x}{\cos x}$

$0 < x < \frac{\pi}{2}$일 때 $\cos x > 0$이므로 부등식의 양변에 $\cos x$를 곱하면

$2\cos^2 x < 3\sin x$, $2(1 - \sin^2 x) < 3\sin x$

$2\sin^2 x + 3\sin x - 2 > 0$, $(2\sin x - 1)(\sin x + 2) > 0$

이때 $\sin x + 2 > 0$이므로

$2\sin x - 1 > 0$

$\therefore \sin x > \frac{1}{2}$

$0 < x < \frac{\pi}{2}$에서 부등식 $\sin x > \frac{1}{2}$의 해는

$\frac{\pi}{6} < x < \frac{\pi}{2}$

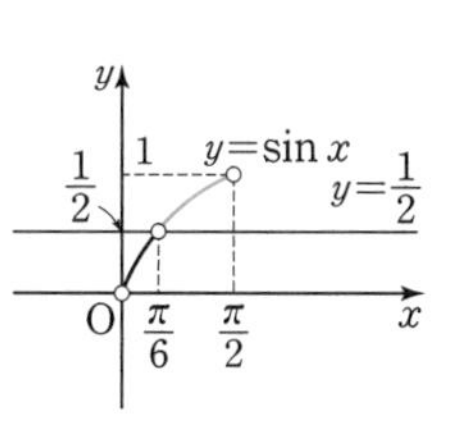

따라서 $a = \frac{\pi}{6}$, $b = \frac{\pi}{2}$이므로

$a + b = \frac{\pi}{6} + \frac{\pi}{2} = \frac{2}{3}\pi$

답 ④

054

$\cos^2\left(\theta + \frac{\pi}{2}\right) - \cos(\pi + \theta) - 1 < 0$에서

$\sin^2\theta + \cos\theta - 1 < 0$

$(1 - \cos^2\theta) + \cos\theta - 1 < 0$, $\cos^2\theta - \cos\theta > 0$

$\cos\theta(\cos\theta - 1) > 0$

이때 $-1 \le \cos\theta \le 1$이므로

$\cos\theta < 0$ 또는 $\cos\theta - 1 > 0$

$\therefore \cos\theta < 0$

$0 \le x < 2\pi$에서 부등식

$\cos\theta < 0$의 해는

$\frac{\pi}{2} < \theta < \frac{3}{2}\pi$

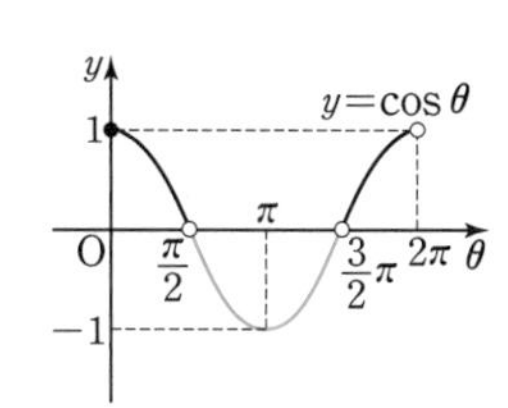

따라서 $\alpha = \frac{\pi}{2}$, $\beta = \frac{3}{2}\pi$이므로

$\alpha + \beta = \frac{\pi}{2} + \frac{3}{2}\pi = 2\pi$

답 2π

055

주어진 부등식의 양변을 $\cos^2 x$로 나누어 정리하면

$(\tan x - 1)(\tan x - \sqrt{3}) < 0$ ⟶ $\cos^2 x > 0$이므로 부등호의 방향이 바뀌지 않는다.

$\therefore 1 < \tan x < \sqrt{3}$

$\pi < x < \frac{3}{2}\pi$에서 부등식

$1 < \tan x < \sqrt{3}$의 해는

$\frac{5}{4}\pi < x < \frac{4}{3}\pi$

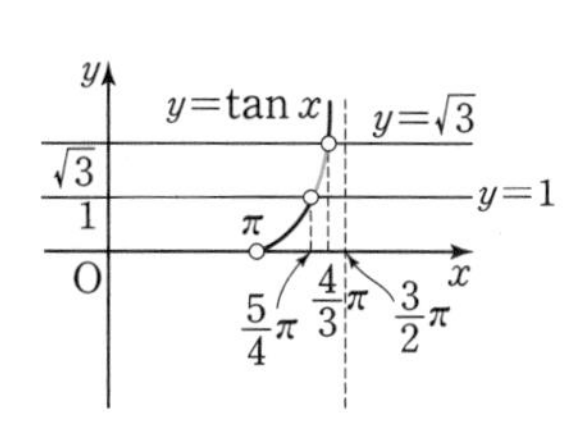

따라서 $a = \frac{5}{4}\pi$, $b = \frac{4}{3}\pi$이므로

$b - a = \frac{4}{3}\pi - \frac{5}{4}\pi = \frac{\pi}{12}$

답 $\frac{\pi}{12}$

056

$2\cos^2\left(x-\frac{\pi}{6}\right)-3\sin\left(x+\frac{5}{6}\pi\right)\geq 0$에서

$x-\frac{\pi}{6}=t$로 놓으면 $x=t+\frac{\pi}{6}$이므로

$x+\frac{5}{6}\pi=t+\frac{\pi}{6}+\frac{5}{6}\pi=t+\pi$

즉, 주어진 부등식은 $2\cos^2 t-3\sin(t+\pi)\geq 0$이므로 ❶

$2\cos^2 t+3\sin t\geq 0$

$2(1-\sin^2 t)+3\sin t\geq 0$

$2\sin^2 t-3\sin t-2\leq 0$

$(2\sin t+1)(\sin t-2)\leq 0$

이때 $\sin t-2<0$이므로 $2\sin t+1\geq 0$

$\therefore \sin t\geq -\frac{1}{2}$ ❷

$0\leq x\leq 2\pi$에서 $-\frac{\pi}{6}\leq x-\frac{\pi}{6}\leq \frac{11}{6}\pi$이므로

$-\frac{\pi}{6}\leq t\leq \frac{11}{6}\pi$

즉, $-\frac{\pi}{6}\leq t\leq \frac{11}{6}\pi$에서 부등식

$\sin t\geq -\frac{1}{2}$의 해는

$-\frac{\pi}{6}\leq t\leq \frac{7}{6}\pi$이므로 ❸

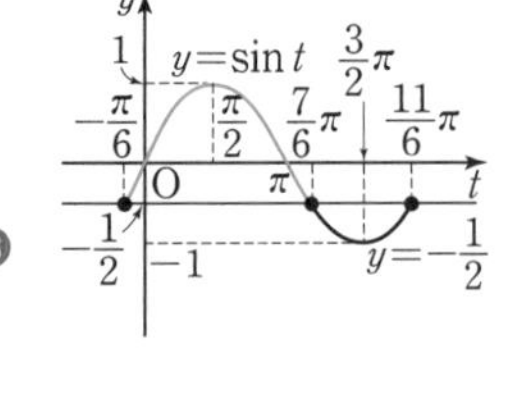

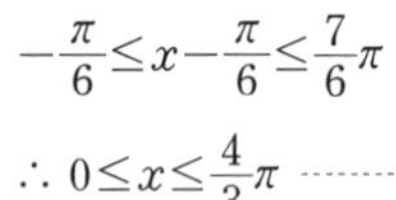

$-\frac{\pi}{6}\leq x-\frac{\pi}{6}\leq \frac{7}{6}\pi$

$\therefore 0\leq x\leq \frac{4}{3}\pi$ ❹

답 $0\leq x\leq \frac{4}{3}\pi$

채점 기준	비율
❶ 주어진 식을 치환을 이용하여 한 종류의 삼각함수가 포함된 부등식으로 나타낼 수 있다.	30%
❷ 이차식의 꼴의 부등식을 정리할 수 있다.	20%
❸ 치환한 문자에 대한 부등식의 해를 구할 수 있다.	30%
❹ 주어진 부등식의 해를 구할 수 있다.	20%

실력을 높이는 연습 문제

본문 104쪽

01

주어진 함수의 주기를 구하면

① $\frac{2\pi}{\pi}=2$　② $\frac{2\pi}{2}=\pi$　③ $\frac{2\pi}{2\pi}=1$

④ $\frac{2\pi}{\sqrt{2}\pi}=\sqrt{2}$　⑤ $\frac{\pi}{2\pi}=\frac{1}{2}$

따라서 주어진 함수 중 주기가 $\frac{1}{2}$인 것은 ⑤이다.

답 ⑤

02

$f(x)=\cos ax+1$의 주기는 $\frac{2\pi}{|a|}$

$g(x)=|\sin 3x|$의 주기는 $\frac{\pi}{3}$

이때 두 함수의 주기가 서로 같으므로

$\frac{2\pi}{|a|}=\frac{\pi}{3}$, $|a|\pi=6\pi$　$\therefore |a|=6$

이때 a는 양수이므로 $a=6$

답 ②

03

$y=\sin 2x-1$의 그래프를 x축에 대하여 대칭이동한 그래프의 식은

$-y=\sin 2x-1$　$\therefore y=-\sin 2x+1$

이 함수의 그래프를 x축의 방향으로 $\frac{\pi}{2}$만큼, y축의 방향으로 3만큼 평행이동한 그래프의 식은

$y=-\sin 2\left(x-\frac{\pi}{2}\right)+1+3$

$\therefore y=-\sin(2x-\pi)+4$

따라서 $a=-1$, $b=1$, $c=4$이므로

$a+b+c=-1+1+4=4$

답 ④

04

① 정의역은 실수 전체의 집합이다.

② $-1\leq\cos\left(x-\frac{\pi}{4}\right)\leq 1$, $-1\leq -\cos\left(x-\frac{\pi}{4}\right)\leq 1$

$\therefore 4\leq -\cos\left(x-\frac{\pi}{4}\right)+5\leq 6$

즉, 치역은 $\{y\,|\,4\leq y\leq 6\}$이다.

③ 주기는 2π이다.

④ 함수 $y=f(x)$의 그래프는 $y=-\cos x$의 그래프를 x축의 방향으로 $\frac{\pi}{4}$만큼, y축의 방향으로 5만큼 평행이동한 것과 같다.

이때 $y=-\cos x$의 그래프는 y축(직선 $x=0$)에 대하여 대칭이므로 함수$y=f(x)$의 그래프는 직선 $x=0$을 x축의 방향으로 $\frac{\pi}{4}$만큼 평행이동한 직선, 즉 $x=\frac{\pi}{4}$에 대하여 대칭이다.

⑤ $y=-\cos x$의 그래프와 $y=-\cos\frac{x}{2}$의 그래프는 겹치지 않으므로 평행이동해도 겹치지 않는다.

따라서 옳은 것은 ④이다.

답 ④

05

함수 $y=\cos\left(x-\frac{\pi}{2}\right)$의 그래프는 함수 $y=\sin x$의 그래프와 같고, $y=\sin 4x$의 그래프는 $y=\sin x$의 그래프를 x축의 방향으로 $\frac{1}{4}$배 한 것과 같다.

따라서 두 함수의 그래프를 나타내면 다음 그림과 같다.

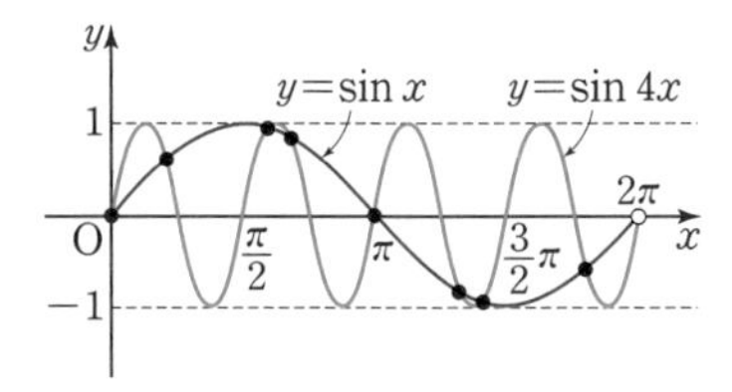

즉, $0\le x<2\pi$에서 두 곡선이 만나는 점은 8개이다.

답 ④

06

조건 (가)에 의하여 함수 $f(x)$의 주기는 π이다.

조건 (나)에 의하여 함수 $f(x)$의 그래프는 y축에 대하여 대칭이다.

이때 주어진 함수 중 그래프가 y축에 대하여 대칭인 것은 ③, ④이고, (→ ①, ②, ⑤는 원점에 대하여 대칭이다.)

③ 주기: $\frac{2\pi}{2}=\pi$, 최댓값: 2, 최솟값: -2 (→ 최댓값과 최솟값의 차의 절댓값은 4이다.)

④ 주기: $\frac{2\pi}{2\pi}=1$, 최댓값: 4, 최솟값: -4 (→ 최댓값과 최솟값의 차의 절댓값은 8이다.)

이므로 주어진 조건을 모두 만족시키는 함수는 ③이다.

답 ③

07

$\frac{\pi}{2}<2<4<\frac{3}{2}\pi$이므로 (→ $\frac{\pi}{2}=1.57\cdots$, $\frac{3}{2}\pi=4.7\cdots$)

$0\le x\le\frac{3}{2}\pi$일 때 함수 $f(x)=\cos x$의 그래프는 오른쪽 그림과 같다.

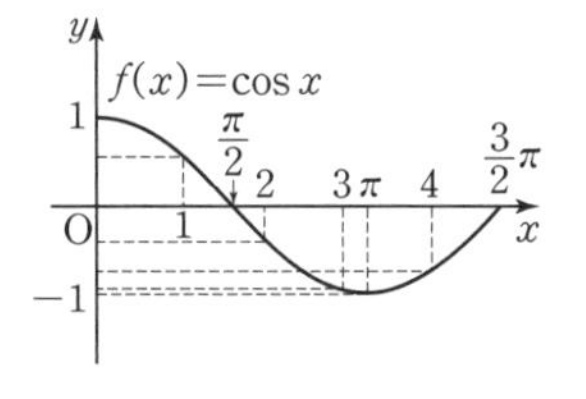

이때 함수 $f(x)$는 직선 $x=\pi$에 대하여 대칭이므로 x의 값이 π에서 멀어질수록 함숫값이 커진다.

즉, $|3-\pi|<|4-\pi|<|2-\pi|$이므로

$f(3)<f(4)<f(2)$

답 ③

08

함수 $y=4\sin\left(2x+\frac{\pi}{6}\right)-1$에서

최댓값은 $4-1=3$, 최솟값은 $-4-1=-5$이고

주기는 $\frac{2\pi}{2}=\pi$이므로

$a=3$, $b=-5$, $c=\pi$

$$\therefore \cos\frac{bc}{a}=\cos\frac{-5\pi}{3}=\cos\frac{5}{3}\pi$$
$$=\cos\left(2\pi-\frac{\pi}{3}\right)$$
$$=\cos\frac{\pi}{3}=\frac{1}{2}$$

답 ③

09

문제 접근하기

$y=(f\circ g)(x)$를 식으로 나타내면 $y=2\cos\left(\frac{\pi}{2}\sin 2\pi x\right)+3$과 같이 복잡한 형태가 되므로 식으로 나타내어 해결하는 문제가 아니다.
따라서 함수 $y=g(x)$의 치역이 함수 $y=(f\circ g)(x)$의 정의역이 되는 것에 집중하여 구하는 함수의 최댓값과 최솟값을 구해 본다.

$\frac{\pi}{2}\sin 2\pi x=t$로 놓으면

$y=(f\circ g)(x)=f(g(x))=f(t)$

$\therefore f(t)=2\cos t+3$

이때 $g(x)=\frac{\pi}{2}\sin 2\pi x$에서

$-1\le\sin 2\pi x\le 1$, $-\frac{\pi}{2}\le\frac{\pi}{2}\sin 2\pi x\le\frac{\pi}{2}$

$\therefore -\frac{\pi}{2}\le t\le\frac{\pi}{2}$

$-\frac{\pi}{2}\le t\le\frac{\pi}{2}$에서 $0\le\cos t\le 1$이므로

$0\le 2\cos t\le 2$ $\quad\therefore 3\le 2\cos t+3\le 5$

따라서 함수 $y=(f\circ g)(x)$의 최댓값은 5, 최솟값은 3이므로 그 합은

$5+3=8$

답 8

10

함수 $f(x)=a|\sin bx|+c$의 주기가 4π이고 $b>0$이므로

$\frac{\pi}{b}=4\pi$ $\quad\therefore b=\frac{1}{4}$

이때 $f(x)=a\left|\sin\frac{1}{4}x\right|+c$에서 최댓값이 4이고 $a>0$이므로

$a+c=4$ ······ ㉠

또, $f(-4\pi)=-2$이므로

$a|\sin(-\pi)|+c=c=-2$ ······ ㉡ (→ $\sin(-\pi)=0$)

㉡을 ㉠에 대입하면 $a=6$

$$\therefore a+\frac{c}{b}=6+\frac{-2}{\frac{1}{4}}=6-8=-2$$

답 ①

11

함수 $y=a\sin(bx+c)+d$의 그래프에서 최댓값이 1, 최솟값이 -3이고 $a>0$이므로

$a+d=1$, $-a+d=-3$

두 식을 연립하여 풀면 $a=2$, $d=-1$

또, 주기는 $\frac{\pi}{2}-\left(-\frac{\pi}{6}\right)=\frac{\pi}{2}+\frac{\pi}{6}=\frac{2}{3}\pi$이고 $b>0$이므로

$\frac{2\pi}{b}=\frac{2}{3}\pi$ $\quad\therefore b=3$

따라서 주어진 함수의 식은 $y=2\sin(3x+c)-1$이고, 그래프가 점 $(0, -1)$을 지나므로

$-1=2\sin(0+c)-1$, $\sin c=0$

$\therefore c=\pi$ ($\because 0<c\le\pi$)

$abcd=2\times3\times\pi\times(-1)=-6\pi$이므로

$\cos(-6\pi)=\cos 6\pi=1$

답 ⑤

12

$$\frac{\sin\left(\frac{\pi}{2}-\theta\right)}{1-\sin(\pi+\theta)}-\frac{\cos(\pi-\theta)}{1+\sin(2\pi-\theta)}$$
$$=\frac{\cos\theta}{1-(-\sin\theta)}-\frac{-\cos\theta}{1-\sin\theta}$$
$$=\frac{\cos\theta}{1+\sin\theta}+\frac{\cos\theta}{1-\sin\theta}$$
$$=\frac{\cos\theta(1-\sin\theta)+\cos\theta(1+\sin\theta)}{(1+\sin\theta)(1-\sin\theta)}$$
$$=\frac{2\cos\theta}{1-\sin^2\theta}=\frac{2\cos\theta}{\cos^2\theta}=\frac{2}{\cos\theta}$$

답 ⑤

13

A, B, C가 삼각형의 세 내각이므로

$A+B+C=\pi$에서 $B+C=\pi-A$

ㄱ. $\sin(B+C)=\sin(\pi-A)=\sin A$ (참)

ㄴ. $\cos(B+C)=\cos(\pi-A)=-\cos A$ (거짓)

ㄷ. $\cos\left(\frac{B}{2}+\frac{C}{2}\right)=\cos\frac{B+C}{2}=\cos\frac{\pi-A}{2}$

$=\cos\left(\frac{\pi}{2}-\frac{A}{2}\right)=\sin\frac{A}{2}$ (거짓)

따라서 옳은 것은 ㄱ이다.

답 ①

14

문제 접근하기

특수각이 아닌 각의 크기에 대한 탄젠트함수의 값의 곱이므로 삼각함수의 성질과 삼각함수 사이의 관계를 이용하여 식을 정리하여야 한다.

즉, $\tan x=\frac{\sin x}{\cos x}$와 $\sin\left(\frac{\pi}{2}-x\right)=\cos x$를 이용하여 식을 정리할 수 있다.

$\tan 2^\circ\times\tan 3^\circ\times\tan 4^\circ\times\cdots\times\tan 87^\circ\times\tan 88^\circ$

$=\frac{\sin 2^\circ}{\cos 2^\circ}\times\frac{\sin 3^\circ}{\cos 3^\circ}\times\frac{\sin 4^\circ}{\cos 4^\circ}\times\cdots\times\frac{\sin 87^\circ}{\cos 87^\circ}\times\frac{\sin 88^\circ}{\cos 88^\circ}$

이때 삼각함수의 성질에 의하여

$\sin 2^\circ=\sin(90^\circ-88^\circ)=\cos 88^\circ$

$\sin 3^\circ=\sin(90^\circ-87^\circ)=\cos 87^\circ$

$\sin 4^\circ=\sin(90^\circ-86^\circ)=\cos 86^\circ$

$\vdots$

$\sin 87^\circ=\sin(90^\circ-3^\circ)=\cos 3^\circ$

$\sin 88^\circ=\sin(90^\circ-2^\circ)=\cos 2^\circ$

이므로 주어진 식에 대입하면

(주어진 식)

$=\frac{\cos 88^\circ}{\cos 2^\circ}\times\frac{\cos 87^\circ}{\cos 3^\circ}\times\frac{\cos 86^\circ}{\cos 4^\circ}\times\cdots\times\frac{\cos 3^\circ}{\cos 87^\circ}\times\frac{\cos 2^\circ}{\cos 88^\circ}$

$=1$

답 ③

15

$f(x)+f(-x)=0$, $f(-x)=-f(x)$이므로 함수 $f(x)$의 그래프는 원점에 대하여 대칭이다.

또, $f(x+\pi)=f(x)$에서 함수 $f(x)$의 주기는 π이다.

ㄱ. $f(x)=2\pi\sin x$는 주기가 2π이고, 그래프는 원점에 대하여 대칭이다.

ㄴ. $f(x)=\sin\left(\frac{\pi}{2}-2x\right)=\cos 2x$이므로 주기가 $\frac{2\pi}{2}=\pi$이고, 그래프는 y축에 대하여 대칭이다. → $f(-x)=f(x)$

ㄷ. $f(x)=\cos 2x$는 ㄴ과 같은 함수이므로 주기가 π이고, 그래프는 y축에 대하여 대칭이다.

ㄹ. $f(x)=\cos\left(2x-\frac{\pi}{2}\right)=\cos\left(\frac{\pi}{2}-2x\right)=\sin 2x$이므로 주기가 $\frac{2\pi}{2}=\pi$이고, 그래프는 원점에 대하여 대칭이다.

ㅁ. $f(x)=\tan(x+\pi)=\tan x$이므로 주기가 π이고, 그래프는 원점에 대하여 대칭이다.

ㅂ. $f(x)=\tan\frac{\pi}{2}x$는 주기가 $\frac{\pi}{\frac{\pi}{2}}=2$이고, 그래프는 원점에 대하여 대칭이다.

따라서 주어진 조건을 모두 만족시키는 함수는 ㄹ, ㅁ의 2개이다.

답 2

16

$y=1-3\left|\sin\left(x-\frac{\pi}{3}\right)-\frac{1}{2}\right|$에서

$\sin\left(x-\frac{\pi}{3}\right)=t$ $(-1\le t\le 1)$로 놓으면

$y=-3\left|t-\frac{1}{2}\right|+1$ ······ ㉠

이때 ㉠의 그래프는 점 $\left(\frac{1}{2}, 1\right)$에서 꺾이는 ∧자 모양의 그래프이므로 $-1\le t\le 1$에서 오른쪽 그림과 같다.

따라서 $t=\frac{1}{2}$일 때 최댓값 1, $t=-1$일 때 최솟값 $-\frac{7}{2}$을 가지므로 그 합은 $1+\left(-\frac{7}{2}\right)=-\frac{5}{2}$

답 ②

|다른 풀이|

$y=1-3\left|\sin\left(x-\frac{\pi}{3}\right)-\frac{1}{2}\right|$에서

$\sin\left(x-\frac{\pi}{3}\right)-\frac{1}{2}=t$ $\left(-\frac{3}{2}\le t\le\frac{1}{2}\right)$로 놓으면

$y=-3|t|+1$

이때 ㉠의 그래프는 점 $(0, 1)$에서 꺾이는 ∧자 모양의 그래프이므로 $-\frac{3}{2}\le t\le\frac{1}{2}$에서 $t=0$일 때 최댓값 1, $t=-\frac{3}{2}$일 때 최솟값 $-\frac{7}{2}$을 갖는다.

따라서 구하는 최댓값과 최솟값의 합은

$1+\left(-\frac{7}{2}\right)=-\frac{5}{2}$

17

$y=\sin^2(x-\pi)-2\cos^2(\pi-x)-\cos\left(x-\frac{3}{2}\pi\right)$

$=\sin^2 x-2\cos^2 x+\sin x$

$=\sin^2 x-2(1-\sin^2 x)+\sin x$

$=3\sin^2 x+\sin x-2$

→ $0\le x<\pi$이므로 $0\le \sin x\le 1$

이때 $\sin x=t$ $(0\le t\le 1)$로 놓으면

$y=3t^2+t-2=3\left(t+\frac{1}{6}\right)^2-\frac{25}{12}$

함수 $y=3\left(t+\frac{1}{6}\right)^2-\frac{25}{12}$의 그래프는 오른쪽 그림과 같으므로 $0\le t\le 1$에서 $t=1$일 때 최댓값 2, $t=0$일 때 최솟값 -2를 갖는다.

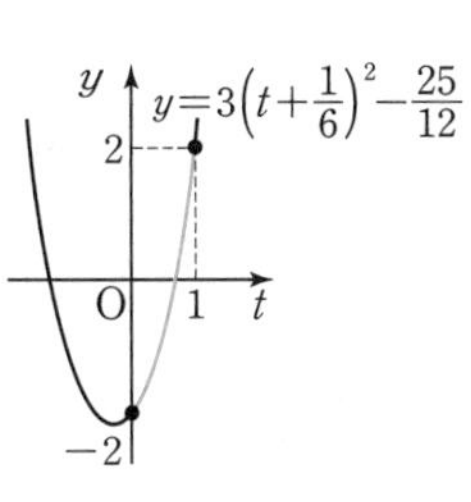

따라서 $M=2$, $m=-2$이므로

$M+m=2+(-2)=0$

답 ①

18

$1+\sqrt{2}\sin 2x=0$에서 $2x=t$로 놓으면

$1+\sqrt{2}\sin t=0$ $\quad\therefore \sin t=-\frac{\sqrt{2}}{2}$

이때 $0\le x\le\pi$에서 $0\le t\le 2\pi$

$0\le t\le 2\pi$에서 $\sin t=-\frac{\sqrt{2}}{2}$의 해는

$t=\frac{5}{4}\pi$ 또는 $t=\frac{7}{4}\pi$

즉, $2x=\frac{5}{4}\pi$ 또는 $2x=\frac{7}{4}\pi$이므로

$x=\frac{5}{8}\pi$ 또는 $x=\frac{7}{8}\pi$

따라서 방정식의 모든 근의 합은

$\frac{5}{8}\pi+\frac{7}{8}\pi=\frac{3}{2}\pi$

답 ③

19

$\cos^2 x-1=-\sin x\cos x$에서

$(1-\sin^2 x)-1=-\sin x\cos x$

$\sin^2 x-\sin x\cos x=0$

$\sin x(\sin x-\cos x)=0$

$\therefore \sin x=0$ 또는 $\sin x=\cos x$

$0\le x<\frac{\pi}{2}$에서 $\sin x=0$의 해는

$x=0$

$\sin x=\cos x$의 해는 $\tan x=1$에서

$x=\frac{\pi}{4}$

따라서 방정식의 모든 근의 합은

$0+\frac{\pi}{4}=\frac{\pi}{4}$

답 ③

20

방정식 $\sin 2\pi x=\frac{x}{2}$의 실근의 개수는 두 함수 $y=\sin 2\pi x$, $y=\frac{1}{2}x$의 그래프의 교점의 개수와 같다.

이때 $y=\sin 2\pi x$의 주기는 $\frac{2\pi}{2\pi}=1$이고, $y=\frac{1}{2}x$에서 $y=1$일 때 $x=2$, $y=-1$일 때 $x=-2$이므로 두 함수의 그래프는 다음 그림과 같다.

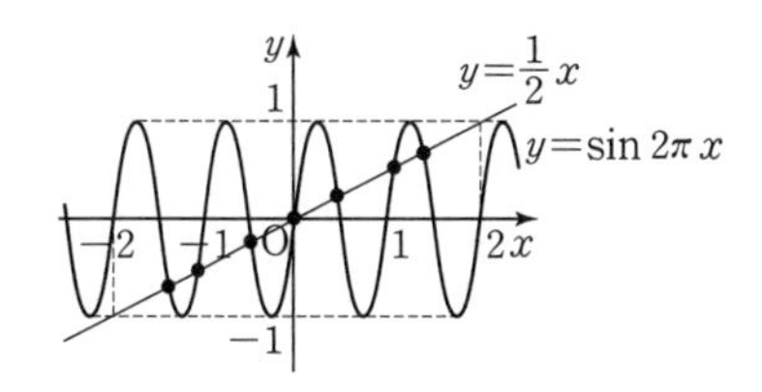

따라서 두 함수의 그래프의 교점은 7개이므로 방정식 $\sin 2\pi x=\frac{x}{2}$의 실근도 7개이다.

답 ②

21

이차방정식 $x^2-4x\cos\theta+1=0$의 판별식을 D라고 할 때 중근을 가지려면 $D=0$이어야 한다.

$\frac{D}{4}=(-2\cos\theta)^2-1=0$ $\quad\therefore \cos^2\theta=\frac{1}{4}$

(i) $0\le\theta<\frac{\pi}{2}$일 때

$0\le\theta<\frac{\pi}{2}$에서 $\cos\theta>0$이므로

$\cos\theta=\frac{1}{2}$

$0\le\theta<\frac{\pi}{2}$에서 $\cos\theta=\frac{1}{2}$의 해는 $\theta=\frac{\pi}{3}$

(ii) $\frac{\pi}{2}\le\theta<\pi$일 때

$\frac{\pi}{2}\le\theta<\pi$에서 $-1<\cos\theta\le 0$이므로

$\cos\theta=-\frac{1}{2}$

$\frac{\pi}{2}\le\theta<\pi$에서 $\cos\theta=-\frac{1}{2}$의 해는 $\theta=\frac{2}{3}\pi$

따라서 구하는 모든 θ의 값의 합은

$\frac{\pi}{3}+\frac{2}{3}\pi=\pi$

답 π

풍쌤 개념 CHECK

이차방정식의 근의 판별_高 수학

계수가 실수인 이차방정식 $ax^2+bx+c=0$ $(a\ne 0)$의 판별식을 D라고 할 때

(1) $D>0$이면 서로 다른 두 실근을 갖고, 서로 다른 두 실근을 가지면 $D>0$이다.

(2) $D=0$이면 중근을 갖고, 중근을 가지면 $D=0$이다.

(3) $D<0$이면 서로 다른 두 허근을 갖고, 서로 다른 두 허근을 가지면 $D<0$이다. (→ 실근을 갖지 않는다.)

22

$x+\frac{\pi}{6}=t$로 놓으면 $\tan t<\sqrt{3}$

이때 $0\le x<\pi$에서 $\frac{\pi}{6}\le x+\frac{\pi}{6}<\frac{7}{6}\pi$이므로

$\frac{\pi}{6}\le t<\frac{7}{6}\pi$

$\frac{\pi}{6} \le t < \frac{7}{6}\pi$에서 부등식

$\tan t < \sqrt{3}$의 해는

$\frac{\pi}{6} \le t < \frac{\pi}{3}$ 또는 $\frac{\pi}{2} < t < \frac{7}{6}\pi$

이므로

$\frac{\pi}{6} \le x + \frac{\pi}{6} < \frac{\pi}{3}$ 또는

$\frac{\pi}{2} < x + \frac{\pi}{6} < \frac{7}{6}\pi$

$\therefore 0 \le x < \frac{\pi}{6}$ 또는 $\frac{\pi}{3} < x < \pi$

따라서 $a = \frac{\pi}{6}$, $b = \frac{\pi}{3}$이므로

$b - a = \frac{\pi}{3} - \frac{\pi}{6} = \frac{\pi}{6}$

답 ②

23

문제 접근하기

부등식 $\sin x \ge \cos x$의 해를 구하고, 부등식 $2\cos^2 x - 7\cos x + 3 \le 0$의 해를 구한 후 공통부분을 구한다.

(ⅰ) $0 \le x < 2\pi$에서 함수 $y = \sin x$와 $y = \cos x$의 그래프의 교점의 x좌표는 $\frac{\pi}{4}$ 또는 $\frac{5}{4}\pi$이다.

$0 \le x < 2\pi$에서 부등식

$\sin x \ge \cos x$의 해는

$\frac{\pi}{4} \le x \le \frac{5}{4}\pi$

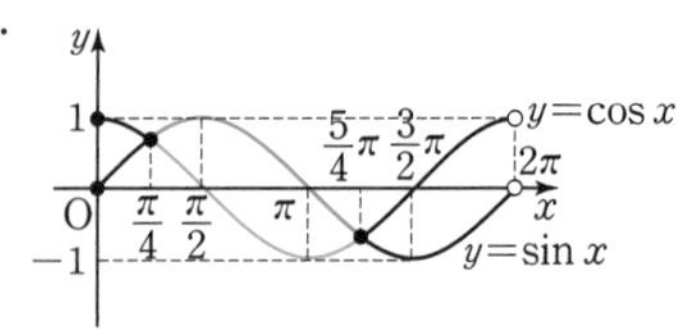

(ⅱ) $2\cos^2 x + 7\cos x + 3 \le 0$에서

$(2\cos x + 1)(\cos x + 3) \le 0$

이때 $\cos x + 3 > 0$이므로

$2\cos x + 1 \le 0$

$\therefore \cos x \le -\frac{1}{2}$

$0 \le x < 2\pi$에서 부등식

$\cos x \le -\frac{1}{2}$의 해는

$\frac{2}{3}\pi \le x \le \frac{4}{3}\pi$

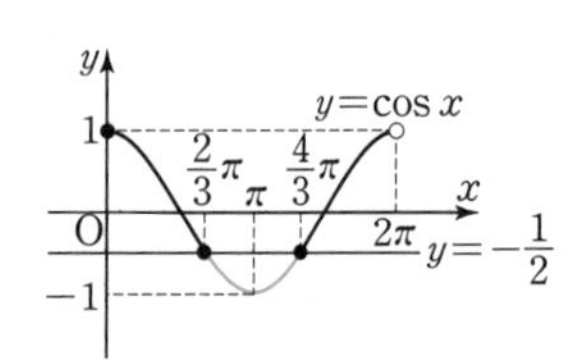

(ⅰ), (ⅱ)에 의하여 주어진 연립부등식의 해는

$\frac{2}{3}\pi \le x \le \frac{5}{4}\pi$

따라서 $\alpha = \frac{2}{3}\pi$, $\beta = \frac{5}{4}\pi$이므로

$\alpha + \beta = \frac{2}{3}\pi + \frac{5}{4}\pi = \frac{23}{12}\pi$

답 ④

|다른 풀이|

(ⅰ) $\sin x \ge \cos x$

ⅰ) $0 \le x < \frac{\pi}{2}$ 또는 $\frac{3}{2}\pi < x < 2\pi$일 때

$\cos x > 0$이므로 $\sin x \ge \cos x$의 양변을 $\cos x$로 나누면

$\tan x \ge 1$

$0 \le x < \frac{\pi}{2}$ 또는 $\frac{3}{2}\pi < x < 2\pi$에서 $\tan x > 1$의 부등식의 해는

$\frac{\pi}{4} \le x < \frac{\pi}{2}$

ⅱ) $\frac{\pi}{2} < x < \frac{3}{2}\pi$일 때

$\cos x < 0$이므로 $\sin x \ge \cos x$의 양변을 $\cos x$로 나누면

$\tan x \le 1$

$\frac{\pi}{2} < x < \frac{3}{2}\pi$에서 부등식 $\tan x \le 1$의 해는

$\frac{\pi}{2} < x \le \frac{5}{4}\pi$

ⅲ) $x = \frac{\pi}{2}$일 때

$\sin \frac{\pi}{2} = 1$, $\cos \frac{\pi}{2} = 0$이므로 부등식 $\sin x \ge \cos x$가 성립한다.

ⅳ) $x = \frac{3}{2}\pi$일 때

$\sin \frac{3}{2}\pi = -1$, $\cos \frac{3}{2}\pi = 0$이므로 부등식 $\sin x \ge \cos x$가 성립하지 않는다.

ⅰ)~ ⅳ)에 의하여 $\sin x \ge \cos x$의 해는

$\frac{\pi}{4} \le x \le \frac{5}{4}\pi$

24

이차방정식 $6x^2 + (4\cos\theta)x + \sin\theta = 0$의 판별식을 D라고 할 때 실근을 갖지 않으려면 $D < 0$이어야 한다.

$\frac{D}{4} = (2\cos\theta)^2 - 6\sin\theta < 0$

$4\cos^2\theta - 6\sin\theta < 0$, $4(1 - \sin^2\theta) - 6\sin\theta < 0$

$-4\sin^2\theta - 6\sin\theta + 4 < 0$, $2\sin^2\theta + 3\sin\theta - 2 > 0$

$(2\sin\theta - 1)(\sin\theta + 2) > 0$

이때 $\sin\theta + 2 > 0$이므로

$2\sin\theta - 1 > 0 \qquad \therefore \sin\theta > \frac{1}{2}$

$0 \le \theta < 2\pi$에서 부등식 $\sin\theta > \frac{1}{2}$의 해는

$\frac{\pi}{6} < \theta < \frac{5}{6}\pi$

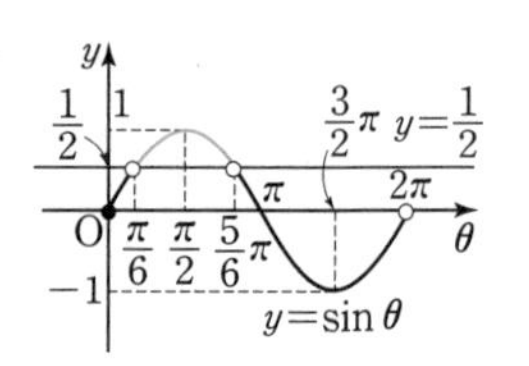

따라서 $\alpha = \frac{\pi}{6}$, $\beta = \frac{5}{6}\pi$이므로

$3\alpha + \beta = 3 \times \frac{\pi}{6} + \frac{5}{6}\pi = \frac{\pi}{2} + \frac{5}{6}\pi = \frac{4}{3}\pi$

답 ④

삼각함수의 활용

기본을 다지는 유형

본문 109쪽

001

(1) 주어진 조건을 그림으로 나타내면 오른쪽 그림과 같다.

사인법칙에 의하여

$\frac{a}{\sin A}=\frac{c}{\sin C}$

$\frac{a}{\sin 45^\circ}=\frac{6}{\sin 60^\circ}$, $a \sin 60^\circ=6 \sin 45^\circ$

$a\times\frac{\sqrt{3}}{2}=6\times\frac{\sqrt{2}}{2}$ $\quad\therefore a=2\sqrt{6}$

(2) 주어진 조건을 그림으로 나타내면 오른쪽 그림과 같다.

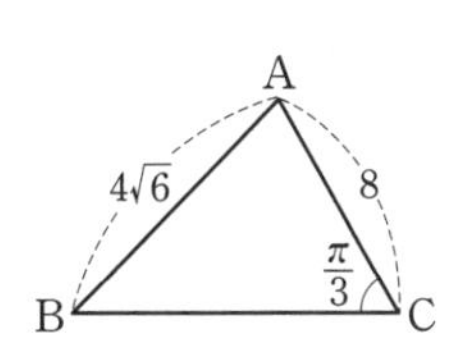

사인법칙에 의하여

$\frac{b}{\sin B}=\frac{c}{\sin C}$

$\frac{8}{\sin B}=\frac{4\sqrt{6}}{\sin\frac{\pi}{3}}$, $8\sin\frac{\pi}{3}=4\sqrt{6}\sin B$

$8\times\frac{\sqrt{3}}{2}=4\sqrt{6}\sin B$ $\quad\therefore \sin B=\frac{\sqrt{2}}{2}$

$0<B<\pi$이므로 $B=\frac{\pi}{4}$ 또는 $B=\frac{3}{4}\pi$

그런데 $B+C<\pi$이므로 $B=\frac{\pi}{4}$

답 (1) $2\sqrt{6}$ (2) $\frac{\pi}{4}$

002

(1) 사인법칙에 의하여 $\frac{a}{\sin A}=2R$

$\frac{2}{\sin 45^\circ}=2R$, $2R=2\sqrt{2}$

$\therefore R=\sqrt{2}$

(2) 사인법칙에 의하여 $\frac{b}{\sin B}=2R$

$\frac{3}{\sin B}=2\times 3$ $\quad\therefore \sin B=\frac{1}{2}$

$0^\circ<B<180^\circ$이므로 $B=30^\circ$ 또는 $B=150^\circ$

(3) 사인법칙에 의하여 $\frac{c}{\sin C}=2R$

$\frac{c}{\sin\frac{\pi}{2}}=2\times 4$ $\quad\therefore c=8$

답 (1) $\sqrt{2}$ (2) 30° 또는 150° (3) 8

003

삼각형 ABC에서 $c=\overline{AB}=8$, $a=\overline{BC}$

또, $A=45^\circ$, $B=15^\circ$이므로

$C=180^\circ-(45^\circ+15^\circ)=120^\circ$

사인법칙에 의하여 $\frac{a}{\sin A}=\frac{c}{\sin C}$

$\frac{a}{\sin 45^\circ}=\frac{8}{\sin 120^\circ}$, $a\sin 120^\circ=8\sin 45^\circ$

$a\times\frac{\sqrt{3}}{2}=8\times\frac{\sqrt{2}}{2}$ $\quad\therefore a=\frac{8\sqrt{6}}{3}$

답 ③

004

외접원의 반지름의 길이를 R라고 하면 사인법칙의 변형에 의하여

$\sin A=\frac{a}{2R}$, $\sin B=\frac{b}{2R}$, $\sin C=\frac{c}{2R}$

이므로

$\sin A+\sin B+\sin C=\frac{a}{2R}+\frac{b}{2R}+\frac{c}{2R}$

$=\frac{a+b+c}{2R}$

$=\frac{a+b+c}{2\times 6}=2$

$\therefore a+b+c=24$

답 ④

005

외접원의 반지름의 길이를 R라고 하면 사인법칙의 변형에 의하여

$\sin A=\frac{a}{2R}$, $\sin B=\frac{b}{2R}$, $\sin C=\frac{c}{2R}$

이므로

$\sin A+\sin B+\sin C=\frac{a}{2R}+\frac{b}{2R}+\frac{c}{2R}$

$=\frac{a+b+c}{2R}=\frac{5}{2}$

이때 삼각형의 둘레의 길이가 10이므로

$a+b+c=10$

즉, $\frac{10}{2R}=\frac{5}{2}$ $\quad\therefore R=2$

답 ②

| 다른 풀이 |

사인법칙의 변형에 의하여

$a=2R\sin A$, $b=2R\sin B$, $c=2R\sin C$

이때 삼각형의 둘레의 길이가 10이므로

$a+b+c=2R\sin A+2R\sin B+2R\sin C$

$=2R(\sin A+\sin B+\sin C)$

$=2R\times\frac{5}{2}=5R=10$

$\therefore R=2$

006

$\overline{AC}$가 원 O의 지름이므로 $\angle ABC=90^\circ$

따라서 삼각형 ABC는 $\overline{AB}=\overline{BC}=4$인 직각이등변삼각형이므로

$\angle BAC=\angle BCA=45^\circ$

또, 호 BC에 대한 원주각의 크기는 같으므로

$\angle BDC=\angle BAC=45^\circ$

따라서 삼각형 BCD에서 사인법칙에 의하여

$\frac{\overline{CD}}{\sin 30^\circ}=\frac{4}{\sin 45^\circ}$

$\overline{CD}\sin 45^\circ=4\sin 30^\circ$

$\overline{CD}\times\frac{\sqrt{2}}{2}=4\times\frac{1}{2}$ $\quad\therefore \overline{CD}=2\sqrt{2}$

답 ④

007

사인법칙의 변형에 의하여

$\sin C=\frac{c}{2R}$, $\frac{4}{5}=\frac{2\sqrt{2}}{2R}$

$\therefore R=\frac{5\sqrt{2}}{4}$

또, 사인법칙에 의하여

$\frac{a}{\sin A}=\frac{c}{\sin C}$, $\frac{2}{\sin A}=\frac{2\sqrt{2}}{\frac{4}{5}}$

$2\sqrt{2}\sin A=\frac{8}{5}$ $\quad\therefore \sin A=\frac{2\sqrt{2}}{5}$

이때 삼각함수의 관계에 의하여 $\sin^2 A+\cos^2 A=1$이므로

$\cos A=\sqrt{1-\left(\frac{2\sqrt{2}}{5}\right)^2}=\frac{\sqrt{17}}{5}$ ($\because$ A는 예각)

$\therefore 4R\cos A=4\times\frac{5\sqrt{2}}{4}\times\frac{\sqrt{17}}{5}=\sqrt{34}$

답 ①

008

삼각형 ABC에서 $\angle ABC=30^\circ$, $\angle ACB=90^\circ$이므로

$\angle BAC=180^\circ-(30^\circ+90^\circ)=60^\circ$ ❶

또, 삼각형 ADC는 직각이등변삼각형이므로 $\overline{CD}=\overline{AC}=k$로 놓으면 삼각형 ABC에서 사인법칙에 의하여

$\frac{\overline{BC}}{\sin 60^\circ}=\frac{\overline{AC}}{\sin 30^\circ}$, $\frac{10+k}{\sin 60^\circ}=\frac{k}{\sin 30^\circ}$ ❷

$(10+k)\sin 30^\circ=k\sin 60^\circ$

$(10+k)\times\frac{1}{2}=k\times\frac{\sqrt{3}}{2}$, $10+k=k\sqrt{3}$

$k(\sqrt{3}-1)=10$

$\therefore k=\frac{10}{\sqrt{3}-1}=\frac{10(\sqrt{3}+1)}{2}=5(\sqrt{3}+1)$

따라서 선분 AC의 길이는 $5(\sqrt{3}+1)$이다. ❸

답 $5(\sqrt{3}+1)$

채점 기준	비율
❶ 주어진 조건을 이용하여 ∠BAC의 크기를 구할 수 있다.	20%
❷ 삼각형 ABC에서 사인법칙을 이용하여 식을 세울 수 있다.	50%
❸ 선분 AC의 길이를 구할 수 있다.	30%

009

삼각형 ABC에서 $A:B:C=4:1:1$이므로

$A=180^\circ\times\frac{4}{6}=120^\circ$

$B=180^\circ\times\frac{1}{6}=30^\circ$

$C=180^\circ\times\frac{1}{6}=30^\circ$

사인법칙의 변형에 의하여

$a:b:c=\sin 120^\circ:\sin 30^\circ:\sin 30^\circ$

$=\frac{\sqrt{3}}{2}:\frac{1}{2}:\frac{1}{2}=\sqrt{3}:1:1$

따라서 $a=\sqrt{3}k$, $b=k$, $c=k$ $(k>0)$로 놓으면

$\frac{a^2}{b^2+c^2}=\frac{(\sqrt{3}k)^2}{k^2+k^2}=\frac{3}{2}$

답 $\frac{3}{2}$

010

$(a+b):(b+c):(c+a)=8:7:9$이므로

$a+b=8t$ ㉠

$b+c=7t$ ㉡

$c+a=9t$ ㉢

❶

로 놓고 변끼리 더하면 $(t>0)$

㉠+㉡+㉢$=2(a+b+c)=24t$

$\therefore a+b+c=12t$ ㉣

㉣−㉡, ㉣−㉢, ㉣−㉠을 하면

$a=5t$, $b=3t$, $c=4t$ ❷

따라서 사인법칙의 변형에 의하여

$\sin A:\sin B:\sin C=a:b:c=5t:3t:4t$

$=5:3:4$ ❸

즉, $k=5$, $l=3$, $m=4$이므로

$k+l+m=5+3+4=12$ ❹

답 12

채점 기준	비율
❶ 주어진 조건을 비례상수를 이용하여 식으로 나타낼 수 있다.	25%
❷ a, b, c를 비례상수를 이용한 식으로 나타낼 수 있다.	20%
❸ $\sin A:\sin B:\sin C$를 구할 수 있다.	30%
❹ $k+l+m$의 값을 구할 수 있다.	25%

011

(1) 코사인법칙에 의하여

$a^2=b^2+c^2-2bc\cos A$

$=1^2+(\sqrt{2})^2-2\times1\times\sqrt{2}\times\cos 45^\circ$

$=1+2-2\sqrt{2}\times\frac{\sqrt{2}}{2}=1$

이때 $a>0$이므로 $a=1$

(2) 코사인법칙에 의하여

$c^2=a^2+b^2-2ab\cos C$

$=(2\sqrt{2})^2+(3\sqrt{2})^2-2\times2\sqrt{2}\times3\sqrt{2}\times\cos 60^\circ$

$=8+18-24\times\frac{1}{2}=14$

이때 $c>0$이므로 $c=\sqrt{14}$

답 (1) 1 (2) $\sqrt{14}$

012

$B=180^\circ-(A+C)=180^\circ-120^\circ=60^\circ$

이므로 코사인법칙에 의하여

$b^2=c^2+a^2-2ca\cos B$

$=4^2+9^2-2\times4\times9\times\cos 60^\circ$

$=16+81-72\times\frac{1}{2}=61$

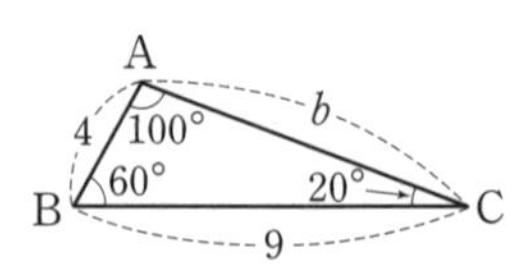

이때 $b>0$이므로 $b=\sqrt{61}$

답 ②

013

평행사변형의 성질에 의하여 이웃하는 각의 크기의 합은 180°이다.

즉, $B=45^\circ$이므로 $C=135^\circ$ ❶

따라서 삼각형 BCD에서 코사인법칙에 의하여

$\overline{BD}^2=\overline{BC}^2+\overline{CD}^2-2\times\overline{BC}\times\overline{CD}\times\cos C$

$=(3\sqrt{2})^2+6^2-2\times3\sqrt{2}\times6\times\cos 135^\circ$

$=18+36-36\sqrt{2}\times\left(-\frac{\sqrt{2}}{2}\right)=90$ ❷

$\therefore \overline{BD}=\sqrt{90}=3\sqrt{10}$ ($\because \overline{BD}>0$) ❸

답 $3\sqrt{10}$

채점 기준	비율
❶ 평행사변형의 성질을 이용하여 C의 값을 구할 수 있다.	30%
❷ 코사인법칙을 이용하여 $\overline{BD}^2$의 값을 구할 수 있다.	60%
❸ 대각선 BD의 길이를 구할 수 있다.	10%

014

원에 내접하는 사각형의 대각의 크기의 합은 180°이다.

즉, $B=60^\circ$이므로 $D=120^\circ$

따라서 삼각형 ACD에서 코사인법칙에 의하여

$\overline{AC}^2=\overline{AD}^2+\overline{CD}^2-2\times\overline{AD}\times\overline{CD}\times\cos D$

$=2^2+3^2-2\times2\times3\times\cos 120^\circ$

$=4+9-12\times\left(-\frac{1}{2}\right)=19$

$\therefore \overline{AC}=\sqrt{19}$ ($\therefore \overline{AC}>0$)

답 ④

015

선분 BD를 그으면 삼각형 ABD에서 코사인법칙에 의하여

$\overline{BD}^2=\overline{AB}^2+\overline{AD}^2-2\times\overline{AB}\times\overline{AD}\times\cos A$

$=(\sqrt{3})^2+3^2-2\times\sqrt{3}\times3\times\cos 150^\circ$

$=3+9-6\sqrt{3}\times\left(-\frac{\sqrt{3}}{2}\right)=21$

한편, 원에 내접하는 사각형의 대각의 크기의 합은 180°이다.

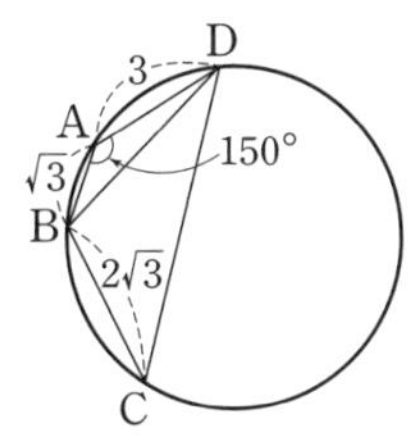

즉, $A=150^\circ$이므로 $C=30^\circ$

$\overline{CD}=x$라고 하면 삼각형 BCD에서 코사인법칙에 의하여

$\overline{BD}^2=\overline{BC}^2+\overline{CD}^2-2\times\overline{BC}\times\overline{CD}\times\cos C$

$=(2\sqrt{3})^2+x^2-2\times2\sqrt{3}\times x\times\cos 30^\circ$

$21=12+x^2-4\sqrt{3}x\times\frac{\sqrt{3}}{2}$

$x^2-6x-9=0$

$\therefore x=3+3\sqrt{2}$ ($\because x>0$)

따라서 선분 CD의 길이는 $3+3\sqrt{2}$이다.

답 ⑤

016

삼각형 ABC에서 $a=3$, $b=5$, $c=7$이므로 코사인법칙의 변형에 의하여

$\cos C=\frac{a^2+b^2-c^2}{2ab}=\frac{3^2+5^2-7^2}{2\times3\times5}$

$=\frac{-15}{30}=-\frac{1}{2}$

이때 $0<C<\pi$이므로 $C=\frac{2}{3}\pi$

답 ③

017

$a+3b-2c=0$ ㉠

$5a-5b-2c=0$ ㉡

㉡－㉠을 하면

$4a-8b=0 \quad \therefore a=2b$ ㉢

㉢을 ㉠에 대입하면

$2b+3b-2c=0 \quad \therefore c=\frac{5}{2}b$

따라서 코사인법칙의 변형에 의하여

$\cos B=\frac{c^2+a^2-b^2}{2ca}=\frac{\left(\frac{5}{2}b\right)^2+(2b)^2-b^2}{2\times\frac{5}{2}b\times2b}$

$=\frac{\frac{37}{4}b^2}{10b^2}=\frac{37}{40}$

답 ④

018

삼각형 ABD의 세 변의 길이가 4, 2, 3이므로 코사인법칙의 변형에 의하여

$\cos B=\frac{4^2+2^2-3^2}{2\times4\times2}=\frac{11}{16}$ ❶

삼각형 ABC에서 $\cos B=\frac{11}{16}$이므로 코사인법칙에 의하여

$\overline{AC}^2=\overline{AB}^2+\overline{BC}^2-2\times\overline{AB}\times\overline{BC}\times\cos B$

$=4^2+(2+3)^2-2\times4\times(2+3)\times\frac{11}{16}$

$=16+25-\frac{55}{2}=\frac{27}{2}$ ❷

$\therefore \overline{AC}=\sqrt{\frac{27}{2}}=\frac{3\sqrt{6}}{2}$ ($\because \overline{AC}>0$) ❸

답 $\frac{3\sqrt{6}}{2}$

채점 기준	비율
❶ 삼각형 ABD에서 $\cos B$의 값을 구할 수 있다.	40%
❷ 삼각형 ABC에서 $\overline{AC}^2$의 값을 구할 수 있다.	50%
❸ 변 AC의 길이를 구할 수 있다.	10%

019

코사인법칙의 변형에 의하여

$\cos A=\frac{b^2+c^2-a^2}{2bc}=\frac{b^2+c^2-(b^2+bc+c^2)}{2bc}$

$=-\frac{bc}{2bc}=-\frac{1}{2}$

이때 $0<A<180^\circ$이므로

$A=120^\circ$

답 ⑤

020

삼각형 ABD에서 $\overline{AB}=6$, $\overline{AD}=6$, $\overline{BD}=\sqrt{15}$이므로

$\cos A=\frac{6^2+6^2-(\sqrt{15})^2}{2\times6\times6}=\frac{57}{72}=\frac{19}{24}$

삼각형 ABC에서 $\cos A=\frac{19}{24}$이므로

$k^2=\overline{AB}^2+\overline{AC}^2-2\times\overline{AB}\times\overline{AC}\times\cos A$

$=6^2+10^2-2\times6\times10\times\frac{19}{24}$

$=36+100-95=41$

답 41

021

코사인법칙의 변형에 의하여

$\cos C=\frac{a^2+b^2-c^2}{2ab}=\frac{3^2+2^2-4^2}{2\times3\times2}=-\frac{1}{4}$

$0^\circ<C<180^\circ$에서 $\sin C>0$이므로 삼각함수 사이의 관계에 의하여

$\sin C=\sqrt{1-\cos^2 C}=\sqrt{1-\left(-\frac{1}{4}\right)^2}=\frac{\sqrt{15}}{4}$

따라서 삼각형 ABC의 외접원의 반지름의 길이를 R라고 하면 사인법칙에 의하여

$\frac{c}{\sin C}=2R$, $\frac{4}{\frac{\sqrt{15}}{4}}=2R$ $\quad\therefore R=\frac{8\sqrt{15}}{15}$

답 ②

| 다른 풀이 |

코사인법칙의 변형에 의하여

$\cos A=\frac{b^2+c^2-a^2}{2bc}=\frac{2^2+4^2-3^2}{2\times2\times4}=\frac{11}{16}$

$0^\circ<A<180^\circ$에서 $\sin A>0$이므로 삼각함수 사이의 관계에 의하여

$\sin A=\sqrt{1-\left(\frac{11}{16}\right)^2}=\sqrt{\frac{135}{256}}=\frac{3\sqrt{15}}{16}$

따라서 삼각형 ABC의 외접원의 반지름의 길이를 R라고 하면 사인법칙에 의하여

$\frac{a}{\sin A}=2R$, $\frac{3}{\frac{3\sqrt{15}}{16}}=2R$ $\quad\therefore R=\frac{8\sqrt{15}}{15}$

참고

마찬가지 방법으로 B를 이용하여 구할 수도 있다.

022

코사인법칙에 의하여

$\overline{AC}^2=\overline{AB}^2+\overline{BC}^2-2\times\overline{AB}\times\overline{BC}\times\cos B$

$=4^2+(2\sqrt{2})^2-2\times4\times2\sqrt{2}\times\cos 135^\circ$

$=16+8-16\sqrt{2}\times\left(-\frac{\sqrt{2}}{2}\right)$

$=40$

$\therefore \overline{AC}=\sqrt{40}=2\sqrt{10}$ ($\because \overline{AC}>0$)

이때 삼각형 ABC의 외접원의 반지름의 길이를 R라고 하면 사인법칙의 변형에 의하여

$\frac{2\sqrt{10}}{\sin 135^\circ}=2R$, $\frac{2\sqrt{10}}{\frac{\sqrt{2}}{2}}=2R$

$\therefore R=2\sqrt{5}$

따라서 삼각형 ABC의 외접원의 둘레의 길이는

$2R\pi=2\times2\sqrt{5}\times\pi=4\sqrt{5}\pi$

답 ①

023

$\frac{3}{\sin A}=\frac{4}{\sin B}=\frac{6}{\sin C}$에서 사인법칙의 변형에 의하여

$\sin A:\sin B:\sin C=3:4:6$

즉, $a:b:c=3:4:6$이므로 $a=3k$, $b=4k$, $c=6k$ $(k>0)$로 놓으면 가장 작은 각의 크기는 변의 길이가 가장 짧은 a의 대각인 A이다.

따라서 코사인법칙의 변형에 의하여

$\cos\theta=\cos A=\frac{b^2+c^2-a^2}{2bc}$

$=\frac{(4k)^2+(6k)^2-(3k)^2}{2\times4k\times6k}$

$=\frac{43k^2}{48k^2}=\frac{43}{48}$

답 ⑤

024

$\sqrt{2}\sin A=\sqrt{2}\sin B=\sin C$에서

$\frac{1}{\sqrt{2}\sin A}=\frac{1}{\sqrt{2}\sin B}=\frac{1}{\sin C}$

각 변에 $\sqrt{2}$를 곱하면

$\frac{1}{\sin A}=\frac{1}{\sin B}=\frac{\sqrt{2}}{\sin C}$

$\sin A:\sin B:\sin C=1:1:\sqrt{2}$

사인법칙의 변형에 의하여

$a:b:c=1:1:\sqrt{2}$이므로 $a=k$, $b=k$, $c=\sqrt{2}k$ $(k>0)$로 놓으면 가장 큰 각의 크기는 변의 길이가 가장 긴 c의 대각인 C이다.

따라서 코사인법칙의 변형에 의하여

$\cos C=\frac{a^2+b^2-c^2}{2ab}=\frac{k^2+k^2-(\sqrt{2}k)^2}{2\times k\times k}=0$

이때 $0<C<180^\circ$이므로 $C=90^\circ$

답 ④

025

삼각형 ABC의 외접원의 반지름의 길이를 R라고 하면 사인법칙의 변형에 의하여

$\sin A=\frac{a}{2R}$, $\sin B=\frac{b}{2R}$, $\sin C=\frac{c}{2R}$

이므로

$(\sin A+\sin B):(\sin B+\sin C):(\sin C+\sin A)$

$=\left(\frac{a}{2R}+\frac{b}{2R}\right):\left(\frac{b}{2R}+\frac{c}{2R}\right):\left(\frac{c}{2R}+\frac{a}{2R}\right)$

$=\frac{a+b}{2R}:\frac{b+c}{2R}:\frac{c+a}{2R}$

$=(a+b):(b+c):(c+a)=5:8:5$

$a+b=5k$, $b+c=8k$, $c+a=5k$ $(k>0)$로 놓고 변끼리 더하면

$2(a+b+c)=18k$ $\quad\therefore a+b+c=9k$

$\therefore a=k$, $b=4k$, $c=4k$

따라서 코사인법칙의 변형에 의하여

$\cos B=\frac{c^2+a^2-b^2}{2ca}=\frac{(4k)^2+k^2-(4k)^2}{2\times4k\times k}$

$=\frac{k^2}{8k^2}=\frac{1}{8}$

답 ③

026

사인법칙의 변형에 의하여

$\sin A:\sin B:\sin C=a:b:c$이므로

$a:b:c=5:12:13$

$a=5k$, $b=12k$, $c=13k$ $(k>0)$으로 놓으면

$a^2+b^2=(5k)^2+(12k)^2=25k^2+144k^2$

$=169k^2=(13k)^2=c^2$

$\therefore a^2+b^2=c^2$

따라서 삼각형 ABC는 $C=90°$인 직각삼각형이다.

답 ④

027

삼각형 ABC의 외접원의 반지름의 길이를 R라고 하면 사인법칙의 변형에 의하여

$\sin A=\frac{a}{2R}$, $\sin C=\frac{c}{2R}$

이것을 $\frac{a}{\sin C}=\frac{c}{\sin A}$에 대입하면

$a\sin A=c\sin C$, $a\times\frac{a}{2R}=c\times\frac{c}{2R}$

$\frac{a^2}{2R}=\frac{c^2}{2R}$ $\quad\therefore a^2=c^2$

이때 $a>0$, $c>0$이므로 $a=c$

따라서 삼각형 ABC는 $a=c$인 이등변삼각형이다.

답 ①

028

삼각형 ABC의 외접원의 반지름의 길이를 R라고 하면 사인법칙의 변형과 코사인법칙의 변형에 의하여

$\sin A=\frac{a}{2R}$, $\cos B=\frac{c^2+a^2-b^2}{2ca}$, $\sin C=\frac{c}{2R}$

이것을 $\sin C=2\sin A\cos B$에 대입하면

$\frac{c}{2R}=2\times\frac{a}{2R}\times\frac{c^2+a^2-b^2}{2ca}$

$\frac{c}{2R}=\frac{c^2+a^2-b^2}{2Rc}$, $c^2=c^2+a^2-b^2$

$\therefore a^2=b^2$

이때 $a>0$, $b>0$이므로 $a=b$

따라서 삼각형 ABC는 $a=b$인 이등변삼각형이다.

답 ②

029

삼각함수의 성질에 의하여

$\sin(\pi-C)=\sin\left(\frac{\pi}{2}-A\right)\sin(\pi-B)$

$\sin C=\cos A\sin B$ ❶

삼각형 ABC의 외접원의 반지름의 길이를 R라고 하면 사인법칙의 변형과 코사인법칙의 변형에 의하여

$\cos A=\frac{b^2+c^2-a^2}{2bc}$, $\sin B=\frac{b}{2R}$, $\sin C=\frac{c}{2R}$

이것을 $\sin C=\cos A\sin B$에 대입하면

$\frac{c}{2R}=\frac{b^2+c^2-a^2}{2bc}\times\frac{b}{2R}$ ❷

$\frac{c}{2R}=\frac{b^2+c^2-a^2}{4Rc}$

$2c^2=b^2+c^2-a^2$

$\therefore b^2=a^2+c^2$

따라서 삼각형 ABC는 $B=90°$인 직각삼각형이다. ❸

답 $B=90°$인 직각삼각형

채점 기준	비율
❶ 삼각함수의 성질을 이용하여 주어진 식을 정리할 수 있다.	30%
❷ 사인법칙과 코사인법칙의 변형을 이용하여 주어진 식을 변의 길이에 대한 식으로 나타낼 수 있다.	40%
❸ 삼각형 ABC가 어떤 삼각형인지 말할 수 있다.	30%

030

(1) $\triangle ABC=\frac{1}{2}ab\sin C=\frac{1}{2}\times2\sqrt{3}\times6\times\sin60°$

$=\frac{1}{2}\times2\sqrt{3}\times6\times\frac{\sqrt{3}}{2}=9$

(2) $\triangle ABC=\frac{1}{2}bc\sin A$

$=\frac{1}{2}\times10\times10\sqrt{3}\times\sin135°$

$=\frac{1}{2}\times10\times10\sqrt{3}\times\frac{\sqrt{2}}{2}=25\sqrt{6}$

답 (1) 9 (2) $25\sqrt{6}$

031

$\overline{BC}=a$로 놓으면 코사인법칙에 의하여

$b^2=c^2+a^2-2ca\cos B$에서

$(2\sqrt{3})^2=2^2+a^2-2\times2\times a\times\cos60°$

$12=4+a^2-4a\times\frac{1}{2}$, $a^2-2a-8=0$

$(a+2)(a-4)=0$ $\quad\therefore a=-2$ 또는 $a=4$

이때 $a>0$이므로 $a=4$

$\therefore \triangle ABC=\frac{1}{2}\times2\times4\times\sin60°$

$=4\times\frac{\sqrt{3}}{2}=2\sqrt{3}$

답 ①

032

$\triangle ABC=\frac{1}{2}\times\overline{AB}\times\overline{AC}\times\sin\theta$

$=\frac{1}{2}\times2\times\sqrt{7}\times\sin\theta=\sqrt{7}\sin\theta$

삼각형 ABC의 넓이가 $\sqrt{6}$이므로

$\sqrt{7}\sin\theta=\sqrt{6}$ $\quad\therefore \sin\theta=\frac{\sqrt{6}}{\sqrt{7}}=\frac{\sqrt{42}}{7}$

이때 A는 예각이므로 $\cos\theta>0$

$\therefore \sin\left(\frac{\pi}{2}+\theta\right)=\cos\theta=\sqrt{1-\sin^2\theta}$

$=\sqrt{1-\left(\frac{\sqrt{42}}{7}\right)^2}=\sqrt{\frac{1}{7}}=\frac{\sqrt{7}}{7}$

답 ⑤

033

$a=5$, $b=6$, $c=7$이라고 하자.

코사인법칙의 변형에 의하여

$\cos A=\frac{b^2+c^2-a^2}{2bc}=\frac{6^2+7^2-5^2}{2\times6\times7}=\frac{60}{84}=\frac{5}{7}$

$\therefore \sin A=\sqrt{1-\cos^2 A}=\sqrt{1-\left(\frac{5}{7}\right)^2}=\frac{2\sqrt{6}}{7}$

$\therefore \triangle ABC=\frac{1}{2}bc\sin A$

$=\frac{1}{2}\times 6\times 7\times \frac{2\sqrt{6}}{7}=6\sqrt{6}$

답 ③

|다른 풀이|

$a=5$, $b=6$, $c=7$, $s=\frac{a+b+c}{2}=9$라고 하면

$\triangle ABC=\sqrt{s(s-a)(s-b)(s-c)}$

$=\sqrt{9\times(9-5)\times(9-6)\times(9-7)}$

$=\sqrt{9\times4\times3\times2}=\sqrt{216}$

$=6\sqrt{6}$

034

$\widehat{AB}:\widehat{BC}:\widehat{CA}=5:4:3$이므로

$\angle AOB:\angle BOC:\angle COA=5:4:3$

즉,

$\angle AOB=360^\circ\times\frac{5}{12}=150^\circ$

$\angle BOC=360^\circ\times\frac{4}{12}=120^\circ$

$\angle COA=360^\circ\times\frac{3}{12}=90^\circ$

$\therefore \triangle ABC=\triangle OAB+\triangle OBC+\triangle OCA$

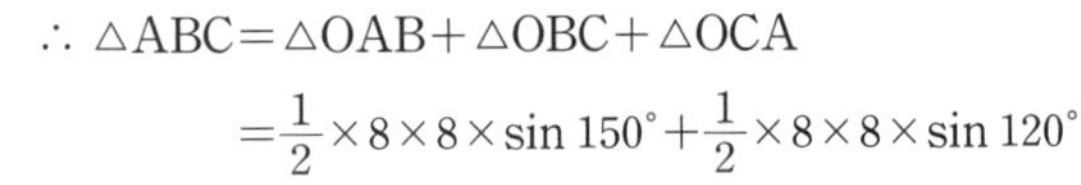

$=\frac{1}{2}\times8\times8\times\sin150^\circ+\frac{1}{2}\times8\times8\times\sin120^\circ$

$+\frac{1}{2}\times8\times8\times\sin90^\circ$

$=32\times\frac{1}{2}+32\times\frac{\sqrt{3}}{2}+32\times1$

$=16+16\sqrt{3}+32=48+16\sqrt{3}$

답 ⑤

035

$a=3$, $b=5$, $c=5$라 하고, 삼각형 ABC의 넓이를 S, 외접원의 반지름의 길이를 R라고 하면

$S=\frac{abc}{4R}=\frac{3\times5\times5}{4\times3}=\frac{25}{4}$

또, 삼각형 ABC의 내접원의 반지름의 길이를 r라고 하면

$S=\frac{a+b+c}{2}\times r$에서

$\frac{25}{4}=\frac{3+5+5}{2}\times r$, $25=26r$

$\therefore r=\frac{25}{26}$

답 $\frac{25}{26}$

036

삼각형 ABC의 외접원의 반지름의 길이를 R라고 하면 사인법칙의 변형에 의하여

$\sin A=\frac{a}{2R}$, $\sin B=\frac{b}{2R}$, $\sin C=\frac{c}{2R}$

이것을 $\sin A+\sin B+\sin C=\frac{3}{4}$에 대입하면

$\frac{a}{2R}+\frac{b}{2R}+\frac{c}{2R}=\frac{3}{4}$, $\frac{a+b+c}{2R}=\frac{3}{4}$

$\therefore a+b+c=\frac{3}{2}R$ ······ ❶

이때 삼각형 ABC가 반지름의 길이가 6인 원에 내접하므로 삼각형 ABC의 외접원의 반지름의 길이가 6이다.

즉, $R=6$이므로 $a+b+c=9$ ······ ❷

따라서 삼각형 ABC의 내접원의 반지름의 길이를 r라고 하면

$\triangle ABC=\frac{a+b+c}{2}\times r$

$=\frac{9}{2}\times2=9$ ······ ❸

답 9

채점 기준	비율
❶ 사인법칙을 이용하여 주어진 식을 변형할 수 있다.	30%
❷ 세 변의 길이의 합을 구할 수 있다.	30%
❸ 삼각형 ABC의 넓이를 구할 수 있다.	40%

037

등변사다리꼴의 두 대각선의 길이는 같으므로 대각선의 길이를 x라고 하면

$\frac{1}{2}\times x\times x\times\sin120^\circ=4\sqrt{3}$

$\frac{1}{2}\times x\times x\times\frac{\sqrt{3}}{2}=4\sqrt{3}$

$\frac{\sqrt{3}}{4}x^2=4\sqrt{3}$, $x^2=16$

$\therefore x=4$ ($\because x>0$)

답 ②

038

오른쪽 그림과 같이 대각선 BD를 그으면 삼각형 ABD에서 코사인법칙에 의하여

$\overline{BD}^2=4^2+4^2-2\times4\times4\times\cos120^\circ$

$=16+16-32\times\left(-\frac{1}{2}\right)=48$

$\therefore \overline{BD}=4\sqrt{3}$ ($\because \overline{AC}>0$)

이때 삼각형 ABD는 이등변삼각형이므로

$\angle ABD=\angle ADB=30^\circ$

$\therefore \angle DBC=75^\circ-30^\circ=45^\circ$

따라서

$\triangle ABD=\frac{1}{2}\times\overline{AB}\times\overline{BD}\times\sin30^\circ$

$=\frac{1}{2}\times4\times4\sqrt{3}\times\frac{1}{2}=4\sqrt{3}$

$\triangle BCD=\frac{1}{2}\times\overline{BD}\times\overline{BC}\times\sin45^\circ$

$=\frac{1}{2}\times4\sqrt{3}\times3\times\frac{\sqrt{2}}{2}=3\sqrt{6}$

이므로

$\square ABCD=\triangle ABC+\triangle BCD=4\sqrt{3}+3\sqrt{6}$

답 $4\sqrt{3}+3\sqrt{6}$

01

삼각형 ABC에서

$C=180^\circ-(45^\circ+75^\circ)=60^\circ$

사인법칙에 의하여 $\frac{a}{\sin A}=\frac{c}{\sin C}$이므로

$\frac{2}{\sin 45^\circ}=\frac{c}{\sin 60^\circ}$, $2\sin 60^\circ=c\sin 45^\circ$

$2\times\frac{\sqrt{3}}{2}=c\times\frac{\sqrt{2}}{2}$ $\quad\therefore c=\sqrt{6}$

$\therefore \frac{c}{\cos C}=\frac{\sqrt{6}}{\cos 60^\circ}=\frac{\sqrt{6}}{\frac{1}{2}}=2\sqrt{6}$

답 ⑤

02

외접원의 반지름의 길이를 R라고 하면 사인법칙의 변형에 의하여

$\sin B=\frac{\overline{AC}}{2R}$, $\frac{7}{10}=\frac{\overline{AC}}{2\times 15}$

$\therefore \overline{AC}=21$

답 ③

03

A, B, C는 삼각형의 내각의 크기이므로

$A+B+C=\pi$

$\sin(A+B):\sin(B+C):\sin(C+A)$

$=\sin(\pi-C):\sin(\pi-A):\sin(\pi-B)$

$=\sin C:\sin A:\sin B$

$=c:a:b=4:3:6$

즉, $a:b:c=3:6:4$이므로 $a=3k$, $b=6k$, $c=4k$ $(k>0)$로 놓으면 삼각형의 둘레의 길이가 39이므로

$3k+6k+4k=13k=39$

$\therefore k=3$

따라서 가장 긴 변의 길이는

$6k=6\times 3=18$

답 18

풍쌤 개념 CHECK

삼각함수의 성질_高 수학 I

$\sin(\pi\pm\theta)=\mp\sin\theta$ (복부호동순)

$\cos(\pi\pm\theta)=-\cos\theta$

$\tan(\pi\pm\theta)=\pm\tan\theta$ (복부호동순)

04

$a=\sqrt{3}$, $b=1$, $c=\sqrt{7}$로 놓으면 세 내각 중 크기가 가장 큰 각은 가장 긴 변의 대각이다.

이때 $1<\sqrt{3}<\sqrt{7}$이므로 가장 큰 각의 크기는 c의 대각의 크기인 C이다.

즉, 코사인법칙의 변형에 의하여

$\cos C=\frac{a^2+b^2-c^2}{2ab}=\frac{(\sqrt{3})^2+1^2-(\sqrt{7})^2}{2\times\sqrt{3}\times 1}$

$=\frac{-3}{2\sqrt{3}}=-\frac{\sqrt{3}}{2}$

이때 $0^\circ<A<180^\circ$이므로 $A=150^\circ$

답 ⑤

05

정사각형 ABCD의 한 변의 길이를 3으로 정하면

$\overline{AP}=1$, $\overline{DP}=2$, $\overline{CQ}=1$, $\overline{DQ}=2$

피타고라스 정리에 의하여

$\overline{BP}=\sqrt{3^2+1^2}=\sqrt{10}$

$\overline{BQ}=\sqrt{3^2+1^2}=\sqrt{10}$

$\overline{PQ}=\sqrt{2^2+2^2}=2\sqrt{2}$

A 1 P 2 D 3 2 $\sqrt{10}$ $2\sqrt{2}$ Q θ $\sqrt{10}$ 1 B 3 C

삼각형 PBQ에서 코사인법칙의 변형에 의하여

$\cos\theta=\frac{(\sqrt{10})^2+(\sqrt{10})^2-(2\sqrt{2})^2}{2\times\sqrt{10}\times\sqrt{10}}$

$=\frac{12}{20}=\frac{3}{5}$

$\sin\theta=\sqrt{1-\cos^2\theta}=\sqrt{1-\left(\frac{3}{5}\right)^2}=\frac{4}{5}$ ($\because$ θ는 예각)

따라서 $\tan\theta=\frac{\sin\theta}{\cos\theta}$이므로

$\tan\theta=\frac{\frac{4}{5}}{\frac{3}{5}}=\frac{4}{3}$

답 ③

참고

삼각비는 변의 길이의 비이므로 주어진 정사각형의 길이를 어떻게 정해도 답은 같다.

06

문제 접근하기

변 AC의 대각인 ∠B가 특수각이 아니므로 코사인법칙이나 사인법칙을 적용하기 어렵다. 이와 같은 경우에는 다른 각의 크기를 이용하는 코사인법칙을 적용하여 풀 수 있다.

$A=75^\circ$, $B=60^\circ$이므로 $C=180^\circ-(60^\circ+75^\circ)=45^\circ$

이때 사인법칙에 의하여 $\frac{\overline{AC}}{\sin 60^\circ}=\frac{\overline{AB}}{\sin 45^\circ}=2$이므로

$\overline{AC}=2\sin 60^\circ=2\times\frac{\sqrt{3}}{2}=\sqrt{3}$

$\overline{AB}=2\sin 45^\circ=2\times\frac{\sqrt{2}}{2}=\sqrt{2}$

이때 $\overline{BC}=x$로 놓으면 코사인법칙에 의하여

$\overline{AC}^2=\overline{BC}^2+\overline{AB}^2-2\times\overline{BC}\times\overline{AB}\times\cos A$

$(\sqrt{3})^2=x^2+(\sqrt{2})^2-2\times x\times\sqrt{2}\times\cos 60^\circ$

$3=x^2+2-2\sqrt{2}x\times\frac{1}{2}$, $x^2-\sqrt{2}x-1=0$

$\therefore x=\frac{\sqrt{2}\pm\sqrt{(\sqrt{2})^2-4\times 1\times(-1)}}{2}=\frac{\sqrt{2}\pm\sqrt{6}}{2}$

이때 $\frac{\sqrt{2}-\sqrt{6}}{2}<0$이므로 구하는 변 BC의 길이는 $\frac{\sqrt{2}+\sqrt{6}}{2}$이다.

답 ③

07

주어진 이차방정식이 중근을 가지므로 판별식을 D라고 하면

$D=\{-(\sin A+\sin B)\}^2-4\times\sin A\times\sin B=0$

$\sin^2 A-2\sin A\sin B+\sin^2 B=0$

$(\sin A-\sin B)^2=0 \qquad \therefore \sin A=\sin B$

삼각형 ABC의 외접원의 반지름의 길이를 R라고 하면 사인법칙의 변형에 의하여

$\sin A=\dfrac{a}{2R}$, $\sin B=\dfrac{b}{2R}$

이것을 $\sin A=\sin B$에 대입하면

$\dfrac{a}{2R}=\dfrac{b}{2R} \qquad \therefore a=b$

따라서 삼각형 ABC는 $a=b$인 이등변삼각형이다.

답 ④

08

$\overline{CD}=x$로 놓으면 $\triangle ABC=\triangle ADC+\triangle BCD$이므로

$\dfrac{1}{2}\times2\sqrt{2}\times\sqrt{2}=\dfrac{1}{2}\times2\sqrt{2}\times x\times\sin 45^\circ+\dfrac{1}{2}\times\sqrt{2}\times x\times\sin 45^\circ$

$2=\sqrt{2}x\times\dfrac{\sqrt{2}}{2}+\dfrac{\sqrt{2}}{2}x\times\dfrac{\sqrt{2}}{2}$

$2=x+\dfrac{1}{2}x \qquad \therefore x=\dfrac{4}{3}$

답 ②

09

문제 접근하기

변의 길이가 모두 문자로 주어졌으므로 당황하기 쉽지만, $\cos A$의 값이 주어졌으므로 코사인법칙의 변형을 이용하여 간단히 정리할 수 있다.

주어진 조건을 그림으로 나타내면 오른쪽 그림과 같다.

A, B, C, $x+4$, $x+2$, x

코사인법칙의 변형에 의하여

$$\cos A=\frac{\overline{AB}^2+\overline{AC}^2-\overline{BC}^2}{2\times\overline{AB}\times\overline{AC}}$$
$$=\frac{(x+4)^2+(x+2)^2-x^2}{2(x+4)(x+2)}$$
$$=\frac{x^2+12x+20}{2(x+4)(x+2)}=\frac{(x+2)(x+10)}{2(x+2)(x+4)}$$
$$=\frac{x+10}{2(x+4)}=\frac{13}{14}$$

$14(x+10)=26(x+4)$, $12x=36$

$\therefore x=3$

따라서 세 변의 길이는 $a=3$, $b=5$, $c=7$이고

$\sin A=\sqrt{1-\cos^2 A}=\sqrt{1-\left(\dfrac{13}{14}\right)^2}=\sqrt{\dfrac{27}{196}}=\dfrac{3\sqrt{3}}{14}$

이므로

$\triangle ABC=\dfrac{1}{2}bc\sin A=\dfrac{1}{2}\times5\times7\times\dfrac{3\sqrt{3}}{14}=\dfrac{15\sqrt{3}}{4}$

답 $\dfrac{15\sqrt{3}}{4}$

|다른 풀이|

$s=\dfrac{a+b+c}{2}=\dfrac{15}{2}$라고 하면

$$\triangle ABC=\sqrt{s(s-a)(s-b)(s-c)}$$
$$=\sqrt{\frac{15}{2}\times\left(\frac{15}{2}-3\right)\times\left(\frac{15}{2}-5\right)\times\left(\frac{15}{2}-7\right)}$$
$$=\sqrt{\frac{15}{2}\times\frac{9}{2}\times\frac{5}{2}\times\frac{1}{2}}=\frac{15\sqrt{3}}{4}$$

10

삼각형 ABC의 넓이를 S, 외접원의 반지름의 길이를 R라고 하면

$S=\dfrac{1}{2}bc\sin A=\dfrac{1}{2}bc\,\dfrac{a}{2R}=\dfrac{abc}{4R}$

외접원의 반지름의 길이가 10이므로

$S=\dfrac{abc}{4\times10}=\dfrac{abc}{40}$ ······ ㉠

또, 내접원의 반지름의 길이가 4이므로

$S=\dfrac{a+b+c}{2}\times4=2(a+b+c)$ ······ ㉡

이때 ㉠=㉡이므로

$\dfrac{abc}{40}=2(a+b+c) \qquad \therefore a+b+c=\dfrac{abc}{80}$

$$\therefore \frac{1}{ab}+\frac{1}{bc}+\frac{1}{ca}=\frac{c}{abc}+\frac{a}{abc}+\frac{b}{abc}=\frac{a+b+c}{abc}$$
$$=\frac{\frac{abc}{80}}{abc}=\frac{1}{80}$$

답 ①

11

삼각형 CDP에서 $\angle CPD=\theta$라고 하면 코사인법칙의 변형에 의하여

$\cos\theta=\dfrac{3^2+5^2-4^2}{2\times3\times5}=\dfrac{18}{30}=\dfrac{3}{5}$

$0^\circ<\theta<180^\circ$에서 $\sin\theta>0$이므로

$\sin\theta=\sqrt{1-\cos^2\theta}=\sqrt{1-\left(\dfrac{3}{5}\right)^2}=\dfrac{4}{5}$

따라서 사각형 ABCD의 두 대각선의 길이는 8, 10이고 그 끼인각은 θ이므로

$\overline{AC}=3+5=8$, $\overline{BD}=7+3=10$

$$\square ABCD=\frac{1}{2}\times\overline{AC}\times\overline{BD}\times\sin\theta$$
$$=\frac{1}{2}\times8\times10\times\frac{4}{5}=32$$

답 ⑤

12

$\overset{\frown}{AB}:\overset{\frown}{BC}:\overset{\frown}{CD}:\overset{\frown}{DA}=2:2:3:5$이므로

$\angle AOB:\angle BOC:\angle COD:\angle DOA=2:2:3:5$

즉,

$\angle AOB=360^\circ\times\dfrac{2}{12}=60^\circ$

$\angle BOC=360^\circ\times\dfrac{2}{12}=60^\circ$

$\angle COD=360^\circ\times\dfrac{3}{12}=90^\circ$

$\angle DOA=360^\circ\times\dfrac{5}{12}=150^\circ$

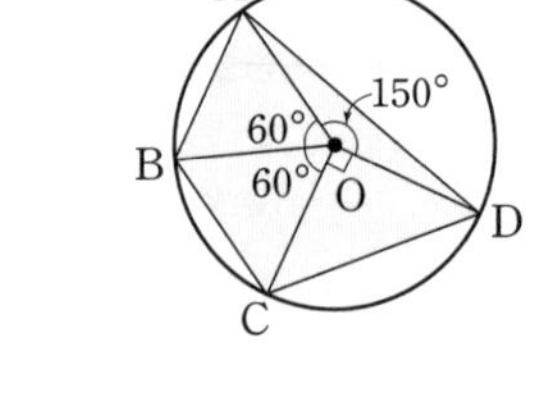

$$\therefore \square ABCD=\triangle OAB+\triangle OBC+\triangle OCD+\triangle ODA$$
$$=\frac{1}{2}\times2\times2\times\sin 60^\circ+\frac{1}{2}\times2\times2\times\sin 60^\circ+\frac{1}{2}\times2\times2\times\sin 90^\circ+\frac{1}{2}\times2\times2\times\sin 150^\circ$$
$$=2\times\frac{\sqrt{3}}{2}+2\times\frac{\sqrt{3}}{2}+2\times1+2\times\frac{1}{2}$$
$$=2\sqrt{3}+3$$

답 ④

08 등차수열과 등비수열

기본을 다지는 유형

본문 121쪽

001

첫째항을 a, 공차를 d라고 하면

$a_n=a+(n-1)d$

(1) $a=1$, $d=4-1=3$이므로

$a_n=1+(n-1)\times3=3n-2$

(2) $a=6$, $d=1-6=-5$이므로

$a_n=6+(n-1)\times(-5)=-5n+11$

답 (1) $a_n=3n-2$ (2) $a_n=-5n+11$

002

등차수열 $\{a_n\}$의 첫째항을 a, 공차를 d라고 하면

$a_2=a+d=5$, $a_4=a+3d=13$이므로

$a_4-a_2=(a+3d)-(a+d)=2d=8$

$\therefore d=4$

따라서 공차는 4이다.

답 ④

003

주어진 등차수열의 공차를 d라고 하면

$d=10-6=4$

$\therefore a=6-4=2$, $b=10+4=14$

$\therefore b-a=14-2=12$

답 ③

|다른 풀이|

주어진 수열을 $\{a_n\}$, 공차를 d라고 하면

$d=10-6=4$

이때 $a=a_1$, $b=a_4=a+3d$이므로

$b-a=a_4-a_1=3d=3\times4=12$

004

두 수열 $\{a_n\}$, $\{b_n\}$의 첫째항을 각각 a_1, b_1이라고 하면

$a_n=a_1+(n-1)\times(-3)$, $b_n=b_1+(n-1)\times9$

이때 수열 $\{a_n+b_n\}$의 일반항은 a_n+b_n이므로

$a_n+b_n=\{a_1+(n-1)\times(-3)\}+\{b_1+(n-1)\times9\}$

$=(a_1+b_1)+(n-1)\times6$

따라서 수열 $\{a_n+b_n\}$의 공차는 6이다.

답 6

005

등차수열 $\{a_n\}$의 첫째항을 a라고 하면

$a_n=a+(n-1)\times2=2n+a-2$

ㄱ. $2a_n=2(2n+a-2)=4n+2a-4$

이므로 수열 $\{2a_n\}$은 공차가 4인 등차수열이다. (참)

ㄴ. $a_{2n-1}=2(2n-1)+a-2=4n+a-4$

이므로 공차가 4인 등차수열이다. (참)

ㄷ. $2a_{2n}=2(2\times2n+a-2)=8n+2a-4$

이므로 공차가 8인 등차수열이다. (참)

따라서 ㄱ, ㄴ, ㄷ 모두 옳다.

답 ⑤

006

등차수열 $\{a_n\}$의 공차를 d라고 하면

$a_9-a_6=(3+8d)-(3+5d)=3d=12$

$\therefore d=4$

$\therefore a_4=3+3\times4=15$

답 ①

007

등차수열 $\{a_n\}$의 첫째항을 a, 공차를 d라고 하면

$a_2=a+d=18$ ······ ㉠

$a_7=a+6d=-12$ ······ ㉡

㉡−㉠을 하면

$a_7-a_2=(a+6d)-(a+d)=5d=-30$

$\therefore d=-6$

$d=-6$을 ㉠에 대입하면 $a=24$

$\therefore a_6=24+5\times(-6)=-6$

답 ②

008

등차수열 $\{a_n\}$의 첫째항을 a, 공차를 d라고 하면

$a_4=a+3d=1$ ······ ㉠

$a_8=a+7d=-3$ ······ ㉡

㉡−㉠을 하면

$a_8-a_4=(a+7d)-(a+3d)=4d=-4$

$\therefore d=-1$

$d=-1$을 ㉠에 대입하면 $a=4$

$\therefore a_n=4+(n-1)\times(-1)=-n+5$

따라서 $-n+5=-12$에서 $n=17$

즉, -12는 제17항이다.

답 ④

009

등차수열 $\{a_n\}$의 공차를 d라고 하면

$a_2=34+d$, $a_{10}=34+9d$ ······ ❶

이때 $a_2:a_{10}=2:1$이므로

$2a_{10}=a_2$, $2(34+9d)=34+d$

$68+18d=34+d$, $17d=-34$

$\therefore d=-2$ ······ ❷

$\therefore a_5=34+4\times(-2)=26$ ······ ❸

답 26

채점 기준	비율
❶ 첫째항과 공차를 이용하여 a_2, a_{10}을 나타낼 수 있다.	40%
❷ 주어진 비를 이용하여 공차를 구할 수 있다.	30%
❸ a_5를 구할 수 있다.	30%

010

등차수열 $\{a_n\}$의 첫째항을 a, 공차를 d라고 하면

$a_5-a_3=(a+4d)-(a+2d)=2d$

$=\log_2 100-\log_2 25=\log_2 \frac{100}{25}=\log_2 4=2$

$\therefore d=1$

$d=1$을 $a_3=a+2d=\log_2 25$에 대입하면

$a+2=\log_2 25$

$\therefore a=\log_2 25-2=\log_2 25-\log_2 4=\log_2 \frac{25}{4}$

$\therefore a_7=\log_2 \frac{25}{4}+6\times 1=\log_2 \frac{25}{4}+\log_2 2^6$

$=\log_2 \left(\frac{25}{4}\times 2^6\right)=\log_2 400$

답 ③

|다른 풀이|

$a_7=a_5+2d=\log_2 100+2\times 1=\log_2 100+\log_2 2^2$

$=\log_2 (100\times 4)=\log_2 400$

011

3, a_1, a_2 a_3, 11은 첫째항이 3, 제5항이 11인 등차수열이다.

이 등차수열의 공차를 d라고 하면

$3+4d=11$, $4d=8$ $\therefore d=2$

a_3은 이 등차수열의 제4항이므로

$a_3=3+3d=3+3\times 2=9$

답 ④

참고

$a_3=a+2d$로 착각하지 않도록 주의한다.

012

등차수열 $\{a_n\}$의 첫째항을 a, 공차를 d라고 하면

제3항이 36이므로 $a+2d=36$ ······ ㉠

제6항이 21이므로 $a+5d=21$ ······ ㉡

㉠, ㉡을 연립하여 풀면 $a=46$, $d=-5$

$\therefore a_n=46+(n-1)\times(-5)=-5n+51$

$a_n<0$에서 $-5n+51<0$ $\therefore n>10.2$

따라서 처음으로 음수가 되는 항은 제11항이다.

답 ②

013

등차수열 $\{a_n\}$의 공차를 d라고 하면

$a_1=a_3+8$에서

$a_1=(a_1+2d)+8$, $2d+8=0$

$\therefore d=-4$

또, $2a_4-3a_6=3$에서

$2(a_1+3d)-3(a_1+5d)=3$

$2a_1+6d-3a_1-15d=3$

$-a_1-9d=3$

위의 식에 $d=-4$를 대입하면

$-a_1-9\times(-4)=3$, $-a_1=-33$

$\therefore a_1=33$

따라서 등차수열 $\{a_n\}$의 일반항 a_n은

$a_n=33+(n-1)\times(-4)=-4n+37$

$a_k<0$에서 $-4k+37<0$ $\therefore k>9.25$

따라서 주어진 조건을 만족시키는 자연수 k의 최솟값은 10이다.

답 ②

014

a_2는 a_1과 a_3의 등차중항이므로

$a_2=\frac{a_1+a_3}{2}=\frac{20}{2}=10$

답 ⑤

|다른 풀이|

등차수열 $\{a_n\}$의 첫째항을 a, 공차를 d라고 하면

$a_1+a_3=a+(a+2d)=2a+2d=20$

$\therefore a+d=10$

$\therefore a_2=a+d=10$

015

등차중항에 의하여 4, a, 12에서

$2a=4+12$, $2a=16$

$\therefore a=8$

즉, a, 13, b에서 8, 13, b이므로

$2\times 13=8+b$, $26=8+b$

$\therefore b=18$

또, a, b, c에서 8, 18, c이므로

$2\times 18=8+c$, $36=8+c$ $\therefore c=28$

$\therefore a+b+c=8+18+28=54$

답 54

016

k가 $\log_3 5$와 $\log_9 16$의 등차중항이므로

$2k=\log_3 5+\log_9 16=\log_3 5+\log_{3^2} 4^2$

$=\log_3 5+\log_3 4=\log_3 20$

$\therefore k=\frac{1}{2}\log_3 20=\log_3 \sqrt{20}$

$\therefore 3^k=3^{\log_3 \sqrt{20}}=\sqrt{20}=2\sqrt{5}$

답 ③

017

수열 -3, a, b, c, 7의 공차가 d이면 -3, b, 7은 공차가 $2d$인 등차수열이다.

-3, b, 7이 이 순서대로 등차수열을 이루므로

$b=\frac{-3+7}{2}=2$

또, -3, a, b에서 -3, a, 2이므로 등차중항에 의하여

$a=\frac{-3+2}{2}=-\frac{1}{2}$

또, b, c, 7에서 2, c, 7이므로 등차중항에 의하여

$c=\frac{2+7}{2}=\frac{9}{2}$

$\therefore a+b+c=-\frac{1}{2}+2+\frac{9}{2}=6$

답 ①

018

a, 3, b가 이 순서대로 등차수열을 이루므로

$2\times 3=a+b$ $\therefore a+b=6$ ······ ㉠

a^2, 13, b^2이 이 순서대로 등차수열을 이루므로

$2\times13=a^2+b^2 \quad \therefore a^2+b^2=26$ ······ ㉡

㉠의 양변을 제곱하면

$(a+b)^2=a^2+2ab+b^2$

$=26+2ab=36$ ($\because$ ㉡)

$2ab=10 \quad \therefore ab=5$

답 ④

019

삼차방정식 $x^3-6x^2+kx-4=0$의 세 근을 $a-d$, a, $a+d$로 놓으면 근과 계수의 관계에 의하여

$(a-d)+a+(a+d)=3a=6 \quad \therefore a=2$

따라서 주어진 방정식의 한 근이 2이므로 $x=2$를 대입하면

$2^3-6\times2^2+2k-4=0$, $8-24+2k-4=0$

$2k=20 \quad \therefore k=10$

답 ①

풍쌤 개념 CHECK

삼차방정식의 근과 계수의 관계_高 수학

삼차방정식 $ax^3+bx^2+cx+d=0$의 세 근을 α, β, γ라고 하면

(1) $\alpha+\beta+\gamma=-\dfrac{b}{a}$

(2) $\alpha\beta+\beta\gamma+\gamma\alpha=\dfrac{c}{a}$

(3) $\alpha\beta\gamma=-\dfrac{d}{a}$

020

직각삼각형의 세 변의 길이를 $a-d$, a, $a+d$ $(a>d>0)$로 놓자.

(i) 직각삼각형의 넓이가 24이므로

$\frac{1}{2}\times(a-d)\times a=24$, $\frac{1}{2}(a^2-ad)=24$

$\therefore a^2-ad=48$ ······ ㉠

(ii) 피타고라스 정리에 의하여

$(a-d)^2+a^2=(a+d)^2 \quad \therefore a^2=4ad$

$\therefore a=4d$ ($\because a\neq0$) ······ ㉡

㉡을 ㉠에 대입하면

$(4d)^2-4d\times d=48$, $12d^2=48$

$d^2=4 \quad \therefore d=2$ ($\because d>0$)

㉡에 $d=2$를 대입하면 $a=8$

따라서 세 변의 길이는 6, 8, 10이므로 직각삼각형의 빗변의 길이는 10이다.

답 ①

021

첫째항부터 제n항까지의 합을 S_n이라고 하자.

(1) $S_{10}=\dfrac{10(2+24)}{2}=130$

(2) $S_8=\dfrac{8\{2\times(-30)+(8-1)\times3\}}{2}=-156$

답 (1) 130 (2) -156

022

(1) 첫째항이 -6, 공차가 $-4-(-6)=2$이므로 끝항 12를 제n항이라고 하면

$-6+(n-1)\times2=12$, $2n-8=12 \quad \therefore n=10$

따라서 첫째항부터 제10항까지의 합은

$\dfrac{10(-6+12)}{2}=30$

(2) 첫째항이 21, 공차가 $17-21=-4$이므로 끝항 -19를 제n항이라고 하면

$21+(n-1)\times(-4)=-19$, $-4n+25=-19$

$\therefore n=11$

따라서 첫째항부터 제11항까지의 합은

$\dfrac{11\{21+(-19)\}}{2}=11$

답 (1) 30 (2) 11

023

첫째항이 -8, 공차가 $-5-(-8)=3$인 등차수열의 첫째항부터 제n항까지의 합이 36이므로

$\dfrac{n\{2\times(-8)+(n-1)\times3\}}{2}=36$ ······ ❶

$n(3n-19)=72$, $3n^2-19n-72=0$

$(3n+8)(n-9)=0$ ······ ❷

이때 n은 자연수이므로 $n=9$ ······ ❸

답 9

채점 기준	비율
❶ 주어진 조건을 이용하여 등차수열의 합을 n에 대하여 나타낼 수 있다.	60%
❷ n에 대한 식을 정리하여 인수분해할 수 있다.	30%
❸ n의 값을 구할 수 있다.	10%

024

등차수열 $\{a_n\}$, $\{b_n\}$의 공차를 각각 d, d'이라고 하면

$a_1+b_1=12$, $d+d'=2+(-5)=-3$

$\therefore (a_1+a_2+\cdots+a_{10})+(b_1+b_2+\cdots+b_{10})$

$=\dfrac{10(2a_1+9d)}{2}+\dfrac{10(2b_1+9d')}{2}$

$=\dfrac{10\{2(a_1+b_1)+9(d+d')\}}{2}$

$=\dfrac{10\{2\times12+9\times(-3)\}}{2}=-15$

답 ②

025

등차수열 $\{a_n\}$의 공차를 d라고 하면

$a_2=a_1+d=7$ ······ ㉠

$S_7-S_5=(a_1+a_2+\cdots+a_7)-(a_1+a_2+\cdots+a_5)$

$=a_6+a_7=(a_1+5d)+(a_1+6d)$

$=2a_1+11d=50$ ······ ㉡

㉡$-2\times$㉠을 하면

$9d=36 \quad \therefore d=4$

$d=4$를 ㉠에 대입하면

$a_1+4=7 \quad \therefore a_1=3$

$\therefore a_{11}=a_1+10d=3+10\times4=43$

답 43

026

두 자리의 자연수 중에서 4로 나누었을 때 나머지가 2인 자연수를 나열하면

10, 14, 18, 22, ⋯, 98

이것은 첫째항이 10, 공차가 4인 등차수열이므로 끝항 98을 제n항이라고 하면

$10+(n-1)\times 4=98$, $4n+6=98$

$\therefore n=23$

따라서 구하는 자연수의 합은 첫째항이 10, 제23항이 98인 등차수열의 첫째항부터 제23항까지의 합이므로

$\frac{23(10+98)}{2}=1242$

답 ③

027

27, a_1, a_2, a_3, ⋯, a_{10}, 3은 첫째항이 27, 끝항이 3, 항수가 12인 등차수열이므로 첫째항부터 제n항까지의 합을 S_n이라고 하면

$S_{12}=\frac{12(27+3)}{2}=180$

이때 $S_{12}=27+a_1+a_2+a_3+\cdots+a_{10}+3$이므로

$a_1+a_2+a_3+\cdots+a_{10}=S_{12}-(27+3)$

$=180-30=150$

답 ⑤

028

-10과 38 사이에 넣은 32개의 수를 a_1, a_2, a_3, ⋯, a_{32}라고 하자.

-10, a_1, a_2, a_3, ⋯, a_{32}, 38은 첫째항이 -10, 끝항이 38, 항수가 34인 등차수열이므로 첫째항부터 제n항까지의 합을 S_n이라고 하면 ······ ❶

$S_{34}=\frac{34(-10+38)}{2}=476$ ······ ❷

이때 $S_{34}=-10+a_1+a_2+a_3+\cdots+a_{32}+38$이므로

$a_1+a_2+a_3+\cdots+a_{32}=S_{34}-(-10+38)$

$=476-28=448$ ······ ❸

답 448

채점 기준	비율
❶ 34개의 수로 만든 등차수열의 첫째항, 끝항, 항수를 파악할 수 있다.	30%
❷ 34개의 수로 만든 등차수열의 합을 구할 수 있다.	40%
❸ 32개의 수의 합을 구할 수 있다.	30%

029

등차수열 $\{a_n\}$의 첫째항을 a, 공차를 d라고 하면

$S_5=35$에서

$\frac{5\{2a+(5-1)d\}}{2}=\frac{5(2a+4d)}{2}=35$

$\therefore a+2d=7$ ······ ㉠

$S_{10}=145$에서

$\frac{10\{2a+(10-1)d\}}{2}=5(2a+9d)=145$

$\therefore 2a+9d=29$ ······ ㉡

㉡$-2\times$㉠을 하면 $5d=15$ $\therefore d=3$

$d=3$을 ㉠에 대입하면

$a+2\times 3=7$ $\therefore a=1$

$\therefore S_{20}=\frac{20\{2\times 1+(20-1)\times 3\}}{2}=590$

답 590

030

등차수열의 첫째항을 a, 공차를 d, 첫째항부터 제n항까지의 합을 S_n이라고 하면

첫째항부터 제10항까지의 합이 510이므로

$S_{10}=\frac{10\{2a+(10-1)d\}}{2}=5(2a+9d)=510$

$\therefore 2a+9d=102$ ······ ㉠

제11항부터 제20항까지의 합이 310이므로

$S_{20}-S_{10}=\frac{20\{2a+(20-1)d\}}{2}-510=10(2a+19d)-510=310$

$\therefore 2a+19d=82$ ······ ㉡

㉡$-$㉠을 하면 $10d=-20$ $\therefore d=-2$

$d=-2$를 ㉠에 대입하면

$2a+9\times(-2)=102$, $2a=120$

$\therefore a=60$

따라서 제21항부터 제30항까지의 합은

$S_{30}-S_{20}=\frac{30\{2\times 60+29\times(-2)\}}{2}-(510+310)$

$=930-820=110$

답 ②

031

주어진 등차수열을 $\{a_n\}$이라고 하면

$a_n=-14+(n-1)\times 3=3n-17$

이때 $a_n>0$에서 $3n-17>0$

$\therefore n>5.\cdots$

따라서 제6항부터 양수이므로 첫째항부터 제5항까지의 합이 최소가 된다.

즉, 구하는 S_n의 최솟값은

$S_5=\frac{5\{2\times(-14)+(5-1)\times 3\}}{2}=-40$

답 ④

032

등차수열 $\{a_n\}$의 첫째항을 a, 공차를 d라고 하면

$a_3=26$에서 $a+2d=26$ ······ ㉠

$a_9=8$에서 $a+8d=8$ ······ ㉡

㉡$-$㉠을 하면 $6d=-18$ $\therefore d=-3$

$d=-3$을 ㉠에 대입하면

$a+2\times(-3)=26$ $\therefore a=32$

$\therefore a_n=32+(n-1)\times(-3)=-3n+35$

이때 $a_n<0$에서 $-3n+35<0$

$\therefore n>11.\cdots$

따라서 제12항부터는 음수이므로 첫째항부터 제n항까지의 합이 최대가 되도록 하는 자연수 n의 값은 11이다.

답 ①

033

주어진 등차수열을 $\{a_n\}$이라고 하면 첫째항이 -42, 공차가 $-38-(-42)=4$이므로

$a_n=-42+(n-1)\times 4=4n-46$ ······ ❶

이때 $a_n>0$에서 $4n-46>0$ $\quad \therefore n>11.5$

따라서 제12항부터는 양수이므로 첫째항부터 제11항까지의 합이 최소가 된다.

$\therefore a=11$ ······ ❷

구하는 S_n의 최솟값은

$b=S_{11}=\dfrac{11\{2\times(-42)+(11-1)\times 4\}}{2}=-242$ ······ ❸

$\therefore a-b=11-(-242)=253$ ······ ❹

답 253

채점 기준	비율
❶ 주어진 등차수열의 일반항을 구할 수 있다.	20%
❷ a의 값을 구할 수 있다.	35%
❸ b의 값을 구할 수 있다.	35%
❹ $a-b$의 값을 구할 수 있다.	10%

|다른 풀이|

$S_n=\dfrac{n\{2\times(-42)+(n-1)\times 4\}}{2}$

$=2n^2-44n$

$=2(n^2-22n)$

$=2(n-11)^2-242$

따라서 $n=11$일 때 최솟값 -242를 갖는다.

034

등차수열 $\{a_n\}$의 공차를 d라고 하면

$a_n=120+(n-1)d$

S_n이 $n=14$일 때 최댓값을 가지므로 제15항부터 음수가 된다.

즉, $a_{14}\geq 0$, $a_{15}\leq 0$에서

$120+13d\geq 0$, $120+14d\leq 0$

$\therefore -\dfrac{120}{13}\leq d\leq -\dfrac{60}{7}$

즉, $-9.\cdots\leq d\leq -8.\cdots$이고 d는 정수이므로

$d=-9$

$\therefore a_{10}=120+(10-1)\times(-9)=39$

답 ①

035

(1) 첫째항이 2, 공비가 $\dfrac{4}{2}=2$이므로

$a_n=2\times 2^{n-1}=2^n$

(2) 첫째항이 216, 공비가 $\dfrac{72}{216}=\dfrac{1}{3}$이므로

$a_n=216\times\left(\dfrac{1}{3}\right)^{n-1}=8\times\left(\dfrac{1}{3}\right)^{n-4}$

답 (1) $a_n=2^n$ (2) $a_n=8\times\left(\dfrac{1}{3}\right)^{n-4}$

036

등비수열 $\{a_n\}$의 첫째항을 a, 공비를 r라고 하면

$a_2=3$에서 $ar=3$ ······ ㉠

$a_3=6$에서 $ar^2=6$ ······ ㉡

㉡÷㉠을 하면

$\dfrac{ar^2}{ar}=\dfrac{6}{3}$ $\quad \therefore r=2$

$\therefore \dfrac{a_2}{a_1}=\dfrac{ar}{a}=r=2$

답 ②

037

등비수열 $\{a_n\}$의 첫째항을 a, 공비를 r라고 하면

$a_3=6$에서 $ar^2=6$ ······ ㉠

$a_9=162$에서 $ar^8=162$ ······ ㉡

㉡÷㉠을 하면

$\dfrac{ar^8}{ar^2}=\dfrac{162}{6}=27$, $r^6=27$

$(r^2)^3=3^3$, $r^2=3$

이때 수열의 각 항이 양수이므로 공비도 양수이다.

$\therefore r=\sqrt{3}$

답 ②

038

등비수열 $\{a_n\}$의 첫째항을 a, 공비를 r라고 하면

$a=a_1=12\times 3^{1-2}=\dfrac{12}{3}=4$

또, $a_2=12\times 3^{1-4}=\dfrac{12}{27}=\dfrac{4}{9}$이므로

$r=\dfrac{a_2}{a_1}=\dfrac{\frac{4}{9}}{4}=\dfrac{1}{9}$

답 ④

|다른 풀이|

$a_n=12\times 3^{1-2n}=12\times 3\times 3^{-2n}=36\times\left(\dfrac{1}{9}\right)^n=4\times\left(\dfrac{1}{9}\right)^{n-1}$

이므로 첫째항은 4, 공비는 $\dfrac{1}{9}$이다.

039

주어진 등비수열의 공비를 r라고 하면

$r=\dfrac{\log 4}{\log 2}=\dfrac{\log 2^2}{\log 2}=\dfrac{2\log 2}{\log 2}=2$

따라서 주어진 등비수열의 공비는 2이다.

답 2

040

등비수열 $\{a_n\}$의 공비를 r $(r>0)$라고 하면

$a_3=a_2+12$에서 $r^2=r+12$

$r^2-r-12=0$, $(r+3)(r-4)=0$

$\therefore r=4$ $(\because r>0)$

$\therefore a_5=r^4=4^4=256$

답 ⑤

041

등비수열 $\{a_n\}$의 첫째항을 a, 공비를 r라고 하면

$a_1+a_3=6$에서 $a+ar^2=6$ ······ ㉠

$a_1a_2+a_2a_3=12\sqrt{2}$에서

$a\times ar+ar\times ar^2=12\sqrt{2}$, $a^2r+a^2r^3=12\sqrt{2}$

$ar(a+ar^2)=12\sqrt{2}$ ······ ㉡

㉡÷㉠을 하면

$\frac{ar(a+ar^2)}{a+ar^2}=\frac{12\sqrt{2}}{6}=2\sqrt{2}$ $\therefore ar=2\sqrt{2}$

$\therefore a_2=ar=2\sqrt{2}$

답 ④

042

등비수열 $\{a_n\}$의 첫째항을 a, 공비를 r라고 하면

$a_8=16a_6$에서 $ar^7=16ar^5$

$\therefore r^2=16$ ······ ㉠

······ ❶

$a_3+a_5=544$에서

$a_3+a_5=ar^2+ar^4=ar^2(1+r^2)$

$=a\times16\times17=272a=544$ ($\because$ ㉠)

$\therefore a=2$ ······ ❷

$\therefore a_9=ar^8=a\times(r^2)^4=2\times16^4=2\times2^{16}=2^{17}$

따라서 k의 값은 17이다. ······ ❸

답 17

채점 기준	비율
❶ $a_8=16a_6$에서 공비에 대한 식을 구할 수 있다.	40%
❷ $a_3+a_5=544$에서 첫째항을 구할 수 있다.	40%
❸ k의 값을 구할 수 있다.	20%

참고

공비의 부호에 대한 조건이 주어지지 않았으므로 $r=4$인지 $r=-4$인지는 알 수 없다.

043

등비수열 $\{a_n\}$의 공비를 r라고 하면

$a_3=10r^2$, $a_6=10r^5$

$a_3:a_6=1:5$에서

$10r^2:10r^5=1:r^3=1:5$ $\therefore r^3=5$

$\therefore a_7=ar^6=a\times(r^3)^2=10\times5^2=250$

답 ③

044

등비수열 $\{a_n\}$의 첫째항을 a, 공비를 r $(r>0)$라고 하면

$\frac{a_{16}}{a_{14}}+\frac{a_8}{a_7}=\frac{ar^{15}}{ar^{13}}+\frac{ar^7}{ar^6}=r^2+r=12$

$r^2+r-12=0$, $(r-3)(r+4)=0$

$\therefore r=3$ ($\because r>0$)

$\therefore \frac{a_3}{a_1}+\frac{a_6}{a_3}=\frac{ar^2}{a}+\frac{ar^5}{ar^2}=r^2+r^3$

$=3^2+3^3=9+27=36$

답 36

045

96, a_1, a_2, a_3, 6은 첫째항이 96, 제5항이 6인 등비수열이다.

이 등비수열의 공비를 r $(r>0)$라고 하면

$96r^4=6$, $r^4=\frac{1}{16}$ $\therefore r=\frac{1}{2}$ ($\because r>0$)

따라서 $a_1=48$, $a_2=24$, $a_3=12$이므로

$a_1+a_2+a_3=48+24+12=84$

답 ④

046

등비수열 $\{a_n\}$의 첫째항이 2, 공비가 3이므로

$a_n=2\times3^{n-1}$

$2\times3^{n-1}>2000$에서 $3^{n-1}>1000$

이때 $3^6=729$, $3^7=2187$이므로

$n-1\geq7$ $\therefore n\geq8$

따라서 주어진 조건을 만족시키는 n의 최솟값은 8이다.

답 ①

참고

n은 자연수이므로

$n-1>6$, 즉 $n>7$

로 나타낼 수도 있다.

047

등비수열 $\{a_n\}$의 첫째항을 a, 공비를 r라고 하면

$a_2+a_4=ar+ar^3=ar(1+r^2)=10$ ······ ㉠

$a_5+a_7=ar^4+ar^6=ar^4(1+r^2)=80$ ······ ㉡

㉡÷㉠을 하면 $\frac{ar^4(1+r^2)}{ar(1+r^2)}=\frac{80}{10}=8$

$r^3=8$ $\therefore r=2$ → 모든 항이 실수이므로 공비도 실수이다.

$r=2$를 ㉠에 대입하면

$a\times2\times5=10$ $\therefore a=1$

$\therefore a_n=1\times2^{n-1}=2^{n-1}$

제n항이 처음으로 1000보다 크다고 하면

$2^{n-1}>1000$

이때 $2^9=512$, $2^{10}=1024$이므로

$n-1\geq10$ $\therefore n\geq11$

따라서 처음으로 1000보다 큰 항은 제11항이다.

답 ⑤

048

a는 $\sqrt{2}$와 $8\sqrt{2}$의 등비중항이므로

$a^2=\sqrt{2}\times8\sqrt{2}=16$

$\therefore a=4$ ($\because a>0$)

답 ③

049

3은 a^2과 b^2의 등비중항이므로

$3^2=a^2\times b^2=(ab)^2$

이때 a, b는 양수이므로

$ab=3$

답 ①

050

등비수열 $\{a_n\}$의 첫째항이 a, 공비가 $\frac{1}{2}$이므로

$a_n=a\times\left(\frac{1}{2}\right)^{n-1}$

이때 2는 a_3과 a_7의 등비중항이므로

$2^2=a_3\times a_7=\left\{a\times\left(\frac{1}{2}\right)^2\right\}\times\left\{a\times\left(\frac{1}{2}\right)^6\right\}=\frac{a^2}{2^8}$

$a^2=2^{10}$ $\therefore a=2^5=32$ ($\because a>0$)

답 ⑤

051

$\frac{\sqrt{2}}{4}$는 $\sin\theta$와 $\cos\theta$의 등비중항이므로

$\left(\frac{\sqrt{2}}{4}\right)^2=\sin\theta\times\cos\theta$ $\therefore \sin\theta\cos\theta=\frac{1}{8}$ ······ ❶

$\therefore (\sin\theta-\cos\theta)^2=\sin^2\theta-2\sin\theta\cos\theta+\cos^2\theta$

$=1-2\sin\theta\cos\theta$

$=1-2\times\frac{1}{8}=\frac{3}{4}$ ······ ❷

이때 $0\le\theta<\frac{\pi}{4}$이면 $\sin\theta<\cos\theta$이므로

$\sin\theta-\cos\theta<0$

$\therefore \sin\theta-\cos\theta=-\sqrt{\frac{3}{4}}=-\frac{\sqrt{3}}{2}$ ······ ❸

답 $-\frac{\sqrt{3}}{2}$

채점 기준	비율
❶ 등비중항을 이용하여 $\sin\theta\cos\theta$의 값을 구할 수 있다.	40%
❷ 삼각함수 사이의 관계를 이용하여 $(\sin\theta-\cos\theta)^2$의 값을 구할 수 있다.	30%
❸ 주어진 범위에 주의하여 $\sin\theta-\cos\theta$의 값을 구할 수 있다.	30%

052

-1, a, b가 이 순서대로 등차수열을 이루므로 등차중항에 의하여

$2a=-1+b$ $\therefore b=2a+1$ ······ ㉠

$a-1$, $\sqrt{5}$, b가 이 순서대로 등비수열을 이루므로 등비중항에 의하여

$(\sqrt{5})^2=(a-1)b$ ······ ㉡

㉡에 ㉠을 대입하면

$5=(a-1)(2a+1)$, $5=2a^2-a-1$

$2a^2-a-6=0$, $(2a+3)(a-2)=0$

$\therefore a=-\frac{3}{2}$ 또는 $a=2$

이때 a는 정수이므로 $a=2$

$a=2$를 ㉠에 대입하면 $b=5$

$\therefore a+b=5+2=7$

답 ②

053

삼차방정식 $x^3-kx^2+6x+27=0$의 세 근을 a, ar, ar^2으로 놓으면 근과 계수의 관계에 의하여

(i) $a+ar+ar^2=k$

$\therefore a(1+r+r^2)=k$ ······ ㉠

(ii) $a\times ar+ar\times ar^2+ar^2\times a=6$

$\therefore a^2r(1+r+r^2)=6$ ······ ㉡

(iii) $a\times ar\times ar^2=-27$, $(ar)^3=-27$

$\therefore ar=-3$ ······ ㉢

㉡÷㉠을 하면 $\frac{a^2r(1+r+r^2)}{a(1+r+r^2)}=\frac{6}{k}$, $ar=\frac{6}{k}$ ······ ㉣

이때 ㉢=㉣이므로

$-3=\frac{6}{k}$ $\therefore k=-2$

답 -2

054

함수 $y=x^3-2x^2-k$의 그래프와 직선 $y=x$가 서로 다른 세 점에서 만나므로 $x^3-2x^2-k=x$, 즉 $x^3-2x^2-x-k=0$은 서로 다른 세 실근을 갖는다.

삼차방정식 $x^3-2x^2-x-k=0$의 세 근을 a, ar, ar^2으로 놓으면 근과 계수의 관계에 의하여

(i) $a+ar+ar^2=2$

$\therefore a(1+r+r^2)=2$ ······ ㉠

(ii) $a\times ar+ar\times ar^2+ar^2\times a=-1$

$\therefore a^2r(1+r+r^2)=-1$ ······ ㉡

(iii) $a\times ar\times ar^2=k$

$\therefore (ar)^3=k$ ······ ㉢

㉡÷㉠을 하면 $\frac{a^2r(1+r+r^2)}{a(1+r+r^2)}=\frac{-1}{2}$

$\therefore ar=-\frac{1}{2}$ ······ ㉣

㉣을 ㉢에 대입하면

$k=(ar)^3=\left(-\frac{1}{2}\right)^3=-\frac{1}{8}$

답 $-\frac{1}{8}$

055

(1) 첫째항부터 제10항까지의 합은

$\frac{2^{10}-1}{2-1}=2^{10}-1=1023$

(2) 첫째항부터 제4항까지의 합은

$\frac{27\left\{1-\left(-\frac{1}{3}\right)^4\right\}}{1-\left(-\frac{1}{3}\right)}=\frac{81}{4}\left(1-\frac{1}{81}\right)=20$

(3) 첫째항부터 제7항까지의 합은

$3\times7=21$

답 (1) 1023 (2) 20 (3) 21

056

(1) 첫째항이 2, 공비가 $\frac{6}{2}=3$이므로 486을 제n항이라고 하면

$a_n=2\times3^{n-1}$에서

$2\times3^{n-1}=486$, $3^{n-1}=243=3^5$

$n-1=5$ $\therefore n=6$

따라서 항수가 6이므로 첫째항부터 제6항까지의 합은

$\frac{2(3^6-1)}{3-1}=3^6-1=728$

(2) 첫째항이 8, 공비가 $\frac{4}{8}=\frac{1}{2}$이므로 $\frac{1}{16}$을 제n항이라고 하면

$8\times\left(\frac{1}{2}\right)^{n-1}=\left(\frac{1}{2}\right)^{n-4}$에서

$\left(\frac{1}{2}\right)^{n-4}=\frac{1}{16}$, $\left(\frac{1}{2}\right)^{n-4}=\left(\frac{1}{2}\right)^4$

$n-4=4$ $\therefore n=8$

따라서 항수가 8이므로 첫째항부터 제8항까지의 합은

$$\frac{8\times\left\{1-\left(\frac{1}{2}\right)^8\right\}}{1-\frac{1}{2}}=16\left(1-\frac{1}{256}\right)=\frac{255}{16}$$

답 (1) 728 (2) $\frac{255}{16}$

057

등비수열 $\{a_n\}$의 첫째항을 a, 공비를 r라고 하면

$S_4-S_3=2$에서

$S_4-S_3=(a_1+a_2+a_3+a_4)-(a_1+a_2+a_3)=a_4=2$

$\therefore ar^3=2$ ……… ㉠

또, $S_6-S_5=50$에서

$S_6-S_5=(a_1+a_2+a_3+a_4+a_5+a_6)-(a_1+a_2+a_3+a_4+a_5)$

$=a_6=50$

$\therefore ar^5=50$ ……… ㉡

㉡÷㉠을 하면

$\frac{ar^5}{ar^3}=\frac{50}{2}=25$, $r^2=25$　　$\therefore r=5$ ($\because r>0$) → 모든 항이 양수이다.

$\therefore a_5=ar^4=ar^3\times r=2\times5=10$ ($\because$ ㉠)

답 10

| 다른 풀이 |

$S_4-S_3=a_4=2$, $S_6-S_5=a_6=50$

수열 $\{a_n\}$은 등비수열이므로 a_4, a_5, a_6은 등비수열을 이룬다.

즉, a_5는 a_4와 a_6의 등비중항이므로

$(a_5)^2=a_4\times a_6=2\times50=100$

이때 모든 항이 양수이므로

$a_5=10$

058

등비수열 $\{a_n\}$의 첫째항을 a, 공비를 r라고 하면

$a_5=ar^4=3$ ……… ㉠

$a_7=ar^6=9$ ……… ㉡

㉡÷㉠을 하면

$\frac{ar^6}{ar^4}=\frac{9}{3}=3$　　$\therefore r^2=3$

$r^2=3$을 ㉠에 대입하면

$a\times(r^2)^2=a\times3^2=9a=3$

$\therefore a=\frac{1}{3}$

따라서 $a_1^2+a_2^2+a_3^2+\cdots+a_{10}^2$은 첫째항이 $a^2=\left(\frac{1}{3}\right)^2=\frac{1}{9}$, 공비가 $r^2=3$인 등비수열의 첫째항부터 제10항까지의 합과 같으므로

$$\frac{\frac{1}{9}(3^{10}-1)}{3-1}=\frac{1}{18}(3^{10}-1)$$

답 ④

059

등비수열 $\{a_n\}$의 첫째항이 2, 공비가 4이므로

$a_n=2\times4^{n-1}$

등비수열 $\{b_n\}$의 첫째항이 3, 공비가 $\frac{1}{2}$이므로

$b_n=3\times\left(\frac{1}{2}\right)^{n-1}$

따라서 수열 $\{a_nb_n\}$의 일반항은

$a_nb_n=(2\times4^{n-1})\times\left\{3\times\left(\frac{1}{2}\right)^{n-1}\right\}$

$=6\times\left(4\times\frac{1}{2}\right)^{n-1}=6\times2^{n-1}$

즉, 수열 $\{a_nb_n\}$은 첫째항이 6, 공비가 2인 등비수열이므로 첫째항부터 제7항까지의 합은

$\frac{6(2^7-1)}{2-1}=6(128-1)=762$

답 ③

060

등비수열 1, a_1, a_2, a_3, $\cdots$, a_n, 256의 공비를 r라고 하면 제$n+2$항이 256이므로

$1\times r^{n+1}=256$　　$\therefore r^{n+1}=256$ ……… ㉠

$a_1+a_2+a_3+\cdots+a_n=-86$이므로

$1+a_1+a_2+a_3+\cdots+a_n+256=171$

이 등비수열의 첫째항부터 제n항까지의 합을 S_n이라고 하면

$S_{n+2}=1+a_1+a_2+a_3+\cdots+a_n+256$

$=\frac{r^{n+2}-1}{r-1}=\frac{256r-1}{r-1}$

$=171$ ($\because$ ㉠)

$256r-1=171(r-1)$

$85r=-170$

$\therefore r=-2$

$r=-2$를 ㉠에 대입하면

$(-2)^{n+1}=256$, $(-2)^{n+1}=(-2)^8$

$n+1=8$

$\therefore n=7$

답 ③

061

등비수열 $\{a_n\}$의 첫째항을 a, 공비를 r라고 하면

$a_3=ar^2=10$ ……… ㉠

$a_6=ar^5=80$ ……… ㉡

㉡÷㉠을 하면

$\frac{ar^5}{ar^2}=\frac{80}{10}=8$, $r^3=8$

$\therefore r=2$ ($\because r$는 실수) ……… ❶

$r=2$를 ㉠에 대입하면

$4a=10$　　$\therefore a=\frac{5}{2}$

즉, 첫째항부터 제n항까지의 합을 S_n이라고 하면

$S_n=\frac{\frac{5}{2}(2^n-1)}{2-1}=\frac{5}{2}(2^n-1)$ ……… ❷

$S_k>900$에서

$\frac{5}{2}(2^k-1)>900$

$2^k-1>360$

$\therefore 2^k>361$

이때 $2^8=256$, $2^9=512$이므로 $k\geq9$

따라서 수열의 합이 처음으로 900보다 커지는 k의 값은 9이다. ……… ❸

답 9

채점 기준	비율
❶ 등비수열의 공비를 구할 수 있다.	30%
❷ 첫째항부터 제n항까지의 합을 n에 대한 식으로 나타낼 수 있다.	30%
❸ 조건을 만족시키는 k의 값을 구할 수 있다.	40%

062

주어진 등비수열의 첫째항이 $\frac{1}{2}$, 공비가 $\frac{1}{2}$이므로 첫째항부터 제n항까지의 합을 S_n이라고 하면

$$S_n=\frac{\frac{1}{2}\left\{1-\left(\frac{1}{2}\right)^n\right\}}{1-\frac{1}{2}}=1-\left(\frac{1}{2}\right)^n$$

$S_n>0.98$에서

$1-\left(\frac{1}{2}\right)^n>0.98$, $\left(\frac{1}{2}\right)^n<0.02$

$\therefore 2^n>50$

이때 $2^5=32$, $2^6=64$이므로 $n\geq6$

따라서 조건을 만족시키는 자연수 n의 최솟값은 6이다.

답 ②

063

주어진 등비수열의 첫째항은 x, 공비는 x이다.

이때 $x>1$에서 $x\neq1$이므로 첫째항부터 제n항까지의 합은

$$\frac{x(x^n-1)}{x-1}=\frac{x^{n+1}-x}{x-1}$$

답 ④

064

주어진 식은 첫째항이 x, 공비가 $x+1$인 등비수열의 첫째항부터 제$n+1$항까지의 합이다.

이때 $x>0$에서 $x\neq0$이므로 ($\rightarrow x+1\neq1$)

$x+x(x+1)+x(x+1)^2+\cdots+x(x+1)^n$

$=\frac{x\{(x+1)^{n+1}-1\}}{(x+1)-1}$

$=\frac{x\{(x+1)^{n+1}-1\}}{x}$

$=(x+1)^{n+1}-1$

답 ②

065

등비수열 $\{a_n\}$의 첫째항을 a라고 하면

$a_n=a\times(-2)^{n-1}$

$a_1+a_3+a_5=84$에서

$a+a\times(-2)^2+a\times(-2)^4=84$

$a+4a+16a=84$, $21a=84$

$\therefore a=4$

따라서 등비수열 $\{a_n\}$의 첫째항이 4, 공비가 -2이므로 첫째항부터 제10항까지의 합은

$$\frac{4\{1-(-2)^{10}\}}{1-(-2)}=\frac{4}{3}\times(1-1024)=-1364$$

답 ①

066

주어진 등비수열의 첫째항을 a라고 하면

$$\frac{a\left\{1-\left(\frac{1}{2}\right)^5\right\}}{1-\frac{1}{2}}=\frac{\frac{31}{32}a}{\frac{1}{2}}=62$$

$\frac{31}{16}a=62$

$\therefore a=32$

따라서 주어진 등비수열의 첫째항부터 제10항까지의 합은

$$\frac{32\left\{1-\left(\frac{1}{2}\right)^{10}\right\}}{1-\frac{1}{2}}=64\left(1-\frac{1}{1024}\right)=\frac{1023}{16}$$

답 ①

067

등비수열 $\{a_n\}$의 첫째항을 a, 공비를 r라고 하면

$a_1+a_2+\cdots+a_8=\frac{a(r^8-1)}{r-1}=5$ ……… ㉠

$a_1+a_2+\cdots+a_{16}=\frac{a(r^{16}-1)}{r-1}$

$=\frac{a(r^8+1)(r^8-1)}{r-1}$

$=5+80=85$ ……… ㉡

㉡÷㉠을 하면

$r^8+1=17$, $r^8=16$

$\therefore r=\sqrt{2}$ ($\because r>0$)

답 ②

068

등비수열 $\{a_n\}$의 첫째항을 a, 공비를 r라고 하면 $S_{12}=8S_6$에서

$\frac{a(r^{12}-1)}{r-1}=8\times\frac{a(r^6-1)}{r-1}$

$\frac{a(r^6+1)(r^6-1)}{r-1}=8\times\frac{a(r^6-1)}{r-1}$

$r^6+1=8$

$\therefore r^6=7$

$\therefore S_{24}=\frac{a(r^{24}-1)}{r-1}$

$=\frac{a(r^{12}+1)(r^{12}-1)}{r-1}$

$=\frac{a(r^{12}+1)(r^6+1)(r^6-1)}{r-1}$

$=\frac{a(r^6-1)}{r-1}\times(r^{12}+1)(r^6+1)$

$=S_6\times(7^2+1)\times(7+1)$

$=400S_6$

따라서 구하는 k의 값은 400이다.

답 ③

069

$S_n=n^2-n$에서 수열의 합과 일반항 사이의 관계에 의하여

$a_7+a_8+a_9=S_9-S_6$

$=(9^2-9)-(6^2-6)$

$=72-30=42$

답 ⑤

|다른 풀이|

$n\geq 2$일 때

$a_n=S_n-S_{n-1}$

$=(n^2-n)-\{(n-1)^2-(n-1)\}$

$=(n^2-n)-(n^2-3n+2)$

$=2n-2$ ······ ㉠

$n=1$일 때

$a_1=S_1=0$

이때 $a_1=0$은 ㉠에 $n=1$을 대입한 것과 같으므로

$a_n=2n-2\ (n\geq 1)$ → 첫째항이 0, 공차가 2인 등차수열

$\therefore a_7+a_8+a_9$

$=(2\times 7-2)+(2\times 8-2)+(2\times 9-2)$

$=12+14+16=42$

070

$S_n=2^{n+1}-2$에서 수열의 합과 일반항 사이의 관계에 의하여

$a_3+a_4=S_4-S_2$ ······ ❶

$=(2^5-2)-(2^3-2)$

$=30-6$

$=24$ ······ ❷

답 24

채점 기준	비율
❶ a_3+a_4를 S_n에 대한 식으로 나타낼 수 있다.	70%
❷ a_3+a_4의 값을 구할 수 있다.	30%

|다른 풀이|

$n\geq 2$일 때

$a_n=S_n-S_{n-1}$

$=(2^{n+1}-2)-(2^n-2)=2^n$ ······ ㉠

$n=1$일 때

$a_1=S_1=2^{1+1}-2=2$

이때 $a_1=2$는 ㉠에 $n=1$을 대입한 것과 같으므로

$a_n=2^n\ (n\geq 1)$ → 첫째항 2, 공비가 2인 등비수열

$\therefore a_3+a_4=2^3+2^4=8+16=24$

071

$S_n=3n^2-5n+k-1$에서

$n\geq 2$일 때

$a_n=S_n-S_{n-1}$

$=(3n^2-5n+k-1)-\{3(n-1)^2-5(n-1)+k-1\}$

$=(3n^2-5n+k-1)-(3n^2-11n+k+7)$

$=6n-8$ ······ ㉠

$n=1$일 때

$a_1=S_1=3-5+k-1=k-3$ ······ ㉡

이때 수열 $\{a_n\}$이 첫째항부터 등차수열을 이루려면 ㉠에 $n=1$을 대입한 것과 ㉡이 같아야 하므로

$-2=k-3$

$\therefore k=1$

답 ①

|다른 풀이|

수열 $\{a_n\}$이 첫째항부터 등차수열을 이루려면

$S_n=An^2+Bn+C$일 때 $C=0$이어야 한다.

즉, $k-1=0$이어야 하므로 $k=1$

072

$S_n=4^n+k$에서

$n\geq 2$일 때

$a_n=S_n-S_{n-1}$

$=(4^n+k)-(4^{n-1}+k)$

$=4\times 4^{n-1}-4^{n-1}=3\times 4^{n-1}$ ······ ㉠

$n=1$일 때

$a_1=S_1=4+k$ ······ ㉡

이때 수열 $\{a_n\}$이 첫째항부터 등비수열을 이루려면 ㉠에 $n=1$을 대입한 것과 ㉡이 같아야 하므로

$3=4+k\qquad \therefore k=-1$

답 ⑤

|다른 풀이|

수열 $\{a_n\}$이 첫째항부터 등비수열을 이루려면

$S_n=Ar^n+B$일 때 $A+B=0$이어야 한다.

즉, $S_n=1\times 4^n+k$에서 $1+k=0$이어야 하므로

$k=-1$

073

$S_n=2n^2-3n$에서

$n\geq 2$일 때

$a_n=S_n-S_{n-1}$

$=(2n^2-3n)-\{2(n-1)^2-3(n-1)\}$

$=(2n^2-3n)-(2n^2-7n+5)$

$=4n-5$ ······ ㉠

$n=1$일 때

$a_1=S_1=2\times 1^2-3\times 1=-1$

이때 $a_1=-1$은 ㉠에 $n=1$을 대입한 것과 같으므로

$a_n=4n-5\ (n\geq 1)$

즉, $a_n>100$에서 $4n-5>100$

$\therefore n>26.25$

따라서 $a_n>100$을 만족시키는 자연수 n의 최솟값은 27이다.

답 ②

실력을 높이는 연습 문제

본문 136쪽

01

등차수열 $\{a_n\}$의 공차가 -5이므로

$a_2-a_1=-5$

$a_4-a_3=-5$

⋮

$a_{100}-a_{99}=-5$

$\therefore a_1-a_2+a_3-a_4+a_5-\cdots+a_{99}-a_{100}$

$=(a_1-a_2)+(a_3-a_4)+(a_5-a_6)+\cdots+(a_{99}-a_{100})$

$=-(a_2-a_1)-(a_4-a_3)-(a_6-a_5)-\cdots-(a_{100}-a_{99})$

$=-(-5)-(-5)-(-5)-\cdots-(-5)$

$=\underbrace{5+5+5+\cdots+5}_{50\text{개}}=5\times 50=250$

답 ⑤

02

$a_7-a_3=4\times(-3)=-12$이므로 → 공차를 d라고 하면 $a_7-a_3=4d$

$a_7=a_3-12$

위의 식을 $a_3a_7=64$에 대입하면

$a_3(a_3-12)=64$, $a_3^2-12a_3-64=0$

$(a_3+4)(a_3-16)=0$

$\therefore a_3=-4$ 또는 $a_3=16$

(i) $a_3=-4$일 때

$a_8-a_3=5\times(-3)=-15$에서

$a_8=a_3-15=-4-15=-19$

그런데 $a_8>0$이므로 모순이다.

(ii) $a_3=16$일 때

$a_8-a_3=5\times(-3)=-15$에서

$a_8=a_3-15=16-15=1$

(i), (ii)에 의하여 $a_3=16$

이때 $a_3-a_2=-3$이므로

$a_2=a_3+3=16+3=19$

답 ③

03

만든 등차수열은 첫째항이 -11, 제$n+2$항이 2이므로

$-11+\{(n+2)-1\}\times\frac{1}{3}=2$

$\frac{1}{3}(n+1)=13$, $n+1=39$

$\therefore n=38$

답 38

04

다항식 $p(x)$를 $x-1$, x, $x+2$로 나눈 나머지는 나머지정리에 의하여 각각 $p(1)$, $p(0)$, $p(-2)$이다.

이때 세 수가 이 순서대로 등차수열을 이루므로

$2p(0)=p(1)+p(-2)$

$2b=(1+a+b)+(4-2a+b)$, $2b=-a+2b+5$

$\therefore a=5$

또, $p(x)$는 $x-2$로 나누어떨어지므로

$p(2)=4+2a+b=0$, $4+2\times 5+b=0$

$\therefore b=-14$

$\therefore a+b=5+(-14)=-9$

답 ①

풍쌤 개념 CHECK

나머지정리_高 수학

(1) 다항식 $P(x)$를 일차식 $x-\alpha$로 나누었을 때의 나머지는 $P(\alpha)$

(2) 다항식 $P(x)$가 일차식 $x-\alpha$로 나누어떨어지면 $P(\alpha)=0$

05

문제 접근하기

세 수가 순서대로 등차수열을 이루므로 등차중항을 이용하여 식을 만들 수 있다. 이때 α, β에 대한 조건은 이차방정식의 근과 계수의 관계를 이용하여 알 수 있다.

이차방정식의 근과 계수의 관계에 의하여

$\alpha+\beta=4$, $\alpha\beta=2$

이때 $\frac{1}{\alpha^3}$, k, $\frac{1}{\beta^3}$이 이 순서대로 등차수열을 이루므로

$2k=\frac{1}{\alpha^3}+\frac{1}{\beta^3}=\frac{\alpha^3+\beta^3}{\alpha^3\beta^3}=\frac{(\alpha+\beta)^3-3\alpha\beta(\alpha+\beta)}{(\alpha\beta)^3}$

$=\frac{4^3-3\times 2\times 4}{2^3}=\frac{40}{8}=5$

$\therefore k=\frac{5}{2}$

답 ①

풍쌤 개념 CHECK

곱셈 공식의 변형_高 수학

(1) $a^3+b^3=(a+b)^3-3ab(a+b)$

(2) $a^3-b^3=(a-b)^3+3ab(a-b)$

06

네 수를 $a-3d$, $a-d$, $a+d$, $a+3d$로 놓자. → 공차는 $2d$

네 수의 합이 8이므로

$(a-3d)+(a-d)+(a+d)+(a+3d)=4a=8$

$\therefore a=2$

또, 가장 작은 수와 가장 큰 수의 곱이 -221이므로

$(a-3d)(a+3d)=-221$, $a^2-9d^2=-221$

이때 $a=2$이므로 $4-9d^2=-221$, $9d^2=225$

$d^2=25$ $\quad\therefore d=5$ 또는 $d=-5$

따라서 네 수를 작은 수부터 나열하면 -13, -3, 7, 17이므로 가장 큰 수는 17이다.

답 17

07

등차수열 $\{a_n\}$의 첫째항부터 제n항까지의 합을 S_n이라고 하면

$S_n=\frac{n\{2\times 36+(n-1)\times(-4)\}}{2}=-2n^2+38n$

$S_n<0$에서 $-2n^2+38n<0$, $2n(n-19)>0$

$n(n-19)>0$ $\quad\therefore n>19$ ($\because n>0$)

따라서 S_n이 처음으로 음수가 되는 자연수 n의 값은 20이다.

답 ②

08

주어진 수열은 첫째항이 -7, 끝항이 31, 항수가 $n+2$인 등차수열이므로 첫째항부터 제n항까지의 합을 S_n이라고 하면

$S_{n+2}=\frac{(n+2)(-7+31)}{2}=264$ → 첫째항이 -7, 끝항이 31, 항수가 $n+2$인 등차수열의 합

$\frac{24(n+2)}{2}=264$, $n+2=22$

$\therefore n=20$

답 ③

09

등차수열 $\{a_n\}$의 첫째항을 a, 공차를 d, 첫째항부터 제n항까지의 합을 S_n이라고 하면

첫째항부터 제5항까지의 합이 60이므로

$S_5=\frac{5(2a+4d)}{2}=60$

$\therefore 2a+4d=24$ ......… ㉠

제6항부터 제10항까지의 합이 185이므로

$S_{10}-S_5=\frac{10(2a+9d)}{2}-60=185$

$\therefore 2a+9d=49$ ......… ㉡

㉡$-$㉠을 하면 $5d=25$ $\quad\therefore d=5$

$d=5$를 ㉠에 대입하면

$2a+4\times5=24$, $2a=4$ $\quad\therefore a=2$

따라서 제11항부터 제15항까지의 합은

$S_{15}-S_{10}=\frac{15\{2\times2+14\times5\}}{2}-(60+185)$

$=555-245=310$

답 ⑤

10

모든 자연수 n에 대하여 $S_n\le k$이어야 하므로 이를 만족시키는 k의 최솟값은 S_n의 최댓값이다.

등차수열 $\{a_n\}$의 첫째항이 45, 공차가 -4이므로

$a_n=45+(n-1)\times(-4)=-4n+49$

이때 $a_n<0$에서 $-4n+49<0$

$\therefore n>12.25$

따라서 제13항부터는 음수이므로 첫째항부터 제12항까지의 합이 최대가 된다.

즉, 구하는 S_n의 최댓값 k는

$S_{12}=\frac{12\{2\times45+(12-1)\times(-4)\}}{2}=276$

답 ①

11

문제 접근하기

9로 나누어떨어지는 수는 9의 배수이므로 나열하면 공차가 9인 등차수열이다. 또, 15로 나누어떨어지는 수는 15의 배수이므로 나열하면 공차가 15인 등차수열이다. 이때 20과 200 사이의 수로 만들어지는 등차수열의 항수가 몇인지 파악하는 데에 주의해야 한다.

20과 200 사이의 자연수 중에서 9로 나누어떨어지는 수(9의 배수)를 차례로 나열하면

27, 36, 45, …, 198

이때 $27=9\times3$, $198=9\times22$이므로 항수는 $22-3+1=20$이다.

따라서 그 합은 첫째항이 27, 끝항이 198, 항수가 20인 등차수열의 합과 같으므로

$\frac{20(27+198)}{2}=2250$

또, 20과 200 사이의 자연수 중에서 15로 나누어떨어지는 수(15의 배수)를 차례로 나열하면

30, 45, 60, …, 195

이때 $30=15\times2$, $195=15\times13$이므로 항수는 $13-2+1=12$이다.

따라서 그 합은 첫째항이 30, 끝항이 195, 항수가 12인 등차수열의 합과 같으므로

$\frac{12(30+195)}{2}=1350$

또, 20과 200 사이의 자연수 중에서 45(9와 15의 최소공배수)로 나누어떨어지는 수는 45, 90, 135, 180이므로 그 합은

$45+90+135+180=450$

따라서 구하는 값은

(9의 배수의 합)+(15의 배수의 합)−(45의 배수의 합)

$=2250+1350-450=3150$

답 3150

12

등비수열 $\{a_n\}$의 공비를 r라고 하면

$a_4=\sqrt[4]{6}\times r^3=6$, $r^3=\sqrt[4]{6^3}$

$\therefore r=\sqrt[4]{6}$ ($\because$ r는 실수)

$\therefore a_n=\sqrt[4]{6}\times(\sqrt[4]{6})^{n-1}=(\sqrt[4]{6})^n$

즉, 등비수열 $\{a_n\}$의 항은 n이 4의 배수일 때 정수가 된다.

따라서 제4항 이후 처음으로 정수가 되는 항은 제8항이다.

답 ③

13

등비수열 $\{a_n\}$의 첫째항을 a $(a\ne0)$라고 하면 공비가 $\sqrt{2}$이므로

$$\frac{a_9+a_{11}+a_{13}+a_{15}+a_{17}}{a_1+a_3+a_5+a_7+a_9}$$

$$=\frac{a\times(\sqrt{2})^8+a\times(\sqrt{2})^{10}+a\times(\sqrt{2})^{12}+a\times(\sqrt{2})^{14}+a\times(\sqrt{2})^{16}}{a+a\times(\sqrt{2})^2+a\times(\sqrt{2})^4+a\times(\sqrt{2})^6+a\times(\sqrt{2})^8}$$

$$=\frac{(\sqrt{2})^8\{a+a\times(\sqrt{2})^2+a\times(\sqrt{2})^4+a\times(\sqrt{2})^6+a\times(\sqrt{2})^8\}}{a+a\times(\sqrt{2})^2+a\times(\sqrt{2})^4+a\times(\sqrt{2})^6+a\times(\sqrt{2})^8}$$

$=(\sqrt{2})^8=2^4=16$

답 ④

14

등비수열 $\{a_n\}$의 공비를 r라고 하면

$\frac{a_3}{a_2}-\frac{a_6}{a_4}=\frac{3r^2}{3r}-\frac{3r^5}{3r^3}=r-r^2=\frac{1}{4}$

$4r-4r^2=1$, $4r^2-4r+1=0$

$(2r-1)^2=0$ $\quad\therefore r=\frac{1}{2}$

$\therefore a_n=3\times\left(\frac{1}{2}\right)^{n-1}$

즉, $a_5=3\times\left(\frac{1}{2}\right)^4=\frac{3}{16}$이므로 $p=16$, $q=3$

$\therefore p+q=16+3=19$

답 19

15

7, a, b, c, d, 224는 첫째항이 7, 제6항이 224인 등비수열이다.
이 등비수열의 공비를 r $(r>0)$라고 하면
$7r^5=224$, $r^5=32$ $\quad\therefore r=2$ ($\because r$는 실수)
따라서 $a=7\times2$, $b=7\times2^2$, $c=7\times2^3$, $d=7\times2^4$이므로
$d-a=7\times2^4-7\times2=112-14=98$

답 ②

16

세 수 5, a, b가 이 순서대로 등비수열을 이루므로
$a^2=5b$ ⋯⋯ ㉠
또, 주어진 조건에 의하여
$\log_a 5b+5^{\log_5 b}=\log_a a^2+b^{\log_5 5}=2+b=47$
$\therefore b=45$
$b=45$를 ㉠에 대입하면 $a^2=5b=5\times45=225$
$\therefore a=-15$ 또는 $a=15$
이때 a는 로그의 밑이므로 $a>0$, $a\neq1$
$\therefore a=15$
$\therefore a+b=15+45=60$

답 ④

풍쌤 개념 CHECK

로그의 여러 가지 성질_高 수학 I
$a>0$, $a\neq1$, $b>0$일 때
(1) $a^{\log_c b}=b^{\log_c a}$ (단, $c>0$, $c\neq1$)
(2) $a^{\log_a b}=b$

17

이차방정식의 근과 계수의 관계에 의하여 $\alpha+\beta=k$, $\alpha\beta=20$
$\beta-\alpha$가 α와 β의 등비중항이므로 $(\beta-\alpha)^2=\alpha\beta$
이때 $(\beta-\alpha)^2=(\beta+\alpha)^2-4\alpha\beta$이므로
$\alpha\beta=(\beta+\alpha)^2-4\alpha\beta$, $(\beta+\alpha)^2=5\alpha\beta$
$\therefore k^2=5\times20=10^2$
$\therefore k=10$ ($\because k>0$)

답 10

18

등비수열의 공비를 r라고 하면 세 수 a, b, c는 등비수열을 이루므로
a, $b=ar$, $c=ar^2$
$a+b+c=14$에서 $a+ar+ar^2=14$
$\therefore a(1+r+r^2)=14$ ⋯⋯ ㉠
$ab+bc+ca=-84$에서 $a\times ar+ar\times ar^2+ar^2\times a=-84$
$a^2r+a^2r^3+a^2r^2=-84$
$\therefore a^2r(1+r+r^2)=-84$ ⋯⋯ ㉡
㉡÷㉠을 하면 $\dfrac{a^2r(1+r+r^2)}{a(1+r+r^2)}=\dfrac{-84}{14}$
$\therefore ar=-6$
이때 $abc=a\times ar\times ar^2=a^3r^3=(ar)^3$이므로
$abc=(-6)^3=-216$

답 ①

19

수열 $\{a_n\}$이 첫째항이 2, 공차가 2인 등차수열이므로
$a_n=2+(n-1)\times2=2n$
$\therefore 2^{a_n}=2^{2n}=4^n$
즉, 수열 $\{2^{a_n}\}$은 첫째항이 4, 공비가 4인 등비수열이다.
따라서 수열 $\{2^{a_n}\}$의 첫째항부터 제5항까지의 합은
$\dfrac{4(4^5-1)}{4-1}=\dfrac{4\times1023}{3}=1364$

답 ⑤

20

주어진 등비수열의 첫째항은 $x+3$, 공비는 $(x+2)^2$이다. ($\rightarrow x+2\neq1$)
이때 $x>-1$에서 $x\neq-1$이므로 첫째항부터 제n항까지의 합은
$$\frac{(x+3)[\{(x+2)^2\}^n-1]}{(x+2)^2-1}=\frac{(x+3)\{(x+2)^{2n}-1\}}{x^2+4x+3}$$
$$=\frac{(x+3)\{(x+2)^{2n}-1\}}{(x+1)(x+3)}$$
$$=\frac{(x+2)^{2n}-1}{x+1}$$

답 ②

21

첫째항을 a, 공비를 r라고 하면
$$S_3=\frac{a(r^3-1)}{r-1}=\frac{a(r-1)(r^2+r+1)}{r-1}$$
$$=a(r^2+r+1)$$
$$S_6=\frac{a(r^6-1)}{r-1}=\frac{a(r^3+1)(r^3-1)}{r-1}$$
$$=\frac{a(r^3+1)(r-1)(r^2+r+1)}{r-1}$$
$$=a(r^3+1)(r^2+r+1)$$
$\dfrac{S_6}{S_3}=8$이므로 $\dfrac{a(r^3+1)(r^2+r+1)}{a(r^2+r+1)}=8$
$r^3+1=8$ $\quad\therefore r^3=7$
$\therefore \dfrac{a_6}{a_3}=\dfrac{ar^5}{ar^2}=r^3=7$

답 ③

22

등비수열 $\{a_n\}$의 첫째항을 a, 공비를 r라고 하면
$S_{10}=\dfrac{a(r^{10}-1)}{r-1}=2$ ⋯⋯ ㉠
$S_{30}=\dfrac{a(r^{30}-1)}{r-1}=\dfrac{a(r^{10}-1)(r^{20}+r^{10}+1)}{r-1}$
$=\dfrac{a(r^{10}-1)}{r-1}\times(r^{20}+r^{10}+1)=86$ ⋯⋯ ㉡
㉡÷㉠을 하면 $r^{20}+r^{10}+1=43$
$r^{20}+r^{10}-42=0$, $(r^{10}-6)(r^{10}+7)=0$
$\therefore r^{10}=6$ ($\because r^{10}>0$)
$\therefore S_{20}=\dfrac{a(r^{20}-1)}{r-1}=\dfrac{a(r^{10}+1)(r^{10}-1)}{r-1}$
$=\dfrac{a(r^{10}-1)}{r-1}\times(r^{10}+1)=S_{10}\times(r^{10}+1)$
$=2\times(6+1)=2\times7=14$

답 ④

23

문제 접근하기

매월 말 a원씩 월이율 r인 복리로 n개월 동안 적립했을 때, n개월 말의 원리합계는

$a+a(1+r)+a(1+r)^2+\cdots+a(1+r)^{n-1}$

$=\dfrac{a\{(1+r)^n-1\}}{(1+r)-1}=\dfrac{a\{(1+r)^n-1\}}{r}$(원)

이다.

월초에 적립했는지, 월말에 적립했는지에 따라 이자가 붙는 기간이 다르므로 확실히 확인한다.

5년은 60개월이므로 60개월 후의 적립금의 원리합계를 S라고 하면

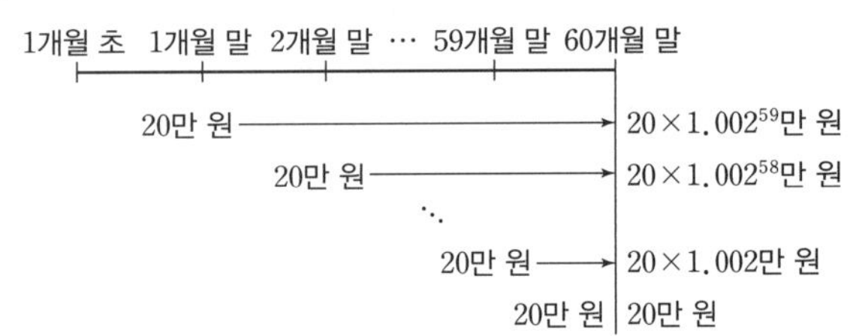

$S=20\times1.002^{59}+20\times1.002^{58}+20\times1.002^{57}+\cdots+20\times1.002+20$

$=\dfrac{20(1.002^{60}-1)}{1.002-1}=10000(1.002^{60}-1)$ ← 첫째항이 20, 공비가 1.002, 항수가 60인 등비수열의 합

$=10000(1.13-1)=10000\times0.13=1300$(만 원)

답 ④

참고

매월 초 a원씩 월이율 r인 복리로 n개월 동안 적립했을 때, n개월 말의 원리합계는

$a(1+r)+a(1+r)^2+a(1+r)^3+\cdots+a(1+r)^n$

$=\dfrac{a(1+r)\{(1+r)^n-1\}}{(1+r)-1}$

$=\dfrac{a(1+r)\{(1+r)^n-1\}}{r}$(원)

24

$S_{10}=990$이므로

$S_{10}=100k-10=990$, $100k=1000$

$\therefore k=10$

따라서 $S_n=10n^2-n$에서

$n\geq2$일 때

$a_n=S_n-S_{n-1}$

$=(10n^2-n)-\{10(n-1)^2-(n-1)\}$

$=(10n^2-n)-(10n^2-21n+11)$

$=20n-11$ ⋯⋯ ㉠

$n=1$일 때

$a_1=S_1=10\times1^2-1=9$

이때 $a_1=9$는 ㉠에 $n=1$을 대입한 것과 같으므로

$a_n=20n-11\ (n\geq1)$

$\therefore a_4=20\times4-11=80-11=69$

답 69

09 여러 가지 수열의 합

기본을 다지는 유형

본문 141쪽

001

(1) $k-1$의 k에 1부터 5까지 대입하여 더한 것이므로

$\displaystyle\sum_{k=1}^{5}(k-1)=0+1+2+3+4$

(2) i^2의 i에 1부터 8까지 대입하여 더한 것이므로

$\displaystyle\sum_{i=1}^{8}i^2=1^2+2^2+3^2+\cdots+8^2$

(3) 6을 3개 더한 것이므로

$\displaystyle\sum_{j=1}^{3}6=6+6+6$

답 풀이 참조

002

$\displaystyle\sum_{k=1}^{5}2^{k+1}=2^2+2^3+2^4+2^5+2^6=4+8+16+32+64$

이므로

$a=8$, $b=32$

$\therefore a+b=8+32=40$

답 40

003

③ $1+3+3^2+\cdots+3^n=\displaystyle\sum_{k=1}^{n+1}3^{k-1}$

따라서 옳지 않은 것은 ③이다.

답 ③

004

$\displaystyle\sum_{k=1}^{15}(2^{k+1}\times3^k)=2^2\times3+2^3\times3^2+2^4\times3^3+\cdots+2^{16}\times3^{15}$

따라서 주어진 식은 첫째항이 $2^2\times3=12$, 공비가 $2\times3=6$인 등비수열의 첫째항부터 제15항까지의 합이다.

$\therefore$ (주어진 식)$=\dfrac{12(6^{15}-1)}{6-1}=\dfrac{12}{5}(6^{15}-1)$

답 ②

005

(1) $\displaystyle\sum_{k=1}^{5}(a_k+b_k)=\sum_{k=1}^{5}a_k+\sum_{k=1}^{5}b_k=-2+4=2$

(2) $\displaystyle\sum_{k=1}^{5}(a_k-2b_k)=\sum_{k=1}^{5}a_k-2\sum_{k=1}^{5}b_k$

$=-2-2\times4=-10$

답 (1) 2 (2) -10

006

$\displaystyle\sum_{k=1}^{10}a_k=a_1+a_2+\cdots+a_9+a_{10}$

$\displaystyle\sum_{k=1}^{9}a_k=a_1+a_2+\cdots+a_9$

이므로 $\sum_{k=1}^{10} a_k=\sum_{k=1}^{9}(a_k+1)$에서

$\sum_{k=1}^{10} a_k=\sum_{k=1}^{9} a_k+1\times 9$

$\sum_{k=1}^{10} a_k-\sum_{k=1}^{9} a_k=9$

$\therefore a_{10}=9$

답 ④

|다른 풀이|

$\sum_{k=1}^{9}(a_k+1)=(a_1+1)+(a_2+1)+\cdots+(a_9+1)$

$=a_1+a_2+\cdots+a_9+9$

이므로 $\sum_{k=1}^{10} a_k=\sum_{k=1}^{9}(a_k+1)$에서

$a_1+a_2+\cdots+a_{10}=a_1+a_2+\cdots+a_9+9$

$\therefore a_{10}=9$

007

$\sum_{k=1}^{5}(2a_k-b_k+4)=\sum_{k=1}^{5}2a_k-\sum_{k=1}^{5}b_k+\sum_{k=1}^{5}4$

$=2\sum_{k=1}^{5}a_k-\sum_{k=1}^{5}b_k+\sum_{k=1}^{5}4$

$=2\times 8-9+4\times 5$

$=16-9+20=27$

답 ⑤

008

$\sum_{k=1}^{10}(a_k+b_k)^2=\sum_{k=1}^{10}(a_k^2+2a_kb_k+b_k^2)$

$=\sum_{k=1}^{10}(a_k^2+b_k^2)+2\sum_{k=1}^{10}a_kb_k$

$=10+2\times 2=14$

답 14

009

$\sum_{k=1}^{5}(a_k-p)^2=\sum_{k=1}^{5}(a_k^2-2pa_k+p^2)$

$=\sum_{k=1}^{5}a_k^2-2p\sum_{k=1}^{5}a_k+\sum_{k=1}^{5}p^2$

$=15-2p\times 5+5p^2=90$

$5p^2-10p-75=0,\ p^2-2p-15=0$

$(p+3)(p-5)=0 \quad \therefore p=-3$ 또는 $p=5$

따라서 구하는 모든 실수 p의 값의 합은

$-3+5=2$

답 ②

010

$\sum_{k=1}^{n}(a_k+3)^2=\sum_{k=1}^{n}(a_k^2+6a_k+9)$

$=\sum_{k=1}^{n}a_k^2+6\sum_{k=1}^{n}a_k+\sum_{k=1}^{n}9$ ······ ❶

$=5+6\times 3+9n$

$=9n+23=59$

$9n=36$

$\therefore n=4$ ······ ❷

답 4

채점 기준	비율
❶ Σ의 성질을 이용하여 주어진 식을 전개하여 나타낼 수 있다.	50%
❷ n의 값을 구할 수 있다.	50%

011

$\sum_{k=1}^{n}(k^2+1)-\sum_{k=1}^{n-1}(k^2-2)$

$=\left(\sum_{k=1}^{n}k^2+\sum_{k=1}^{n}1\right)-\left(\sum_{k=1}^{n-1}k^2-\sum_{k=1}^{n-1}2\right)$

$=\left(\sum_{k=1}^{n}k^2-\sum_{k=1}^{n-1}k^2\right)+\sum_{k=1}^{n}1+\sum_{k=1}^{n-1}2$

$=\left(\sum_{k=1}^{n}k^2-\sum_{k=1}^{n-1}k^2\right)+n+2(n-1)$

$=n^2+3n-2$

즉, $n^2+3n-2=26$이므로

$n^2+3n-28=0,\ (n-4)(n+7)=0$

$\therefore n=4$ 또는 $n=-7$

이때 n은 자연수이므로 $n=4$

답 ②

012

$\sum_{k=1}^{50}\frac{5^k-2^k}{4^k}=\sum_{k=1}^{50}\left(\frac{5}{4}\right)^k-\sum_{k=1}^{50}\left(\frac{2}{4}\right)^k$

$=\sum_{k=1}^{50}\left(\frac{5}{4}\right)^k-\sum_{k=1}^{50}\left(\frac{1}{2}\right)^k$

→ 첫째항이 $\frac{5}{4}$, 공비가 $\frac{5}{4}$인 등비수열의 첫째항부터 제50항까지의 합

→ 첫째항이 $\frac{1}{2}$, 공비가 $\frac{1}{2}$인 등비수열의 첫째항부터 제50항까지의 합

$=\frac{\frac{5}{4}\left\{\left(\frac{5}{4}\right)^{50}-1\right\}}{\frac{5}{4}-1}-\frac{\frac{1}{2}\left\{1-\left(\frac{1}{2}\right)^{50}\right\}}{1-\frac{1}{2}}$

$=5\left\{\left(\frac{5}{4}\right)^{50}-1\right\}-\left\{1-\left(\frac{1}{2}\right)^{50}\right\}$

$=5\times\left(\frac{5}{4}\right)^{50}+\left(\frac{1}{2}\right)^{50}-6$

따라서 $a=5,\ b=1,\ c=-6$이므로

$a+b+c=5+1+(-6)=0$

답 ③

013

(1) $\sum_{k=1}^{10}k(k-1)=\sum_{k=1}^{10}(k^2-k)=\sum_{k=1}^{10}k^2-\sum_{k=1}^{10}k$

$=\frac{10\times 11\times 21}{6}-\frac{10\times 11}{2}$

$=385-55=330$

(2) $\sum_{k=1}^{10}(k-1)(k+3)=\sum_{k=1}^{10}(k^2+2k-3)$

$=\sum_{k=1}^{10}k^2+\sum_{k=1}^{10}2k-\sum_{k=1}^{10}3$

$=\frac{10\times 11\times 21}{6}+2\times\frac{10\times 11}{2}-3\times 10$

$=385+110-30=465$

답 (1) 330 (2) 465

014

$\sum_{k=1}^{8}(4k+a)=4\sum_{k=1}^{8}k+\sum_{k=1}^{8}a=4\times\frac{8\times 9}{2}+8a$

$=144+8a=168$

$8a=24 \quad \therefore a=3$

답 ①

015

$\sum_{k=1}^{10}(k^2-k+1)+\sum_{i=1}^{10}(i^2+i-1)$

$=\sum_{k=1}^{10}(k^2-k+1)+\sum_{k=1}^{10}(k^2+k-1)$

$=\sum_{k=1}^{10}\{(k^2-k+1)+(k^2+k-1)\}$

$=\sum_{k=1}^{10}2k^2=2\times\frac{10\times11\times21}{6}=770$

답 ①

016

$\sum_{n=1}^{4}\frac{1^3+2^3+3^3+\cdots+n^3}{1+2+3+\cdots+n}$

$=\sum_{n=1}^{4}\frac{\left\{\frac{n(n+1)}{2}\right\}^2}{\frac{n(n+1)}{2}}=\sum_{n=1}^{4}\frac{n(n+1)}{2}$

$=\frac{1}{2}\sum_{n=1}^{4}(n^2+n)=\frac{1}{2}\left(\sum_{n=1}^{4}n^2+\sum_{n=1}^{4}n\right)$

$=\frac{1}{2}\left(\frac{4\times5\times9}{6}+\frac{4\times5}{2}\right)=\frac{1}{2}(30+10)=20$

답 ②

017

$f(x)=\frac{1}{3}x+2$이므로

$f(3k)=\frac{1}{3}\times3k+2=k+2$

$f(6k)=\frac{1}{3}\times6k+2=2k+2$ ······ ❶

$\therefore \sum_{k=1}^{9}\{f(3k)f(6k)\}=\sum_{k=1}^{9}(k+2)(2k+2)$

$=\sum_{k=1}^{9}(2k^2+6k+4)$

$=2\sum_{k=1}^{9}k^2+6\sum_{k=1}^{9}k+\sum_{k=1}^{9}4$ ······ ❷

$=2\times\frac{9\times10\times19}{6}+6\times\frac{9\times10}{2}+4\times9$

$=570+270+36$

$=876$ ······ ❸

답 876

채점 기준	비율
❶ $f(3k)$, $f(6k)$를 k에 대한 식으로 나타낼 수 있다.	20%
❷ $\sum$의 성질을 이용하여 주어진 식을 정리할 수 있다.	40%
❸ 자연수의 거듭제곱의 합을 이용하여 식의 값을 구할 수 있다.	40%

018

$\sum_{k=5}^{10}k^2=\sum_{k=1}^{10}k^2-\sum_{k=1}^{4}k^2$

$=\frac{10\times11\times21}{6}-\frac{4\times5\times9}{6}$

$=385-30=355$

답 ③

019

$\sum_{k=1}^{9}(k+1)^2-\sum_{k=1}^{10}(k-1)^2$

$=\sum_{k=1}^{9}(k+1)^2-\left\{\sum_{k=1}^{9}(k-1)^2+(10-1)^2\right\}$ ← $(k-1)^2$에 $k=10$을 대입한 값

$=\sum_{k=1}^{9}\{(k+1)^2-(k-1)^2\}-(10-1)^2$

$=\sum_{k=1}^{9}4k-9^2=4\sum_{k=1}^{9}k-81$

$=4\times\frac{9\times10}{2}-81$

$=180-81=99$

답 ⑤

| 다른 풀이 |

$\sum_{k=1}^{9}(k+1)^2-\sum_{k=1}^{10}(k-1)^2$

$=(2^2+3^2+4^2+\cdots+9^2+10^2)-(0^2+1^2+2^2+\cdots+9^2)$

$=10^2-1^2=100-1=99$

020

$\sum_{k=2}^{m}a_{k+1}=\sum_{k=2}^{m}\{(k+1)-1\}=\sum_{k=2}^{m}k$

$=\sum_{k=1}^{m}k-1=\frac{m(m+1)}{2}-1=20$ ← $k=1$일 때 k의 값

$\frac{m(m+1)}{2}=21$

$m(m+1)=42$

이때 m은 자연수이고 $6\times7=42$이므로

$m=6$

답 ①

021

$\sum_{i=1}^{6}\left(\sum_{k=1}^{6}ki\right)=\sum_{i=1}^{6}\left(i\sum_{k=1}^{6}k\right)$

$=\sum_{i=1}^{6}\left(i\times\frac{6\times7}{2}\right)$

$=\sum_{i=1}^{6}21i=21\sum_{i=1}^{6}i$

$=21\times\frac{6\times7}{2}=21^2$

답 ②

022

$\sum_{i=1}^{4}\left\{\sum_{j=1}^{i}\left(\sum_{k=1}^{j}3\right)\right\}$

$=\sum_{i=1}^{4}\left(\sum_{j=1}^{i}3j\right)=\sum_{i=1}^{4}\left\{3\times\frac{i(i+1)}{2}\right\}$

$=\frac{3}{2}\sum_{i=1}^{4}(i^2+i)$

$=\frac{3}{2}\left(\sum_{i=1}^{4}i^2+\sum_{i=1}^{4}i\right)$

$=\frac{3}{2}\left(\frac{4\times5\times9}{6}+\frac{4\times5}{2}\right)$

$=\frac{3}{2}(30+10)$

$=\frac{3}{2}\times40=60$

답 ③

023

$$\sum_{l=1}^{n}\left\{\sum_{k=1}^{l}(k-l)\right\}$$
$$=\sum_{l=1}^{n}\left(\sum_{k=1}^{l}k-\sum_{k=1}^{l}l\right)=\sum_{l=1}^{n}\left\{\frac{l(l+1)}{2}-l^2\right\}$$
$$=\frac{1}{2}\sum_{l=1}^{n}(-l^2+l)=\frac{1}{2}\left(-\sum_{l=1}^{n}l^2+\sum_{l=1}^{n}l\right) \cdots\cdots ❶$$
$$=\frac{1}{2}\left\{-\frac{n(n+1)(2n+1)}{6}+\frac{n(n+1)}{2}\right\}$$
$$=-\frac{1}{2}\times\frac{n(n+1)(n-1)}{3}=-\frac{n(n+1)(n-1)}{6} \cdots\cdots ❷$$

즉, $-\frac{n(n+1)(n-1)}{6}=-20$이므로

$(n-1)n(n+1)=120$

이때 n은 자연수이고 $120=4\times5\times6$이므로

$n=5$ ⋯⋯ ❸

답 5

채점 기준	비율
❶ 주어진 식에서 변수와 상수를 구분하여 정리할 수 있다.	30%
❷ 주어진 식을 n에 대한 식으로 정리할 수 있다.	50%
❸ n의 값을 구할 수 있다.	20%

024

$$\sum_{i=1}^{5}\left\{\sum_{j=1}^{i}(i+j+1)\right\}$$
$$=\sum_{i=1}^{5}\left(\sum_{j=1}^{i}i+\sum_{j=1}^{i}j+\sum_{j=1}^{i}1\right)$$
$$=\sum_{i=1}^{5}\left\{i^2+\frac{i(i+1)}{2}+i\right\}$$
$$=\frac{1}{2}\sum_{i=1}^{5}\{2i^2+i(i+1)+2i\}$$
$$=\frac{1}{2}\sum_{i=1}^{5}(3i^2+3i)$$
$$=\frac{3}{2}\sum_{i=1}^{5}(i^2+i)$$
$$=\frac{3}{2}\left(\frac{5\times6\times11}{6}+\frac{5\times6}{2}\right)$$
$$=\frac{3}{2}(55+15)$$
$$=\frac{3}{2}\times70=105$$

답 ④

025

(1) 주어진 수열의 제k항을 a_k라고 하면

$a_k=(2k-1)(2k+1)=4k^2-1$

구하는 합은 첫째항부터 제8항까지의 합이므로

→ $a_n=(2n-1)(2n+1)=15\times17$에서 $2n-1=15$ $\therefore n=8$

$$\sum_{k=1}^{8}a_k=\sum_{k=1}^{8}(4k^2-1)$$
$$=4\sum_{k=1}^{8}k^2-\sum_{k=1}^{8}1$$
$$=4\times\frac{8\times9\times17}{6}-1\times8$$
$$=816-8=808$$

(2) 주어진 수열의 제k항을 a_k라고 하면

$a_k=k+2^k$

→ $a_n=n+2^n=6+2^6$에서 $n=6$

구하는 합은 첫째항부터 제6항까지의 합이므로

$$\sum_{k=1}^{6}a_k=\sum_{k=1}^{6}(k+2^k)=\sum_{k=1}^{6}k+\sum_{k=1}^{6}2^k$$
$$=\frac{6\times7}{2}+\frac{2(2^6-1)}{2-1}$$
$$=21+126=147$$

답 (1) 808 (2) 147

026

$11=10+1$

$101=100+1$

$1001=1000+1$

⋮

이므로 주어진 수열의 제k항을 a_k라고 하면

$a_k=10^k+1$

따라서 첫째항부터 제10항까지의 합은

$$\sum_{k=1}^{10}a_k=\sum_{k=1}^{10}(10^k+1)=\sum_{k=1}^{10}10^k+\sum_{k=1}^{10}1$$
$$=\frac{10(10^{10}-1)}{10-1}+1\times10=\frac{1}{9}(10^{11}-10)+10$$
$$=\frac{1}{9}(10^{11}-10)+90\times\frac{1}{9}=\frac{1}{9}(10^{11}+80)$$

답 ④

027

주어진 수열의 제k항을 a_k라고 하면

$$a_k=\frac{1^2+2^2+3^2+\cdots+k^2}{k+1}$$
$$=\frac{\frac{k(k+1)(2k+1)}{6}}{k+1}$$
$$=\frac{k(2k+1)}{6}$$

따라서 첫째항부터 제5항까지의 합은

$$\sum_{k=1}^{5}\frac{k(2k+1)}{6}=\frac{1}{6}\sum_{k=1}^{5}(2k^2+k)$$
$$=\frac{1}{6}\left(2\sum_{k=1}^{5}k^2+\sum_{k=1}^{5}k\right)$$
$$=\frac{1}{6}\left(2\times\frac{5\times6\times11}{6}+\frac{5\times6}{2}\right)$$
$$=\frac{1}{6}(110+15)=\frac{125}{6}$$

답 ④

028

주어진 수열의 제k항을 a_k라고 하면

$$a_k=2\times1+2\times2+2\times3+\cdots+2k$$
$$=\sum_{i=1}^{k}2i=2\sum_{i=1}^{k}i$$
$$=2\times\frac{k(k+1)}{2}=k^2+k$$

따라서 첫째항부터 제10항까지의 합은

$$\sum_{k=1}^{10}a_k=\sum_{k=1}^{10}(k^2+k)=\sum_{k=1}^{10}k^2+\sum_{k=1}^{10}k$$
$$=\frac{10\times11\times21}{6}+\frac{10\times11}{2}$$
$$=385+55=440$$

답 ①

029

주어진 수열의 제k항을 a_k라고 하면

$$a_k=\frac{1}{k}(1+2+3+\cdots+k)$$
$$=\frac{1}{k}\times\frac{k(k+1)}{2}=\frac{k+1}{2}$$

주어진 수열의 합은 첫째항부터 제100항까지의 합이므로

$$\sum_{k=1}^{100}a_k=\sum_{k=1}^{100}\frac{k+1}{2}=\frac{1}{2}\sum_{k=1}^{100}(k+1)$$
$$=\frac{1}{2}\left(\sum_{k=1}^{100}k+\sum_{k=1}^{100}1\right)=\frac{1}{2}\left(\frac{100\times101}{2}+100\right)$$
$$=\frac{1}{2}\times5150=515\times5$$

$\therefore A=5$

답 5

030

$S_n=\sum_{k=1}^{n}a_k=2n^2-n$으로 놓으면

$n\geq2$일 때

$$a_n=S_n-S_{n-1}$$
$$=(2n^2-n)-\{2(n-1)^2-(n-1)\}$$
$$=(2n^2-n)-(2n^2-5n+3)$$
$$=4n-3 \quad \cdots\cdots ㉠$$

$n=1$일 때

$a_1=S_1=2\times1^2-1=1$

이때 $a_1=1$은 ㉠에 $n=1$을 대입한 것과 같으므로

$a_n=4n-3\ (n\geq1)$

$\therefore a_7=4\times7-3=28-3=25$

답 ③

참고

문제에서 a_7을 묻고 있으므로 주어진 수열의 일반항이 $n=1$일 때 성립하는지 확인하지 않아도 된다.

031

$S_n=\sum_{k=1}^{n}a_k=n(n+2)$로 놓으면

$n\geq2$일 때

$$a_n=S_n-S_{n-1}$$
$$=n(n+2)-(n-1)(n+1)$$
$$=n^2+2n-(n^2-1)$$
$$=2n+1 \quad \cdots\cdots ㉠$$

$n=1$일 때

$a_1=S_1=1\times3=3$

이때 $a_1=3$은 ㉠에 $n=1$을 대입한 것과 같으므로

$a_n=2n+1\ (n\geq1)$

따라서 $a_n^2=(2n+1)^2=4n^2+4n+1$이므로

$$\sum_{k=1}^{5}a_k^2=\sum_{k=1}^{5}(4k^2+4k+1)$$
$$=4\sum_{k=1}^{5}k^2+4\sum_{k=1}^{5}k+\sum_{k=1}^{5}1$$
$$=4\times\frac{5\times6\times11}{6}+4\times\frac{5\times6}{2}+1\times5$$
$$=220+60+5$$
$$=285$$

답 ②

032

$S_n=\sum_{k=1}^{n}a_k=n^2+3n$으로 놓으면

$n\geq2$일 때

$$a_n=S_n-S_{n-1}$$
$$=(n^2+3n)-\{(n-1)^2+3(n-1)\}$$
$$=(n^2+3n)-(n^2+n-2)$$
$$=2n+2 \quad \cdots\cdots ㉠$$

$n=1$일 때

$a_1=S_1=1^2+3\times1=4$

이때 $a_1=4$는 ㉠에 $n=1$을 대입한 것과 같으므로

$a_n=2n+2\ (n\geq1)$ ········· ❶

$$\therefore \sum_{k=1}^{6}ka_{3k+1}=\sum_{k=1}^{6}k\{2(3k+1)+2\}$$
$$=\sum_{k=1}^{6}(6k^2+4k)$$
$$=6\sum_{k=1}^{6}k^2+4\sum_{k=1}^{6}k \quad \cdots\cdots ❷$$
$$=6\times\frac{6\times7\times13}{6}+4\times\frac{6\times7}{2}$$
$$=546+84=630 \quad \cdots\cdots ❸$$

답 630

채점 기준	비율
❶ 수열의 합과 일반항 사이의 관계를 이용하여 주어진 수열의 일반항을 구할 수 있다.	40%
❷ $\sum_{k=1}^{6}ka_{3k+1}$을 k에 대한 식으로 나타낼 수 있다.	30%
❸ 자연수의 거듭제곱의 합을 이용하여 주어진 식의 값을 구할 수 있다.	30%

033

$S_n=\sum_{k=1}^{n}a_k=2^n-1$로 놓으면

$n\geq2$일 때

$$a_n=S_n-S_{n-1}$$
$$=(2^n-1)-(2^{n-1}-1)$$
$$=(2-1)\times2^{n-1}=2^{n-1} \quad \cdots\cdots ㉠$$

$n=1$일 때

$a_1=S_1=2^1-1=1$

이때 $a_1=1$은 ㉠에 $n=1$을 대입한 것과 같으므로

$a_n=2^{n-1}\ (n\geq1)$

즉, $a_{2k}^2=(2^{2k-1})^2=2^{4k-2}=\frac{1}{4}\times16^k$이므로

$$\sum_{k=1}^{4}a_{2k}^2=\frac{1}{4}\sum_{k=1}^{4}16^k$$
$$=\frac{1}{4}\times\frac{16(16^4-1)}{16-1}=\frac{1}{4}\times\frac{16^5-16}{15}$$
$$=\frac{1}{60}(2^{20}-16)$$

답 ③

034

$S_n=\sum_{k=1}^{n}ka_k=n(n+1)$로 놓으면

$n\geq2$일 때

$na_n=S_n-S_{n-1}$
$=n(n+1)-(n-1)n$
$=n^2+n-(n^2-n)$
$=2n$ ······ ㉠
$n=1$일 때
$a_1=1\times2=2$
이때 $a_1=2$는 ㉠에 $n=1$을 대입한 것과 같으므로
$na_n=2n\ (n\ge1)$
$\therefore a_n=2\ (n\ge1)$
$\therefore \sum_{k=1}^{8}a_k=\sum_{k=1}^{8}2=2\times8=16$

답 16

035

주어진 수열의 제k항을 a_k라고 하면
$a_k=\frac{1}{k(k+1)}=\frac{1}{k}-\frac{1}{k+1}$
따라서 첫째항부터 제50항까지의 합은
$\sum_{k=1}^{50}a_k=\sum_{k=1}^{50}\left(\frac{1}{k}-\frac{1}{k+1}\right)$
$=\left(1-\frac{1}{2}\right)+\left(\frac{1}{2}-\frac{1}{3}\right)+\cdots+\left(\frac{1}{50}-\frac{1}{51}\right)$
$=1-\frac{1}{51}=\frac{50}{51}$

답 $\frac{50}{51}$

036

$a_n=2n+1$에서
$a_{n+1}=2(n+1)+1=2n+3$
$\therefore \sum_{n=1}^{12}\frac{1}{a_na_{n+1}}$
$=\sum_{n=1}^{12}\frac{1}{(2n+1)(2n+3)}$
$=\frac{1}{2}\sum_{n=1}^{12}\left(\frac{1}{2n+1}-\frac{1}{2n+3}\right)$
$=\frac{1}{2}\left\{\left(\frac{1}{3}-\frac{1}{5}\right)+\left(\frac{1}{5}-\frac{1}{7}\right)+\cdots+\left(\frac{1}{25}-\frac{1}{27}\right)\right\}$
$=\frac{1}{2}\left(\frac{1}{3}-\frac{1}{27}\right)=\frac{1}{2}\times\frac{8}{27}=\frac{4}{27}$

답 ②

037

주어진 수열의 제k항을 a_k라고 하면
$a_k=\frac{4}{(2k)^2-1}=\frac{4}{(2k-1)(2k+1)}$
따라서 주어진 수열의 첫째항부터 제15항까지의 합은
$\sum_{k=1}^{15}a_k=\sum_{k=1}^{15}\frac{4}{(2k-1)(2k+1)}$
$=2\sum_{k=1}^{15}\left(\frac{1}{2k-1}-\frac{1}{2k+1}\right)$
$=2\left\{\left(1-\frac{1}{3}\right)+\left(\frac{1}{3}-\frac{1}{5}\right)+\cdots+\left(\frac{1}{29}-\frac{1}{31}\right)\right\}$
$=2\left(1-\frac{1}{31}\right)$
$=2\times\frac{30}{31}=\frac{60}{31}$

답 ⑤

038

$\sum_{k=1}^{n}\frac{2}{k(k+2)}$
$=\sum_{k=1}^{n}\left(\frac{1}{k}-\frac{1}{k+2}\right)$
$=\left(1-\frac{1}{3}\right)+\left(\frac{1}{2}-\frac{1}{4}\right)+\cdots+\left(\frac{1}{n-1}-\frac{1}{n+1}\right)+\left(\frac{1}{n}-\frac{1}{n+2}\right)$
$=1+\frac{1}{2}-\frac{1}{n+1}-\frac{1}{n+2}$
$=\frac{3}{2}-\frac{2n+3}{(n+1)(n+2)}$
즉, $\frac{3}{2}-\frac{2n+3}{(n+1)(n+2)}=\frac{58}{45}$이므로
$\frac{2n+3}{(n+1)(n+2)}=\frac{3}{2}-\frac{58}{45}=\frac{135}{90}-\frac{116}{90}=\frac{19}{90}$
이때 n은 자연수이고
$(8+1)\times(8+2)=90$
$2\times8+3=19$
이므로
$n=8$

답 ①

039

주어진 수열의 제k항을 a_k라고 하면
$a_k=\frac{1}{1+2+\cdots+k}=\frac{1}{\frac{k(k+1)}{2}}$
$=\frac{2}{k(k+1)}=2\left(\frac{1}{k}-\frac{1}{k+1}\right)$ ······ ❶
주어진 식은 수열의 첫째항부터 제99항까지의 합이므로
(주어진 식)
$=2\sum_{k=1}^{99}\left(\frac{1}{k}-\frac{1}{k+1}\right)$
$=2\left\{\left(1-\frac{1}{2}\right)+\left(\frac{1}{2}-\frac{1}{3}\right)+\cdots+\left(\frac{1}{99}-\frac{1}{100}\right)\right\}$
$=2\left(1-\frac{1}{100}\right)=\frac{99}{50}$ ······ ❷

답 $\frac{99}{50}$

채점 기준	비율
❶ 주어진 수열의 제k항을 k에 대한 식으로 나타낼 수 있다.	60%
❷ 주어진 식의 값을 구할 수 있다.	40%

040

주어진 수열의 제k항을 a_k라고 하면
$a_k=\frac{1}{\sqrt{k}+\sqrt{k+1}}$
$=\frac{\sqrt{k+1}-\sqrt{k}}{(\sqrt{k+1}+\sqrt{k})(\sqrt{k+1}-\sqrt{k})}$
$=\sqrt{k+1}-\sqrt{k}$
따라서 첫째항부터 제99항까지의 합은
$\sum_{k=1}^{99}a_k=\sum_{k=1}^{99}(\sqrt{k+1}-\sqrt{k})$
$=(\sqrt{2}-1)+(\sqrt{3}-\sqrt{2})+\cdots+(\sqrt{100}-\sqrt{99})$
$=\sqrt{100}-1=10-1=9$

답 ④

041

$a_k=\sqrt{n}$에서

$a_{2k+1}=\sqrt{2k+1}$, $a_{2k-1}=\sqrt{2k-1}$

$\therefore \sum_{k=1}^{40}\frac{1}{a_{2k-1}+a_{2k+1}}$

$=\sum_{k=1}^{40}\frac{1}{\sqrt{2k-1}+\sqrt{2k+1}}$

$=\sum_{k=1}^{40}\frac{\sqrt{2k+1}-\sqrt{2k-1}}{(\sqrt{2k+1}+\sqrt{2k-1})(\sqrt{2k+1}-\sqrt{2k-1})}$

$=\frac{1}{2}\sum_{k=1}^{40}(\sqrt{2k+1}-\sqrt{2k-1})$

$=\frac{1}{2}\{(\sqrt{3}-1)+(\sqrt{5}-\sqrt{3})+\cdots+(\sqrt{81}-\sqrt{79})\}$

$=\frac{1}{2}(\sqrt{81}-1)=\frac{1}{2}(9-1)=4$

답 4

042

$\sum_{k=1}^{n}\frac{3}{\sqrt{3k-1}+\sqrt{3k+2}}$

$=\sum_{k=1}^{n}\frac{3(\sqrt{3k+2}-\sqrt{3k-1})}{(\sqrt{3k+2}+\sqrt{3k-1})(\sqrt{3k+2}-\sqrt{3k-1})}$

$=\sum_{k=1}^{n}(\sqrt{3k+2}-\sqrt{3k-1})$

$=(\sqrt{5}-\sqrt{2})+(\sqrt{8}-\sqrt{5})+(\sqrt{11}-\sqrt{8})+\cdots+(\sqrt{3n+2}-\sqrt{3n-1})$

$=\sqrt{3n+2}-\sqrt{2}$

즉, $\sqrt{3n+2}-\sqrt{2}=4\sqrt{2}$이므로

$\sqrt{3n+2}=5\sqrt{2}$, $3n+2=50$

$\therefore n=16$

답 16

043

수열 $\{a_n\}$은 첫째항이 4, 공차가 1인 등차수열이므로

$a_n=4+(n-1)\times 1=n+3$

$\therefore \sum_{k=1}^{12}\frac{1}{\sqrt{a_{k+1}}+\sqrt{a_k}}$

$=\sum_{k=1}^{12}\frac{1}{\sqrt{k+4}+\sqrt{k+3}}$

$=\sum_{k=1}^{12}\frac{\sqrt{k+4}-\sqrt{k+3}}{(\sqrt{k+4}+\sqrt{k+3})(\sqrt{k+4}-\sqrt{k+3})}$

$=\sum_{k=1}^{12}(\sqrt{k+4}-\sqrt{k+3})$

$=(\sqrt{5}-\sqrt{4})+(\sqrt{6}-\sqrt{5})+\cdots+(\sqrt{16}-\sqrt{15})$

$=\sqrt{16}-\sqrt{4}=4-2=2$

답 ②

044

주어진 수열의 제k항을 a_k라고 하면

$a_k=\frac{2}{\sqrt{k}+\sqrt{k+2}}$

$=\frac{2(\sqrt{k+2}-\sqrt{k})}{(\sqrt{k+2}+\sqrt{k})(\sqrt{k+2}-\sqrt{k})}$

$=\sqrt{k+2}-\sqrt{k}$

따라서 첫째항부터 제47항까지의 합은

$\sum_{k=1}^{47}a_k=\sum_{k=1}^{47}(\sqrt{k+2}-\sqrt{k})$

$=(\sqrt{3}-1)+(\sqrt{4}-\sqrt{2})+(\sqrt{5}-\sqrt{3})+\cdots+(\sqrt{48}-\sqrt{46})+(\sqrt{49}-\sqrt{47})$

$=-1-\sqrt{2}+\sqrt{48}+\sqrt{49}$

$=(7-1)+(4\sqrt{3}-\sqrt{2})$

$=4\sqrt{3}-\sqrt{2}+6$

즉, $p=4$, $q=-1$, $r=6$이므로

$p+q+r=4+(-1)+6=9$

답 ②

045

$\sum_{n=2}^{25}(\log_{n+1}3-\log_{n+2}3)$

$=\sum_{n=2}^{25}\left\{\frac{1}{\log_3(n+1)}-\frac{1}{\log_3(n+2)}\right\}$

$=\left(\frac{1}{\log_3 3}-\frac{1}{\log_3 4}\right)+\left(\frac{1}{\log_3 4}-\frac{1}{\log_3 5}\right)+\cdots+\left(\frac{1}{\log_3 26}-\frac{1}{\log_3 27}\right)$

$=\frac{1}{\log_3 3}-\frac{1}{\log_3 27}$

$=1-\frac{1}{\log_3 3^3}$

$=1-\frac{1}{3}=\frac{2}{3}$

답 ②

046

$a_n=\log_4\left(1+\frac{1}{n}\right)=\log_4\frac{n+1}{n}$

$=\log_4(n+1)-\log_4 n$

이므로

$\sum_{k=1}^{n}a_k=\sum_{k=1}^{n}\{\log_4(k+1)-\log_4 k\}$

$=(\log_4 2-\log_4 1)+(\log_4 3-\log_4 2)+\cdots+\{\log_4(n+1)-\log_4 n\}$

$=\log_4(n+1)-\log_4 1$

$=\log_4(n+1)$

즉, $\log_4(n+1)=4$이므로

$n+1=4^4=256$

$\therefore n=255$

답 255

|다른 풀이|

$\sum_{k=1}^{n}a_k=\sum_{k=1}^{n}\log_4\left(1+\frac{1}{k}\right)$

$=\sum_{k=1}^{n}\log_4\frac{k+1}{k}$

$=\log_4\frac{2}{1}+\log_4\frac{3}{2}+\cdots+\log_4\frac{n+1}{n}$

$=\log_4\left(\frac{2}{1}\times\frac{3}{2}\times\frac{4}{3}\times\cdots\times\frac{n+1}{n}\right)$

$=\log_4(n+1)$

047

$$\sum_{k=1}^{n}\log_3\frac{\sqrt{k+1}}{\sqrt{k}}$$
$$=\sum_{k=1}^{n}(\log_3\sqrt{k+1}-\log_3\sqrt{k})$$
$$=(\log_3\sqrt{2}-\log_3 1)+(\log_3\sqrt{3}-\log_3\sqrt{2})+\cdots+(\log_3\sqrt{n+1}-\log_3\sqrt{n})$$
$$=\log_3\sqrt{n+1}-\log_3 1=\log_3\sqrt{n+1}$$

즉, $\log_3\sqrt{n+1}=2$이므로 $\sqrt{n+1}=3^2$

$n+1=3^4$ $\quad\therefore n=80$

답 ④

048

수열 $\{a_n\}$은 첫째항이 1, 공비가 2인 등비수열이므로

$a_n=2^{n-1}$

$$\therefore \sum_{k=1}^{n}\log_{16}a_k=\sum_{k=1}^{n}\log_{16}2^{k-1}=\sum_{k=1}^{n}\log_{2^4}2^{k-1}$$
$$=\frac{1}{4}\sum_{k=1}^{n}(k-1)=\frac{1}{4}\left\{\frac{n(n+1)}{2}-n\right\}$$
$$=\frac{1}{4}\times\frac{n(n-1)}{2}=\frac{n(n-1)}{8}$$

즉, $\frac{n(n-1)}{8}=7$이므로 $n(n-1)=7\times8$

$\therefore n=8$

답 ③

049

$S_n=\sum_{k=1}^{n}a_k=\log_2(n^2+n)$으로 놓으면

$n\geq2$일 때

$$a_n=S_n-S_{n-1}$$
$$=\log_2(n^2+n)-\log_2\{(n-1)^2+(n-1)\}$$
$$=\log_2(n^2+n)-\log_2(n^2-n)$$
$$=\log_2\frac{n^2+n}{n^2-n}=\log_2\frac{n+1}{n-1}$$

즉, $a_{2n+1}=\log_2\frac{(2n+1)+1}{(2n+1)-1}=\log_2\frac{n+1}{n}\ (n\geq1)$이므로

$$\sum_{n=1}^{15}a_{2n+1}=\sum_{n=1}^{15}\log_2\frac{n+1}{n}$$
$$=\sum_{n=1}^{15}\{\log_2(n+1)-\log_2 n\}$$
$$=(\log_2 2-\log_2 1)+(\log_2 3-\log_2 2)+\cdots+(\log_2 16-\log_2 15)$$
$$=\log_2 16-\log_2 1$$
$$=\log_2 2^4=4$$

답 4

참고

$a_n=\log_2\frac{n+1}{n-1}\ (n\geq2)$은 $n=1$일 때 정의되지 않는다.
하지만 문제에서 a_{2n+1}에 관련된 값을 묻고 있으므로 a_1의 값을 고려하지 않아도 된다.

실력을 높이는 연습 문제

본문 151쪽

01

ㄱ. [반례] 일반항이 $a_n=n$인 수열 $\{a_n\}$에 대하여 $n=3$이라고 하면

$$\sum_{k=1}^{3}a_k^2=1^2+2^2+3^2=14$$
$$\sum_{k=1}^{3}a_3^2=a_3^2\times\sum_{k=1}^{3}1=3^2\times3=27$$
$$\therefore \sum_{k=1}^{3}a_k^2\neq\sum_{k=1}^{3}a_3^2$$
$$\therefore \sum_{k=1}^{n}a_k^2\neq\sum_{k=1}^{n}a_n^2\ \text{(거짓)}$$

ㄴ. [반례] 일반항이 $a_n=n$인 수열 $\{a_n\}$에 대하여 $n=3$이라고 하면

$$\sum_{k=1}^{3}a_k^2=1^2+2^2+3^2=14$$
$$\left(\sum_{k=1}^{3}a_k\right)^2=(1+2+3)^2=6^2=36$$
$$\therefore \sum_{k=1}^{3}a_k^2\neq\left(\sum_{k=1}^{3}a_k\right)^2$$
$$\therefore \sum_{k=1}^{n}a_k^2\neq\left(\sum_{k=1}^{n}a_k\right)^2\ \text{(거짓)}$$

ㄷ. Σ의 정의에 의하여

$$\sum_{k=1}^{n}a_k=\sum_{i=1}^{n}a_i\ \text{(참)}$$

따라서 옳은 것은 ㄷ이다.

답 ②

02

$$\sum_{k=2}^{7}a_k-\sum_{k=1}^{6}a_k=(a_2+a_3+\cdots+a_7)-(a_1+a_2+\cdots+a_6)$$
$$=a_7-a_1$$

이때 수열 $\{a_n\}$은 등차수열이므로 공차를 d라고 하면

$a_7-a_1=(a_1+6d)-a_1=6d$

즉, $6d=24$이므로 $d=4$

답 ③

03

$$\sum_{k=1}^{10}a_k+\sum_{k=1}^{10}b_k=\sum_{k=1}^{10}(a_k+b_k)$$

이때 수열 $\{a_n+b_n\}$은 첫째항이 3, 제10항이 18인 등차수열이므로 주어진 식은 등차수열 $\{a_n+b_n\}$의 첫째항부터 제10항까지의 합이다.

$$\therefore \sum_{k=1}^{10}a_k+\sum_{k=1}^{10}b_k=\frac{10\{(a_1+b_1)+(a_{10}+b_{10})\}}{2}$$
$$=\frac{10(3+18)}{2}=105$$

답 105

|다른 풀이|

$$\sum_{k=1}^{10}a_k+\sum_{k=1}^{10}b_k$$
$$=(a_1+a_2+a_3+\cdots+a_{10})+(b_1+b_2+b_3+\cdots+b_{10})$$

→ 첫째항이 a_1, 끝항이 a_{10}, 항수가 10인 등차수열의 합

$$=\frac{10(a_1+a_{10})}{2}+\frac{10(b_1+b_{10})}{2}$$

→ 첫째항이 b_1, 끝항이 b_{10}, 항수가 10인 등차수열의 합

$$=5(a_1+a_{10})+5(b_1+b_{10})$$
$$=5\{(a_1+b_1)+(a_{10}+b_{10})\}$$
$$=5(3+18)$$
$$=5\times21=105$$

풍쌤 개념 CHECK

등차수열의 합_高 수학 I

첫째항이 a, 공차가 d, 제n항이 l인 등차수열의 첫째항부터 제n항까지의 합을 S_n이라고 하면

(1) $S_n=\dfrac{n(a+l)}{2}$ (2) $S_n=\dfrac{n\{2a+(n-1)d\}}{2}$

04

$\sum_{k=1}^{20}(a_k-1)^2=30$에서

$\sum_{k=1}^{20}(a_k-1)^2=\sum_{k=1}^{20}(a_k^2-2a_k+1)$

$=\sum_{k=1}^{20}a_k^2-2\sum_{k=1}^{20}a_k+\sum_{k=1}^{20}1$

$=\sum_{k=1}^{20}a_k^2-2\sum_{k=1}^{20}a_k+20=30$

$\therefore \sum_{k=1}^{20}a_k^2-2\sum_{k=1}^{20}a_k=10$ .... ㉠

또, $\sum_{k=1}^{20}a_k(a_k+2)=14$에서

$\sum_{k=1}^{20}a_k(a_k+2)=\sum_{k=1}^{20}a_k^2+2\sum_{k=1}^{20}a_k=14$ .... ㉡

㉡－㉠을 하면

$4\sum_{k=1}^{20}a_k=4 \quad \therefore \sum_{k=1}^{20}a_k=1$

$\sum_{k=1}^{20}a_k=1$을 ㉠에 대입하면 $\sum_{k=1}^{20}a_k^2-2\times1=10$

$\therefore \sum_{k=1}^{20}a_k^2=12$

답 ①

05

$\sum_{k=1}^{n-1}(2k-4)=2\sum_{k=1}^{n-1}k-\sum_{k=1}^{n-1}4=2\times\dfrac{n(n-1)}{2}-4(n-1)$

$=n(n-1)-4(n-1)$

$=n^2-n-4n+4$

$=n^2-5n+4$

즉, $n^2-5n+4=-2$이어야 하므로 $n^2-5n+6=0$

$(n-2)(n-3)=0 \quad \therefore n=2$ 또는 $n=3$

따라서 주어진 조건을 만족시키는 n의 값의 합은

$2+3=5$

답 ④

06

$\sum_{k=1}^{5}\dfrac{(k+1)^3}{2k}+\sum_{n=2}^{5}\dfrac{(n-1)^3}{2n}$

$=\sum_{k=1}^{5}\dfrac{(k+1)^3}{2k}+\sum_{k=2}^{5}\dfrac{(k-1)^3}{2k}$

$=\sum_{k=1}^{5}\dfrac{(k+1)^3}{2k}+\sum_{k=1}^{5}\dfrac{(k-1)^3}{2k}$ ← $k=1$일 때 $\dfrac{(k-1)^3}{2k}$의 값은 0이므로 $\sum_{k=1}^{5}\dfrac{(k-1)^3}{2k}=\sum_{k=2}^{5}\dfrac{(k-1)^3}{2k}$

$=\sum_{k=1}^{5}\dfrac{(k+1)^3+(k-1)^3}{2k}$

$=\sum_{k=1}^{5}\dfrac{2k^3+6k}{2k}=\sum_{k=1}^{5}(k^2+3)$

$=\sum_{k=1}^{5}k^2+\sum_{k=1}^{5}3=\dfrac{5\times6\times11}{6}+3\times5$

$=55+15=70$

답 ⑤

07

주어진 수열의 제k항을 a_k라고 하면

$a_k=(2k+3)\times3k=6k^2+9k$

구하는 합은 첫째항부터 제7항까지의 합이므로 ← $a_n=(2n+3)\times3n=17\times21$에서 $3n=21 \quad \therefore n=7$

$\sum_{k=1}^{7}(6k^2+9k)=6\sum_{k=1}^{7}k^2+9\sum_{k=1}^{7}k$

$=6\times\dfrac{7\times8\times15}{6}+9\times\dfrac{7\times8}{2}$

$=840+252=1092$

답 1092

08

주어진 수열의 제k항을 a_k라고 하면

$a_k=k+2k+3k+\cdots+k^2=\sum_{i=1}^{k}ki$

$=k\times\dfrac{k(k+1)}{2}=\dfrac{k^2(k+1)}{2}$

따라서 첫째항부터 제6항까지의 합은

$\sum_{k=1}^{6}\dfrac{k^2(k+1)}{2}=\dfrac{1}{2}\left(\sum_{k=1}^{6}k^3+\sum_{k=1}^{6}k^2\right)$

$=\dfrac{1}{2}\left\{\left(\dfrac{6\times7}{2}\right)^2+\dfrac{6\times7\times13}{6}\right\}$

$=\dfrac{1}{2}(441+91)=266$

답 266

09

문제 접근하기

4는 1, 2, 4를 약수로 가지므로 4^n의 양의 약수의 합은

$1+2+2^2+\cdots+2^{2n}$

과 같이 나타낼 수 있다.

4^n, 즉 2^{2n}의 모든 양의 약수의 합이 a_n이므로

$a_n=1+2+2^2+\cdots+2^{2n}$ ← 첫째항이 1, 공비가 2, 항수가 $2n+1$인 등비수열의 합

$=\dfrac{(2^{2n+1}-1)}{2-1}=2^{2n+1}-1$

$\therefore \sum_{n=1}^{3}a_n=\sum_{n=1}^{3}(2^{2n+1}-1)$

$=2\sum_{n=1}^{3}4^n-\sum_{n=1}^{3}1$

$=2\times\dfrac{4(4^3-1)}{4-1}-3$

$=168-3=165$

답 ②

참고

$a_n=1+4+4^2+\cdots+4^n$과 같이 생각하지 않도록 주의한다.

10

문제 접근하기

$\sum_{k=1}^{n}a_k=3n^2+5n+1$에서 수열의 일반항을 구하면

$a_1=9$, $a_n=6n+2\ (n\geq2)$

와 같이 제2항부터 일반항이 정의된다. 따라서 주어진 수열의 합을 구할 때 $n=1$인 경우는 따로 떼어 생각해야 한다.

$S_n=\sum_{k=1}^{n}a_k=3n^2+5n+1$로 놓으면

$n\geq2$일 때

$a_n=S_n-S_{n-1}$
$=(3n^2+5n+1)-\{3(n-1)^2+5(n-1)+1\}$
$=3n^2+5n+1-(3n^2-n-1)$
$=6n+2$ ······ ㉠

$n=1$일 때
$a_1=S_1=3+5+1=9$
이때 $a_1=9$는 ㉠에 $n=1$을 대입한 것과 같지 않으므로
$a_1=9$, $a_n=6n+2$ $(n\geq 2)$

$\therefore \sum_{k=1}^{4} ka_{2k-1}=9+\sum_{k=2}^{4} k\{6(2k-1)+2\}$
$=9+\sum_{k=2}^{4}(12k^2-4k)$
$=9+12\left(\sum_{k=1}^{4}k^2-1\right)-4\left(\sum_{k=1}^{4}k-1\right)$ (k^2에 $k=1$을 대입한 값, k에 $k=1$을 대입한 값)
$=9+12\times\frac{4\times5\times9}{6}-12-4\times\frac{4\times5}{2}+4$
$=9+360-12-40+4=321$

답 ①

11

$\sum_{i=1}^{5}\left\{\sum_{j=1}^{5}(a_i+b_j)\right\}=\sum_{i=1}^{5}\left(\sum_{j=1}^{5}a_i+\sum_{j=1}^{5}b_j\right)=\sum_{i=1}^{5}\left\{\sum_{j=1}^{5}a_i+\sum_{j=1}^{5}(-2j)\right\}$
$=\sum_{i=1}^{5}\left\{5a_i-2\sum_{j=1}^{5}j\right\}=\sum_{i=1}^{5}\left(5a_i-2\times\frac{5\times6}{2}\right)$
$=\sum_{i=1}^{5}(5a_i-30)=5\sum_{i=1}^{5}2^i-\sum_{i=1}^{5}30$
$=5\times\frac{2(2^5-1)}{2-1}-30\times5$
$=5\times62-150$
$=310-150=160$

답 ④

12

문제 접근하기

주어진 수열의 제k항을 k에 대한 식으로 나타내어 본다. 제k항은 두 수의 곱으로 나타내어지므로, 각 수를 k를 이용하여 어떻게 나타낼 수 있는지 확인한다.

주어진 수열의 제k항을 a_k라고 하면
$a_k=k\{(n+2)-k\}=-k^2+(n+2)k$
주어진 식은 첫째항부터 제n항까지의 합이므로
$\sum_{k=1}^{n}a_k=\sum_{k=1}^{n}\{-k^2+(n+2)k\}$
$=-\sum_{k=1}^{n}k^2+(n+2)\sum_{k=1}^{n}k$
$=-\frac{n(n+1)(2n+1)}{6}+(n+2)\times\frac{n(n+1)}{2}$
$=\frac{n(n+1)\{-(2n+1)+3(n+2)\}}{6}$
$=\frac{n(n+1)(n+5)}{6}$

답 $\frac{n(n+1)(n+5)}{6}$

13

다항식 $x^3+(1-n)x^2+n$을 $x-n$으로 나눈 나머지는 다항식에 $x=n$을 대입한 값이므로
$a_n=n^3+(1-n)n^2+n=n^2+n$
$=n(n+1)$
$\therefore \sum_{n=1}^{10}\frac{1}{a_n}=\sum_{n=1}^{10}\frac{1}{n(n+1)}$
$=\sum_{n=1}^{10}\left(\frac{1}{n}-\frac{1}{n+1}\right)$
$=\left(1-\frac{1}{2}\right)+\left(\frac{1}{2}-\frac{1}{3}\right)+\cdots+\left(\frac{1}{10}-\frac{1}{11}\right)$
$=1-\frac{1}{11}=\frac{10}{11}$

답 ④

풍쌤 개념 CHECK

나머지정리_高 수학
(1) 다항식 $P(x)$를 일차식 $x-\alpha$로 나누었을 때의 나머지는 $P(\alpha)$
(2) 다항식 $P(x)$가 일차식 $x-\alpha$로 나누어떨어지면 $P(\alpha)=0$

14

이차방정식의 근과 계수의 관계에 의하여
$\alpha_n+\beta_n=2$, $\alpha_n\beta_n=n^2-1=(n+1)(n-1)$
$\therefore \sum_{n=2}^{10}\left(\frac{1}{\alpha_n}+\frac{1}{\beta_n}\right)$
$=\sum_{n=2}^{10}\frac{\alpha_n+\beta_n}{\alpha_n\beta_n}$
$=\sum_{n=2}^{10}\frac{2}{(n+1)(n-1)}$
$=\sum_{n=2}^{10}\left(\frac{1}{n-1}-\frac{1}{n+1}\right)$
$=\left(1-\frac{1}{3}\right)+\left(\frac{1}{2}-\frac{1}{4}\right)+\cdots+\left(\frac{1}{8}-\frac{1}{10}\right)+\left(\frac{1}{9}-\frac{1}{11}\right)$
$=1+\frac{1}{2}-\frac{1}{10}-\frac{1}{11}=\frac{72}{55}$

답 ③

15

$S_n=\sum_{k=1}^{n}a_k=(n+1)^2$으로 놓으면
$n\geq 2$일 때
$a_n=S_n-S_{n-1}=(n+1)^2-n^2$
$=2n+1$ ······ ㉠

$n=1$일 때
$a_1=S_1=2^2=4$
이때 $a_1=4$는 ㉠에 $n=1$을 대입한 것과 같지 않으므로
$a_1=4$, $a_n=2n+1$ $(n\geq 2)$
$\therefore \sum_{k=1}^{11}\frac{1}{a_ka_{k+1}}$
$=\frac{1}{a_1a_2}+\sum_{k=2}^{11}\frac{1}{(2k+1)(2k+3)}$
$=\frac{1}{a_1a_2}+\frac{1}{2}\sum_{k=2}^{11}\left(\frac{1}{2k+1}-\frac{1}{2k+3}\right)$
$=\frac{1}{4\times5}+\frac{1}{2}\left\{\left(\frac{1}{5}-\frac{1}{7}\right)+\left(\frac{1}{7}-\frac{1}{9}\right)+\cdots+\left(\frac{1}{23}-\frac{1}{25}\right)\right\}$
$=\frac{1}{20}+\frac{1}{2}\left(\frac{1}{5}-\frac{1}{25}\right)$
$=\frac{1}{20}+\frac{2}{25}=\frac{13}{100}$

답 $\frac{13}{100}$

16

수열 $\{a_n\}$은 첫째항과 공차가 모두 1인 등차수열이므로

$a_n=n$

$$\therefore \sum_{k=1}^{24}\frac{1}{\sqrt{a_{k+1}}+\sqrt{a_k}}$$
$$=\sum_{k=1}^{24}\frac{1}{\sqrt{k+1}+\sqrt{k}}$$
$$=\sum_{k=1}^{24}\frac{\sqrt{k+1}-\sqrt{k}}{(\sqrt{k+1}+\sqrt{k})(\sqrt{k+1}-\sqrt{k})}$$
$$=\sum_{k=1}^{24}(\sqrt{k+1}-\sqrt{k})$$
$$=(\sqrt{2}-1)+(\sqrt{3}-\sqrt{2})+\cdots+(\sqrt{25}-\sqrt{24})$$
$$=\sqrt{25}-1=5-1=4$$

답 ③

17

$$\frac{1}{(k+1)\sqrt{k}+k\sqrt{k+1}}$$
$$=\frac{(k+1)\sqrt{k}-k\sqrt{k+1}}{\{(k+1)\sqrt{k}+k\sqrt{k+1}\}\{(k+1)\sqrt{k}-k\sqrt{k+1}\}}$$
$$=\frac{(k+1)\sqrt{k}-k\sqrt{k+1}}{(k+1)^2k-k^2(k+1)}=\frac{(k+1)\sqrt{k}-k\sqrt{k+1}}{k(k+1)}$$

→ $(k+1)^2k-k^2(k+1)$
$=k^3+2k^2+k-(k^3+k^2)=k^2+k$

$$=\frac{\sqrt{k}}{k}-\frac{\sqrt{k+1}}{k+1}=\frac{1}{\sqrt{k}}-\frac{1}{\sqrt{k+1}}$$
$$\therefore \sum_{k=1}^{63}\frac{1}{(k+1)\sqrt{k}+k\sqrt{k+1}}$$
$$=\sum_{k=1}^{63}\left(\frac{1}{\sqrt{k}}-\frac{1}{\sqrt{k+1}}\right)$$
$$=\left(1-\frac{1}{\sqrt{2}}\right)+\left(\frac{1}{\sqrt{2}}-\frac{1}{\sqrt{3}}\right)+\cdots+\left(\frac{1}{\sqrt{63}}-\frac{1}{\sqrt{64}}\right)$$
$$=1-\frac{1}{\sqrt{64}}=1-\frac{1}{8}=\frac{7}{8}$$

답 ⑤

18

$$\sum_{k=2}^{99}\log\left(1-\frac{1}{k^2}\right)$$
$$=\sum_{k=2}^{99}\log\frac{k^2-1}{k^2}$$
$$=\sum_{k=2}^{99}\log\frac{(k-1)(k+1)}{k^2}$$
$$=\sum_{k=2}^{99}\left(\log\frac{k-1}{k}+\log\frac{k+1}{k}\right)$$
$$=\sum_{k=2}^{99}\left(\log\frac{k-1}{k}-\log\frac{k}{k+1}\right)$$
$$=\left(\log\frac{1}{2}-\log\frac{2}{3}\right)+\left(\log\frac{2}{3}-\log\frac{3}{4}\right)+\cdots+\left(\log\frac{98}{99}-\log\frac{99}{100}\right)$$
$$=\log\frac{1}{2}-\log\frac{99}{100}=\log\frac{1}{2}+\log\frac{100}{99}$$
$$=\log\left(\frac{1}{2}\times\frac{100}{99}\right)=\log\frac{50}{99}$$

답 ②

10 수학적 귀납법

기본을 다지는 유형

본문 155쪽

001

$n=1$일 때,

$$a_2-2=\frac{1}{a_1+2}=\frac{1}{3}$$
$$\therefore a_2=\frac{7}{3}$$

$n=2$일 때,

$$a_3-2=\frac{2}{a_2+2}=\frac{2}{\frac{7}{3}+2}=\frac{6}{13}$$
$$\therefore a_3=\frac{32}{13}$$

답 $\frac{32}{13}$

002

$n=2$일 때,

$a_2a_3=\frac{2}{2}$, $2a_2=1$ $\quad\therefore a_2=\frac{1}{2}$

$n=1$일 때,

$a_1a_2=\frac{1}{2}$, $\frac{1}{2}a_1=\frac{1}{2}$ $\quad\therefore a_1=1$

$n=3$일 때,

$a_3a_4=\frac{3}{2}$, $2a_4=\frac{3}{2}$ $\quad\therefore a_4=\frac{3}{4}$

$n=4$일 때,

$a_4a_5=\frac{4}{2}$, $\frac{3}{4}a_5=2$ $\quad\therefore a_5=\frac{8}{3}$

$$\therefore a_1+a_4+a_5=1+\frac{3}{4}+\frac{8}{3}=\frac{53}{12}$$

답 ④

003

$n=1$일 때 $a_1=4$는 짝수이므로

$a_2=\frac{1}{2}a_1=\frac{1}{2}\times4=2$

$n=2$일 때 $a_2=2$는 짝수이므로

$a_3=\frac{1}{2}a_2=\frac{1}{2}\times2=1$

$n=3$일 때 $a_3=1$은 홀수이므로

$a_4=a_3+1=1+1=2$

$n=4$일 때 $a_4=2$는 짝수이므로

$a_5=\frac{1}{2}a_4=\frac{1}{2}\times2=1$

⋮

따라서 주어진 수열은 제2항부터 2, 1이 반복되므로

$$a_n=\begin{cases}2 & (n\text{이 짝수})\\ 1 & (n\text{이 홀수})\end{cases}\ (n\ge2)$$

이 성립한다.

$\therefore a_{50}=2$

답 ②

004

$n=1$일 때, $a_1=6>5$이므로

$a_2=a_1-2=6-2=4$

$n=2$일 때, $a_2=4<5$이므로

$a_3=2a_2=2\times4=8$

$n=3$일 때, $a_3=8>5$이므로

$a_4=a_3-2=8-2=6$

$n=4$일 때, $a_4=6>5$이므로

$a_5=a_4-2=6-2=4$ ………… ❶

⋮

따라서 주어진 수열은 6, 4, 8이 반복되므로

$a_n=a_{n+3}$ (n은 자연수)이 성립한다. ………… ❷

$\therefore \sum_{n=1}^{10} a_n=a_1+a_2+a_3+\cdots+a_{10}$

$=(a_1+a_2+a_3)+(a_4+a_5+a_6)+(a_7+a_8+a_9)+a_{10}$

$=(6+4+8)+(6+4+8)+(6+4+8)+6$

$=3\times18+6=60$ ………… ❸

답 60

채점 기준	비율
❶ 주어진 식에 n 대신 1, 2, 3, …을 대입하여 수열의 항을 나열할 수 있다.	30%
❷ 주어진 수열의 규칙성을 찾을 수 있다.	45%
❸ 규칙성을 이용하여 $\sum_{n=1}^{10} a_n$의 값을 구할 수 있다.	25%

참고

$a_n=\begin{cases}6 & (n=3k-2)\\ 4 & (n=3k-1)\\ 8 & (n=3k)\end{cases}$ (k는 자연수)과 같이 나타낼 수도 있다.

005

$n=1$일 때 1은 홀수이므로

$a_2=\frac{a_1}{2-3a_1}=\frac{2}{2-6}=-\frac{1}{2}$

$n=2$일 때 2는 짝수이므로

$a_3=1+a_2=1+\left(-\frac{1}{2}\right)=\frac{1}{2}$

$n=3$일 때 3은 홀수이므로

$a_4=\frac{a_3}{2-3a_3}=\frac{\frac{1}{2}}{2-3\times\frac{1}{2}}=\frac{\frac{1}{2}}{\frac{1}{2}}=1$

$n=4$일 때 4는 짝수이므로

$a_5=1+a_4=1+1=2$

$n=5$일 때 5는 홀수이므로

$a_6=\frac{a_5}{2-3a_5}=\frac{2}{2-6}=-\frac{1}{2}$

⋮

따라서 주어진 수열은 2, $-\frac{1}{2}$, $\frac{1}{2}$, 1이 반복되므로

$a_n=a_{n+4}$ (n은 자연수)가 성립한다.

$\therefore \sum_{n=1}^{40} a_n=a_1+a_2+a_3+\cdots+a_{40}$

$=(a_1+a_2+a_3+a_4)+\cdots+(a_{37}+a_{38}+a_{39}+a_{40})$ ($a_{37}=a_1$, $a_{38}=a_2$, $a_{39}=a_3$, $a_{40}=a_4$)

$=10(a_1+a_2+a_3+a_4)=10\left\{2+\left(-\frac{1}{2}\right)+\frac{1}{2}+1\right\}$

$=10\times3=30$

답 ①

006

수열 $\{a_n\}$은 첫째항이 30, 공차가 -3인 등차수열이므로

$a_n=30+(n-1)\times(-3)$

$=-3n+33$

$\therefore a_{10}=-3\times10+33=3$

답 ③

007

$a_1=2$이고 $a_n=a_{n+1}-4$에서

$a_{n+1}=a_n+4$

이므로 수열 $\{a_n\}$은 첫째항이 2, 공차가 4인 등차수열이다. ………… ❶

$\therefore a_n=2+(n-1)\times4=4n-2$ ………… ❷

$a_k=82$에서

$4k-2=82$, $4k=84$

$\therefore k=21$ ………… ❸

답 21

채점 기준	비율
❶ 주어진 식을 이용하여 첫째항과 공차를 찾을 수 있다.	35%
❷ 수열 $\{a_n\}$의 일반항을 구할 수 있다.	35%
❸ k의 값을 구할 수 있다.	30%

008

$a_{n+2}-2a_{n+1}+a_n=0$에서

$2a_{n+1}=a_{n+2}+a_n$

이므로 수열 $\{a_n\}$은 등차수열이다.

이때 첫째항이 -4, 공차가 $a_2-a_1=4-(-4)=8$이므로

$a_n=-4+(n-1)\times8=8n-12$

$\therefore a_{12}=8\times12-12=84$

답 ②

009

수열 $\{a_n\}$은 첫째항이 2, 공차가 2인 등차수열이므로

$a_n=2+(n-1)\times2=2n$

$\therefore \sum_{k=1}^{10}\frac{1}{a_ka_{k+1}}$

$=\sum_{k=1}^{10}\frac{1}{2k\times2(k+1)}$

$=\frac{1}{4}\sum_{k=1}^{10}\frac{1}{k(k+1)}$

$=\frac{1}{4}\sum_{k=1}^{10}\left(\frac{1}{k}-\frac{1}{k+1}\right)$

$=\frac{1}{4}\left\{\left(1-\frac{1}{2}\right)+\left(\frac{1}{2}-\frac{1}{3}\right)+\cdots+\left(\frac{1}{10}-\frac{1}{11}\right)\right\}$

$=\frac{1}{4}\left(1-\frac{1}{11}\right)$

$=\frac{1}{4}\times\frac{10}{11}=\frac{5}{22}$

답 ④

010

$a_{n+1}=\frac{a_n+a_{n+2}}{2}$에서

$2a_{n+1}=a_{n+2}+a_n$

이므로 수열 $\{a_n\}$은 등차수열이다.

이때 첫째항이 -1, 공차가 $a_2-a_1=2-(-1)=3$이므로

$a_n=-1+(n-1)\times3=3n-4$

$\therefore a_4+a_6+a_8+a_{10}$

$=(3\times4-4)+(3\times6-4)+(3\times8-4)+(3\times10-4)$

$=8+14+20+26=68$

답 ⑤

|다른 풀이|

$a_4+a_6+a_8+a_{10}$은 첫째항이 $a_4=8$, 끝항이 $a_{10}=26$, 항수가 4인 등차수열의 합과 같으므로

$\frac{4(8+26)}{2}=68$

011

$\frac{a_{n+1}}{a_n}=\frac{1}{2}$에서

$a_{n+1}=\frac{1}{2}a_n$

이므로 수열 $\{a_n\}$은 첫째항이 8, 공비가 $\frac{1}{2}$인 등비수열이다.

$\therefore a_n=8\times\left(\frac{1}{2}\right)^{n-1}=\left(\frac{1}{2}\right)^{-3}\times\left(\frac{1}{2}\right)^{n-1}=\left(\frac{1}{2}\right)^{n-4}$

답 ①

012

$3a_{n+1}=a_n$에서

$a_{n+1}=\frac{1}{3}a_n$

이므로 수열 $\{a_n\}$은 첫째항이 1, 공비가 $\frac{1}{3}$인 등비수열이다.

$\therefore a_n=\left(\frac{1}{3}\right)^{n-1}$

$\therefore \frac{a_{12}}{a_6a_8}=\frac{\frac{1}{3^{11}}}{\frac{1}{3^5}\times\frac{1}{3^7}}=\frac{\frac{1}{3^{11}}}{\frac{1}{3^{12}}}=3$

답 3

013

${a_{n+1}}^2=a_na_{n+2}$에서 수열 $\{a_n\}$은 등비수열이다. ❶

이때 첫째항은 16, 공비는 $\frac{64}{16}=4$이므로

$a_n=16\times4^{n-1}=4^{n+1}$ ❷

$a_k=256=2^8$이므로

$a_k=4^{k+1}=2^8$, $2^{2(k+1)}=2^8$

$2(k+1)=8 \quad \therefore k=3$ ❸

답 3

채점 기준	비율
❶ 수열 $\{a_n\}$이 등비수열임을 알 수 있다.	20%
❷ 수열 $\{a_n\}$의 일반항을 구할 수 있다.	40%
❸ 자연수 k의 값을 구할 수 있다.	40%

014

${a_{n+1}}^2=a_na_{n+2}$에서 수열 $\{a_n\}$은 등비수열이다.

이때 공비를 r라고 하면

$\frac{a_{11}}{a_1}=\frac{a_{12}}{a_2}=\frac{a_{13}}{a_3}=r^{10}$

즉, $\frac{a_{11}}{a_1}+\frac{a_{12}}{a_2}+\frac{a_{13}}{a_3}=15$에서

$r^{10}+r^{10}+r^{10}=15$, $3r^{10}=15 \quad \therefore r^{10}=5$

$\therefore \frac{a_{20}}{a_{10}}=r^{10}=5$

답 ③

015

$2\log a_{n+1}=\log a_n+\log a_{n+2}$에서

$\log {a_{n+1}}^2=\log a_na_{n+2}$

$\therefore {a_{n+1}}^2=a_na_{n+2}$

즉, 수열 $\{a_n\}$은 등비수열이다.

이때 첫째항이 $\frac{1}{4}$, 공비가 $\frac{\frac{1}{2}}{\frac{1}{4}}=2$이므로

$a_n=\frac{1}{4}\times2^{n-1}=2^{-2}\times2^{n-1}=2^{n-3}$

$\therefore a_{10}=2^{10-3}=2^7=128$

답 ④

016

$a_{n+1}=a_n+2n$에서 $a_{n+1}-a_n=2n$이므로 양변에 n 대신 1, 2, 3, …, $n-1$을 차례로 대입하여 변끼리 더하면

$a_2-a_1=2\times1$

$a_3-a_2=2\times2$

$a_4-a_3=2\times3$

⋮

$+)\ a_n-a_{n-1}=2(n-1)$

$a_n-a_1=\sum_{k=1}^{n-1}2k$

$\therefore a_n=a_1+\sum_{k=1}^{n-1}2k$

이때 $a_1=1$이므로

$a_n=1+\sum_{k=1}^{n-1}2k=1+2\times\frac{n(n-1)}{2}$

$=n^2-n+1$

$\therefore a_8=8^2-8+1=57$

답 ⑤

|다른 풀이|

$a_{n+1}=a_n+2n$에서 $a_{n+1}-a_n=2n$이므로 양변에 n 대신 1, 2, 3, …, 7을 차례로 대입하여 변끼리 더하면

$a_2-a_1=2\times1$

$a_3-a_2=2\times2$

$a_4-a_3=2\times3$

⋮

$+)\ a_8-a_7=2\times7$

$a_8-a_1=2+4+6+\cdots+14$

$\therefore a_8=a_1+(2+4+6+\cdots+14)$

이때 $a_1=1$이므로

(첫째항이 2, 끝항이 14, 항수가 7인 등차수열의 합)

$a_8=1+(2+4+6+\cdots+14)$

$=1+\frac{7(2+14)}{2}$

$=1+56=57$

017

$a_{n+1}=a_n+2^{n-1}$에서 $a_{n+1}-a_n=2^{n-1}$이므로 양변에 n 대신 1, 2, 3, …, $n-1$을 차례로 대입하여 변끼리 더하면

$$a_2-a_1=2^0$$
$$a_3-a_2=2^1$$
$$a_4-a_3=2^2$$
$$\vdots$$
$$+)\ a_n-a_{n-1}=2^{n-2}$$
$$a_n-a_1=\sum_{k=1}^{n-1}2^{k-1}$$

$\therefore a_n=a_1+\sum_{k=1}^{n-1}2^{k-1}$

이때 $a_1=1$이므로

$a_n=1+\sum_{k=1}^{n-1}2^{k-1}=1+\frac{2^{n-1}-1}{2-1}=2^{n-1}$

→ 첫째항이 1, 공비가 2인 등비수열의 첫째항부터 제$n-1$항까지의 합

$a_k=1024=2^{10}$이므로

$a_k=2^{k-1}=2^{10}$, $k-1=10$

$\therefore k=11$

답 ④

018

$a_n-a_{n-1}=\frac{1}{\sqrt{n}+\sqrt{n+1}}$ $(n=2, 3, 4, \cdots)$의 양변에 n 대신 $n+1$을 대입하면

$$a_{n+1}-a_n=\frac{1}{\sqrt{n+1}+\sqrt{n+2}}$$
$$=\frac{\sqrt{n+2}-\sqrt{n+1}}{(\sqrt{n+2}+\sqrt{n+1})(\sqrt{n+2}-\sqrt{n+1})}$$
$$=\sqrt{n+2}-\sqrt{n+1}\ (n=1, 2, 3, \cdots)$$

따라서 양변에 n 대신 1, 2, 3, …, $n-1$을 차례로 대입하여 변끼리 더하면

$$a_2-a_1=\sqrt{3}-\sqrt{2}$$
$$a_3-a_2=\sqrt{4}-\sqrt{3}$$
$$a_4-a_3=\sqrt{5}-\sqrt{4}$$
$$\vdots$$
$$+)\ a_n-a_{n-1}=\sqrt{n+1}-\sqrt{n}$$
$$a_n-a_1=\sqrt{n+1}-\sqrt{2}$$

$\therefore a_n=a_1+\sqrt{n+1}-\sqrt{2}$

이때 $a_1=\sqrt{2}$이므로

$a_n=\sqrt{n+1}$

$\therefore a_{15}=\sqrt{15+1}=\sqrt{16}=4$

답 ④

019

$a_{n+1}-a_n=(-1)^n\times n$의 양변에 n 대신 1, 2, 3, …, $n-1$을 차례로 대입하여 변끼리 더하면

$$a_2-a_1=-1$$
$$a_3-a_2=2$$
$$a_4-a_3=-3$$
$$\vdots$$
$$+)\ a_n-a_{n-1}=(-1)^{n-1}\times(n-1)$$
$$a_n-a_1=\sum_{k=1}^{n-1}(-1)^k\times k$$

$\therefore a_n=a_1+\sum_{k=1}^{n-1}(-1)^k\times k$

이때 $a_1=10$이므로

$a_n=10+\sum_{k=1}^{n-1}(-1)^k\times k$

$$\therefore a_{101}=10+\sum_{k=1}^{100}(-1)^k\times k$$
$$=10+(-1+2-3+4-\cdots-99+100)$$
$$=10+1\times50=60$$

답 ⑤

020

$a_n=\frac{n+1}{n-1}a_{n-1}$ $(n=2, 3, 4, \cdots)$의 양변에 n 대신 $n+1$을 대입하면

$a_{n+1}=\frac{n+2}{n}a_n$ $(n=1, 2, 3, \cdots)$

따라서 양변에 n 대신 1, 2, 3, …, $n-1$을 차례로 대입하여 변끼리 곱하면

$$a_2=\frac{3}{1}a_1$$
$$a_3=\frac{4}{2}a_2$$
$$a_4=\frac{5}{3}a_3$$
$$\vdots$$
$$\times)\ a_n=\frac{n+1}{n-1}a_{n-1}$$
$$a_n=\frac{3}{1}\times\frac{4}{2}\times\frac{5}{3}\times\cdots\times\frac{n+1}{n-1}\times a_1$$
$$=\frac{n(n+1)}{1\times2}a_1=\frac{n(n+1)}{2}a_1$$

$\therefore a_{10}=\frac{10\times11}{2}a_1=55$

답 ①

021

$a_{n+1}=4^na_n$의 양변에 n 대신 1, 2, 3, …, $n-1$을 차례로 대입하여 변끼리 곱하면

$$a_2=4^1a_1$$
$$a_3=4^2a_2$$
$$a_4=4^3a_3$$
$$\vdots$$
$$\times)\ a_n=4^{n-1}a_{n-1}$$
$$a_n=4^1\times4^2\times4^3\times\cdots\times4^{n-1}\times a_1$$
$$=4^{1+2+3+\cdots+(n-1)}\times1$$
$$=4^{\frac{n(n-1)}{2}}=2^{n(n-1)}$$

$a_k=2^{12}$이므로 $a_k=2^{k(k-1)}=2^{12}$

$k(k-1)=12$, $k^2-k-12=0$

$(k+3)(k-4)=0$ $\therefore k=4$ ($\because k$는 자연수)

답 ②

022

$a_{n+1}=a_n\log_{n+1}(n+2)$에서

$$a_{n+1}=a_n\times\frac{\log(n+2)}{\log(n+1)} \quad \cdots\cdots ❶$$

양변에 n 대신 $1, 2, 3, \cdots, n-1$을 차례로 대입하여 변끼리 곱하면

$$a_2=\frac{\log 3}{\log 2}a_1$$
$$a_3=\frac{\log 4}{\log 3}a_2$$
$$a_4=\frac{\log 5}{\log 4}a_3$$
$$\vdots$$
$$\times\big)\ a_n=\frac{\log(n+1)}{\log n}a_{n-1}$$

$$a_n=\frac{\log 3}{\log 2}\times\frac{\log 4}{\log 3}\times\cdots\times\frac{\log(n+1)}{\log n}\times a_1$$
$$=\frac{\log(n+1)}{\log 2}a_1$$

이때 $a_1=1$이므로

$$a_n=\frac{\log(n+1)}{\log 2} \quad \cdots\cdots ❷$$

$$\therefore a_{63}=\frac{\log(63+1)}{\log 2}\times 1=\frac{\log 64}{\log 2}$$
$$=\log_2 64=\log_2 2^6=6 \quad \cdots\cdots ❸$$

답 6

채점 기준	비율
❶ 주어진 식을 정리할 수 있다.	30%
❷ 수열 $\{a_n\}$의 일반항을 구할 수 있다.	50%
❸ a_{63}을 구할 수 있다.	20%

023

$a_n=\frac{n^2-1}{n^2}a_{n-1}$ $(n=2, 3, 4, \cdots)$의 양변에 n 대신 $n+1$을 대입하면

$$a_{n+1}=\frac{(n+1)^2-1}{(n+1)^2}a_n$$
$$=\frac{n(n+2)}{(n+1)^2}a_n\ (n=1, 2, 3, \cdots)$$

따라서 양변에 n 대신 $1, 2, 3, \cdots, n-1$을 차례로 대입하여 변끼리 곱하면

$$a_2=\frac{1\times 3}{2^2}a_1$$
$$a_3=\frac{2\times 4}{3^2}a_2$$
$$a_4=\frac{3\times 5}{4^2}a_3$$
$$\vdots$$
$$\times\big)\ a_n=\frac{(n-1)(n+1)}{n^2}a_{n-1}$$

$$a_n=\frac{1\times 3}{2^2}\times\frac{2\times 4}{3^2}\times\frac{3\times 5}{4^2}\times\cdots\times\frac{(n-2)n}{(n-1)^2}\times\frac{(n-1)(n+1)}{n^2}\times a_1$$
$$=\frac{1}{2}\times\frac{n+1}{n}\times a_1$$

이때 $a_1=1$이므로

$$a_n=\frac{n+1}{2n}$$

$$\therefore a_9=\frac{10}{2\times 9}=\frac{5}{9}$$

답 ②

024

$S_n=4a_n-2$ $(n=2, 3, \cdots)$에서 $S_{n+1}=4a_{n+1}-2$

또, 수열의 합과 일반항 사이의 관계에 의하여

$a_{n+1}=S_{n+1}-S_n$이므로

$$a_{n+1}=(4a_{n+1}-2)-(4a_n-2)$$
$$a_{n+1}=4a_{n+1}-4a_n$$
$$3a_{n+1}=4a_n \qquad \therefore a_{n+1}=\frac{4}{3}a_n$$

따라서 수열 $\{a_n\}$은 공비가 $\frac{4}{3}$인 등비수열이다.

이때 $a_1=27$이므로

$$a_n=27\times\left(\frac{4}{3}\right)^{n-1}$$
$$\therefore a_4=27\times\left(\frac{4}{3}\right)^3=64$$

답 ④

025

수열의 합과 일반항 사이의 관계에 의하여

$a_{n+1}=S_{n+1}-S_n$이므로 $S_n=2a_{n+1}$에서

$$\frac{1}{2}S_n=S_{n+1}-S_n \qquad \therefore S_{n+1}=\frac{3}{2}S_n \quad \cdots\cdots ❶$$

따라서 수열 $\{S_n\}$은 공비가 $\frac{3}{2}$인 등비수열이다.

이때 $S_1=a_1=2$이므로

$$S_n=2\times\left(\frac{3}{2}\right)^{n-1} \quad \cdots\cdots ❷$$

$S_k=\frac{81}{8}=2\times\frac{81}{16}=2\times\left(\frac{3}{2}\right)^4$이므로

$$2\times\left(\frac{3}{2}\right)^{k-1}=2\times\left(\frac{3}{2}\right)^4,\ k-1=4$$

$$\therefore k=5 \quad \cdots\cdots ❸$$

답 5

채점 기준	비율
❶ 수열의 합과 일반항 사이의 관계를 이용하여 주어진 식을 S_{n+1}과 S_n 사이의 식으로 나타낼 수 있다.	40%
❷ 수열 $\{S_n\}$의 일반항을 구할 수 있다.	40%
❸ 자연수 k의 값을 구할 수 있다.	20%

026

ㄱ. $p(1)$이 참이면 조건에 의하여
$p(1+2)$, $p(1+2\times 2)$, $\cdots$, $p(1+2l)$이 참이다. (단, l은 자연수이다.)
따라서 $p(1)$이 참이면 홀수 k에 대하여 $p(k)$가 참이다. (참)

ㄴ. $p(2)$가 참이면 조건에 의하여
$p(2+2)$, $p(2+2\times 2)$, $\cdots$, $p(2+2m)$이 참이다. (단, m은 자연수이다.)
따라서 $p(2)$가 참이면 짝수 k에 대하여 $p(k)$가 참이다. (참)

ㄷ. ㄱ, ㄴ에 의하여 $p(1)$이 참이면 모든 홀수에 대하여 주어진 명제가 참이고, $p(2)$가 참이면 모든 짝수에 대하여 주어진 명제가 참이다.
즉, $p(1)$, $p(2)$가 모두 참이면 모든 자연수 k에 대하여 $p(k)$가 참이다. (참)

따라서 ㄱ, ㄴ, ㄷ 모두 옳다.

답 ⑤

027

(i) $n=1$일 때,

(좌변)$=2\times1-1=1$, (우변)$=1^2=1$

따라서 주어진 등식이 성립한다.

(ii) $n=k$일 때, 주어진 등식이 성립한다고 가정하면

$1+3+5+\cdots+(2k-1)=k^2$

위 식의 양변에 $2(k+1)-1$, 즉 $\boxed{^{(가)}\ 2k+1}$을 더하면

$1+3+5+\cdots+(2k-1)+\boxed{^{(가)}\ 2k+1}$

$=k^2+(2k+1)=\boxed{^{(나)}\ (k+1)^2}$

즉, $n=k+1$일 때도 주어진 등식이 성립한다.

따라서 (i), (ii)에 의하여 주어진 등식은 모든 자연수 n에 대하여 성립한다.

$\therefore$ (가): $2k+1$, (나): $(k+1)^2$

따라서 $f(k)=2k+1$, $g(k)=(k+1)^2$이므로

$f(2)g(1)=(2\times2+1)\times(1+1)^2$

$=5\times4=20$

답 20

028

(i) $n=1$일 때,

(좌변)$=2^0=1$, (우변)$=2^1-1=1$

따라서 주어진 등식이 성립한다.

(ii) $n=k$일 때, 주어진 등식이 성립한다고 가정하면

$1+2+2^2+\cdots+2^{k-1}=2^k-1$

위 식의 양변에 $\boxed{^{(가)}\ 2^k}$을 더하면

$1+2+2^2+\cdots+2^{k-1}+\boxed{^{(가)}\ 2^k}$

$=2^k-1+2^k=2\times2^k-1$

$=\boxed{^{(나)}\ 2^{k+1}-1}$

즉, 주어진 등식은 $n=k+1$일 때도 성립한다.

따라서 (i), (ii)에 의하여 주어진 등식은 모든 자연수 n에 대하여 성립한다.

$\therefore$ (가): 2^k, (나): $2^{k+1}-1$

따라서 $f(k)=2^k$, $g(k)=2^{k+1}-1$이므로

$f(1)+g(1)=2+(2^2-1)=5$

답 5

029

(i) $n=1$일 때,

(좌변)$=\dfrac{1}{1\times2}=\dfrac{1}{2}$, (우변)$=\dfrac{1}{1+1}=\dfrac{1}{2}$

따라서 주어진 등식이 성립한다.

(ii) $n=k$일 때, 주어진 등식이 성립한다고 가정하면

$\dfrac{1}{1\times2}+\dfrac{1}{2\times3}+\dfrac{1}{3\times4}+\cdots+\dfrac{1}{k(k+1)}=\dfrac{k}{k+1}$

위 식의 양변에 $\boxed{^{(가)}\ \dfrac{1}{(k+1)(k+2)}}$을 더하면

$\dfrac{1}{1\times2}+\dfrac{1}{2\times3}+\dfrac{1}{3\times4}+\cdots+\dfrac{1}{k(k+1)}+\boxed{^{(가)}\ \dfrac{1}{(k+1)(k+2)}}$

$=\dfrac{k}{k+1}+\boxed{^{(가)}\ \dfrac{1}{(k+1)(k+2)}}$

$=\dfrac{k(k+2)}{(k+1)(k+2)}+\dfrac{1}{(k+1)(k+2)}$

$=\dfrac{k(k+2)+1}{(k+1)(k+2)}=\dfrac{k^2+2k+1}{(k+1)(k+2)}$

$=\dfrac{(k+1)^2}{(k+1)(k+2)}=\boxed{^{(나)}\ \dfrac{k+1}{k+2}}$

즉, $n=k+1$일 때도 주어진 등식이 성립한다.

따라서 (i), (ii)에 의하여 주어진 등식은 모든 자연수 n에 대하여 성립한다.

$\therefore$ (가): $\dfrac{1}{(k+1)(k+2)}$, (나): $\dfrac{k+1}{k+2}$

따라서 알맞은 식을 차례로 나열한 것은 ④이다.

답 ④

030

(i) $n=4$일 때,

(좌변)$=2^4=16$, (우변)$=4^2=16$

따라서 주어진 부등식이 성립한다.

(ii) $n=k\ (k\geq4)$일 때, 주어진 부등식이 성립한다고 하면

$2^k\geq k^2$

위 식의 양변에 $\boxed{^{(가)}\ 2}$를 곱하면

$\boxed{^{(가)}\ 2}\times2^k\geq\boxed{^{(가)}\ 2}\times k^2$

이때

$\boxed{^{(가)}\ 2}\times k^2-(k+1)^2=2k^2-(k^2+2k+1)=\boxed{^{(나)}\ k^2-2k-1}$

이고,

$k^2-2k-1=(k-1)^2-2$는 $k\geq4$일 때 $k=4$에서 최솟값 7을 갖는다.

$\therefore\ \boxed{^{(나)}\ k^2-2k-1}\geq0$

따라서 $\boxed{^{(가)}\ 2}\times2^k\geq(k+1)^2$에서

$2^{k+1}\geq(k+1)^2$

즉, $n=k+1$일 때도 주어진 부등식이 성립한다.

따라서 (i), (ii)에 의하여 주어진 부등식은 $n\geq4$인 모든 자연수 n에 대하여 성립한다.

$\therefore$ (가): 2, (나): k^2-2k-1

따라서 $a=2$, $f(k)=k^2-2k-1$이므로

$f(a)=f(2)=2^2-2\times2-1=-1$

답 ③

실력을 높이는 연습 문제

본문 163쪽

01

$n=1$일 때,

$a_4=a_{3\times1+1}=a_1+1=2$

$a_4=2$에서

$a_{11}=a_{3\times4-1}=2a_4+1=2\times2+1=5$

$a_{12}=a_{3\times4}=-a_4+2=-2+2=0$

$a_{13}=a_{3\times4+1}=a_4+1=2+1=3$

$\therefore a_{11}+a_{12}+a_{13}=5+0+3=8$

답 ③

02

$a_{n+1}-3=a_n$에서 $a_{n+1}=a_n+3$이므로 수열 $\{a_n\}$은 첫째항이 -32, 공차가 3인 등차수열이다.

$\therefore a_n=-32+(n-1)\times3=3n-35$

즉, $a_n>0$에서 $3n-35>0$, $3n>35$

$\therefore n>11.\cdots$

따라서 처음으로 양수가 되는 항은 제12항이다.

답 ⑤

03

수열 $\{a_n\}$은 첫째항이 -4, 공차가 $-2-(-4)=2$인 등차수열이다.

따라서 첫째항부터 제10항까지의 합은

$\dfrac{10\{2\times(-4)+(10-1)\times2\}}{2}=\dfrac{10\times10}{2}=50$

답 50

|다른 풀이|

$a_n=-4+(n-1)\times2=2n-6$

$\therefore a_{10}=14$

따라서 첫째항부터 제10항까지의 합은

$\dfrac{10(-4+14)}{2}=50$

풍쌤 개념 CHECK

등차수열의 합_高 수학 I

첫째항이 a, 공차가 d, 제n항이 l인 등차수열의 첫째항부터 제n항까지의 합을 S_n이라고 하면

(1) $S_n=\dfrac{n(a+l)}{2}$　　(2) $S_n=\dfrac{n\{2a+(n-1)d\}}{2}$

04

수열 $\{a_n\}$은 첫째항이 1, 공비가 $\sqrt{3}$인 등비수열이므로

$a_n=(\sqrt{3})^{n-1}$

즉, $a_n>300$에서 $(\sqrt{3})^{n-1}>300$

이때 $(\sqrt{3})^{10}=3^5=243$, $(\sqrt{3})^{11}=243\sqrt{3}$이므로 ($=420.\cdots$)

$n-1\geq11$　　$\therefore n\geq12$

따라서 처음으로 300 이상이 되는 항은 제12항이다.

답 ②

참고

$(\sqrt{3})^{10}=243$, $(\sqrt{3})^{12}=729$로 생각해 $n-1\geq12$라고 생각하지 않도록 주의한다.

05

$\dfrac{a_{n+2}}{a_{n+1}}=\dfrac{a_{n+1}}{a_n}$에서 $a_{n+1}{}^2=a_{n+2}a_n$이므로 수열 $\{a_n\}$은 등비수열이다.

공비를 r $(r>0)$라고 하면

$a_3=a_1r^2=4r^2=100$

$r^2=25$　　$\therefore r=5$ $(\because r>0)$

$\therefore a_n=4\times5^{n-1}$

이때

$\dfrac{a_{17}}{a_{12}}=\dfrac{4\times5^{16}}{4\times5^{11}}=5^5=k^k$

이므로

$k=5$

답 ④

06

$a_{n+1}=a_n+1-n$에서 $a_{n+1}-a_n=-n+1$이므로 양변에 n 대신 1, 2, 3, $\cdots$, $n-1$을 차례로 대입하여 변끼리 더하면

$$\begin{aligned}
&a_2-a_1=-1+1\\
&a_3-a_2=-2+1\\
&a_4-a_3=-3+1\\
&\quad\vdots\\
+)\ &a_n-a_{n-1}=-(n-1)+1\\
\hline
&a_n-a_1=\sum_{k=1}^{n-1}(-k+1)
\end{aligned}$$

$\therefore a_n=a_1+\sum_{k=1}^{n-1}(-k+1)$

이때 $a_1=5$이므로

$a_n=a_1+\sum_{k=1}^{n-1}(-k+1)$

$=5-\dfrac{n(n-1)}{2}+(n-1)$

$=\dfrac{-n^2+3n+8}{2}$

$\therefore a_{10}=\dfrac{-10^2+3\times10+8}{2}=-31$

답 ①

07

$a_{n+1}=a_n+f(n)$에서 $f(n)=a_{n+1}-a_n$이므로

$\sum_{k=1}^{n}f(k)=\sum_{k=1}^{n}(a_{k+1}-a_k)$

$=(a_2-a_1)+(a_3-a_2)+(a_4-a_3)+\cdots+(a_{n+1}-a_n)$

$=a_{n+1}-a_1$

이때 $\sum_{k=1}^{n}f(k)=2^n-1$이고 $a_1=1$이므로

$2^n-1=a_{n+1}-a_1$, $2^n-1=a_{n+1}-1$

$\therefore a_{n+1}=2^n$

즉, $n=5$일 때

$a_6=2^5=32$

답 ④

08

$(2n-1)a_{n+1}=(2n+1)a_n$에서 $a_{n+1}=\dfrac{2n+1}{2n-1}a_n$이므로 양변에 n 대신 1, 2, 3, $\cdots$, $n-1$을 차례로 대입하여 변끼리 곱하면

$a_2=\frac{3}{1}a_1$

$a_3=\frac{5}{3}a_2$

$a_4=\frac{7}{5}a_3$

$\vdots$

$\times)\ a_n=\frac{2n-1}{2n-3}a_{n-1}$

$a_n=\frac{3}{1}\times\frac{5}{3}\times\frac{7}{5}\times\cdots\times\frac{2n-1}{2n-3}a_1$

$=(2n-1)a_1$

이때 $a_1=1$이므로

$a_n=2n-1$

$\therefore \sum_{k=1}^{5}a_k=\sum_{k=1}^{5}(2k-1)=2\sum_{k=1}^{5}k-1\times5$

$=2\times\frac{5\times6}{2}-5=25$

답 ③

09

$a_{n+1}=3^n a_n$의 양변에 n 대신 $1, 2, 3, \cdots, n-1$을 차례로 대입하여 변끼리 곱하면

$a_2=3^1a_1$

$a_3=3^2a_2$

$a_4=3^3a_3$

$\vdots$

$\times)\ a_n=3^{n-1}a_{n-1}$

$a_n=3^1\times3^2\times3^3\times\cdots\times3^{n-1}\times a_1$

$=3^{1+2+3+\cdots+(n-1)}\times3$

$=3\times3^{\frac{n(n-1)}{2}}=3^{\frac{n^2-n+2}{2}}$

$a_k=3^7$이므로

$a_k=3^{\frac{k^2-k+2}{2}}=3^7$

$\frac{k^2-k+2}{2}=7$

$k^2-k+2=14,\ k^2-k-12=0$

$(k+3)(k-4)=0$

$\therefore k=4$ ($\because k$는 자연수)

답 ①

10

$a_{n+1}=2a_n-2$를 $a_{n+1}-k=2(a_n-k)$의 꼴로 변형하자.

$a_{n+1}-k=2(a_n-k)$를 전개하면

$a_{n+1}=2a_n-k$

위의 식을 $a_{n+1}=2a_n-2$와 비교하면 $k=2$

$\therefore a_{n+1}-2=2(a_n-2)$ ········ ㉠

$a_n-2=b_n$으로 놓으면 ㉠에서 $b_{n+1}=2b_n$

따라서 수열 $\{b_n\}$은 공비가 2인 등비수열이다.

이때 $b_1=a_1-2=3-2=1$이므로

$b_n=2^{n-1}$

따라서 $a_n=b_n+2=2^{n-1}+2$이므로

$a_8=2^7+2=128+2=130$

답 130

참고

$a_{n+1}=pa_n+q$의 꼴로 정의된 수열의 일반항은 다음과 같은 순서로 구한다.

① $a_{n+1}-\alpha=p(a_n-\alpha)$의 꼴로 변형한다.

② ①을 전개한 $a_{n+1}=pa_n-(p-1)\alpha$와 $a_{n+1}=pa_n+q$를 비교하여 α를 구한다.

③ 수열 $\{a_n-\alpha\}$이 첫째항이 $a_1-\alpha$, 공비가 p인 등비수열임을 이용한다.

11

문제 접근하기

S_n과 a_{n+1}의 관계식이 주어지고 S_5의 값을 구해야 하므로 $a_{n+1}=S_{n+1}-S_n$을 이용하여 관계식을 S_n에 관련된 식으로 고친다.

수열의 합과 일반항 사이의 관계에 의하여

$a_{n+1}=S_{n+1}-S_n$이므로 $S_n=a_{n+1}+1$에서

$S_n=S_{n+1}-S_n+1$

$\therefore S_{n+1}=2S_n-1$

$S_{n+1}=2S_n-1$을 $S_{n+1}-k=2(S_n-k)$의 꼴로 변형하자.

$S_{n+1}-k=2(S_n-k)$를 전개하면

$S_{n+1}=2S_n-k$

위의 식을 $S_{n+1}=2S_n-1$과 비교하면 $k=1$

$\therefore S_{n+1}-1=2(S_n-1)$

따라서 수열 $\{S_n-1\}$은 공비가 2인 등비수열이다.

이때 $S_1-1=a_1-1=2-1=1$이므로

$S_n-1=2^{n-1}$ $\quad\therefore S_n=2^{n-1}+1$

$\therefore S_5=2^4+1=17$

답 ②

12

물탱크에 들어 있는 물의 $\frac{2}{3}$를 사용하므로 남은 물의 양은 $\frac{1}{3}$이고, 여기에 10 L의 물을 더한다.

즉, $n+1$번째 시행 후의 물의 양은

$a_{n+1}=\frac{1}{3}a_n+10$ $(n=1, 2, 3, \cdots)$

답 ②

13

조건 (가)에 의하여 $p(1)$이 참이므로 조건 (나)에 의하여 $p(3)$과 $p(6)$이 참이다.

$p(3)$이 참이므로 $p(5)$와 $p(8)$이 참이다.

$p(5)$가 참이므로 $p(7)$과 $p(10)$이 참이다.

따라서 반드시 참이라고 할 수 없는 명제는 ①이다.

답 ①

14

(i) $n=1$일 때, $3^2-1=8$이므로 주어진 명제는 참이다.

(ii) $n=k$일 때, 주어진 명제가 참이라고 가정하면

$3^{2k}-1=8m$ (단, m은 자연수)

$\therefore 3^{2k}=$ (가) $8m+1$

$n=k+1$일 때,

$3^{2(k+1)}-1=9\times3^{2k}-1$

$=9\times($(가) $8m+1)-1$

$=72m+8$

$=8\times($(나) $9m+1)$

즉, 주어진 명제는 $n=k+1$일 때도 참이다.
따라서 (i), (ii)에 의하여 주어진 명제는 모든 자연수 n에 대하여 참이다.
∴ (가): $8m+1$, (나): $9m+1$
따라서 알맞은 식을 차례로 나열한 것은 ①이다.

답 ①

15

문제 접근하기

식이 복잡해 보이지만 2^m과 2^{-m}에 관련된 항을 분류하여 묶어 $n=m+1$일 때 (*)인 형태가 나오도록 정리한다.

(i) $n=1$일 때, (좌변)=3, (우변)=3이므로 (*)이 성립한다.
(ii) $n=m$일 때, (*)이 성립한다고 가정하면

$$\sum_{k=1}^{m} a_k=2^{m(m+1)}-(m+1)\times 2^{-m}$$

이다.

$n=m+1$일 때

$$\begin{aligned}\sum_{k=1}^{m+1} a_k&=\sum_{k=1}^{m} a_k+a_{m+1}\\&=2^{m(m+1)}-(m+1)\times 2^{-m}\\&\quad+\{2^{2(m+1)}-1\}\times 2^{(m+1)m}+m\times 2^{-(m+1)}\\&=2^{m(m+1)}-(m+1)\times 2^{-m}\\&\quad+(2^{2m+2}-1)\times \boxed{(가)\ 2^{m(m+1)}}+m\times 2^{-m-1}\\&=\{2^{m(m+1)}+(2^{2m+2}-1)\times 2^{m(m+1)}\}\\&\quad+\{-(m+1)\times 2^{-m}+m\times 2^{-m-1}\}\\&=2^{m(m+1)}\{1+(2^{2m+2}-1)\}+2^{-m}\left\{-(m+1)+\frac{m}{2}\right\}\\&=\boxed{(가)\ 2^{m(m+1)}}\times\boxed{(나)\ 2^{2m+2}}-\frac{m+2}{2}\times 2^{-m}\\&=2^{m(m+1)+2m+2}-(m+2)\times 2^{-1}\times 2^{-m}\\&=2^{(m+1)(m+2)}-(m+2)\times 2^{-(m+1)}\end{aligned}$$

이다.

즉, $n=m+1$일 때도 (*)이 성립한다.
따라서 (i), (ii)에 의하여 주어진 등식은 모든 자연수 n에 대하여 성립한다.
∴ (가): $2^{m(m+1)}$, (나): 2^{2m+2}
따라서 $f(m)=2^{m(m+1)}$, $g(m)=2^{2m+2}$이므로

$$\frac{g(7)}{f(3)}=\frac{2^{2\times 7+2}}{2^{3\times 4}}=\frac{2^{16}}{2^{12}}=2^4=16$$

답 ④